A B C D E F G H I J K L M N O P Q R S T U V W X Y Z

Taschenbuch der Riechstoffe

Taschenbuch der Riechstoffe

Ein Lexikon von A - Z

D. Martinetz
R. Hartwig

Verlag Harri Deutsch

Die Deutsche Bibliothek - CIP-Einheitsaufnahme

Martinetz, Dieter:
Taschenbuch der Riechstoffe : ein Lexikon von A - Z /
D. Martinetz ; R. Hartwig. - 1. Aufl. - Thun ; Frankfurt am Main :
Deutsch, 1998
ISBN 3-8171-1539-3

ISBN 3-8171-1539-3

1. Auflage 1998

Druck: Clausen & Bosse, Leck
Printed in Germany

Französischer Parfümhändler, seine Ware offerierend
(Kupferstich von Nikolaus Larmessin, 1695)

Vorwort

Riech- und Aromastoffe spielen heute im täglichen Leben eine bedeutende Rolle. Sie dienen u. a. als Grundlage für Parfüms, Toiletten- und Kölnischwässer, zur Parfümierung von Kosmetika und Seifen sowie haushaltchemischen Erzeugnissen, zur Geruchs- und Geschmacksmaskierung pharmazeutischer Wirkstoffe, zur Aromatisierung von Nahrungs- und Genußmitteln sowie Tabaken.

Mit steigendem Lebensstandard erhöhen sich zwangsläufig auch die Anforderungen an die Geruchsqualität der genannten Erzeugnisgruppen. Die damit verbundenen Probleme verlangen vielfältige naturwissenschaftliche Kenntnisse.

Was sind die geschichtlichen Ursprünge der Nutzung von Duftstoffen? Wie werden Riechstoffe gewonnen? Welche physikalischen Prozesse und chemischen Reaktionen laufen dabei ab? Mit welchen Methoden wird die Qualität der Produkte geprüft?
Auf diese und andere Fragen soll die Publikation eine Antwort geben. Sie vermittelt dem Leser ferner einen Überblick über im Riech- und Aromastoffbereich wichtige Natur- und Syntheseprodukte. Wegen des begrenzten Rahmens dieses Taschenbuches war es erforderlich, aus der großen Zahl von ätherischen Ölen, Extrakten, Harzen, Balsamen, tierischen Sekreten und synthetischen Riechstoffen eine Auswahl zu treffen.

Nach einem in die Materie einführenden Kapitel zur Geschichte und aktuellen Bedeutung der Riechstoffe folgt der lexikalisch angeordnete Teil. Er soll es dem Leser ermöglichen, sich rasch und umfassend über die wichtigsten Stoffe, Probleme und Prozesse zu informieren.

Das vorliegende Taschenbuch wendet sich an Chemiker, Biologen, Pharmazeuten, Apotheker, Lehrer sowie Studenten der entsprechenden Fachrichtungen und interessierte Laien. Darüber hinaus kann es als Nachschlagewerk für alle im Riechstoffbereich Tätigen, sei es in der Produktion, dem Vertrieb oder der Anwendung, dienen, die ihre Kenntnisse über Riechstoffe auffrischen, vertiefen oder aktualisieren wollen.

Zu diesem Zweck enthält das Buch Stoffbeschreibungen, zu denen Angaben über Synonyme, chemische Bezeichnung, CAS-Nr., Strukturformel, Molekulargewicht, Vorkommen, Eigenschaften, physikalisch-chemische Daten, Gewinnungsmethoden, Verwendung sowie toxikologisches Verhalten gehören.

So erhält der Leser komprimiertes Wissen auf einen Blick.

Die Verfasser würden sich freuen, wenn das Taschenbuch einen großen und zufriedenen Nutzerkreis findet. Meinungen, kritische Hinweise und Anregungen nehmen sie gern entgegen.

Leipzig, im Herbst 1997 Dieter Martinetz und Roland Hartwig

Meinen Anteil an diesem Taschenbuch widme ich meinen verstorbenen Eltern. Den Erlös erhält die „Deutsche Krebshilfe".

Roland Hartwig

Inhalt

1 Einleitung

1.1 Aus der Geschichte des Duftes und der Riechstoffe

Bereits der Urmensch wurde mit einer Vielzahl von Gerüchen, unangenehmen, die ihm Gefahr signalisierten, aber auch angenehmen, die Genuß, Wohlbefinden oder gar Heilung versprachen, konfrontiert.

Die Geschichte der bewußten Nutzung des Duftes begann wohl mit der kultischen Verwendung aromatischer Harze, Hölzer und Pflanzen. Per fumum - durch Rauch trat man mit den Göttern in Verbindung, par fumo - gleich Rauch wandte man Myrrhe und Arabischen Balsam in wohlriechenden Salben zum Bestreichen der Götterbilder an.

„Himmel und Erde sollen mit Weihrauch überfließen,
der Duft soll im Fürstenhause sein.
Du sollst sie mir rein und makellos darbringen,
damit Salbe für die göttlichen Glieder ausgepreßt wird ...“

Forderung des Gottes Amun an Königin Hatschepsut (1490-1468 v. Chr.)

Aber so wie die Priester der Alten durch die Mystik der Wohlgerüche ihre Anhänger in eine religiös verzückte Stimmung versetzten, machten sich die ägyptischen Frauen diesen Effekt schon frühzeitig für erotisierende Zwecke nutzbar. Das älteste in der ägyptischen Dichtung erhaltene „Lied des Harfners“ (um 2000 v. Chr.) empfiehlt die Myrrhe für den sinnlichen Lebensgenuß.

„Folge deinem Wunsch, weil du lebst,
lege Myrrhe auf dein Haupt, kleide dich in feines Linnen,
getränkt mit köstlichen Wohlgerüchen,
den echten Dingen der Götter.“

Lied des Harfners (um 2000 v. Chr.)

Seit Ende des 2. Jahrtausends v. Chr. verkauften Priester bereits ihre duftenden Präparate an die Oberschicht, und die reichen Ägypterinnen verfügten über eine Auswahl wohlriechender Salben und Essenzen für verschiedene Körperteile.

Zur Parfümierung der weiblichen Genitale diente das berühmte, Weihrauch, Myrrhe und andere duftende Stoffe enthaltende

„kyphi“. Auch den Mund deodorisierte man sich nach den Rezepturen des Papyrus Ebers aus der Zeit König Amenophis I. (Regierungszeit 1550 - 1528 v. Chr.) mit einer Mischung aus Myrrhe, Weihrauch, Wacholderbeeren, Cyperus, Mastix, Bockshorn, Calmus aus Nordsyrien, Styrax und Rosinen. Das Haar wurde mit einer Pomade aus Arabischem Balsam behandelt. Bei offiziellen Empfängen und anderen Zeremonien trugen die illustren weiblichen Gäste langsam abschmelzende Duftkegel auf dem Kopf.
Schon gegen Ende des 3. Jahrtausends v. Chr., also im Mittleren Reich, hatte sich die Bereitung duftender Salben durch Priesteralchimisten in verschiedenen Tempellaboratorien zur Kunst entwickelt.

In Ägypten lernten auch die Juden die Zubereitung sowie den profanen Gebrauch von Duftstoffen kennen. Und bald waren Salbensieder bei den verschiedenen semitischen Völkern tätig, wie wir aus dem 2. Buch Mose (30, 25) erfahren, in dem gefordert wird, das heilige Salböl nach den praktischen Fertigkeiten der Salbenhersteller zu bereiten.

Viele interessante Informationen liefert das Hohelied, das Salomo, dem dritten König von Israel (993 - 953 v. Chr.), zugeschrieben wird, vermutlich aber im 4. Jahrhundert v. Chr. von einem sehr fähigen Dichter aus den bis dahin bekannten Liebesliedern und Liedfragmenten zusammengefügt wurde. In einzigartig plastischen Bildern schildert es die Sehnsüchte zweier Liebender, wobei die menschlichen Sinne eine tragende Rolle spielen. Vor allem die Wohlgerüche, Balsame und Harze ziehen sich durch das Lied. Dreißigmal werden sie zu Bildern und Symbolen verarbeitet oder verströmen ihren angenehmen, stimulierenden Duft.
So vergleicht das Kapitel 4 (13-14) den Duft des Körpers der Geliebten mit einem *„Lustgarten von Granatäpfeln, Calmus, Zimt, Weihrauch, Myrrhe und Aloe“*. Daß Sulamith dabei anscheinend mit Parfümen nachgeholfen hat, vermittelt uns das nachfolgende Kapitel, welches uns wissen läßt, daß ihre Hände von Myrrhe troffen und Myrrhe (vermutlich die griechische „Stakte“, ein durch Auspressen des Harzes oder Lösen in Behenöl gewonnenens Produkt) über ihre Finger lief.

Symbolträchtig heißt es in Kapitel 4 (6): „*Bis der Tag kühl wird und die Schatten weichen, will ich zum Myrrheberg gehen und zum Weihrauchhügel*". Mit gutem Recht darf angenommen werden, daß diese synonym für die Brüste der Braut stehen (Nach anderen Ansichten versinnbildlicht das Hohelied die Liebe Gottes zum Volk Israel oder - besonders für die katholische Theologie - die Vereinigung Christi mit der Seele der Gläubigen).

Mehrere andere in der Bibel beschriebene „Verführungsszenen" werden von Parfümen und Wohlgerüchen begleitet. Ruth kam parfümiert zu Boas, dem Bauern (Ruth 3, 3). Esther wurde für ihre Heirat mit dem Perserkönig Ashaveros (Artaxerxes, um 519 - 465 v. Chr.) sechs Monate mit Balsam und Myrrhe und sechs Monate mit guter Spezerei vorbereitet (Esther 2, 12). Judith konnte ihren Plan zur Ermordung von Holofernes, dem General des gegen die Juden ziehenden Assyrerkönigs Nebukadnedzar (gest. 562 v. Chr.), nur verwirklichen, indem sie geschmückt und parfümiert seine Gunst errang (Judith 16, 10).

Auch die Griechen erwarben später ihr Wissen über gute Gerüche und erotisierende Parfüme vor allem von den Ägyptern und brachten es weiter nach Rom. Ebenso trugen aber die kretischen und zypriotischen Parfümbereiter zur Verbreitung der Wohlgerüche in Griechenland bei. Sie waren frühe Meister dieser Kunst und erhielten die notwendigen Rohstoffe bereits im 13. Jahrhundert v. Chr. über die Phönikier. So finden wir in Zypern den Ursprung der Legende von Myrrha, die nach der blutschänderischen Beziehung zu ihrem eigenen Vater, dem zypriotischen König Kinyras, in einen Myrrhebaum verwandelt wurde, aus dessen Rissen und Tränen Adonis entsprang, der Gott des Wohlgeruches.

Schon diese alten Meister der Parfümeriekunst wußten genau, daß sehr zarte Düfte zu ihrer Erhaltung die Unterstützung kräftigerer Riechstoffe verlangen. So setzten sie dem Lilienduft als Fixateur Calmus und Myrrhe zu, anderen Ölen Weihrauch.

In Rom verbanden sich Duft und Sinnlichkeit mit extremer Verschwendung, und man schwelgte geradezu in einem Rausch der Wohlgerüche. Dennoch verachtete man die männlichen und weiblichen Parfümbereiter, die im „Hauptberuf" meist Bordellwirte,

Kurtisanen und Kupplerinnen waren. „Anständige“ Leute betraten deren Läden nur mit verhülltem Gesicht, da sie als Stätten schlimmster Unzucht galten.
Nichtsdestotrotz durchzogen Duftschwaden die patrizischen Liebesgemächer. Komposition und Anwendung der Parfüme entwikkelten sich zu einem wichtigen Teil der „Ars amandi“. Der schönen Sabina Poppäa, im Jahre 65 von ihrem Gatten, dem römischen Kaiser Nero (37 - 68 n Chr.), ermordet, wird nachgesagt, sie habe täglich in mit Rosenöl versetzter Eselinnenmilch gebadet.

Im Mittelalter gelangte die Kunst der Verarbeitung und Mischung duftender „orientalischer“ Stoffe durch die Kreuzzüge (11. bis 13. Jahrhundert) und die großen arabischen Ärzte erneut nach Süd- und jetzt auch nach Mitteleuropa. Einen besonderen Impuls vermittelte die Wiedergeburt des Altertums in der Zeit der Renaissance, in der auch die erotisierenden Parfüme zu neuer Bedeutung gelangten. Ausgehend von Italien erfaßten sie unter kräftiger Mitwirkung der Katharina von Medici (1519 - 1589) vor allem Frankreich. Die von ihr nach Paris beorderten kenntnisreichen italienischen Parfümeure konnten die mengenmäßigen Anforderungen des Hofes Heinrich III. (1551 - 1589) kaum befriedigen. Der Italiener René le Florentin soll dann auch die erste italienische Parfümerie am Pont-aux-Changes eröffent haben, deren Duftwässer, Salben und Pomaden beim Adel reißenden Absatz fanden.
Gewonnen wurden die duftenden Stoffe im (bis heute dafür bekannten) südfranzösischen Städtchen Grasse, wo man die Kräuter der Provence vor der Tür hatte und Lavendel in großen Mengen wildwachsend fand, wo aber durch das günstige Klima auch aus Indien, Persien und von der Iberischen Halbinsel „importierte“ Pflanzen, wie Citrusfrüchte, Nelke, Tuberose und Jasmin, erfolgreich gezüchtet werden konnten.
Hier wurden auch die vorhandenen Techniken der Duftstoffgewinnung durch Destillation, Expression und Extraktion mit fetten Ölen (Mazeration), Fett (Enfleurage) und Lösungsmitteln verfeinert und vorangetrieben. So entwickelte man für empfindliche Blüten, die bei der konventionellen Wasserdampfdestillation keine ätherischen Öle lieferten, die Extraktion mit flüchtigen Lösungsmitteln wie Petrolether.

Als letztes „goldenes Zeitalter“ der Wohlgerüche gilt die Regierung Ludwig XV. (1710 - 1774), während der die Damen des Hofes jeden Tag mit einem anderen Duft erschienen und die Marquise de Pompadour (1721 - 1764) für Duftstoffe jährlich mehr als 500 000 Livres ausgab. Man verbarg sogar winzige parfümgefüllte Phiolen im Mund, um seinen Gegenüber im Gespräch mit duftendem Atem zu überraschen.
Bereits 1774 bot Louis-Toussant Pivert Duftwässer zu erschwinglichen Preisen in seinem auf dem Pariser Boulevard Strasbourg gelegenen Laden auch der bürgerlichen Kundschaft an. Konkurrenz ließ nicht lange auf sich warten.
Seit der Zeit Königin Elisabeth I. (1533 - 1603) wurde selbst England von den Düften überrollt. In einem speziellen Erlaß aus dem Jahre 1770 mußte das englische Parlament sogar androhen, daß Frauen, die einen Mann durch die Anwendung von Parfüm zur Heirat verlockt hätten, nach den Gesetzen für Hexerei bestraft und die Ehen annuliert würden. Beliebt war besonders der sogenannte Pomander (Pomme d´ambre), eine gewöhnlich um den Hals getragene, aus Duftstoffen hergestellte Kugel, die neben verschiedenen Harzen und Blüten vor allem die aus tierischen Ausscheidungen gewonnenen, stark duftenden Stoffe Ambra, Zibet und Moschus enthielt.
Auch in Köln am Rhein soll der aus Mailand stammende Maria Farina bereits 1709 mit der Herstellung von „gebranntem Wasser“ begonnen haben. Nach dem Siebenjährigen Krieg (1756 - 1763) war die Zahl der Produzenten von „Aqua mirabilis“ schon auf 114 angewachsen, für das begeisterte französische Soldaten, die das Wasser mit nach Paris nahmen, die Bezeichnung „Eau de Cologne“ prägten. Als führende Firma entwickelte sich die „Eau de Cologne & Parfümerie-Fabrik Glockengasse No. 4711 gegenüber der Pferdepost von Ferdinand Mülhens“, die Napoleon I., Bonaparte (1769 - 1821) und Johann Wolfgang von Goethe (1749 - 1832) zu ihren Kunden zählte.

„Bey dieser Gelegenheit wollte ich Sie ersuchen,
mir ein Kästchen mit sechs Gläsern Eau de Cologne
zu überschicken ... Es ist dieses wohlriechende Wasser
seit den Verwirrungen der Zeit schwer bei uns zu haben.“

J. W. von Goethe (9. Mai 1802)

Ein ausgeprägtes Duftempfinden entwickelte sich in den nachchristlichen Jahrhunderten vor allem in den Kulturen des Fernen und Nahen Ostens, besonders China, Indien und Arabien.
Aus den Duftküchen Persiens und Arabiens berichten uns die „Geschichten aus tausendundeiner Nacht“, in denen es geradezu von starken orientalischen Gerüchen wimmelt. Eine der Erzählungen macht uns mit einer Dame bekannt, die bei einem Händler für ein einziges Fest zehn verschiedene Parfüme einkauft. Wen wundert es, wenn selbst der Prophet nach den Frauen nichts so sehr liebte wie die Wohlgerüche.
Gegen Ende des 1. Jahrtausends sollen die Araber die Destillation erfunden haben, die eine Voraussetzung zur Gewinnung der flüchtigen ätherischen Öle war (andere glauben, daß die Ägypter bereits im 2. Jahrhundert v. Chr. destillierten, die Völker im Indus-Tal gar um 1000 v. Chr.).
Noch heute erweist man in einigen arabischen, afrikanischen und asiatischen Ländern seinen Gästen eine besondere Ehre, wenn man ihre Kleidung mit dem Duft schwelenden Weihrauchs parfümiert. Männlichen Besuchern wir auch der Bart, so sie diesen tragen, intensiv eingeduftet.

Eine ganz herausragende, mit magischen oder aphrodisischen Praktiken verbundene Rolle spielten Räucherwerk und Wohlgerüche in Indien.
So beinhaltet Ayurveda, das altindische Wissen (veda) vom Leben (ayur), auch eine spezielle Lehre von den Liebesmitteln „vajikarana“. Unter zahlreichen Rauschdrogen (wie Hanf und Opium) und aromatischen Gewürzen finden wir immer wieder auch duftende Harze und Hölzer als unverzichtbare Zutaten.
Ebenso waren diese in den „Orientalischen Fröhlichkeitspillen“ enthalten, die zu aphrodisischen Ekstasen geführt haben sollen. Und selbst in den Pariser „Serail-Pastillen“ des vergangenen Jahrhunderts gehörte neben Moschus, Ambra, Aloe, Wermut, Sandelholz, Galgant und Zimt gemahlenes Weihrauchharz zu den notwendigen Zutaten.

Interessant sind in diesem Zusammenhang die Ansichten des international bekannten Parfümeurs Paul Jellinek zu den erogenen Körpergerüchen, wonach der Schweiß rot- und schwarzhaariger

Frauen an Weihrauch erinnere, der blondhaariger Frauen an Myrrhe.

Sehr frühzeitig bemerkten Heilkundige aber auch, daß der „göttliche Rauch“ aus duftenden Harzen, Pflanzen und Hölzern eine deodorierende und desinfizierende Wirkung entfaltete und häufig positiv stimulierend auf das allgemeine Wohlbefinden wirkte. Daraus entwickelten sich frühe Formen der „Aromatherapie“, und das Beräuchern von Kranken (unter unwissentlicher Nutzung der in den Harzen enthaltenen antimikrobiellen Terpene und sich im Räucherprozeß bildender Phenole) wurde zu einer der ältesten Formen der Heilbehandlung. Bis in die Neuzeit wandten Ärzte die medizinische Räucherung an, und viele glaubten sogar, der fürchterlichen Pest und der Syphilis durch Verbrennen von Weihrauch, Myrrhe, Bdellium, Benzoe und Styrax beizukommen. Hatte man doch beobachtet, daß Parfümhersteller und andere mit aromatischen Harzen in Berührung kommende Personen häufig von diesen verheerenden Krankheiten verschont blieben. Besonders bekannt wurden die „Schnabeldoktoren“, die neben einer meist großen Glasbrille eine schnabelartige Maske vor Mund und Nase trugen, die mit den verschiedensten Aromata gefüllt war. Noch im 19. Jahrhundert führten manche Ärzte beim Besuch von Kranken spezielle Stöcke bei sich, deren Knauf einen mit derartigen Stoffen getränkten Schwamm verbarg, an welchem sie rochen, um sich, wie sie meinten, vor einer Ansteckung zu schützen. Auch die erwähnten Pomander wurden ursprünglich zur Verhinderung von Infektionskrankheiten um- oder aufgehängt.

In den Duftküchen Arabiens waren Weihrauch und Myrrhe als „Nasenmedizin“ schon viel früher bekannt und werden bis heute als solche genutzt. Der schottische Landedelmann James Bruce (1730 - 1794), der heute als einer der Begründer der modernen Afrikaforschung gilt und als erster die Nilquellen erreichte, besuchte auf seinem Expeditionsweg auch Massaua, eine kleine Insel unmittelbar vor der äthiopischen Küste. Von ihren Einwohnern berichtete er, daß sie stets ein kleines, stark mit Weihrauch und Myrrhe durchräuchertes Läppchen bei der Hand hätten, dessen Zipfel sie in die Nasenlöcher steckten, „*um sich vor unangenehmer Luft zu schützen*“.

Bereits im 16. und 17. Jahrhundert isolierten europäische Apotheker die ersten für den jeweils typischen Duft verantwortlichen ätherischen Öle aus Pflanzen, Harzen und Hölzern (vgl. Grasse), und bis zum 18. Jahrhundert entstanden, vor allem in Frankreich und Italien, riesige Anbauflächen für duftstoffhaltige Pflanzen. Denn auch das Bürgertum verlangte nun zunehmend nach preiswerteren Parfüms, Duftwässern und Toilettenartikeln.
Aber erst Mitte des 19. Jahrhunderts trat die Geschichte des Wohlgeruches und der aromatischen Naturstoffe in eine neue Phase. Die duftenden, erotisierenden, stimulierenden oder heilenden ätherischen Öle und anderen Inhaltsstoffe der Balsame, Harze und Pflanzen wurden in ihre chemischen Bestandteile aufgetrennt und analysiert. So gelang 1843 beispielsweise die Isolierung von Zimtaldehyd aus Zimtöl. Im Anisöl charakterisierte man als Hauptinhaltsstoff das Anethol, im Kiefernnadelöl das Borneol. Auch das in der Tonkabohne und dem Waldmeister gefundene Cumarin wurde isoliert und identifiziert.
Mitte des 19. Jahrhunderts fanden des weiteren die ersten synthetischen Riechstoffe Eingang in die Parfümerie und Aromenbereitung. In dem 1859 in 2. Auflage erschienenen Buch „The Chemistry of Common Life" von James F. W. Johnston (überarbeitet von G. H. Lewes; William Blackwood & Sons, Edinburgh) wird als einziger durch synthetische Stoffe ersetzbarer Riechstoff das Bittermandelöl genannt. Praktischen Einsatz fand vor allem das Mirbanöl (Nitrobenzol), das sich *„in Duft und allgemeiner Erscheinung"* kaum vom natürlichen Bittermandelöl unterschied und besonders für die Seifenparfümierung und die Aromatisierung von Süßwaren und Speisen genutzt wurde. Als zweites *„täuschend ähnliches"* Bittermandelöl-Substitut kam das durch Erhitzen von Hippursäure zugängliche „Nitrobenzyl" zur Anwendung.
Die praktische Nutzung des als synthetisches Wintergrünöl bekannten Methylsalicylats scheiterte hingegen noch an den hohen Herstellungskosten.
Eugene Rimmel bezeichnet in seinem erstmals 1864 in Frankreich erschienenen Klassiker „Das Buch des Parfüms" (Ullstein Sachbuch; Frankfurt, Berlin 1988) das durch Behandlung von Erdölbenzin mit Salpeter- und Schwefelsäure erhältliche Mirbanöl als

den in der Parfümerie am meisten eingesetzten künstlichen Riechstoff. Ferner gibt er einige synthetische „Äther" als Ersatzstoffe für natürliche Fruchtaromen in Süßwaren an, so den Amyläther als Birnenessenz, den ein Amyl enthaltenden Baldrianäther als Apfelessenz und den Butteräther als Ananasessenz. Die Qualität der zu dieser Zeit bekannten Zitronen- und Zimtessenzen bewertet er für eine praktische Nutzung als unzureichend.

Das 1888 von S. Mierzinski herausgegebene Buch „Die Riechstoffe und ihre Verwendung zur Herstellung von Duftessenzen, Haarölen, Pomaden, Riechkissen etc. sowie anderer kosmetischer Mittel" (Bernhard Friedrich Voigt, Weimar) benötigt für die Abhandlung der synthetischen Riechstoffe immerhin schon drei ganze Seiten. Dort geht der Autor auf die vorzugsweise nach Obst riechenden Ester der niedrigen Fettsäuren und sehr ausführlich auf die praktisch genutzten künstlichen Riechstoffe Vanillin (Erstsynthese 1876), Heliotropin (Erstsynthese 1869), Cumarin (Erstsynthese 1868) und Nitrobenzol (Mirbanöl) ein. Dennoch waren die Kosten häufig beträchtlich. So kostete 1 Kilogramm natürliches Vanillin im Jahre 1890 3500 Mark, 1 Kilogramm synthetisches 3000 Mark (im Jahre 1908 lag der Preis dann schon bei nur 30 Mark).

Die durch Synthese gewonnenen Riechstoffe fanden relativ rasch in Parfüms Anwendung, das nach Waldmeister duftende Cumarin beispielsweise 1882 in *Fougère Royale* von Houbigant sowie zusammen mit dem blumig-würzigen Heliotropin und dem Vanille-Riechstoff Vanillin 1889 in *Jicky* von Guerlain.

Martin Hauer schätzt 1895 in seinem Werk „Die Fabrikation der Parfümeriewaren. Praktisches Handbuch zur Herstellung sämtlicher Parfümerien und Kosmetika unter besonderer Berücksichtigung der Exportfabrikation" (Bernhard Friedrich Voigt, Weimar) auch das synthetische Terpineol sehr positiv ein. Den ersten künstlichen Nitro-Moschus (Patent von Alfred Baur, 1890) aus hochnitrierten Benzolderivaten bezeichnet er hingegen als widerwärtig. Dabei ist jedoch nicht auszuschließen, daß Patentstreitigkeiten mit dem Hersteller eines anderen künstlichen Moschusriechstoffes, Tonquinol, Einfluß auf dieses Urteil nahmen.

Ende des 19. Jahrhunderts wurden dann auch die als künstliche Veilchenriechstoffe bekannt gewordenen Jonone entwickelt. Die erste Parfüm-Komposition war 1892 *Vera Violetta* von Roger & Gallet.

Neu waren ferner verschiedene Salicylate, wie das nach blühendem Klee duftende Isoamylsalicylat, das bereits 1889 in dem Parfüm *Trèfle Incarnat* von Piver seine charakteristische Note entfaltete.

1906 kam in dem von Guerlain komponierten *Après l´Ondèe* erstmals synthetischer Anisaldehyd zur Anwendung.

R. Knoll konnte in seinem 1908 erschienenen Buch „Synthetische und isolierte Riechstoffe und deren Darstellung" (Wilhelm Knapp, Halle/Saale) schon auf einen Moschusriechstoff verweisen, *„der mit dem Naturprodukt identisch sein soll*", das von Schimmel & Co., Miltitz bei Leipzig, hergestellte Muscon. Die zunehmende Einführung synthetischer Riechstoffe ab Anfang unseren Jahrhunderts zeigt sich in den weiteren Ausführungen Knolls, der neben den bislang schon genannten künstlichen Riechstoffen nun auch die Jonone, Zimtaldehyd, Methylzimtaldehyd, Indol, Methylanthranilat und Nerol anführt. Das blumige Methylanthranilat wurde 1912 prägend für das große Blumenparfüm *L´Heure Blue* von Guerlain.

1907 entstand aus dem natürlichen Citronellal als erster Maiglöckchenriechstoff das halbsynthetische Hydroxycitronellal (Majal), das 1912 in *Quelques Fleurs* von Houbigant auf den Markt kam.

Als bedeutsam für die Komposition von Leder-Noten erwiesen sich die Anfang unseres Jahrhunderts von Georges Darzens (1867 - 1954) entdeckten Chinoline, die 1917 in *Chypre* von Coty ihre Premiere hatten.

In dem 1919 von Guerlain kreierten Parfüm *Mitsouko* fand zur Gestaltung eines fruchtig-grünen Geruches erstmals auch das synthetische Undecalacton Anwendung. Nur wenig später gelang mit den künstlich hergestellten Fettaldehyden ein weiterer großer Schritt, der 1921 in dem international bekannten und bis heute geschätzten *Chanel Nr. 5* von Chanel seinen Ausdruck fand. Mit diesem Parfüm wurde die Tür zur Einbeziehung synthetischer Riechstoffe in die Parfümerie endgültig aufgestoßen.

Trotzdem sollten noch Jahrzehnte vergehen, bis die wesentlichsten duftenden Inhaltsstoffe strukturell exakt charakterisiert oder

gar synthetisch nachgeahmt werden konnten. So lagen immerhin 22 Jahre zwischen der Isolierung und der synthetischen Darstellung des Zimtaldehyds.
Vielen komplizierten oder in sehr niederen Konzentrationen enthaltenen Verbindungen kam man erst in den letzten Jahrzehnten auf die Spur, nachdem modernste analytische Methoden Einzug in die Laboratorien gefunden hatten.
Mitte der fünfziger Jahre fand beispielsweise das *cis*-Hexen-3-ol Eingang in die Komposition grüner Noten, in den sechziger Jahren das Dihydrojasmon in Jasmin-Noten. Es entstanden Parfüms wie *Eau Sauvage*, später *Diorella* von Dior (1966 bzw. 1971), *Chanel* Nr. 19 von Chanel (1971), *Amazone* von Hermès (1975) oder *Anais-Anais* von Chacharel (1979).
Wesentliche Beiträge zur Strukturaufklärung natürlicher Riechstoffe leistete der Nobelpreisträger für Chemie von 1939, Leopold Ruzicka (1887 - 1976).
Die Kenntnis der Struktur ist aber die Voraussetzung für eine synthetische oder halbsynthetische Herstellung und damit einen vertretbaren Preis.

Heute werden nur noch ein Viertel aller Parfümrohstoffe aus etwa 150 im Mittelmeerraum, Südostasien und Lateinamerika systematisch angebauten Duftpflanzen gewonnen, drei Viertel auf dem Wege der chemischen Synthese, letztlich aus Erdölprodukten. Auch vier Tierarten liefern bis heute industriell verwertete Duftstoffe: Zibet, das Sekret der Afterdrüsen der Zibetkatze, Moschus, das Brunstsekret des Moschusochsen, Castoreum oder Bibergeil, das unter der Bauchhaut gespeicherte Sekret des nordamerikanischen Bibers und Ambra, eine Magen-Darm-Ausscheidung des Pottwals.

Trotzdem bergen viele Naturprodukte ganz sicher noch manches chemische, medizinische oder duftende Geheimnis, das auf seine Entschleierung wartet und vielleicht den Parfümeuren neue Möglichkeiten zur Anwendung ihrer Kunst eröffnet, die aus bis zu vierzig Bestandteilen ein fertiges Parfümöl zu bereiten versteht.

1.2 Zur heutigen Bedeutung, Gewinnung und Systematisierung der Riechstoffe

Auch heute liegt die wesentliche Bedeutung der Riechstoffe in der Herstellung von Parfüms und parfümierter Konsumgüter.
Während man die duftenden Stoffe bis in die zweite Hälfte des vergangenen Jahrhunderts hauptsächlich aus Pflanzen, in wenigen Fällen aus tierischen Produkten gewann, versuchte man, nachdem die zugrundeliegenden Strukturen erkannt waren, diese synthetisch herzustellen. Durch Rekombination der Komponenten sollte ein möglichst naturidentischer Duft „nachgeahmt" werden.
Mittlerweile wird aber auch eine Vielzahl von (einheitlichen) synthetischen Riechstoffen produziert, die keinerlei Vorbild in der Natur haben und zur Kompostion immer neuer „Phantasie-Duftnoten" verwendet werden.

Die aus Pflanzen und tierischen Drogen gewonnenen, chemisch häufig komplex zusammengesetzten Duftstoffe werden von der Riechstoff- und Parfümindustrie entsprechend ihrer Geruchs-Charakteristik (charakteristische Duft-Familien und Duft-Noten) eingeteilt.
Eine Systematisierung der einheitlichen Riechstoffe (d. h. konkreter chemischer Verbindungen) kann zwar nach der chemischen Struktur erfolgen, jedoch ordnet die Riechstoffindustrie auch diese Stoffe im allgemeinen ebenfalls nach ihrer Geruchs-Charakteristik.

Außer zur Herstellung von Parfüms, Eau de Parfüms, Eau de Toiletts und Eau de Colognes werden Riechstoffe heute vor allem zur Parfümierung von Seifen, Deodorantien, Körperpflegemitteln, Haarbehandlungsmitteln, Wasch- und Reinigungsmitteln, Haushaltsartikeln und Konsumgütern (z. B. Wäsche, Textilien, Lederwaren, Papierwaren) sowie zur Produktion von Raumlufterfrischern eingesetzt. In der Nahrungs- und Genußmittelindustrie finden verschiedene Produkte als Aromen, Essenzen und Gewürzbestandteile Anwendung. Auch bestimmte Arzneimittel sind aromatisiert. Schließlich werden Riechstoffe in der sogenannten Aromatherapie immer beliebter. Duftende Räuchermischungen haben im sakralen Bereich bis heute ihre Bedeutung behalten.

Zur Isolation von Duftstoffen aus **natürlichen Rohstoffen** werden verschiedene technische Verfahren praktiziert, besonders

- das **Pressen** (**Auspressen, Expression**) (z. B. von Citrusfruchtschalen zur Citrusöl-Gewinnung),
- die **Extraktion von Concrets** (konkrete Blütenöle, Extraktprodukte aus Blüten) aus Blüten mittels flüchtiger Lösungsmittel (aus diesen werden durch Behandlung mit warmem absolutem Ethanol die Absolues gewonnen),
- die **Mazeration** und die **Enfleurage**, d. h. spezielle Varianten der Extraktion empfindlicher Blütenöle mittels fetter Öle bzw. tierischer Fette (heute nur noch in Spezialfällen angewendet),
- die **Destraktion** (*Dest*illation und Ext*raktion*) von Blütenölen mit überkritischen Gasen, besonders Kohlenstoffdioxid (die zunehmend an Bedeutung gewinnt),
- die **Extraktion von Resinoiden** (Extraktprodukte aus pflanzlichen und tierischen Drogen) aus Knospen, Blättern, Zweigen, Rinden, Samen, Moosen, Flechten, Harzen, Balsamen und animalischen Drogen mittels flüchtiger Lösungsmittel wie Ethanol, Aceton, Petrolether, Hexan (z. B. Extraktion von Eichenmoos-Resinoid, Labdanum-Resinoid, Castoreum [Bibergeil]),
- die **Wasserdampf-Destillation** zerkleinerter Pflanzenteile zur Gewinnung ätherischer Öle (z. B. Blütenöle, Blätteröle, Holzöle, Wurzelöle).

Verschiedene aus natürlichen ätherischen Ölen durch Destillation gewonnene Inhaltsstoffe werden durch synthetische Abwandlung zu neuen Riechstoffen umgesetzt. Wesentliche Vertreter solcher **halbsynthetischen Produkte** sind Isoeugenol aus Eugenol, Vanillin aus Isoeugenol, Hydroxycitronellal aus Citronellal, Citronellol aus Geraniol oder Citronellal, Geranylacetat aus Geraniol, Jonone und Methyljonone aus Citral.

Bei den **vollsynthetischen Riechstoffen** unterscheidet man in naturidentische Verbindungen und solche, die keinerlei Vorbild in der Natur haben.

Als Lösungsmittel für Parfümöle und Riechstoffe dient fast ausschließlich reinstes Ethanol, das ggf. mit Wasser auf die erforderliche Konzentration verdünnt wird.

Im Jahre 1989 produzierte die Riechstoffindustrie der alten Bundesländer etwa 40 000 Tonnen Riechstoffe und Aromen. Etwa 64 % davon waren synthetische Produkte, etwa 36 % wurden aus natürlichen Produkten gewonnen.
Der Umsatz von Duftstoffen auf dem Weltmarkt lag Anfang der neunziger Jahre bei rund 3,75 Milliarden DM.

Die aus Naturprodukten gewonnenen Preßöle, ätherischen Öle und Extrakte sowie die halbsynthethisch oder vollsynthetisch gewonnenen einheitlichen Riechstoffe werden im weiteren zu Parfüm-Kompositionen verarbeitet.

Eine solche Komposition setzt sich geruchlich zusammen aus

- der durch leicht flüchtige Riechstoffe (meist frischen Charakters) erzeugten **Kopfnote** (Angeruch),
- der durch mäßig flüchtige Riechstoffe (meist blumigen Charakters) erzeugten **Herznote** (Mittelnote, Körper) und
- der durch wenig flüchtige, den Grundcharakter (Leitgeruch) bestimmende Riechstoffe erzeugten **Basisnote** (Nachgeruch).

Der Basisnote zugeordnet sind auch die **Fixateure**, durch die Bindung und Haftfestigkeit der flüchtigen Riechstoffe erhöht werden und die Duftkombinationen insgesamt eine höhere Beständigkeit erhalten.
Durch den Zusatz von **Adjuvantien** können Kopf-, Herz- und Basisnote enger miteinander verbunden und der „Duftablauf" fließender gestaltet werden.

Für die Geruchsrichtungen exisitiert bis heute keine allgemeinverbindliche Einteilung. Meist wird wie folgt nach Duft-Familien bestimmter Duftnoten unterschieden (Einteilung nach Römpp):

- **Grün-Noten** (herb-frische Düfte mit einem Geruch nach Blättern, Gräsern, Wiesen),
- **Citrus-Noten** (meist ätherische Öle aus Citrusfrüchten mit erfrischendem Geruch),

- **Lavendel-Noten** (Lavendel-Geruch),
- **Blumige Noten** (überwiegend aus mehreren Einzelblumen-Noten, wie Jasmin, Flieder, Rose, Maiglöckchen, Iris/Veilchen, Nelke, zusammengesetzt),
- **Aldehyd-Noten** (basieren überwiegend auf synthetischen Produkten mit blumigem, z. T. auch holzigem, balsamischem oder animalischem Geruch),
- **Chypre**- oder **Moos-Noten** (überwiegend Eichenmoos-Extrakte [Resinoide] von herb-frischem Geruch, z. T. in Kombination mit Bergamottöl),
- **Fougère**- oder **Farn-Noten** (ähnlich den Chypre-Noten),
- **Gewürz-Noten** (Gewürz-Extrakte u. a. von Thymian, Muskat, Zimt, Gewürznelken, Ingwer, Cardamom und Coriander, z. T. auch synthetische Riechstoffe und speziell kombinierte Gewürz-Basen),
- **Orientalische Noten** (kombinieren Gewürz-Noten mit schweren, süßen, balsamischen oder animalischen Noten zu Gerüchen mit würzig-süßem bis süßlich schwerem Charakter),
- **Holz-Noten** (basieren auf Cedern-, Sandel- u. a. Holz- und Wurzelholzölen und variieren von herb-frischen bis zu holzig-herben Gerüchen),
- **Leder-Noten** (erinnern an den Geruch feinster Lederwaren, z. B. der Duftrichtung Juchten),
- **Phantasie-Noten** (kreative Neuschöpfungen der Parfümeure ohne natürliche Vorbilder).

Im nachfolgenden lexikalischen Teil werden in alphabetischer Reihenfolge wichtige allgemeine Begriffe aus dem Riechstoffbereich, bedeutsame natürliche Riechstoffmischungen und die wesentlichsten aus nachwachsenden natürlichen Rohstoffen gewonnenen, synthetisch abgewandelten sowie vollsynthetisch produzierten Einzelriechstoffe vorgestellt. Verweispfeile ermöglichen dabei vielfach eine Querverbindung. Nur bei den in den Stichworten erwähnten Einzelriechstoffen wurde aus Übersichtlichkeitsgründen auf Verweispfeile verzichtet.

Wo möglich, werden Hinweise zur Toxikologie gegeben, wobei im Fall natürlicher Riechstoffgemische (wie ätherische Öle, Absolues, Concrets, Resinoide) zu beachten ist, daß sich die angeführten gesundheitsschädigenden oder toxischen Wirkungen einzelner Komponenten auf die reine Verbindung sowie bestimmte Aufnahmepfade (z. B. dermal, inhalativ, oral) beziehen. Allein aus dem Gehalt an einer bestimmten toxischen Verbindung kann noch keine entsprechende Wirkung des Riechstoffgemisches abgeleitet werden.
In den Fällen, wo natürliche Riechstoffgemische ein gesundheitsgefährdendes oder toxisches Potential aufweisen oder einzelne toxische Komponenten in sehr großen Anteilen enthalten sind, wird gesondert darauf aufmerksam gemacht.

2 Spezieller Teil (Lexikalischer Teil)

Abortive Riech- und Aromastoffe

Einige wenige → ätherische Öle bzw. Inhaltsstoffe besitzen bei der Aufnahme (Resorption) größerer Mengen in den Organismus eine abortive (abtreibende) Wirkung. Dazu gehören vor allem Thujon und thujonhaltige Öle (wie z. B. Thujaöl [vgl. → Cedernöle], → *Artemisia*-Öl, → Salbeiöle, → Wermutöl, → Rainfarnöl), Apiol (z. B. im Öl der Petersilienfrüchte [vgl. → Petersilienöle]), das in → Muskatnußöl, → Dillöl (vgl. → Dillsamenöl) und Petersilienfruchtöl (vgl. → Petersilienöle) enthaltene Myristicin, das in → Cardamomöl, → *Curcuma*-Öl, → Kümmelöl, → Lavendelöl, → Limettenöl, → *Litsea-cubeba*-Öl, → Majoranöl, → Muskatnußöl, → Pfefferöl und → Wacholderbeerenöl beschriebene Sabinen und das in → Cypressenöl nachgewiesene Sabinol. Auch dem → Rautenöl wird eine abortive Wirkung zugeschrieben.

Absinthöl

Siehe → Wermutöl.

Absolues (absolute Blütenöle)

Die aus → Concrets (Concrètes, konkrete Blütenöle) durch Behandlung mit warmem absolutem Ethanol gewonnenen alkohollöslichen Anteile.
Nach dem Ausfällen unlöslicher Bestandteile (Wachse, Paraffine) durch Kühlen und anschließendem Abfiltrieren/Zentrifugieren der schwerlöslichen Anteile erhält man beim Abdestillieren des Alkohols im Vakuum die Absolues.
Sie werden in dieser Form in der Feinparfümerie angewandt oder durch → Wasserdampf-Destillation, unter Verlusten von 70 bis 90 % (alkohollösliche Harze und andere noch vorhandene unerwünschte Extraktstoffe), zu reinen → ätherischen Ölen (Blütenölen) aufgearbeitet.
Auch aus konkreten Resinoiden (Resinoid-Concrets; konkrete Öle aus anderen Pflanzenteilen, Moosen, Flechten, Balsamen und Harzen; vgl. → Concrets, → Resinoide) können durch Auszug

A

mit Ethanol Absolues (Resinoid-Absolues; absolute Öle, z. B. Blätteröle, Nadelöle, Holzöle, Wurzelöle, Rindenöle, Moosöle, Harzöle, Balsamöle) hergestellt werden.

Zu den wichtigsten als → Riechstoffe angewandten Absolues gehören: → *Boronia*-Absolue, → Cassie-Absolue, → Champaca-Absolue, → Ginster-Absolue, *Helichrysum*-Absolue (siehe → *Helichrysum*-Öl), → Hyazinthen-Absolue, → Jasmin-Absolue, → Labdanum-Absolue (siehe → Labdanumöl), → Lavandin- und Lavendel-Absolue, → Mimosen-Absolue, → Muskateller-Salbei-Absolue (siehe → Salbeiöle), → Narzissen-Absolue, → Orangenblüten-Absolue, → *Osmanthus*-Absolue, → Ringelblumen-Absolue, Rose-de-Mai-Absolue (siehe → Rosenöl), → Tuberosen-Absolue und Veilchen-Absolue (siehe → Veilchenblätter-Resinoid).

Nähere Angaben zu den einzelnen Absolues sind unter den jeweiligen Stichworten zu finden.

Acetophenon

SYNONYME: Acetylbenzol, Hypnon
CHEMISCHE BEZEICHNUNG: Methylphenylketon
CAS-NR.: 98-86-2
STRUKTURFORMEL:

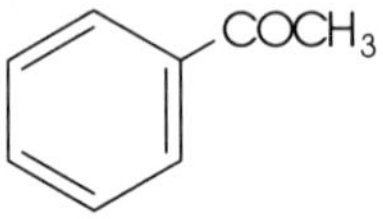

MOLEKULARGEWICHT: 120,15

Acetophenon ist eine klare, farblose bis schwach gelbe Flüssigkeit oder eine kristalline Substanz mit süßem stechendem, an Orangenblüten erinnernden Geruch.
Es kommt natürlich in einer großen Anzahl von → ätherischen Ölen, z. B. im → Pappelknospenöl, vor.

PHYSIKALISCH-CHEMISCHE DATEN:
Schmp.: 20,5 °C; Sdp.$_{101,3\ kPa}$: 202 °C; d_4^{20}: 1,0281; n_D^{20}: 1,5372.

Acetophenon ist in Wasser wenig löslich, in Ethanol, Ether, Benzol und fetten Ölen löslich.
Hergestellt wird Acetophenon durch katalytische Luftoxidation von Ethylbenzol oder durch Friedel-Crafts-Acylierung von Benzol.
Die Verbindung ist Zwischenprodukt für die Herstellung verschiedener Duftstoffe und dient als Ausgangsstoff für Synthesen in der pharmazeutischen Industrie. Sie eignet sich z. B. auch in der Riechstoffbranche zur Überdeckung störender Gerüche von Farben.

TOXIKOLOGIE: LD_{50} (Ratte, oral): 900 mg/kg KG.
Die Verbindung wirkt leicht hypnotisch. Die Inhalation größerer Dampfkonzentrationen (über 100 mg/m^3) führt zu Gesundheitsschäden.
Nach der Gefahrstoffverordnung der Bundesrepublik Deutschland ist Acetophenon gesundheitsschädlich beim Verschlucken (R 22), und es reizt die Augen (R 36).

Acetylanisol

Siehe → Crataegon.

3-Acetyl-δ^4-caren

Siehe → Atteron.

Acetylierbarkeit

Eine Reihe von → ätherischen Ölen enthält als qualitätsbestimmende Komponenten alkoholische oder phenolische Verbindungen (z. B. Borneol, Citronellol, Geraniol, Nerol, Linalool, Menthol, Santalol, Terpineol, Guajol, Phenylethylalkohol, Thymol, Carvacrol, Eugenol, Guajacol, Vanillin).
Ihre quantitative Bestimmung beruht auf der Eigenschaft, beim Erhitzen mit Essigsäureanhydrid zu Essigsäureestern zu reagieren. Aus der zur Verseifung des acetylierten Öls notwendigen Menge an 0,5 N alkoholischer Kalilauge kann der ursprüngliche Gehalt an freiem Alkohol berechnet werden.

Zur Acetylierung werden auf dem Sandbad in einem Kölbchen mit aufgesetztem Rückflußkühler 10 ml Öl mit dem gleichen Vo-

A

lumen Essigsäureanhydrid und 2 g geschmolzenem Natriumacetat unter Zugabe einiger Siedesteinchen 1 Stunde lang erhitzt. Nach dem Abkühlen wird etwas Wasser zugesetzt und unter mehrmaligem Umschütteln 1/4 Stunde auf dem Wasserbad erwärmt. Das Öl wird nach abermaligem Erkalten im Scheidetrichter abgetrennt und mit Kochsalzlösung neutral gewaschen. Nachdem man die eventuell noch vorhandene freie Säure sorgfältig neuralisiert hat, wird 1 g des mit wasserfreiem Natriumsulfat getrockneten acetylierten Öls mit 20 ml 0,5 N alkoholischer Kalilauge verseift. Dazu wird die Mischung in einem Kölbchen mit aufgesetztem Rückflußkühler 1 Stunde auf dem Dampfbad erhitzt. Nach dem Abkühlen wird der Kolbeninhalt mit destilliertem Wasser verdünnt und die unverbrauchte Kalilauge mit 0,5 N Schwefelsäure zurücktitriert. Um den tatsächlichen Verbrauch an 0,5 N KOH zu erhalten, führt man noch einen Blindversuch mit 20 ml 0,5 N Kalilauge/Phenolphthaleinlösung durch und titriert ebenfalls mit 0,5 N Schwefelsäure. Der Schwefelsäureverbrauch nach der Verseifung wird von der für den Blindversuch verbrauchten Menge abgezogen.

Der prozentuale Alkoholgehalt, bezogen auf das ursprüngliche nicht acetylierte Öl ergibt sich wie folgt:

$$\%\ \text{Alkohol} = \frac{a \cdot M}{20 \cdot (s - a \cdot 0,021)}$$

a: verbrauchte ml 0,5 N KOH
M: Molmasse des betreffenden Alkohols
s: eingesetzte Menge an acetyliertem Öl in g

Adjuvantien

Durch den Zusatz von Adjuvantien zu → Parfüm-Kompositionen können Kopf-, Herz- und Basisnote (vgl. → Parfüm-Komposition) enger miteinander verbunden und der „Duftablauf“ fließender gestaltet werden.
So besitzt beispielsweise der natürliche → Moschus die Fähigkeit, → Parfüm-Kompositionen zu beleben, ihre „Ausstrahlung“ zu verstärken, zu harmonisieren und abzurunden.

Agrumenöle

Von der italienischen Bezeichnung für säuerliche Früchte (ital.: agrume) abgeleitete Bezeichnung für → *Citrus*-Öle.

Akazienblütenöl

Siehe → Cassie-Absolue.

Aldehyd C_6

SYNONYME: Capronaldehyd, Hexylaldehyd
CHEMISCHE BEZEICHNUNG: n-Hexanal
CAS-NR.: 66-25-1
STRUKTURFORMEL: CH_3-$(CH_2)_4$-CHO
MOLEKULARGEWICHT: 100,16

Aldehyd C_6 ist eine farblose Flüssigkeit mit fettig-grünem Geruch, in geringen Konzentrationen an unreife Früchte erinnernd. Natürlich kommt die Verbindung in Apfel- und Erdbeeraroma, aber auch in → Orangen- und → Citronenöl vor.

PHYSIKALISCH-CHEMISCHE DATEN:
Sdp.$_{101,3\ kPa}$: 128 °C; d_4^{20}: 0,8139; n_D^{20}: 1,4039.

Die Verbindung ist entzündlich (Flammpunkt: 25 °C).

Gewonnen wird n-Hexanal aus n-Hexan-1-ol durch katalytische Dehydrierung.
Aldehyd C_6 findet Einsatz in Fruchtaromen. In der Parfümerie werden durch seine Verwendung Fruchtnoten erzielt.

TOXIKOLOGIE: LD_{50} (Ratte, oral): 4,9 g/kg KG.

Aldehyd C_8

SYNONYME: Caprylaldehyd, Octylaldehyd
CHEMISCHE BEZEICHNUNG: n-Octanal
CAS-NR.: 124-13-0
STRUKTURFORMEL: CH_3-$(CH_2)_6$-CHO
MOLEKULARGEWICHT: 128,21

Aldehyd C_8 kommt u. a. in verschiedenen → *Citrus*-Ölen vor, z. B. im → Orangenöl, und ist eine farblose Flüssigkeit mit einem

A

starken scharfen, in Verdünnung zitronenähnlichen Geruch.

PHYSIKALISCH-CHEMISCHE DATEN:
Sdp.$_{101,3\ kPa}$: 171 °C; d_4^{20}: 0,8211; n_D^{20}: 1,4217.

Die Verbindung ist entzündlich (Flammpunkt: 52 °C).

n-Octanal ist mit Ethanol und Ether mischbar, löslich in Propylenglycol und wenig löslich in Wasser.
Die synthetische Herstellung erfolgt durch katalytische Dehydrierung von n-Octan-1-ol.
Parfümistisch kommt der Aldehyd C_8 niedrig konzentriert in Eau de Colognes und in künstlichen → *Citrus*-Ölen zum Einsatz.

TOXIKOLOGIE: LD_{50} (Ratte, oral): 5,6 g/kg KG.
n-Octanal verursacht im Tierversuch leichte Haut- und Augenreizungen.

Aldehyd C_9

SYNONYME: Pelargonaldehyd, Nonylaldehyd
CHEMISCHE BEZEICHNUNG: n-Nonanal
CAS-NR.: 124-19-6
STRUKTURFORMEL: CH_3-$(CH_2)_7$-CHO
MOLEKULARGEWICHT: 142,24

Aldehyd C_9 ist eine farblose Flüssigkeit mit einem fettig-rosigen Geruch (Tangerinennote).
U. a. kommt die Verbindung in → *Citrus*- und auch → Rosenölen vor.

PHYSIKALISCH-CHEMISCHE DATEN:
Sdp.$_{101,3\ kPa}$: 190 bis 192 °C; d_4^{20} : 0,8264; n_D^{20}: 1,4273.

Hergestellt wird der Aldehyd durch katalytische Dehydrierung von n-Nonan-1-ol.
Verwendet wird er in der Parfümerie für Blütenkompositionen, insbesondere Rosennoten.

TOXIKOLOGIE: LD_{50} (Ratte, oral): > 5 g/kg KG.
n-Nonanal kann starke Hautreizungen verursachen.
Gemäß der Gefahrstoffverordnung der Bundesrepublik Deutschland reizt die Verbindung die Augen und die Haut (R 36/38).

Aldehyd C_{10}

SYNONYME: Caprinaldehyd, Decylaldehyd
CHEMISCHE BEZEICHNUNG: n-Decanal
CAS-NR.: 112-31-2
STRUKTURFORMEL: CH_3-$(CH_2)_8$-CHO
MOLEKULARGEWICHT: 156,27

Aldehyd C_{10} ist eine farblose Flüssigkeit mit einem blumig-würzigen orangenähnlichen Geruch.
Als Bestandteil vieler → ätherischer Öle kommt er zum Beispiel im → Neroliöl und in verschiedenen Schalenölen vor.

PHYSIKALISCH-CHEMISCHE DATEN:

Sdp.$_{101,3\ kPa}$: 208 bis 209 °C; Schmp.: 17 bis 18 °C (nach anderen Angaben - 5 °C); d_4^{15}: 0,830; n_D^{20}: 1,4287.

Die Gewinnung erfolgt durch katalytische Dehydrierung von n-Decan-1-ol.
Aldehyd C_{10} findet gering konzentriert in Blütendüften Einsatz. Besonders verwendet wird er bei der Kreierung von Citrusnuancen und der Herstellung künstlicher → *Citrus*-Öle.

TOXIKOLOGIE: LD_{50} (Ratte, oral): 3,7 g/kg KG.
n-Decanal kann die Haut und die Augen reizen.

Aldehyd C_{11}

SYNONYM: Undecylaldehyd
CHEMISCHE BEZEICHNUNG: n-Undecanal
CAS-NR.:112-44-7
STRUKTURFORMEL: CH_3-$(CH_2)_9$-CHO
MOLEKULARGEWICHT: 170,29

Aldehyd C_{11} ist eine farblose bis leicht gelbliche Flüssigkeit mit einem charakteristischen süßlich-fettigen Geruch.
Natürlich kommt er in → *Citrus*-Ölen vor.

PHYSIKALISCH-CHEMISCHE DATEN:

Sdp.$_{2,4\ kPa}$: 117 °C; d_4^{23}: 0,8251; n_D^{20}: 1,4325.

Hergestellt wird der Aldehyd durch katalytische Dehydrierung von n-Undecan-1-ol.

A

Aldehyd C_{11} wird als Prototyp der Parfümaldehyde vielfach in → Parfüm-Kompositionen eingesetzt, die dadurch eine Aldehydnote erhalten.

Aldehyd C_{12}

SYNONYME: Laurinaldehyd, Dodecylaldehyd
CHEMISCHE BEZEICHNUNG: n-Dodecanal
CAS-NR.112-54-9
STRUKTURFORMEL: CH_3-$(CH_2)_{10}$-CHO
MOLEKULARGEWICHT: 184,32

Aldehyd C_{12} ist eine farblose Flüssigkeit, die konzentriert fettig, durchdringend, unangenehm und in großer Verdünnung nach Veilchen riecht. Natürlich kommt die Verbindung in verschiedenen → *Citrus*-Ölen vor und wurde in kleinen Mengen in → ätherischen Ölen von *Pinus*-Arten gefunden.

PHYSIKALISCH-CHEMISCHE DATEN:
Sdp.$_{13,3\,kPa}$: 185 °C; Schmp.: 11 °C; d_4^{15}: 0,8352; n_D^{20}: 1,4350.

Aldehyd C_{12} wird aus n-Dodecan-1-ol durch katalytische Dehydrierung gewonnen.
Parfümistisch eingesetzt wird der Aldehyd in Koniferendüften mit fettig-wachsigen Noten, aber auch in vielen anderen Geruchstypen. Er wird auch → Aroma-Kompositionen zugesetzt, um Citrusnoten zu erhalten.

TOXIKOLOGIE:
n-Dodecanal kann zu leichten Haut- und Augenreizungen führen.

Aldehyd C_{14}

SYNONYM: Pfirsichaldehyd
CHEMISCHE BEZEICHNUNG: γ-Undecalacton
CAS-NR.: 104-67-6
STRUKTURFORMEL:

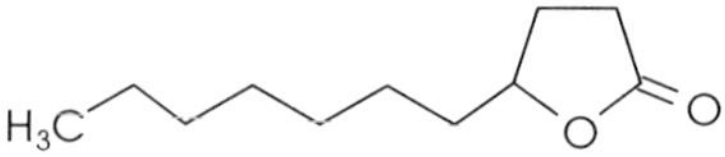

MOLEKULARGEWICHT: 184,28

Aldehyd C_{14} ist eine in Nahrungsmitteln vorkommende farblose Flüssigkeit mit einem pfirsichähnlichen Geruch.

PHYSIKALISCH-CHEMISCHE DATEN:
Sdp.$_{2\,kPa}$: 167 - 169 °C; d_4^{20}: 0,949; n_D^{20}: 1,4514.

Gewonnen wird die Verbindung durch Radikaladdition von n-Octan-1-ol mit Acrylsäure in Gegenwart von ditertiärem Butylperoxid als Katalysator.
Aldehyd C_{14} hat viele Verwendungsmöglichkeiten in → Parfüm- und → Aroma-Kompositionen.

Aldehyd C_{16}

SYNONYM: Erdbeeraldehyd
CHEMISCHE BEZEICHNUNG: Methylphenylglycidsäureethylester, Ethyl-3-methyl-3-phenylglycidat
CAS-NR.: 77-83-8
STRUKTURFORMEL:

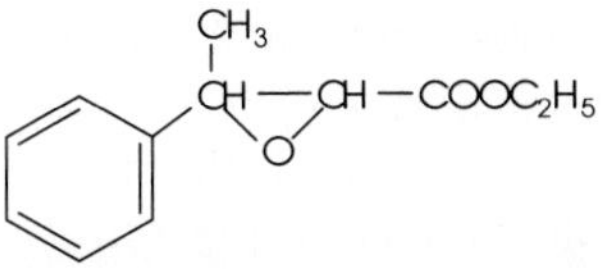

MOLEKULARGEWICHT: 206,24

Aldehyd C_{16} ist eine kräftig riechende, im Duft an Erdbeeren erinnernde farblose bis schwach gelbe Flüssigkeit. Er kommt in zwei optisch aktiven Formen als *cis*- und *trans*-Isomer vor, die einen unterschiedlichen Geruch besitzen. Das Handelsprodukt ist ein Isomerengemisch mit oben erwähntem Geruch.

PHYSIKALISCH-CHEMISCHE DATEN:
Sdp.$_{2,4\,kPa}$: 153 bis 155 °C; d_{25}^{25} : 1,506 bis 1,513; n_D^{20}: 1,5040 bis 1,5130.

Aldehyd C_{16} stellt man durch Kondensation von Acetophenon mit Chloressigsäureethylester nach Darzens her.
Die Verbindung wird vor allem in der Geschmackstoffbranche (vgl. → Aromastoffe) und in geringen Mengen in der Parfümerie für Fruchtnoten eingesetzt.

Aldehyd C_{18}

Synonyme: Kokosaldehyd, Nonanolid
Chemische Bezeichnung: γ-Nonalacton
CAS-Nr.: 104-61-0
Strukturformel:

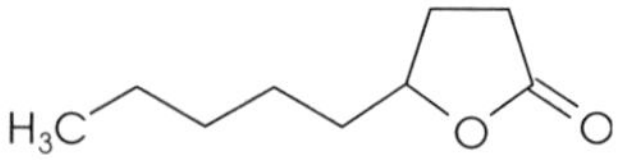

Molekulargewicht: 156,22

Aldehyd C_{18} ist eine in zahlreichen Nahrungsmitteln vorkommende blaßgelbe Flüssigkeit mit einem kokosnußähnlichen Aroma.

Physikalisch-chemische Daten:
Sdp.$_{1,7\ kPa}$: 136 °C; d_4^{20}: 0,9676; n_D^{20}: 1,4460.

Die Verbindung wird durch radikalische Addition des entsprechenden primären Fettalkohols an Acrylsäure in Gegenwart von ditertiärem Butylperoxid hergestellt.
Aldehyd C_{18} wird in zahlreichen Fällen in → Aroma-Kompositionen, aber auch in der Parfümerie eingesetzt.

Toxikologie: LD_{50} (Ratte, oral): 6,6 g/kg KG.
γ-Nonalacton ist leicht hautreizend.

Aldehydgehalt

Die Bestimmung des Aldehydgehaltes (z. B. Citral, Citronellal, Zimtaldehyd, Cuminaldehyd, Decanal, Benzaldehyd) dient bei → ätherischen Ölen, deren Geruch durch Aldehyde geprägt wird, zur analytischen Qualitätsprüfung.

Die klassische chemische Analyse kann mit Hilfe der Hydroxylamin-Methode erfolgen. Dabei wird durch Zusatz von Hydroxylamin-Chlorhydrat das entsprechende Aldoxim gebildet und die dabei freigesetzte Salzsäure titrimetrisch bestimmt.

Dazu wiegt man 1 g Substanz in ein 100-ml-Standkölbchen ein und setzt 20 ml Hydroxylamin-Chlorhydrat-Lösung zu, die als Indikator Bromphenolblau enthält.

Die freigesetzte Salzsäure wird mit 0,5 N alkoholischer Kalilauge bis zum Farbumschlag von gelb nach gelbgrün zurücktitiert. Falls sich der Inhalt des Kölbchens nach 1 Minute wieder gelb färbt, muß nochmals titriert werden. Anschließend wird das Kölbchen mit aufgesetztem Rückflußkühler auf dem Wasserbad erwärmt. Nach dem Abkühlen wird die wieder gelb gefärbte Lösung erneut mit 0,5 N alkoholischer Kalilauge titriert. Diesen Vorgang wiederholt man so lange, bis die Lösung auch nach dem Abkühlen gelbgrün bleibt. Der prozentuale Aldehydgehalt ergibt sich wie folgt:

$$\%\ \text{Aldehyd} = \frac{\text{Molmasse des Aldehyds} \cdot \text{verbrauchte ml 0,5 N KOH}}{20 \cdot \text{Substanzmenge in g}}$$

Der Aldehydgehalt einer Riechstoffprobe kann ferner durch quantitative Auswertung der → gaschromatographischen Untersuchung bestimmt werden.

Aliphatische Verbindungen in ätherischen Ölen

Von den gesättigten und ungesättigten aliphatischen Verbindungen (ausgenommen die zu den → Terpenen [vgl. dort] zählenden) spielen in → ätherischen Ölen zahlreiche geradkettige und verzweigte Alkane (C_6 bis C_{35}), Alhohole (wie Octan-3-ol, *trans*-Hex-2-en-1-ol, *cis*-Hex-3-en-1-ol [Blätteralkohol], Oct-1-en-3-ol, Undec-10-en-1-ol, *trans*, *cis*-Nona-2,6-dien-1-ol [Veilchenblätteralkohol]), Aldehyde (wie Valeraldehyd [Pentanal], Capronaldehyd [Hexanal], Oenanthaldehyd [Heptanal], Caprylaldehyd [Octanal], Pelargonaldehyd [Nonanal], Caprinaldehyd [Decanal], Undecylaldehyd [Undecanal], Laurylaldehyd [Dodecanal], Laurinaldehyd [Tridecanal], *trans*-Hex-2-en-1-al [Blätteraldehyd], *trans*, *cis*-Nona-2,6-dien-1-al [Veilchenblätteraldehyd]), Ketone (wie 2-Methylhept-2-en-6-on, Acetoin, Diacetyl) und Ester (wie Formiate, Acetate, Propionate, Butyrate, Valerianate [Pentanoate], Capronate [Hexanoate], Oenanthate [Heptanoate], Caprylate [Octanoate], Tiglinate [*trans*-2-Methyl-but-2-ensäureester]) gesättigter und ungesättigter aliphatischer Alkohole eine für den Geruch bedeutsame Rolle.

A

So tragen beispielsweise mehrfach ungesättigte Alkane (wie Undeca-1,3-5-trien) zum Geruch des → Galbanumöls bei. Die gesättigten Aldehyde von Pentanal bis Dodecanal sind am frischen Geruch vieler → *Citrus*-Öle beteiligt. Die sauerstoffhaltigen Derivate *cis*-Hex-3-en-1-ol (Blätteralkohol) und *trans*-Hex-2-en-1-al (Blätteraldehyd), die in mehreren Blätterölen vorkommen, besitzen ebenfalls einen intensiv frischen Duft.
Das auch als Veilchenblätteraldehyd bezeichnete *trans*, *cis*-Nona-2,6-dien-1-al ist wesentlicher Bestandteil des → Veilchenblätter-Resinoids.

Unangenehm riechende aliphatische Schwefelverbindungen (wie Diallyldisulfid, Methylpropyldisulfid, Propenylpropyldisulfid) sind in → *Allium*-Ölen enthalten. Der stechende Geruch des Senföls ist vor allem auf das enthaltene Allylisothiocyanat (Allylsenföl) zurückzuführen.
Dimethyltrisulfan (Dimethyltrisulfid) ist sensorisch aktiver Bestandteil des → Hopfenöls.
Das in Spuren im → ätherischen Öl der Passionsfrucht (*Passiflora edulis* SIMS) vorkommende 3-Methyl-thiohexanol trägt zu dessen Aroma bei, das S-sek.-Butyl-3-methyl-but-2-en-thioat und andere Thioester zum Geruch des → Galbanumöls. Für den Geruch des → Schwarze-Johannisbeeren-Absolues sind Spuren von 4-Methoxy-2-methyl-but-2-enthiol bedeutsam.

Cycloaliphatische Verbindungen spielen hingegen in verschiedenen → Absolues und → Resinoiden sowie → animalischen Riechstoffen eine Rolle, wie *cis*-Jasmon und Dihydrojasmon für den Geruch des → Jasmin-Absolues, Cyclopentadecanon (Exalton), Cyclohexa- und Cycloheptadecanon sowie *cis*-Cycloheptadec-6-en-1-on und *cis*-Cycloheptadec-9-en-1-on (Zibeton) für den Duft des Sekrets der Zibet-Katze (vgl. → Zibet), 3-Methyl-cyclopentadecan-1-on (Muscon) und verwandte Ketone für den Geruch von → Moschus.

Nähere Angaben zu Einzelriechstoffen sind unter den jeweiligen Stichworten zu finden.

Alkoholgehalt (von ätherischen Ölen)

Siehe → Acetylierbarkeit, → Esterzahl.

Allergene Riech- und Aromastoffe

Zur orientierenden medizinischen Testung (Pflaster-Test) auf allergische Reaktionen gegenüber → Riechstoffen (Parfümallergie) wird heute im allgemeinen eine Duftstoff-Mischung aus den in den letzten Jahren im Riechstoffbereich am häufigsten gefundenen Allergenen (α-Amylzimtaldehyd, → Eichenmoos-Resinoid, Eugenol, Geraniol, Hydroxycitronellal, Isoeugenol, Zimtaldehyd und Zimtalkohol) genutzt. Damit können ca. 70 % der Parfümallergiker erfaßt werden. Bei den verbleibenden 30 % müssen die jeweils verwendeten Parfüms und → Kosmetika sowie Einzel-substanzen getestet werden. Dies gestaltet sich bei Parfüms, die bis zu 300 vom Hersteller im allgemeinen geheimgehaltene Einzelkomponenten enthalten können, äußerst schwierig. Andererseits sind Rückinformationen über allergene Reaktionen von Parfüms bzw. Parfüminhaltsstoffen für den Hersteller sehr bedeutsam für die Gewährleistung der gesundheitlichen Unbedenklichkeit.
Als schwach wirksame Kontaktallergene gelten z. B. Kamille, Lavendel, Melisse, Petersilie, Pfefferminze und Salbei sowie aus diesen Pflanzen hergestellte Produkte, als stärker allergisierend z. B. Arnica. Auch → Terpentinöl und die in → Costuswurzelöl und → Lorbeeröl enthaltenen Terpenlactone sind als Hautallergene bekannt. Der sehr stark allergene Perubalsam (vgl. → Perubalsamöl) darf in dieser Form nicht mehr für parfümistische Zwecke verwendet werden. 1982 empfahl die „International Fragrance Association (IFRA)“, auch Costus-Extrakte nicht mehr als → Riechstoffe einzusetzen.
Personen, die von derartigen Unverträglichkeitsreaktionen betroffen sind, sollten die verursachenden Stoffe meiden.

Photoallergische Reaktionen, die nur bei gleichzeitiger Lichteinwirkung erfolgen, siehe unter → phototoxische Riechstoffe.

Bei der Besprechung der einzelnen → Riechstoffe, → ätherischen Öle, → Absolues und → Resinoide wird auf bekannte allergene Wirkungen bzw. Inhaltsstoffe hingewiesen.

A

Allium-Öle (Alliumöle)

Zu den aus *Allium*-Arten gewonnenen Ölen, bei denen es sich nicht um klassische → ätherische Öle handelt, zählen das **Knoblauchöl** (CAS-Nr.: 8000-78-0) und das **Zwiebelöl** (CAS-Nr.: 6002-72-0). Von geringer wirtschaftlicher Bedeutung ist das aus *Allium porrum* L. stammende **Lauchöl**.

Das aus zerkleinerten Knoblauchzehen (*Allium sativum* L.) [Liliaceae] durch → Wasserdampf-Destillation in Ausbeuten bis 0,2 % gewonnene orangefarbene bis rötliche **Knoblauchöl** weist den charakteristischen, zumeist als unangenehm empfundenen scharfen Knoblauchgeruch und den typischen Knoblauchgeschmack auf. Die Zusammensetzung und physikalisch-chemischen Daten sind sehr stark von den Herstellungsbedingungen abhängig.

PHYSIKALISCH-CHEMISCHE DATEN:
d_{25}^{25}: 1,040 bis 1,090; n_D^{20}: 1,5590 bis 1,5790.

Wesentlich für den Geruch ist das Diallyldisulfid (ca. 60 %), neben Diallyltrisulfid (ca. 20 %), Allylpropyldisulfid (ca. 6 %), Diethyldisulfid, Diallylpolysulfid, Alliin und Allicin.
Das Öl wird als → Aromastoff für Nahrungsmittel verwendet.
Medizinisch wird Knoblauchöl zur Senkung von Blutdruck und Cholesterinspiegel, zur Verbesserung des Stoffwechsels und zur Stärkung des Immunsystems genutzt, volksmedizinisch auch als antibakterielles Mittel bei Wunden, Entzündungen und Darmerkrankungen.

TOXIKOLOGIE:
In Einzelfällen sind bei empfindlichen Personen allergene Wirkungen möglich.
Die als Inhaltsstoffe beschriebenen Verbindungen Diallylsulfid, Allylpropylsulfid und Allicin besitzten ein allergenes Potential.

Engl.: garlic oil; franz.: essence d´ail; ital.: essenzia d´aglio; span.: aceite de ajos.

Das durch → Wasserdampf-Destillation aus zerkleinerten Küchenzwiebeln (*Allium cepa* L.) in Ausbeuten von 0,005 bis 0,015 % gewonnene gelbe bis bernsteinfarbene **Zwiebelöl** weist einen anhaltend scharfen Zwiebelgeruch und den typischen Geschmack auf.

PHYSIKALISCH-CHEMISCHE DATEN:
d_{25}^{25}: 1,050 bis 1,135; n_D^{20}: 1,5495 bis 1,5695.

Für den typischen Geruch sind Disulfide (wie Dimethyldisulfid, Methylpropyldisulfid, Dipropyldisulfid und vor allem *cis*- und *trans*-Propenylpropyldisulfid) sowie Trisulfide verantwortlich. Daneben spielen u. a. noch Alkylthiosulfonate sowie verschiedene Alkohole und Aldehyde eine Rolle.

Der beim Zerschneiden der Zwiebel [durch enzymatische Spaltung von *trans*-(+)-S-(1-Propenyl)-L-cystein-sulfoxid] freigesetzte Haupt-Tränenreizstoff ist das Propanthial-S-oxid.

Beim Rösten der Zwiebel werden als → Aromastoffe besonders Dimethylthiophene wirksam, beim Kochen Polysulfide.

Das Zwiebelöl wird als → Aromastoff für Nahrungsmittel verwendet. In pharmazeutischen Zubereitungen hat es eine die Gallensekretion fördernde, carminative und antibakterielle Wirkung.

TOXIKOLOGIE:
Die Küchenzwiebel besitzt ein vermutlich auf dem Gehalt an Alliin und Propanthiol-S-oxid beruhendes allergenes Potential. Auch beim Zwiebelöl sind allergene Wirkungen möglich.
Das als Inhaltsstoff beschriebene Dipropyldisulfid hemmt im Tierversuch (Ratte) die Funktion der Schilddrüse (kropferzeugende Wirkung).

Engl.: onion oil; franz.: essence d´oignon.

Ambergris

Siehe → Ambra.

Ambra (Ambergris)

Pathologische Ausscheidungen aus dem Verdauungstrakt des Pottwals (Spermwal, Kaskelot; *Physeter catodon, Physeter macrocephalus*), die nach dem Tod der Tiere aufgrund ihrer Dichte (ca. 0,9) auf der Wasseroberfläche treiben oder aus dem Darm getöteter Wale stammen.

A

Die frische Ambra ist weich und zumeist schwarz. Sie wandelt sich langsam in die wachsartige graue (häufig weiß marmorierte) Ambra um, die einen trockenen moosig-holzigen tabak- und sandelholzähnlichen „erogenen" Geruch entfaltet. Sie darf nicht mit der aus den Kopfhöhlen, Rückgratknochen und dem Speck gewonnenen Weißen Ambra (Amber) verwechselt werden, bei der es sich um Walrat handelt.
Hauptinhaltsstoffe sind bis zu 85 % Epicoprosterol, Coprostanon sowie der geruchlose Triterpenalkohol Ambrein (allein 25 bis 45 %).

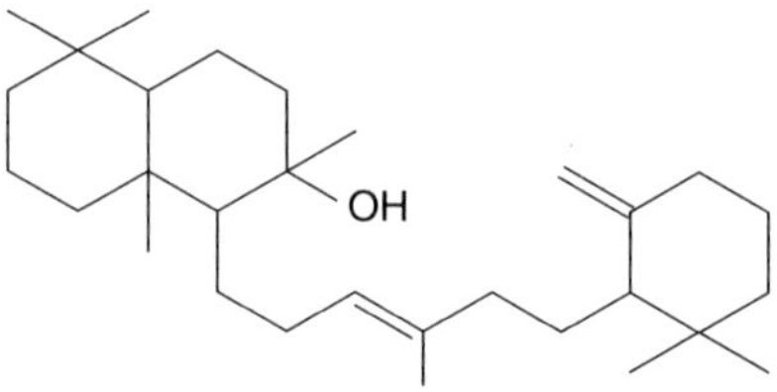

Ambrein

Die geruchsbestimmenden Inhaltsstoffe, die nur ca. 0,5 % der Ambra ausmachen, sind mono-, bi- und tricyclische Umwandlungsprodukte des Ambreins, die durch Autoxidation und Photooxidation gebildet werden. Dazu gehören u. a. das tabakartig riechende γ-Dihydrojonon, das nach Seewasser duftende 2-Methylen-4-(2,2-dimethyl-6-methylen-cyclohexyl)-butanal, das animalisch und erdig wirkende α-Ambrinol und das ambraartig duftende 3a,6,6,9a-Tetramethyl-dodecahydronaphtho[2,1-b]furan.

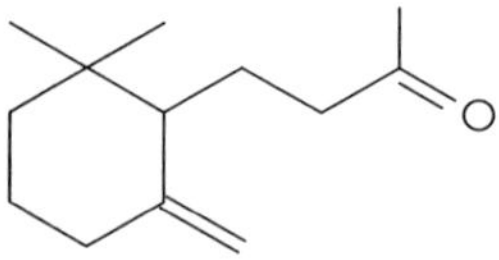

γ-Dihydrojonon

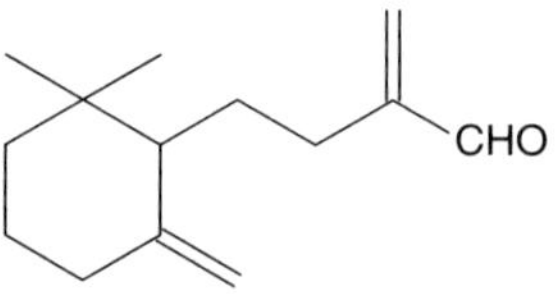

2-Methylen-4-(2,2-dimethyl-6-methylen-cyclohexyl)-butanal

A

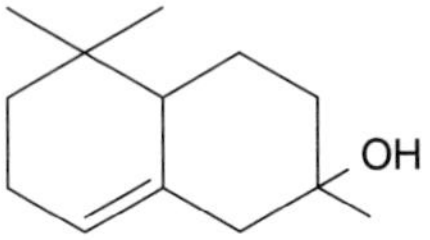

α-Ambrinol

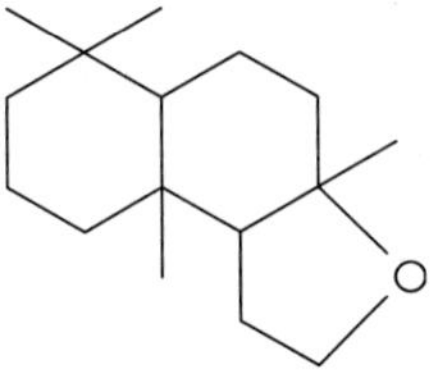

3a,6,6,9a-Tetramethyl-dodecahydro-naphthto[2,1-b]furan

Als weitere charakteristisch duftende Inhaltsstoffe werden γ-Cyclohomogeraniol sowie γ-Bicyclohomofarnesol und -farnesal beschrieben.
Natürliche Ambra wird in wertvollen → Parfüm-Kompositionen und als → Fixateur eingesetzt. Die Anwendung in der Parfümerie erfolgt dabei in Form der 3%igen → Tinktur in 90%igem Ethanol. Diese entfaltet durch die o. g. Oxidationsprozesse erst nach ca. einem Jahr ihren vollen Geruch, der als stimulierend und „aphrodisierend" geschätzt wird.
Aufgrund der schweren Beschaffbarkeit und des Preises der Ambra werden heute jedoch zumeist synthetische Ambra-Riechstoffe eingesetzt. Dazu gehören das durch partielle Hydrierung von γ-Jonon zugängliche γ-Dihydrojonon, dessen Cyclisierungsprodukte (Ambrinole) sowie das aus α-Jonon hergestellte γ-Cyclohomogeraniol und das aus Sclareol (Inhaltsstoff des Muskateller Salbeiöls; siehe → Salbeiöle) gewonnene γ-Bicyclohomofarnesal.

Engl.: ambergris, ambra; franz.: ambre gris; ital.: ambra; span.: ámbar gris.

Ambrettemoschus

SYNONYME: Moschus Ambrette, Musk Ambrette
CHEMISCHE BEZEICHNUNG: 1-Methyl-2,6-dinitro-3-methoxy-4-tert.-butyl-benzol, 2,6-Dinitro-3-methoxy-4-tert.-butyl-toluol
CAS-NR.: 83-66-9

A

STRUKTURFORMEL:

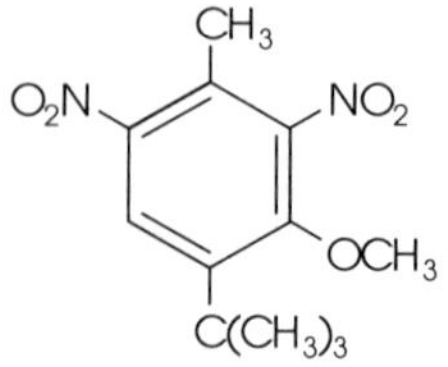

MOLEKULARGEWICHT: 268,28

Ambrettemoschus ist schon längere Zeit als wichtiger synthetischer Moschusriechstoff bekannt. Die Verbindung bildet farblose bis schwach gelbliche Kristalle mit intensivem, etwas aufdringlichem Moschusgeruch und einer ambraartigen Note.

PHYSIKALISCH-CHEMISCHE DATEN:
Schmp.: 84 bis 86 °C.

Die Verbindung ist nicht völlig lichtbeständig.

Ambrettemoschus wird hergestellt durch Nitrierung des aus m-Cresylmethylether und Isobuten mittels Alkylierung erhältlichen 3-Methoxy-4-tert.-butyl-toluols mit Salpetersäure und Essigsäureanhydrid.

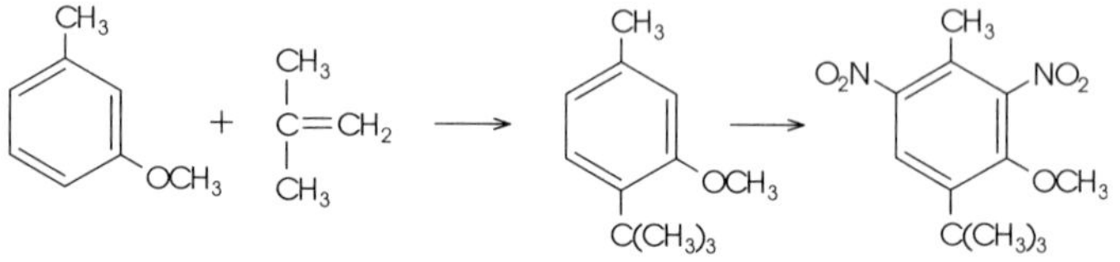

m-Cresylmethylether 3-Methoxy-4-tert.-butyl-toluol Ambrettemoschus

Die Verbindung wird in großen Mengen in Seifenparfüms eingesetzt.

TOXIKOLOGIE:
Von Ambrettemoschus sind photoallergische Reaktionen (vgl. → phototoxische Riechstoffe) bekannt.
Die synthetischen Nitromoschus-Riechstoffe stehen im Verdacht einer karzinogenen (krebserzeugenden) Wirkung. Ambrettemo-

schus wurde in den EU-Richtlinien als gesundheitlich bedenklich eingestuft; eine europaweites Verbot ist geplant.

Ambrettesamenöl (Moschuskörneröl)

Das aus den als Ambrettekörner (Moschuskörner, Abelmoschuskörner, Bisamkörner) bezeichneten getrockneten und zerkleinerten Samen des Moschuseibischs (*Abelmoschus moschatus* MEDIK., *Hibiscus abelmoschus* L.) [Malvaceae] durch → Wasserdampf-Destillation gewonnene → ätherische Öl (CAS-Nr.: 8015-62-1). Die Ausbeute beträgt 0,2 bis 0,6 %. Hauptproduzenten sind Indien, Ägypten, Angola, das Kongo-Gebiet, Ecuador, Kolumbien und Westindien.

Das Rohprodukt erscheint durch den Gehalt an langkettigen Fettsäuren wachsartig. Die Säuren müssen durch Alkalibehandlung entfernt werden.

Das verbleibende gelbe bis bernsteinfarbene Öl (auch als „Essence absolue d´Ambrette“ bezeichnet) besitzt einen leicht süßen, blumigen moschusartigen Geruch. Ein Volumenteil löst sich bei Raumtemperatur in 2,5 bis 9 Volumenteilen 80%igem Ethanol.

PHYSIKALISCH-CHEMISCHE DATEN:

d_{25}^{25}: 0,898 bis 0,920; n_D^{20}: 1,4680 bis 1,4850; $[\alpha]_D$: - 2°30′ bis + 3°; SZ: max. 3; VZ: 140 bis 200.

Hauptinhaltsstoffe sind → Makrolide, Farnesol, Farnesylacetat und aliphatische Ester.

Für den Moschusgeruch zeichnen vor allem die → Makrolide Ambrettolid [(*Z*)-Hexadec-7-en-16-olid] und (*Z*)-Tetradec-5-en-14-olid verantwortlich.

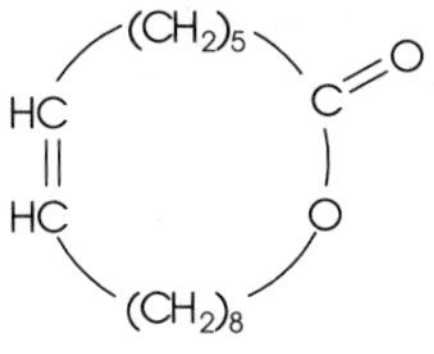

Ambrettolid

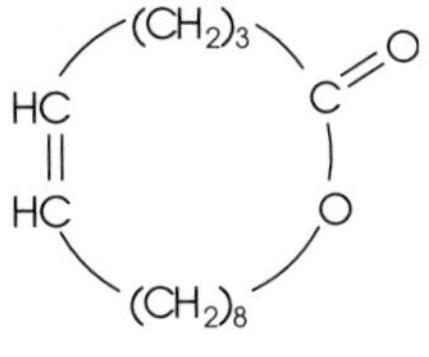

(*Z*)-Tetradec-5-en-14-olid

Das sehr teure Öl wird in wertvollen → Parfüm-Kompositionen (Blumen-, Lavendel-, Chypre-, Holz-, Veilchen-, Cyclamen- und Aldehyd-Noten), als → Aromastoff für Liköre (Kartäuser) sowie Schnupf- und Kautabake verwendet. Auch die pharmazeutische Nutzung (Anregungsmittel) ist bekannt.

Engl.: ambrette seed oil; franz.: essence de graines d´ambrette, essence de musc végétal; ital.: olio dei semi di abelmosco; span.: esencia de grano de ambreta.

α-Amylzimtaldehyd

Siehe → Jasmilan.

Amyris-Öl (Amyrissöl, Westindisches Sandelholzöl)

Das aus dem zerkleinerten Holz des in der Karibik, den Anrainerstaaten des Golfs von Mexico und Indonesien verbreiteten, mitunter auch als Westindisches Sandelholz bezeichneten Balsam-baumes (*Amyris balsamifera* L.) [Rutaceae] (der jedoch verschieden vom echten Ostindischen Sandelholz ist; vgl. → Sandelholzöl) durch → Wasserdampf-Destillation gewonnene → ätherische Öl (CAS-Nr.: 68916-10-9). Die Ausbeute beträgt 1,5 bis 3,5 %.

Das leicht viskose hellgelbe bis bernsteinfarbene Öl weist einen milden waldig-süßen cedernholzartigen Geruch auf. Ein Volumenteil löst sich bei Raumtemperatur in 1 Volumenteil 90%igem Ethanol. Beim weiteren Verdünnen kann sich die Lösung trüben.

PHYSIKALISCH-CHEMISCHE DATEN:
d_{20}^{20}: 0,946 bis 0,978; n_D^{20}: 1,5050 bis 1,5100; $[\alpha]_D^{20}$: + 10° bis + 60°; SZ: max. 3; EZ (nach Acetylierung): 180 bis 198.

Hauptinhaltsstoffe sind Sesquiterpenalkohole (wie Elemol, ß-Eudesmol und epi-γ-Eudesmol) sowie das Sesquiterpenoid α-Agarofuran.
Das Öl wird in → Parfüm-Kompositionen (Holz-, Chypre- und Fougere-Noten, Seifenparfüms) hauptsächlich als → Fixateur verwendet.

Engl.: amyris oil (sandalwood oil West Indian); franz.: essence d´amyris, essence de bois de santal Indes occidentales.

Analytik von Riechstoffen

Zur Qualitätsprüfung von → ätherischen Ölen und → einheitlichen Riechstoffen dienen neben der → sensorischenen Beurteilung (Geruchsprüfung; bei → ätherischen Ölen und → Aromastoffen auch Geschmacksprüfung) eine Reihe von physikalisch-chemischen Daten (wie → Dichte, → Brechungsindex, → optisches Drehungsvermögen, → Erstarrungspunkt, → Löslichkeit), die → gaschromatographische Untersuchung (einschließlich der → Headspace-Analyse) sowie chemische Parameter (wie → Säurezahl, → Esterzahl, → Verseifungszahl, → Acetylierbarkeit (Alkoholgehalt), → Aldehydgehalt, → Ketongehalt, → Chlorgehalt).

Zur Qualitätsprüfung von pharmazeutisch angewandten → ätherischen Ölen werden in den die entsprechenden Zubereitungen enthaltenden Arzneibüchern spezielle Gehaltsbestimmungen vorgeschrieben (vgl. Tabelle).

Tabelle: Gehaltsbestimmungen pharmazeutisch verwendeter → ätherischer Öle (nach Stahl-Biskup und Wilhelm, 1996)

Bergamottöl	Bergamottengehalt, HPLC (*PhF*)
Citronellöl	Citronellalgehalt; Hydroxylaminmethode (*ÖAB*) Geraniolgehalt; Estergehalt nach Acetylierung (*ÖAB, PhHelv*)
Citronenöl	Citralgehalt; Hydroxylaminmethode (*PhEu*)
Corianderöl	Linaloolgehalt; GC, gepackte Säule (*BP*)
Dillöl	Carvongehalt; Hydroxylaminmethode (*BP*)
Eucalyptusöl	Erstarrungspunkt mit o-Cresol (*PhEu*)
Krauseminzöl	Carvongehalt; Hydroxylaminmethode (*PB, DAC*)
Kümmelöl	Carvongehalt; Hydroxylaminmethode (*BP, DAB, ÖAB*)
Lavendelöl	Linalylacetat; Estergehalt durch Hydrolyse (*DAB, ÖAB, PhHelv*)

A

Minzöl	Menthylacetat; Estergehalt durch Hydrolyse (*BP, DAB*) Menthol; freie Alkohole durch Acetylierung (*BP, DAB*) Menthon; Hydroxylaminmethode (*DAB*)
Gewürznelkenöl	Eugenol; Cassiakolben (*BP, DAB, ÖAB, PhHelv*) Eugenol; GC, gepackte Säule (*BP*)
Orangenöl	Decanal; Hydroxylaminmethode (*BP*)
Rosmarinöl	Gesamt-Borneol (ÖAB) Borneol, verestert (*ÖAB*)
Thymianöl	Thymol; iodometrisch (*PhHelv*) Thymol; Cassiakolben (*ÖAB*)
Zimtöl	Zimtaldehyd; Hydroxylaminmethode (*BP, ÖAB, PhHelv, DAC*)

PhF: Pharmacopée Francaise X (1995)
ÖAB: Österreichisches Arzneibuch 1990, einschl. 2. Nachtrag 1991
PhHelv: Pharmacopoea Helvetica VII (Suppl. 1995)
PhEur: Europäisches Arzneibuch 1995
BP: British Pharmacopoeia 1993 (Ausgabe 1994)
DAC: Deutscher Arzneimittel-Codex
DAB: Deutsches Arzeibuch 10 (1996)

cis- und *trans*-Anethol

CHEMISCHE BEZEICHNUNG: 1-Methoxy-4-(prop-1-enyl)-benzol, 1-Methoxy-4-(1-propenyl)-benzol, 4-Propenyl-anisol
CAS-NR.: 104-46-1
STRUKTURFORMEL:

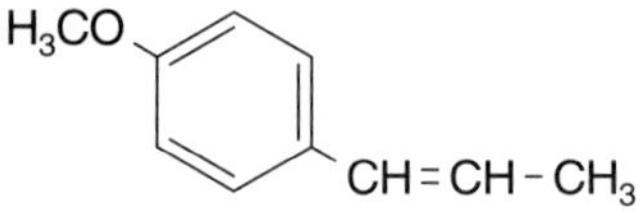

MOLEKULARGEWICHT: 148,20

Beide Isomere kommen in der Natur vor, wobei jedoch das *trans*-Isomer immer die Hauptkomponente darstellt. Es bildet farblose, nach Anis riechende sowie süßlich schmeckende Kristalle und ist im → Anisöl (80 bis 90 %), → Sternanisöl (> 90 %) sowie → Fenchelöl (80 %) anzutreffen.

PHYSIKALISCH-CHEMISCHE DATEN (*trans*-Anethol):

Sdp.$_{101,7\ kPa}$: 234 °C; Schmp.: 21,5 °C; d_4^{20}: 0,9883, (*cis*-Anethol): 0,9887; n_D^{20}: 1,5615.

Das *cis*-Isomer, dem toxische Eigenschaften nachgesagt werden, schmilzt bei - 22 °C. Beide Isomere sind in Wasser nicht, in organischen Lösungsmitteln leicht löslich (Ethanol 1 : 2).
Bei längerer Einwirkung von Salpeter- oder Chromsäure wird Anethol zu Anisaldehyd und Anissäure oxidiert.

Anethol kann auf verschiedenen Wegen gewonnen werden: So erhält man es durch Ausfrieren aus den Ölen (→ Anis-, → Sternanis-, → Fenchelöl), in denen es als Hauptbestandteil vorkommt. Außerdem enthält eine Fraktion des amerikanischen Sulfatterpentinöls (vgl. → Terpentinöle) hauptsächlich ein azeotropes Gemisch aus Anethol und Caryophyllen, aus dem das *trans*-Isomer durch Kristallisation erhältlich ist. Ein azeotropes Gemisch von Estragol (Methylchavicol, 1-Methoxy-4-allyl-benzol) und α-Terpineol ist Bestandteil einer anderen Fraktion des amerikanischen Sulfatterpentinöls, aus der durch Zusatz von Kalilauge ein Gemisch von Anethol-Isomeren und α-Terpineol hervorgeht, welches durch fraktionierte Destillation getrennt werden kann. Die Isolierung aus den Ölen befriedigt nicht immer den Bedarf an Anethol, so daß synthetische Verfahren entwickelt wurden, die Anisol als Ausgangsprodukt verwenden. Ein Prozeß geht vom Anisol und Propionsäure-Derivaten aus, wobei Anisol durch Friedel-Crafts-Alkylierung mit Propionylchlorid oder Propionsäure in 4-Methoxy-propiophenon umgewandelt wird.
Der aus dem Keton durch katalytische Hydrierung (Kupferchromit) entstehende Alkohol ergibt nach der in Gegenwart von sauren Katalysatoren verlaufenden Dehydrierung ein Gemisch von *cis*- und *trans*-Anethol.

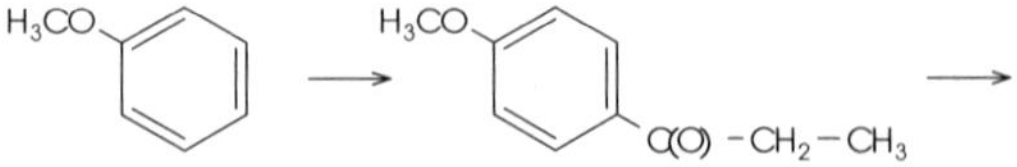

Anisol 4-Methoxy-propiophenon

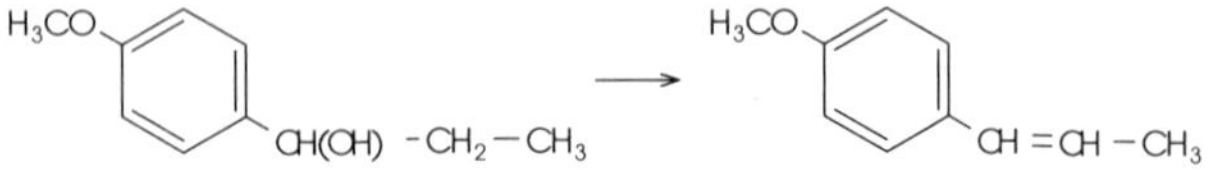

Anethol

Bei einem anderen Verfahren setzt man Anisol und Propanal ein und kondensiert in Gegenwart von katalytischen Säuremengen zu einer Mischung von kleinen Anteilen isomerer Komponenten und 1,1-Bis(4-methoxy-phenyl)-propan, das in der Hitze zu Anethol und Anisol gespalten wird.
Anethol kommt in großen Mengen bei der Fabrikation von Likören (Anisette usw.) sowie in Mundpflegemitteln zum Einsatz. Ferner dient die Verbindung auch als Ausgangsstoff zur Herstellung von Anisaldehyd.

TOXIKOLOGIE: *trans*-Anethol: LD_{50} (Ratte, i. p.): 900 mg/kg KG; *cis*-Anethol: LD_{50} (Ratte, i. p.): 93 mg/kg KG.

Angelica-Öl (Angelikaöl, Angelikawurzelöl)

Das aus den getrockneten Wurzeln der in Europa heimischen Engelwurz (*Angelica archangelica* L., *Archangelica officinalis* (MOENCH) HOFFM.) [Apiaceae, Umbelliferae] durch → Wasserdampf-Destillation gewonnene → ätherische Öl (CAS-Nr.: 8015-64-3). Die Ausbeute beträgt 0,2 bis 1 %.
Das unmittelbar nach der Destillation farblose, später hellgelbe bis tief bernsteinfarbene Öl besitzt einen krautig-pfeffrigen moschusähnlichen aromatisch-balsamischen Geruch mit einer feinwürzigen grünen Kopfnote und einen bittersüßen Geschmack. Ein Volumenteil löst sich bei Raumtemperatur in 1 Volumenteil 90%-igem Ethanol, meist unter Trübung.

PHYSIKALISCH-CHEMISCHE DATEN:

d_{25}^{25}: 0,850 bis 0,880 (bei aus längere Zeit gelagerten Wurzeln gewonnenen Ölen bis 0,930); n_D^{20}: 1,4735 bis 1,4870; $[\alpha]_D^{20}$: 0° bis + 46°; SZ: max. 7; EZ: 10 bis 65.

Hauptinhaltsstoffe sind ca. 90 % Terpene und Sesquiterpene. Allein α-Pinen, Car-3-en, Limonen α- und β-Phellandren machen einen Anteil von 60 % aus. Charakteristisch ist ferner eine Reihe sauerstoffhaltiger Verbindungen, wie die für den charakteristischen moschusähnlichen Geruch bedeutsamen → Makrolide 15-Pentadecanolid (Exaltolid) und 13-Tridecanolid. Auch Cumarine (wie Umbelliferon [7-Hydroxy-cumarin]) und Furocumarine (wie Xanthotoxin, Angelicin) werden als Inhaltsstoffe der Wurzel und des Öls beschrieben.

Das aus *Angelica*-Samen gewonnene ***Angelica*-Samenöl** (**Angelikasamenöl**, CAS-Nr.: 8015-64-3) hat eine ähnliche Zusammensetzung. Der Geruch ist etwas süßer und feiner. Ein Volumenteil löst sich bei Raumtemperatur in 1 Volumenteil 90%igem Ethanol, häufig unter Trübung.

PHYSIKALISCH-CHEMISCHE DATEN:

d_{25}^{25}: 0,853 bis 0,876; n_D^{20}: 1,4800 bis 1,4880; $[\alpha]_D$: + 4° bis + 16°; SZ: max. 3; EZ: 14 bis 32.

Beide *Angelica*-Öle werden in der Parfümerie, besonders zur Nuancierung von Herrenparfüms (Chypre-, Fougère- und Phantasie-Noten), als → Aromastoff für Liköre und Zuckerwaren sowie zur Herstellung pharmazeutischer Präparate (Stomachica, Hautreizmittel) angewandt.

TOXIKOLOGIE:

Phototoxische Wirkungen sind möglich.

Die als Inhaltsstoffe beschriebenen Cumarine können bei oraler Aufnahme größerer Mengen zu Leber- und Nierenschädigungen führen. Furocumarine entfalten photosensibilisierende und phototoxische Wirkungen; d. h., unter gleichzeitigem Einfluß von Sonnenlicht kann es zu Dermatitiden (Photo-Dermatitis, Berloque-Dermatitis) kommen. Furocumarine zeigen des weiteren mutagene und karzinogene Wirkungen. α-Pinen und Car-3-en können in größeren Mengen bei empfindlichen Personen zu Hautreizungen und Ekzemen führen. Bei der oralen Zufuhr kann α-Pinen Nierenreizungen nach sich ziehen. Limonen besitzt ein allergenes Potential.

Engl.: angelica root (seed) oil; franz.: essence d´angélique (archangélique); ital.: olio angelico; span.: aceite (esencia) de angélica.

Animalische Duftstoffe

Im Vergleich zu den pflanzlichen und den synthetischen → Riechstoffen sind die duftenden tierischen Sekrete von begrenzter wirtschaftlicher Bedeutung. Die wenigen als Rohstoffquelle dienenden Tierarten sind heute teilweise vom Aussterben bedroht und unter Schutz gestellt, so daß die Preise für die entsprechenden → Riechstoffe sehr hoch liegen.

Im einzelnen handelt es sich um:

→ Ambra (Ambergris), ein pathologisches Stoffwechselprodukt des Pottwals (Spermwal, Kaselot),

→ Castoreum (Bibergeil), ein Sekret der Präputialdrüsen des Bibers,

→ Moschus, ein Brunft-Sekret aus den am Bauch männlicher Moschustiere befindlichen Moschusbeuteln,

→ Zibet, ein salbenartiges Drüsensekret der Zibetkatze und

→ Bienenwachs-Absolue.

p-Anisaldehyd

SYNONYME: 4-Anisaldehyd, Aubépine
CHEMISCHE BEZEICHNUNG: p-Methoxybenzaldehyd, 4-Methoxybenzaldehyd
CAS-NR.: 123-11-5
STRUKTURFORMEL:

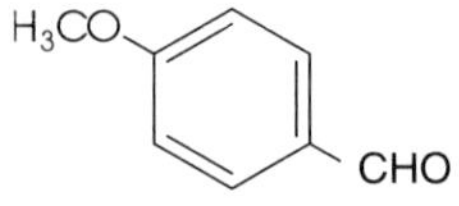

MOLEKULARGEWICHT: 136,15

p-Anisaldehyd, ein farbloses, nach blühendem Weißdorn (cumarinähnlich) riechendes Öl, ist in Cassiablüten, → Anis-, → Sternanis- und → Fenchelöl verbreitet.

PHYSIKALISCH-CHEMISCHE DATEN:
Sdp.$_{101,3\ kPa}$: 247 bis 248 °C; d_4^{25}: 1,1192; n_D^{25}: 1,5703.

p-Anisaldehyd löst sich schwer in Wasser, leicht in Ethanol und Ether.
Er ist empfindlich gegen Licht, Luft, Wärme, Aluminium, Eisen, Alkalien und Säuren.
Die Verbindung kann durch Oxidation von p-Cresolmethylether mit frisch gefällten Braunstein erhalten werden.

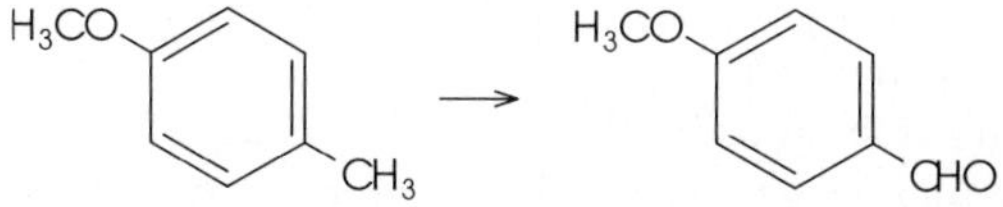

p-Cresolmethylether p-Anisaldehyd

Andere Synthesemöglichkeiten sind die Formylierung von Anisol mit N-Methylformanilid und Phosphoroxychlorid oder die Veretherung von p-Hydroxybenzaldehyd, einem Nebenprodukt der Reimer-Tiemann-Synthese von Salicylaldehyd.
p-Anisaldehyd ist häufig Bestandteil „süßer" Blütenkompositionen, z. B. solcher mit Flieder- und Weißdornnoten. Er findet u. a. auch in → Aroma-Kompositionen für die Lebensmittelindustrie Einsatz.

TOXIKOLOGIE: LD_{50} (Ratte, oral): 1,5 g/kg KG.
Gemäß der Gefahrstoffverordnung der Bundesrepublik Deutschland ist Anisaldehyd gesundheitsschädlich beim Verschlucken (R22).

Anisöl

Das aus den Früchten des vor allem in Osteuropa, aber auch in der Türkei, Spanien, dem Libanon, Ägypten sowie Mittel- und Süd-Amerika angebauten Anis (*Pimpinella anisum* L., *Anisum vulgare* GAERTN.) [Apiaceae, Umbelliferae] durch → Wasserdampf-Destillation gewonnene → ätherische Öl (CAS-Nr.: 8057-65-6). Die Ausbeute beträgt 2 bis 6 %.

A

Das farblose bis gelbe Öl (oder die kristallisierte Masse) hat einen lebendigen angenehm-süßen würzig-krautigen Anethol-Geruch und einen süßlich-würzigen Geschmack. Ein Volumenteil löst sich bei Raumtemperatur in 3 Volumenteilen 90%igem Ethanol.

PHYSKALISCH-CHEMISCHE DATEN:

d_{20}^{20}: 0,980 bis 0,990; n_D^{20}: 1,5520 bis 1,5590; $[\alpha]_D^{20}$: - 2° bis + 2°; Erstarrungspunkt: 15 bis 19,5 °C.

Hauptinhaltsstoff ist mit einem Anteil von teilweise mehr als 95% das *trans*-Anethol. Daneben sind u. a. 4-Methoxy-acetophenon, Anisol, Anisaldehyd, Anisketon, Anissäure, Pinen, Limonen, γ-Himachalen und verschiedene Sesquiterpene enthalten. Auch die Phenylallyl-Derivate Methylchavicol (Estragol), Safrol und andere Phenylpropenyl-Derivate werden beschrieben. Als charakteristisch für echtes Anisöl gilt ein Anteil von ca. 5 % des 2-Methylbuttersäureesters des 4-Methoxy-2-(prop-1-enyl)-phenols.
Anisöl ist in der Feinparfümerie als Nuanceur in den verschiedensten Duftnoten (besonders Moos- und Tabak-Noten) sowie in Deckparfüms geschätzt. In der Riechstoffindustrie wird es ferner zur Gewinnung von Anethol eingesetzt, ist aber heute durch das billigere → Sternanisöl in seiner Bedeutung stark zurückgedrängt worden. Es dient ferner als → Aromastoff für Liköre und Süßwaren sowie als Mittel bei Husten (Hustenbonbons), Krämpfen sowie Magen- und Darmschwäche. Es ist als Monographie im DAB 10 enthalten. Das Öl besitzt eine insektenabschreckende Wirkung. In der Vergangenheit wurde es auch zur Vertreibung von Läusen angewandt.
Im Handel werden häufig Anisöle angeboten, die mehr oder weniger aus synthetischem Anethol bestehen. Dabei muß besonders auf den Anteil an toxischerem *cis*-Anethol geachtet werden.

TOXIKOLOGIE:

Das als Inhaltsstoff beschriebene Safrol erzeugt im Rattenversuch Leberkrebs und Leberzirrhosen. Auch Methylchavicol (Estragol) zeigt im Tierversuch karzinogene Eigenschaften. Oral aufgenommene Phenylpropenyl-Derivate können in größeren Mengen psychosomimetisch, nieren- und leberschädigend wirken. Pinen kann in größeren Mengen bei empfindlichen Personen zu Hautreizungen und Ekzemen, bei oraler Aufnahme zu Nierenreizungen führen. Auch Anethol kann bei empfindlichen Personen Dermatitis verursachen. Limonen besitzt ein allergenes Potential.

Engl.: anise oil; franz.: essence d´anis, ital.: olio essenziale di anice; span.: esencia de anis.

Anisylacetat

CHEMISCHE BEZEICHNUNG: 4-Methoxy-benzylacetat
CAS-NR. 104-21-2
STRUKTURFORMEL:

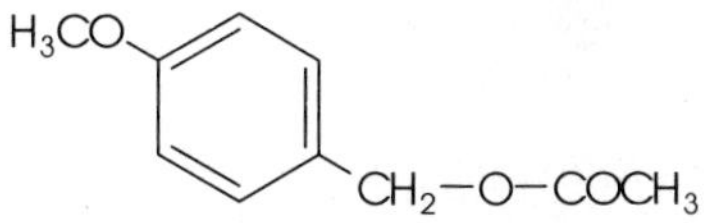

MOLEKULARGEWICHT: 180,20

Anisylacetat ist eine in verschiedenen Beeren anzutreffende farblose Flüssigkeit mit einem fruchtigen, leicht balsamischen Blütengeruch.

PHYSIKALISCH-CHEMISCHE DATEN:
Sdp.$_{1,5\ kPa}$: 133 °C; d_4^{20}: 1,1084.

Gelegentlich wird die Verbindung in süßen Blütenkompositionen, häufiger in → Aroma-Kompositionen mit fruchtigen Noten eingesetzt.

Anosmie

Angeborenes Fehlen oder starke Reduktion des Geruchssinnes. Teilweise sind Defekte des Riechhirns (*Bulbus* und *Tractus olfactorius*) verantwortlich. Familiäres Vorkommen (dominanter Erbmodus) ist bekannt.

Anthranilsäuremethylester

SYNONYM: Methylanthranilat
CAS-NR. 134-20-3

A

STRUKTURFORMEL:

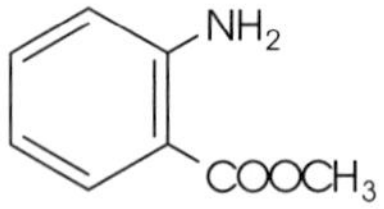

MOLEKULARGEWICHT: 151,16

Anthranilsäuremethylester tritt in Form von weißen Kristallen, die in Lösung prachtvoll fluoreszieren, oder als gelbliche Flüssigkeit mit einem orangenblütenartigen Geruch auf.
Die Verbindung kommt in zahlreichen → ätherischen Ölen, z. B. im → Neroli-, → Ylang-Ylang-, → Jasminöl sowie in → *Citrus*-Ölen, und Weintrauben vor.

PHYSIKALISCH-CHEMISCHE DATEN:
Sdp.$_{2\ kPa}$: 135,5 °C; Schmp. 24 bis 25 °C; d_4^{20}: 1,167; n_D^{20}: 1,5815.

Hergestellt wird Anthranilsäuremethylester durch Veresterung von Anthranilsäure mit Methanol in Gegenwart von Salzsäure oder anderen Mineralsäuren.
Der Ester kommt in verschiedenen Blütendüften zum Einsatz. Da er sich leicht verfärbt und mit Aldehyden dunkel gefärbte Schiffsche Basen bildet, ist seine Anwendung in Parfüms auf Seifen und → Kosmetika begrenzt. Anzutreffen ist die Verbindung außerdem in Citrusaromen.

TOXIKOLOGIE: LD_{50} (Ratte, oral): 2,9 g/kg KG.
Gemäß der Gefahrstoffverordnung der Bundesrepublik Deutschland ist Anthranilsäuremethylester gesundheitsschädlich beim Verschlucken (R 22).

Armoiseöl

Siehe → *Artemisia*-Öl.

Arnica-Öl (Arnikaöl)

Das aus den getrockneten Wurzeln (aber auch den Blüten) der in den europäischen Gebirgsregionen verbreiteten Arnika (Berg-

Wohlverleih; *Arnica montana* L.) [Asteraceae, Compositae] durch → Wasserdampf-Destillation gewonnene → ätherische Öl (CAS-Nr.: 8057-65-6). Die Ausbeute liegt bei 0,5 bis 1,5 % (bei den Blüten um 0,1 %).
Das gelbliche, später nachdunkelnde Öl besitzt einen rettichähnlichen Geruch und einen scharfen aromatischen Geschmack. Ein Volumenteil löst sich bei Raumtemperatur in 5 Volumenteilen 80%igem Ethanol.

PHYSIKALISCH-CHEMISCHE DATEN:
d_{15}^{15}: 0,982 bis 1,000; n_D^{20}: 1,5070 bis 1,5080; $[\alpha]_D^{20}$: - 2° bis + 0,25°.

Hauptinhaltsstoffe sind ca. 80 % Thymolhydrochinondimethylether, ca. 20 % Isobuttersäurephorylester, m-Phorolmethylether, Isobuttersäure, Ameisensäure u. a.
In *Arnica*-Tinktur wurden Sesquiterpenlactone (wie Xanthalongin, Helenalin, Arnicolid), Cumarin-Derivate, Polyacetylene und Zimtsäuren nachgewiesen.
Arnica-Öl kommt in pharmazeutischen Präparaten (durchblutungsfördernde Salben bei Prellungen, Blutergüssen, Rheuma und Neuralgien) sowie Haarpflegemitteln, Badezusätzen, Seifen und Massageölen zum Einsatz, ferner als → Aromastoff für Kräuterliköre. *Arnica*-Absolue (vgl. → Absolues) wird gelegentlich auch in Herrenparfüms für Chypre-, Tabak-, Holz- und Leder-Kompositionen genutzt.
Arnica-Auszüge werden in der Volksmedizin bei Mund- und Rachenentzündungen, Magen- und Darmstörungen sowie als Anregungsmittel für Herz- und Kreislauf angewandt.

TOXIKOLOGIE:
Konzentrierte *Arnica*-Tinktur ist haut- und schleimhautreizend. Auch das Öl sollte entsprechend beachtet werden.
Die vor allem in der Tinktur als Inhaltsstoffe beschrieben Sesquiterpenlactone sind stark wirkende Allergene. Cumarine entfalten bei oraler Aufnahme größerer Mengen leber- und nierenschädigende Wirkungen.

Engl.: arnica oil; franz.: essence d´arnica, span.: esencia de árnica.

A

Aroma-Kompositionen (Kompositionsaromen)

Der Bedarf an → Riech- und → Aromastoffen kann heute nicht mehr allein aus natürlichen Ressourcen gedeckt werden. Zudem ist bei zahlreichen natürlichen Produkten mit hohen Preisen zu rechnen.

Aus diesem Grund werden aus naturidentischen Einzelriech- und Aromastoffen (vgl. → Riechstoffe, → einheitliche Riechstoffe, → Aromastoffe) Kompositionsaromen bereitet, die den entsprechenden natürlichen Aromen möglichst nahe kommen. Eine Identität der Kompositionen mit den oft aus mehr als 100 Einzelkomponenten bestehenden Naturprodukten ist in der Praxis jedoch nicht erreichbar.

Tabelle: Rezepturbeispiele für synthetische naturidentische Aromakompositionen (nach Emberger, 1982)

Birnenaroma

1 - 2,5	Butylpropionat
0,5 - 1,0	Vanillin
20 - 25	Isoamylacetat
0,2	Ethylacetat
0,6	Orangenöl
0,05 - 0,15	Diacetyl
10 - 15	Isoamylisovalerianat
0,001 - 0,002	Linalylacetat
1,0 - 1,5	Bergamottöl
0,5 - 1,0	γ-Undecalacton
0,1 - 0,3	γ-Nonalacton
0,02 - 0,07	Maltol
0,1 - 0,25	Isoamylalkohol
ad 100	Ethanol

A

Johannisbeeraroma

1	Zimtöl
1	Lavendelöl
1	Benzaldehyd
1	Anisaldehyd
2	Gewürznelkenöl
3	Lorbeeröl
3	Rosmarinöl
3	α-Terpineol
5	Isopulegylacetat
5	Cedrylacetat
5	p-Menthan-8-thiol-3-on
7	Nerol
8	Nerylacetat
8	Maltol
10	Methylanthranilat
10	β-Caryophyllen
10	Isoeugenol
10	Vanillin
15	Geranylacetat
20	Citronellol
20	α-Jonon
20	Isobutylacetat
20	Ethylnonanoat
20	Ethylbutyrat
20	Ethylpropionat
30	Ethylacetat
30	Ethylheptanoat
50	Pulegon
300	Milchsäure
ad 1000	Ethanol

A

Aromastoffe (Aromen)

Im allgemeinen Stoffe, die ein Aroma (lat.: Wohlgeruch) entfalten, d. h. einen sensorischen, olfaktorisch-geschmacklichen Gesamteindruck hervorrufen. Reine → Riechstoffe, wie sie in der Parfümerie angewandt werden, sind demnach nicht zu den Aromastoffen zu zählen. Andererseits spielen beim geschmacklichen Eindruck eines Aromastoffes dessen geruchliche Eigenschaften eine wichtige Rolle. Viele Aromastoffe werden erst beim Kauen frei und wirken dann über die Rachen-Nasen-Verbindung auch auf die Riechzellen. Wichtige natürliche Vertreter sind vor allem die in den Gewürzen und Würzkräutern enthaltenen → ätherischen Öle. Daneben werden durch Synthese auch zahlreiche naturidentische Aromastoffe gewonnen.
Nach der Essenzen-Verordnung der Bundesrepublik Deutschland sind Aromen (= Essenzen) konzentrierte Zubereitungen von Geruchsstoffen oder Geschmacksstoffen, die ausschließlich dazu bestimmt sind, Lebensmitteln einen besonderen Geruch oder Geschmack, ausgenommen einen lediglich süßen, sauren oder salzigen Geschmack, zu verleihen.

Siehe auch → Riechstoff-Anwendungen.

Aromatherapie

Seit altersher nutzt die Volksmedizin → ätherische Öle und daraus isolierte einzelne → Riechstoffe zu Heilzwecken. In der moderneren wissenschaftlichen Literatur wurden 1875 von W. S. Watson erstmals die aufmunternde Wirkung von Düften auf Geisteskranke und die positiven Effekte von Rosenöl bei nervösem Magen sowie schlechter Verdauung beschrieben. Der Begriff „Aromatherapie“ wurde jedoch erst Ende der zwanziger Jahre unseres Jahrhunderts von dem französischen Riechstoffchemiker R. M. Gattefossé, der die antiseptischen Eigenschaften und die gute Hautpenetration → ätherischer Öle erkannte, geprägt und für jegliche Therapie mit diesen Naturstoffen verwendet.
In den durch die „New Age“-Diskussionen und eine Esoterik-Welle gekennzeichneten achtziger Jahren griff R. Tisserand den Terminus wieder auf und verwandte ihn für die mit esoterischen

und anthroposophischen Elementen durchsetzte allgemeine Anwendung natürlicher aromatischer Stoffe.

Die auf wissenschaftlicher Basis fundierende Aromatherapie wurde Ende der achtziger Jahre vor allem von dem österreichischen Pharmazeuten G. Buchbauer als die **„Anwendung von Duftstoffen zur Heilung, Linderung oder Verhütung von Krankheiten, Infektionen oder Unwohlsein durch deren Inhalation“** definiert.

Seit Anfang der neunziger Jahre wurde die Wirkung **inhalierter Duftstoffe** sowohl im Tierversuch (z. B. Beeinflussung der lokomotorischen Aktivität) als auch beim Menschen (z. B. Beeinflussung von Hautwiderstand, Hautspannung, peripherem und cerebralem Blutstrom, Herzschlagfrequenz, Pupillengröße und Hirnstromwellen) experimentell nachgewiesen. Dabei konnte gezeigt werden, daß in bestimmten Fällen eine Resorption der inhalierten Stoffe ins Blut erfolgt (auch in der Gehirnrinde waren diese Stoffe nachweisbar), so daß eine Reihe der beobachteten pharmakologischen Wirkungen nicht nur durch bloße Reizung der Geruchsrezeptoren verursacht werden dürfte.
Die über den rein psychologischen Einfluß erfolgenden reflektorischen Wirkungen von Duftstoffen auf das körperliche und geistige Wohlbefinden des Menschen werden von der Aromapsychologie oder Aromachologie untersucht. Häufig ist jedoch eine Trennung von echten pharmakologischen Wirkungen (durch direkte Wechselwirkung mit geeigneten Rezeptorsystemen) und psychologischen Effekten sehr schwierig.
Als stimulierende, aktivierende Stoffe wurden besonders die → ätherischen Öle von Citrusfrüchten, Kümmel (sowie dessen Hauptinhaltsstoff (+)-Carvon), Jasmin, Patschuli, Lemongras, Rosmarin, Wacholder und Latschenkiefer erkannt; als beruhigende, sedierende Stoffe die → ätherischen Öle von Kamille, Lavendel (sowie dessen Hauptinhaltsstoffe Linalool und Linalylacetat), Melisse (sowie deren Hauptinhaltsstoff Citronellol), Baldrian, Neroli, Rose, ostindischem Sandelholz sowie die → einheitlichen Riechstoffe 2-Phenyl-ethylacetat, α-Terpineol, Benzaldehyd, Isoeugenol, Maltol, Methylsalicylat, α-Pinen und (–)-Carvon.

A

Einsatz findet die Aromatherapie heute vor allem zur Linderung von Erkältungskrankheiten, zur Nervenberuhigung, Stimmungsaufhellung und Muskelentspannung (Angst- und Anti-Streß-Behandlung, Einschlafförderung), aber auch zur Verbesserung der Durchblutung.

Besonders bekannt ist die inhalative Anwendung → ätherischer Öle bei Erkrankungen des Respirationstraktes, wobei bronchosekretolytische, expectorierende und antiphlogistische (entzündungshemmende) Eigenschaften wirksam werden. Angewandt werden vor allem → Anisöl, → *Curcuma*-Öl, → *Angelica*-Öl, → Fenchelöl, → Fichtennadeöl, Latschenkiefernöl (vgl. → Kiefernnadelöle), → Terpentinöl (gereinigt) und → Thymianöl bzw. die Einzelwirkstoffe Anisaldehyd, Citral, Citronellal, Campher, Limonen, α–Pinen, Geraniol, Terpineol, Menthol, Fenchon und β-Jonon.
Bei Entzündungen der Schleimhaut im Bereich des Nasen-Rachen-Raumes, der Nasennebenhöhlen und der Bronchien sowie bei Nebenhöhleninfektionen ist die Inhalation mit → Kamillenöl ein bewährtes und wirksames Mittel. Wirksame Inhaltsstoffe sind vor allem Chamazulen und (–)-α-Bisabolol.
Bei der Anwendung → ätherischer Öle ist allerdings darauf zu achten, daß nur Konzentrationen genutzt werden, die eine lokale Reizung der Schleimhäute des Bronchialsystems ausschließen. Besonders zu beachten ist dies bei → Terpentinöl und α-Pinen. Empfindliche Personen können auf spezielle Produkte bzw. Inhaltsstoffe auch mit allergischen Symptomen reagieren. So besitzen beispielsweise Citral, Citronellal, Limonen und Geraniol ein allergenes Potential (vgl. auch → allergene Riech- und Aromastoffe).

Weitere therapeutische Nutzungsmöglichkeiten → ätherischer Öle siehe → pharmakologische Wirkungen ätherischer Öle.

Aromatische Verbindungen in ätherischen Ölen

Nach den → Terpenen haben die in → ätherischen Ölen enthaltenen substituierten Phenole und Phenolether (wie Thymol, Carvacrol, Guajacol, Methylsalicylat, Eugenol, Vanillin, Anethol,

Anisol, Estragol [Methylchavicol], Anissäure, Heliotropin [Piperonal], Safrol, Isosafrol, Myristicin, Elemicin) für deren Geruch besondere Bedeutung.
Daneben kommen auch einige araliphatische Alkohole (wie Benzylalkohol, Phenylethylalkohol, Zimtalkohol), aromatische und araliphatische Aldehyde (wie Benzaldehyd, Anisaldehyd, Veratrumaldehyd, Phenylacetaldehyd, Zimtaldehyd, Cyclamenaldehyd), Ketone (wie Acetophenon, Benzophenon, Benzylaceton), Säuren (wie Benzoesäure, Anissäure, Phenylessigsäure, Zimtsäure), Ester aromatischer Säuren (wie Benzoesäureester, Phenylessisäureester, Salicylsäureester, Zimtsäureester) und Ester aliphatischer Säuren mit aromatischen Alkoholen bzw. Phenolen (wie Eugenylacetat, Anisylacetat) vor. Wichtiger Vertreter der aromatischen Lactone sind das Cumarin (o-Hydroxyzimtsäurelacton) und dessen Derivate.
Von den aromatischen Kohlenwasserstoffen ist lediglich das citrusartig riechende p-Cymol als Komponente einiger → ätherischer Öle von Bedeutung.
Auch einzelne aromatische Amino-Verbindungen, wie Anthranilsäuremethylester [Methylanthranilat] und N-Methyl-anthranilsäuremethylester [Methyl-N-methyl-anthranilat] spielen in verschiedenen ätherischen Blüten- sowie → *Citrus*-Ölen eine Rolle.
Sehr selten treten aromatische Nitrile, z. B. das in Spuren im → Neroliöl vorkommende Phenylacetonitril (Benzylcyanid), und aromatische Nitroverbindungen, wie das zimtartig duftende, ebenfall in → Neroliöl enthaltene 1-Nitro-2-phenyl-ethan auf.

Nähere Angaben zu Einzelriechstoffen sind unter den jeweiligen Stichworten zu finden.

Artemisia-Öl (Artemisiaöl, Armoiseöl)

Das aus dem Kraut des Marokkanischen Beifußes (*Artemisia herba-alba* ASSO) [Asteraceae, Compositae] durch → Wasserdampf-Destillation gewonnenene → ätherische Öl. Die Ausbeute beträgt ca. 0,3 %.
Die hellgelbe bis gelbe Flüssigkeit weist einen würzigen, leicht krautigen Thujon-Geruch auf.

PHYSIKALISCH-CHEMISCHE DATEN:
d_{25}^{25}: 0,917 bis 0,935; n_D^{20}: 1,4600 bis 1,4720; $[\alpha]_D^{20}$: - 25° bis - 8°.

Hauptinhaltsstoffe sind ca. 40 % Campher, ca. 35 % α-Thujon und ca. 5 % β-Thujon.
Das Öl wird in der Feinparfümerie zur Gestaltung von Naturdüften sowie herb-balsamischen → Parfüm-Kompositionen, z. B. für Chypre-Duftnoten, angewandt.

Der in Europa heimische Gemeine Beifuß (Wilder Wermut, Gänsekraut; *Artemisia vulgaris* L.) liefert 0,03 bis 0,2 % → ätherisches Öl mit 1,8-Cineol (Eucalyptol) als Hauptkomponente sowie α- und β-Thujon, α- und β-Pinen. Als weitere von über 100 verschiedenen Aromakomponenten werden u. a. Campher, Linalool, α-Terpineol, Terpinen-4-ol, Borneol, α-Cadinol, Spathulenol, Cumarin-Derivate sowie 21 irreguläre Terpene und 3 Sesquiterpenlactone (wie Vulgarin) beschrieben.
Eine Anwendung erfolgt als → Aromastoff bzw. Würzmittel. Volksmedizinisch wird Beifuß bei Magenbeschwerden, Menstruationsstörungen, epileptischen Krämpfen sowie als Diureticum und Wurmmittel angewandt.
Das Öl besitzt eine insektenabschreckende sowie bakterizide und fungizide Wirkung.

TOXIKOLOGIE:
Die in Beifußölen enthaltenen Thujone können in größeren Mengen Hautreizungen, bei oraler Aufnahme zentrale Lähmungserscheinungen, Krämpfe und Leberschädigungen auslösen. Auch abortive Wirkungen sind bekannt. Pinene können in größeren Mengen bei empfindlichen Personen zu Hautreizungen und Ekzemen, bei oraler Aufnahme zu Nierenreizungen führen. Die orale Zufuhr von Cumarin-Derivaten kann zu Leber- und Nierenschäden führen. Linalool und die in geringen Mengen in Beifuß vorkommenden Sesquiterpenlactone besitzen ein allergenes Potential.

(Weitere *Artemisia*-Öle siehe → Davanaöl, → Estragonöl, → Wermutöl.)

Engl.: artemisia oil, armoise oil, mugwort oil; franz.: essence d´artemisia (armoise).

Asa-foetida-Resinoid (Asant-Resinoid, Stinkasant-Resinoid)

Das aus dem Gummiharz (Asa foetida, Asant, Stinkasant, Teufelsdreck), dem eingetrockneten Milchsaft der in Iran und Afghanistan gedeihenden *Ferula*-Art *Ferula assa-foetida* L. (und anderen Vertretern) [Apiaceae, Umbelliferae] durch → Extraktion mit Lösungsmitteln gewonnene konkrete Resinoid (Resinoid-Concret; vgl. → Resinoide). Die Ausbeute liegt in der Größenordnung von 6 bis 17 %.

Das gelbe bis braune konkrete Resinoid weist einen unangenehm-scharfen zwiebel- bis knoblauchartigen Duft auf.

Geruchsbestimmende Inhaltsstoffe sind Disulfide, wie (1-Methylthiopropyl)-prop-1-enyl-disulfid, sek.-Butyl-prop-1-enyl-disulfid und sek.-Butyl-[3-(methylthio)-prop-2-enyl]-disulfid, Tri- und Tetrasulfide. Weitere Aromaträger des Asants sind α-Pinen, Phellandren und Undecylsulfonylessigsäure.

In der Parfümerie wird das → Resinoid in beschränktem Umfang als Nuanceur eingesetzt. In Asien wird Asant auch in breiterem Maße als → Aromastoff bzw. Gewürz angewandt.

TOXIKOLOGIE:

Das als Inhaltsstoff beschriebene α-Pinen kann in größeren Mengen bei empfindlichen Personen zu Hautreizungen und Ekzemen, bei oraler Aufnahme zu Nierenreizungen führen.

Engl.: Asafoetida resinoid.

Asant-Resinoid

Siehe → Asa-foetida-Resinoid.

Ätherische Öle

Die im allgemeinen (gut oder auch unangenehm) riechenden flüchtigen öligen Produkte, die durch → Wasserdampf-Destillation aus Pflanzen, Pflanzenteilen (Blüten, Knospen, Blätter, Zweige, Rinden, Wurzeln, Samen, Zwiebeln, Knollen; auch Gewürzen) oder -ausscheidungen (Harzen, Balsamen) oder durch → Pressen der äußeren Fruchtschale einiger *Citrus*-Arten gewonnen werden. Dabei können in einer Pflanze auch unterschiedliche Öle auftreten. So liefern beispielsweise die Blüten des Pomeranzen-

A

baumes das → Neroliöl, die Blätter und Zweige das → Petitgrainöl und die Fruchtschalen das → Pomeranzenöl.
Im Gegensatz zu den fetten Ölen verdunsten ätherische Öle vollständig (und hinterlassen auf Papier keinen Fettfleck).
Chemisch handelt es sich um Gemische, die sich nach Art, Zahl und Mengenverhältnissen der Inhaltsstoffe unterscheiden. Manche Öle bestehen überwiegend aus einer Verbindung. So handelt es sich beim → Wintergrünöl um nahezu reinen Salicylsäuremethylester. Ostindischen → Lemongrasöl enthält bis zu 85 % Citral. Andererseits besteht → Mandarinenöl zu 99,2 % aus 48 Verbindungen und mindestens 100 weiteren Verbindungen in den restlichen 0,8 %.
Chemisch handelt es sich um Kohlenwasserstoffe, Alkohole, Aldehyde, Ketone, Ester, Lactone und ggf. schwefel- und stickstoffhaltige Verbindungen. Den überwiegenden und geruchlich charakteristischen Teil der Inhaltsstoffe bilden die Terpenkohlenwasserstoffe (vorwiegend Mono- und Sesquiterpene, selten Diterpene und Triterpene) und ihre sauerstoffhaltigen Derivate (vgl. → Terpene). Eine weitaus geringere Rolle spielen → aliphatische, cycloaliphatische, → aromatische und → heterocyclische Verbindungen.
Die durch → Wasserdampf-Destillation erhaltenen Öle sind infolge der während dieses thermischen Prozesses ablaufenden chemischen Reaktionen zumeist etwas denaturiert. Viele Öle erweisen sich gegenüber Licht, Luft und Wärme als empfindlich und reagieren bei der Lagerung mit Autoxidation, Isomerisierung, Racemisierung oder Polymerisation (Verharzung).

Die Benennung der ätherischen Öle erfolgt nach den deutschen oder, falls nicht vorhanden, botanischen Pflanzennamen (z. B. → Rosenöl, → Gewürznelkenöl; → *Artemisia*-Öl, → *Litsea-cubeba*-Öl, → *Osmanthus*-Öl). Teilweise wird auch der jeweilige Pflanzenteil berücksichtigt (z. B. Zimtrindenöl [vgl. → Zimtöle], Iriswurzelöl [vgl. → Irisöl], → Wacholderbeerenöl, → Kiefernnadelöl).

Der Wert für die Riechstoffindustrie wird durch Zusammensetzung, Geruch, → Dichte, → Brechungsindex, → optisches Drehungsvermögen, Siedepunkt, teilweise → Erstarrungspunkt bestimmt.

Verschiedene ätherische Öle finden auch in naturheilkundlichen pharmazeutischen Präparaten, vor allem als appetitanregende, verdauungsfördernde und schleimlösende Mittel sowie als durchblutungssteigernde Hautreizstoffe und Antiseptica oder aber in der sogenannten → Aromatherapie Einsatz. Die toxikologischen Konsequenzen sind dabei von Fall zu Fall zu überprüfen, da in verschiedenen Fällen mit allergischen Reaktionen (vgl. → allergene Riechstoffe), in speziellen Fällen auch anderen gesundheitlichen Schädigungen (vgl. → phototoxische Riechstoffe, → nephrotoxische Riechstoffe, hepatotoxische Riechstoffe, → karzinogene Riechstoffe) zu rechnen ist.
Eine Reihe von ätherischen Ölen bzw. Inhaltsstoffen hat sich auch als insektizid wirksam oder insektenabschreckend (Repellant-Wirkung) erwiesen.
Verschiedene ätherische Öle dienen in der Riechstoffindustrie zur Gewinnung von Einzelriechstoffen für die Parfümerie bzw. die → Aromastoff-Industrie [vgl. dazu → Terpene (Mono- und Sesquiterpene) aus natürlichen, nachwachsenden Rohstoffen)].

Nicht zu den ätherischen Ölen zählen die aus Blüten durch → Extraktion mit Lösungsmitteln, → Mazeration oder → Enfleurage gewonnenen konkreten und absoluten Blütenöle (vgl. → Concrets, → Absolues) sowie die aus anderen Pflanzenteilen (Knospen, Blätter, Zweige, Rinden, Wurzeln, Samen, Zwiebeln, Knollen), Moosen, Flechten, Harzen, Balsamen und tierischen Drogen abgetrennten konkreten und absoluten Resinoide (Resinoid-Concrets, Resinoid-Absolues; vgl. → Resinoide).
Auch die für spezielle Zwecke hergestellten → terpenfreien ätherischen Öle zählen im allgemeinen nicht dazu.

Zu den wichtigsten als → Riech- und → Aromastoffe angewandten ätherischen Ölen gehören: → *Allium*-Öle, → Ambrettesamenöl, → *Amyris*-Öl, → *Angelica*-Öl, → Anisöl, → *Arnica*-Öl, → *Artemisia*-Öl, → Baldrianöl, → Basilikumöle, → Bayöl, → Bergamottöl, → Birkenknospenöl, → Birkenrindenöl, → Birkenteeröl, → Bittermandelöl, → Bohnenkrautöl, → Boldoblätteröl, → Buchublattöl, → Cabreuvaöl, → Cajeputöl, → Calmusöl, → Campheröl, Canangaöl (siehe → Ylang-Ylang-Öl), → Cardamomöl, → Cascarillöl, → Cedernöle, → Citronellöle, → Citro-

A

nenöl, → Copaivabalsamöl, → Corianderöl, → Costuswurzelöl, → Cravoöl, → Cubebenöl, → Cuminöl, → *Curcuma*-Öl, → Cypressenöl, → Davanaöl, → Dillsamenöl, → Elemiöl, → Estragonöl, → *Eucalyptus*-Öle, → Fenchelöle, → Fichtennadelöle, → Flouveöl, → Galbanumöl, → Galgantöl, → Geraniumöle, → Gewürznelkenöle, Gingergrasöl (siehe → Palmarosaöl), → Grapefruitöl, → Guajakholzöl, → Gurjunbalsamöl, → *Helichrysum*-Öle, → Hopfenöl, → Ingweröl, → *Iris*-Öl, → Kamillenöle, → Kiefernnadelöle, → Krauseminzöl, → Kümmelöl, → Labdanumöl, → Lavandinöl, → Lavendelöl, → Lemongrasöle, → Liebstöcklöl, → Limettenöl, → Linaloeöl, → *Litsea-cubeba*-Öl, → Lorbeeröl, → Majoranöl, → Mandarinenöl, → Melissenöl, → *Mentha-arvensis*-Öl, → *Mentha-citrata*-Öl, → Möhrensamenöl, → Muskatnußöl, → Myrrhenöl, → Myrtenöl, → Neroliöl, → Niaouliöl, → Olibanumöl, → Opopanaxöl, → Orangenöl, → *Origanum*-Öle, → Palmarosaöl, → Pappelknospenöl, → Pastinaköl, → Patschuliöl, → *Perilla*-Öl, → Perubalsamöl, → Petersilienöle, → Petitgrainöl, → Pfefferminzöl, → Pfefferöl, → Pimentöle, → Poleiminzöl, → Pomeranzenöl, → Quendelöl, → Rainfarnöl, → Rautenöl, → Rosenholzöl, → Rosenöl, → Rosmarinöl, → Salbeiöle, → Sandelholzöl, → *Santolina*-Öl, → Sassafrasöle, → Schafgarbenöl, → Schlangenwurzelöl, → Selleriesamenöl, → Senföl, → Spiköl, → Sternanisöl, → Styraxöl, → *Tagetes*-Öl, → Tannennadelöle, → Teebaumöl, → Terpentinöle, Thujaöl (siehe → Cedernöle), → Thyme Linaloeöl, → Thymianöl, Tolubalsamöl (siehe → Tolubalsam-Resinoid), → Vassouraöl, → Verbenaöl, → Vetiveröl, → Wacholderbeerenöl, → Weinhefeöl, → Wermutöl, → Wintergrünöl, → Wurmsamenöl, → Ylang-Ylang-Öl, → Ysopöl, → Zdravetzöl, → Zimtöle und → Zitweröl.

Angaben zu den einzelnen ätherischen Ölen sind unter den jeweiligen Stichworten zu finden.

Engl.: essential oils; franz.: huiles essentielles; ital.: oli essenziali; span.: aceites esenciales.

Atteron

CHEMISCHE BEZEICHNUNG: 3-Acetyl-δ^4-caren, 3-Acetyl-4-caren, 3-Acetyl-car-4-en

STRUKTURFORMEL:

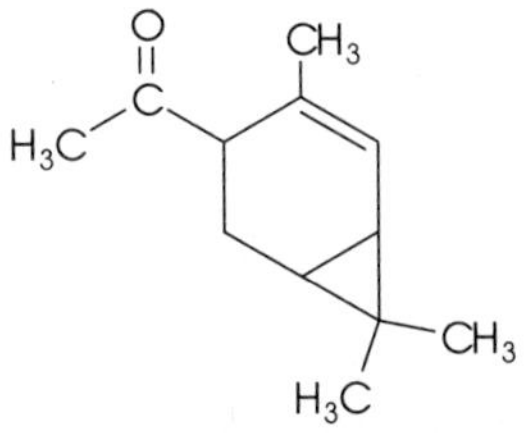

MOLEKULARGEWICHT: 178,26

Atteron ist eine farblose bis gelbe Flüssigkeit mit intensivem holzartigem Geruch. In der Natur kommt die Verbindung nicht vor.

PHYSIKALISCH-CHEMISCHE DATEN:
Sdp.$_{1,33\ kPa}$: 108 bis 110 °C; d_4^{20}: 0,9525; n_D^{20}: 1,4875; $[\alpha]_D^{20}$: + 47,3°.

Hergestellt wird Atteron durch Acetylierung von 3-Caren (Car-3-en) mit Essigsäureanhydrid und Friedel-Crafts-Katalysator.
Atteron findet Einsatz in der Parfümerie und als Zwischenprodukt für Riechstoffsynthesen.

Baldrianöl

Das aus den getrockneten Wurzeln des Gemeinen oder Europäischen Baldrians (*Valeriana officinalis* L.) [Valerianaceae] durch → Wasserdampf-Destillation gewonnene → ätherische Öl (CAS-Nr.: 8008-88-6). Die Ausbeuten liegen bei ca. 1,7 %. Der Europäische Baldrian wird vor allem in Nord-Frankreich, Belgien, Polen, Ungarn und Süd-Rußland kultiviert.
Das gelb-grüne bis gelb-braune **Europäische Baldrianöl** besitzt einen strengen sehr durchdringenden würzig-balsamischen Geruch. Bei der Lagerung oder beim Kontakt mit Luft wird es zunehmend viskos. Ein Volumenteil löst sich bei Raumtemperatur in 0,5 bis 2,5 Volumenteilen 90%igem Ethanol. Beim Verdünnen mit 10 Volumenteilen Ethanol kann sich die Lösung opaleszent trüben, aber auch klar bleiben.

PHYSIKALISCH-CHEMISCHE DATEN:

d_{25}^{25}: 0,942 bis 0,984; n_D^{20}: 1,4860 bis 1,5025; $[\alpha]_D$: - 28° bis - 2°; SZ: 5 bis 50; VZ: 30 bis 107.

Hauptinhaltsstoff ist (–)-Bornylacetat. Daneben wurden u. a. weitere Bornylester (wie Bornylisovalerianat und -formiat), Pinen, Camphen, Limonen, Borneol, Sesquiterpenkohlenwasserstoffe und freie Isovaleriansäure nachgewiesen. Besonders letztere hat großen Anteil an dem strengen Geruch. Bei Lagerung (Alterung) entsteht auf enzymatischem Wege weitere freie Säure, die dann zu einem insgesamt unangenehmen Geruchseindruck führt.
Baldrianöl wird in geringer Dosierung für → Parfüm-Kompositionen, zur Parfümierung von Badezusätzen und Seifen sowie zur Herstellung pharmazeutischer Präparate (Nervenberuhigungs- und Schlafmittel) verwendet.
Es wird angenommmen, daß die sedierende Wirkung des Baldrianöls auf seinem Gehalt an Sesquiterpenen (Valerensäure und deren Derivate) und sogenannten Valepotriaten (Valeriana-epoxytriester) oder deren Abbauprodukten beruht.
Die anregende Wirkung der Baldrianwurzel auf Katzen wird Terpenalkaloiden mit Pyridin-Gerüst (wie Chatinin und Valerin) zugeschrieben.

TOXIKOLOGIE:

Allergene Hautwirkungen sind möglich.
Das als Inhaltsstoff beschriebene Pinen kann in größeren Mengen bei empfindlichen Personen zu Hautreizungen und Ekzemen führen, bei der oralen Aufnahme auch zu Nierenreizungen. Limonen besitzt ein allergenes Potential.

Das aus dem Japanischen Baldrian (Kesso-Wurzel; *Valeriana officinalis* L. var. *angustifolia* MIQ.) in Ausbeuten bis 8 % gewonnene **Japanische Baldrianöl** hat eine etwas andere Zusammensetzung. Charakteristisch sind die sogenannten Kessylalkohole.

Engl.: valerian oil; franz.: essence de valériane; ital.. olio di valeriana; span.: esencia de valeriana.

Bartgrasöle

Siehe → Citronellöle.

Basilikumöle

Das aus dem frischen blühenden Kraut des Basilienkrautes (*Ocimum basilicum* L.) [Lamiaceae, Labiatae] durch → Wasserdampf-Destillation gewonnene → ätherische Öl (CAS-Nr.: 8015-73-4).

Das **Réunion-Basilikumöl** wird vor allem auf Réunion, Madagaskar, den Komoren und den Seychellen gewonnen. Die Jahresproduktion liegt bei ca. 10 Tonnen.
Das hellgelbe Öl weist einen süßen, frisch grün und würzigen Geruch nach Estragol (mit leichter Anis-Note) auf. Ein Volumenteil löst sich bei Raumtemperatur in 4 Volumenteilen 80%igem Ethanol.

PHYSIKALISCH-CHEMISCHE DATEN (Réunionöl):
d_{25}^{25}: 0,952 bis 0,973; n_D^{20}: 1,5120 bis 1,5190; SZ: max. 1; VZ: 4 bis 10; EZ (nach Acetylierung): 25 bis 40.

Die Zusammensetzung der Basilikumöle ist je nach Herkunft und verwendeter Varietät unterschiedlich. Réunion-Basilikumöl ist durch einen Methylchavicol (Estragol)-Gehalt von mehr als 80 % charakterisiert. Daneben wurden u. a. Borneol, α-Caryophyllen (Humulen) und γ-Muurolen nachgewiesen.
Das Öl wird hauptsächlich als → Aromastoff für Nahrungsmittel genutzt.

Das **Europäische Basilikumöl** stammt aus Frankreich, Italien, den Balkanstaaten, Ägypten oder Südafrika. Die Ausbeute beträgt 0,4 bis 0,5 %.
Es enthält 15 bis 25 % Methylchavicol (Estragol). Hauptkomponente ist mit 35 bis 50 % das Linalool (welches im Réunionöl nur in Spuren enthalten ist).

Aber es werden auch Basilikumöle mit 68 % Linalool, 14 % Methylcinnamat und 4 % Methylchavicol (Estragol); mit 62 % Eugenol, 18 % ß-Ocimen und 4 % Perillaalkohol; mit 67 % Citral und 25 % Geraniol oder mit 40 % Linalool, 25 % Methylchavicol (Estragol), 1,8-Cineol (Eucalyptol), Eugenol und Geraniol [Mittelmeertyp] beschrieben. Die Methylcinnamat enthaltenden Öle kommen aus Indien, Afrika und Mittel-Amerika. Bei den anderen

Ölen ist nicht gesichert, ob sie von *Ocimum basilicum* oder anderen *Ocimum*-Arten stammen.

Basilikumöl wird sowohl in der Parfümerie, besonders für Herren-Düfte (Aldehyd-, Opopanax-, Chypre-, Grün-, Blumen-, Maiglöckchen- und Lavendel-Noten) und Kölnischwässer, als auch zur Aromatisierung von Nahrungsmitteln (vgl. → Aromastoffe) genutzt.
Volksmedizinisch dient Basilikum als Stomachicum (bei Appetitlosigkeit), Carminativum (bei Völlegefühl und Blähungen) und Diureticum sowie Adstringens (bei Entzündungen des Rachenraumes).

TOXIKOLOGIE:
Toxikologisch bedenklich ist der in großen Mengen enthaltene Inhaltsstoff Methylchavicol (Estragol). Er zeigt im Tierversuch karzinogene Eigenschaften. Das in einigen Ölen enthaltene Eugenol ist bei oraler Zufuhr mäßig giftig. Im Tierversuch wirkt es hautreizend, karzinogen und mutagen. Es besitzt ferner ein allergenes Potential. 1,8-Cineol (Eucalyptol) kann in größeren Mengen bei empfindlichen Personen zu Hautreizungen, bei oraler Aufnahme zu Gastroenteritis und Nierenreizungen führen. Citral, Geraniol und Linalool besitzen ein allergenes Potential.

Engl.: basil oil; franz.: essence de basilic; ital.: essenza di basilica.

Baummoos-Resinoid

Siehe → Eichenmoos-Resinoid.

Bayöl

Das aus den Blättern und Zweigspitzen des in Westindien und Süd-Amerika heimischen Bayrum-Baumes (*Pimenta racemosa* (MILL.) J. W. MOORE, *Pimenta acris* (SW.) KOSTEL) [Myrtaceae] durch → Wasserdampf-Destillation gewonnene → ätherische Öl (CAS-Nr.: 8006-78-8). Die Ausbeute beträgt 0,5 bis 1,5 %. Die Welt-Jahresproduktion liegt bei ca. 50 Tonnen pro Jahr. Hauptanbaugebiet ist die Dominikanische Republik.
Das gelbe, sich an der Luft rasch dunkelbraun färbende Öl besitzt einen starken würzig-phenolischen, leicht süßen gewürznelkenähnlichen Geruch.

PHYSIKALISCH-CHEMISCHE DATEN:
d_{20}^{20}: 0,943 bis 0,984; n_D^{20}: 1,5050 bis 1,5170;
Phenolgehalt: mind. 50 %.

Hauptinhaltsstoffe sind die beiden phenolischen Verbindungen Eugenol und Chavicol (zusammen ca. 50 %) sowie Myrcen. Daneben sind u. a. Methyleugenol (Eugenolmethylether), Citral, α-Phellandren, α-Pinen und Methylchavicol (Estragol) enthalten.
Aufgrund seines antiseptisch wirksam werdenden hohen Phenolgehaltes wird das Öl gern zur Parfümierung von After Shaves, Haarwässern und anderen Kosmetika sowie zur Aromatisierung (vgl. → Aromastoffe) von Zahnpasten und Mundwässern eingesetzt. In → Parfüm-Kompositionen nutzt man es für frisch-würzige Phantasie-Noten, Gewürz-, Chypre-, Klee- und Lavendel-Noten.

(Weitere *Pimenta*-Öle siehe → Pimentöle.)

TOXIKOLOGIE: LD_{50} (Ratte, oral): 1800 mg/kg KG.
Bei oraler Zufuhr ist das als Inhaltsstoff beschriebene Eugenol mäßig giftig. Im Tierversuch wirkt es hautreizend, karzinogen und mutagen. Es besitzt ferner ein allergenes Potential. α-Pinen kann in größeren Mengen bei empfindlichen Personen zu Hautreizungen und Ekzemen, bei oraler Aufnahme zu Nierenreizungen führen. Methylchavicol (Estragol) zeigt im Tierversuch karzinogene Eigenschaften. Citral besitzt ein allergenes Potential.

Engl.: bay oil; franz.: essence de bay; ital.: olio della bay; span.: esencia de bay, esencia de pimenta acre.

Beifußöl

Siehe → *Artemisia*-Öl.

Benzaldehyd

SYNONYM: Bittermandelöl, künstlich
CAS-NR.: 100-52-7

STRUKTURFORMEL:

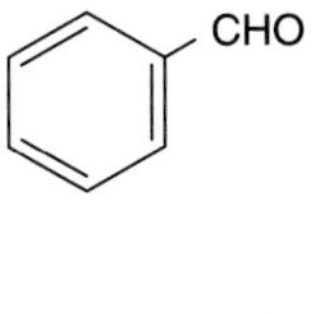

B

MOLEKULARGEWICHT: 106,16

Benzaldehyd ist eine farblose Flüssigkeit mit bittermandelartigem Geruch.
Er ist Hauptbestandteil des natürlichen → Bittermandelöles und in zahlreichen → ätherischen Ölen vertreten.

PHYSIKALISCH-CHEMISCHE DATEN:
Sdp.$_{101,3\ kPa}$: 178,1 °C; d_4^{15}: 1,0415; n_D^{20}: 1,5463.

Benzaldehyd ist mischbar mit Ethanol, Ether und Ölen. Er löst sich in 350 Teilen Wasser.
Durch Luftsauerstoff wird Benzaldehyd leicht zu Benzoesäure oxidiert, die sich beim Aufbewahren des Aldehyds in nur teilweise gefüllten Flaschen schnell in Kristallmassen abscheidet.
Benzaldehyd wird durch katalytische Dehydrierung (Kupfer) von Benzylalkohol gewonnen. Die so erhaltene Verbindung ist für den Einsatz in Genußmitteln (Voraussetzung Chlorfreiheit) geeignet.
Weitere, von Toluol, Benzylchlorid oder Benzol ausgehende Synthesemöglichkeiten sind in folgendem Schema dargestellt:

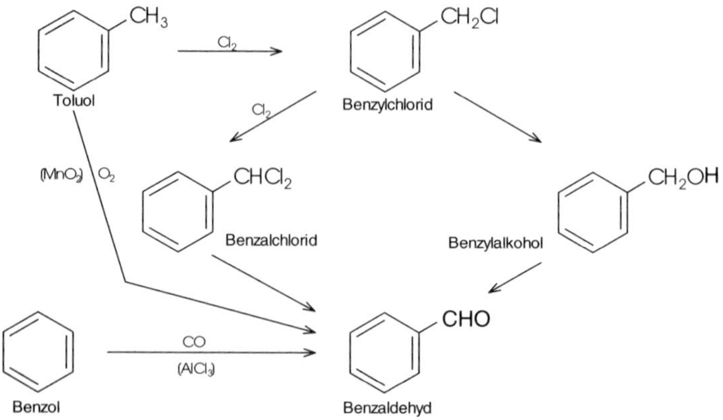

Benzaldehyd wird wegen seines Bittermandel-Geruches in → Aroma-Kompositionen verwendet, kommt in der pharmazeutischen und Riechstoffindustrie zum Einsatz und dient darüber hinaus als Ausgangsstoff für viele aromatische → Parfüm- und → Aroma-Kompositionen.

TOXIKOLOGIE: LD_{50} (Ratte, oral): 1,3 g/kg KG.
Benzaldehyd kann Kontaktdermatitis verursachen. Die Inhalation höherer Konzentrationen kann zu narkotischen Wirkungen führen.
Nach der Gefahrstoffverordnung der Bundesrepublik Deutschland ist Benzaldehyd gesundheitsschädlich beim Verschlucken (R 22).

Benzoe-Resinoide

Das konkrete **Siam-Benzoe-Resinoid** (Resinoid-Concret; vgl. → Resinoide) wird durch → Extraktion mit Lösungsmitteln aus dem Harz (Siam-Benzoe, CAS-Nr.: 900072-0) von *Styrax tonkinensis* (PIERRE) CRAIB ex HARTWICH [Styryacaceae] gewonnen. Die Ausbeute beträgt 85 bis 95 %. Der Baum ist wildwachsend in Thailand, Laos, Kambodscha und Vietnam heimisch. Das Öl darf nicht mit dem → Styrax-Öl und -Resinoid aus *Liquidambar*-Arten verwechselt werden.
Das viskose rötliche bis hellbraune konkrete Öl besitzt einen lang anhaftenden schokoladeähnlich-süßen balsamischen Geruch.
Es wird in der Parfümerie für balsamische Duftnoten und als → Fixateur verwendet.

Das konkrete **Sumatra-Benzoe-Resinoid** (Resinoid-Concret; vgl. → Resinoide) wird durch → Extraktion mit Lösungsmitteln aus dem Harz (Sumatra-Benzoe, CAS-Nr.: 9000-73-1) von *Styrax benzoin* DRYAND [Styryacaceae] gewonnen. Die Ausbeute beträgt 65 bis 85 %. Der Baum gedeiht vor allem auf Sumatra.
Das viskose dunkelbraune Öl besitzt einen pudrigen betäubend-warmen balsamisch-süßen Geruch.
Die wesentlichen, den Geruch bestimmenden flüchtigen Inhaltsstoffe sind Benzoe- und Zimtsäure-Ester sowie Vanillin.
Das → Resinoid wird in der Parfümerie für warme balsamische Duftnoten und als → Fixateur genutzt.

B

TOXIKOLOGIE:
Das als Inhaltsstoff beschriebene Vanillin besitzt ein allergenes Potential.

Engl.: benzoin (Siam, Sumatra) resinoid; franz.: extrait de benjoin.

Benzophenon

CHEMISCHE BEZEICHNUNG: Diphenylketon
CAS-NR.: 119-69-9
STRUKTURFORMEL:

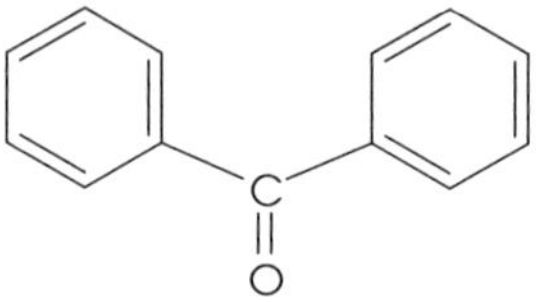

MOLEKULARGEWICHT: 182,21

Benzophenon ist eine farblose kristalline Substanz mit einem rosigen, zart geraniumähnlichen Geruch.
Die Verbindung wurde als Aromakomponente der Weintrauben identifiziert.

PHYSIKALISCH-CHEMISCHE DATEN:
$Sdp._{101,3\,kPa}$: 306 °C; Schmp. 48,1 °C; D^{50}: 1,976; d_4^{18}: 1,1108.

In Wasser ist Benzophenon unlöslich, in Ether, Ethanol und Chloroform leicht löslich.
Nach Erhitzen und vorsichtigem Abkühlen geht es in eine Modifikation vom Schmelzpunkt 26 °C über.
Es gibt verschiedene Synthesemöglichkeiten. So kann Benzophenon durch Friedel-Crafts-Reaktion aus Benzol und Benzoylchlorid mit Aluminiumchlorid oder aus Benzol und Tetrachlor-kohlenstoff durch Hydrolyse des hieraus gebildeten Dichlordiphenylmethans hergestellt werden. Die Verbindung ist auch durch Luftoxidation von Diphenylmethan erhältlich.
In der Parfümerie wird Benzophenon für Blütenkompositionen und als → Fixateur eingesetzt.

TOXIKOLOGIE: LD_{50} (Ratte, oral): > 10 g/kg KG.

Benzylacetat

SYNONYME: Essigsäurebenzylester, α-Acetoxytoluol
CAS-NR: 140-11-4
STRUKTURFORMEL: C_6H_5-CH_2-O-C(O)-CH_3
MOLEKULARGEWICHT: 150,18

Benzylacetat ist eine farblose Flüssigkeit mit erfrischend-fruchtigem jasminähnlichem Geruch.
Natürlich kommt die Verbindung als Hauptbestandteil des Jasminöls (vgl. → Jasmin-Absolue) sowie in Blütenölen von *Pittosporum*-Arten vor. In kleineren Mengen ist sie in einer großen Zahl → ätherischer Öle und Extrakte enthalten.

PHYSIKALISCH-CHEMISCHE DATEN:
Sdp.$_{101,3\ kPa}$: 215 °C; d_4^{20}: 1,055; n_D^{20}: 1,5232.

Benzylacetat ist unlöslich in Wasser, mischbar mit Ethanol und Ether.
Man erhält die Verbindung durch Veresterung von Benzylalkohol mit Essigsäure in Gegenwart von Schwefelsäure oder durch Umsetzung von Benzylchlorid mit Natriumacetat.
Benzylacetat ist einer der am häufigsten eingesetzten → Riech- und → Aromastoffe. In großen Mengen wird die Verbindung für blumige Parfümöle verwendet. Aufgrund ihrer Löslichkeit in verdünntem Alkohol eignet sie sich auch für Parfümerien niedrigen Alkoholgehaltes.

TOXIKOLOGIE: LD_{50} (Ratte, oral): 2,5 g/kg KG.
Die Verbindung wirkt reizend auf Haut, Schleimhäute der Atmungsorgane und Augen.
Gemäß der Gefahrstoffverordnung der Bundesrepublik Deutschland ist Benzylacetat gesundheitsschädich beim Einatmen (R 22), und es reizt die Haut (R 38).

Benzylalkohol

SYNONYME: Phenylcarbinol, Phenylmethanol, Benzolmethanol
CAS-NR.: 100-51-6

B

STRUKTURFORMEL:

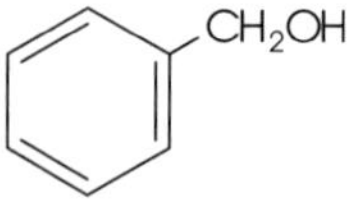

MOLEKULARGEWICHT: 108,14

Benzylalkohol ist eine farblose ölige, schwach aromatisch riechende Flüssigkeit.
Die Verbindung ist zu etwa 6 % im Jasminblütenöl (vgl. → Jasmin-Absolue), ferner in Goldlacköl, → Gewürznelkenöl, → Tuberosenöl, → Perubalsamöl, → Tolubalsamöl und → Styraxöl enthalten.

PHYSIKALISCH-CHEMISCHE DATEN:
Sdp.$_{101,3\ kPa}$: 205,8 °C; d_4^{20}: 1,0419; n_D^{20}: 1,5396.

Benzylalkohol ist in Wasser mäßig, in Ethanol und Ether leicht löslich, mit Leinöl, Ricinusöl und aromatischen Lösungsmitteln mischbar.
An der Luft oxidiert Benzylalkohol langsam zu Benzaldehyd (Bittermandelgeruch). Er besitzt mikrobizide Eigenschaften.
Synthetisch wird Benzalkohol durch Verseifung von Benzylchlorid mit wäßriger Sodalösung oder durch Reduktion von Benzaldehyd hergestellt.
Benzylalkohol wird in → Parfüm- und → Aroma-Kompositionen hauptsächlich als Lösungsmittel und zur Verdünnung eingesetzt. Besonders hervorzuheben ist seine gute Lösungskraft für Nitromoschusverbindungen. Ferner dient er als Ausgangsstoff für Benzaldehyd sowie verschiedene Benzylester.

TOXIKOLOGIE: LD_{50} (Ratte, oral): 1,3 g/kg KG.
Die Verbindung wirkt leicht haut- und schleimhautreizend.
Nach der Gefahrstoffverordnung der Bundesrepublik Deutschland ist Benzylalkohol gesundheitsschädlich beim Einatmen und Verschlucken (R 20/22).

Benzylbenzoat

SYNONYME: Benzoesäurebenzylester
CAS-NR.: 120-51-4

STRUKTURFORMEL: C_6H_5-CH_2-O-C(O)-C_6H_5
MOLEKULARGEWICHT: 212,25

Benzylbenzoat ist eine farblose viskose Flüssigkeit oder eine kristalline Masse mit schwach süß-balsamischem Geruch.
Die Verbindung ist Hauptbestandteil des Perubalsams (vgl. → Perubalsamöl) und kommt in größeren Mengenanteilen in absoluten und konkreten Blütenölen vor (z. B. Tuberose, Hyazinthe).

PHYSIKALISCH-CHEMISCHE DATEN:

Sdp.$_{101,3\ kPa}$: 323 bis 324 °C; Schmp.: 19,4 °C; d_4^{25}: 1,1121; n_D^{20}: 1,5680.

Benzylbenzoat ist unlöslich in Wasser und Glycerin, mischbar mit Ethanol, Ether, Chloroform und Ölen.
Benzylbenzoat wird durch Umesterung von Benzoesäuremethylester mit Benzylalkohol oder aus Benzylchlorid und Natriumbenzoat hergestellt.
Ein dritter Prozeß geht vom Benzaldehyd aus, welcher in Gegenwart von Natrium- oder Aluminiumbenzylat mit hoher Ausbeute zu Benzylbenzoat umgesetzt wird (Tischtschenko-Reaktion).
In der Parfümerie wird es als → Fixateur und zur „Modifizierung" schwerer Blütendüfte eingesetzt.

TOXIKOLOGIE: LD_{50} (Ratte, oral): 500 mg/kg KG.
Benzylbenzoat reizt die Haut und Augen. Augenkontakt ist zu vermeiden.
Nach der Gefahrstoffverordnung der Bundesrepublik Deutschland ist Benzylbenzoat gesundheitsschädlich beim Verschlucken (R 22).

Benzylcyanid

SYNONYME: Phenylessigsäurenitril, Phenylacetonitril
CAS-NR.: 140-29-4
STRUKTURFORMEL:

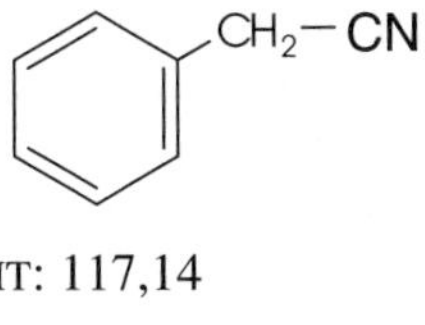

MOLEKULARGEWICHT: 117,14

B

Benzylcyanid ist eine klare farblose Flüssigkeit.

PHYSIKALISCH-CHEMISCHE DATEN:
Sdp:$_{101,3\ kPa}$: 233 bis 234 °C; Schmp.: - 23,8 °C; d_4^{15}: 1,023; n_D^{20}: 1,5242.

Hergestellt wird die Verbindung durch Umsetzung von Benzylchlorid mit Natriumcyanid.
Benzylcyanid dient hauptsächlich als Zwischenprodukt in der Riechstoff- sowie in der pharmazeutischen Industrie.

TOXIKOLOGIE:
Benzylcyanid ist toxisch. (Es wurde im Ersten Weltkrieg als Kampfstoff verwendet.) Eine Abspaltung von Cyanid ist möglich.

Benzylpropionat

SYNONYM: Propionsäurebenzylester
CAS-NR.: 122-63-4
STRUKTURFORMEL: CH_3-CH_2-C(O)-O-CH_2-C_6H_5
MOLEKULARGEWICHT: 164,20

Benzylpropionat ist eine farblose Flüssigkeit mit einem süßfruchtigen Geruch.

PHYSIKALISCH-CHEMISCHE DATEN:
Sdp.$_{101,3\ kPa}$: 219 bis 220 °C; d_4^{20}: 1,0335; n_D^{20}: 1,4996.

Der Ester findet parfümistisch in blumig-fruchtigen Noten und in Fruchtaromen der Geschmackstoffbranche Einsatz.

Bergamotteminzöl

Siehe → *Mentha-citrata*-Öl.

Bergamottöl (Bergamotteöl)

Das aus den Fruchtschalen der unreifen Früchte des in Italien (Kalabrien) und West-Afrika angebauten Bergamott(e)baumes (*Citrus aurantium* L. ssp. *bergamia* (RISSO et POIT.) WIGHT et ARN. ex ENGL., C. *bergamia* RISSO et POIT.) [Rutaceae] gewonnene, zu den → *Citrus*-Ölen zählende → ätherische Öl (CAS-Nr.: 8007-75-8).

Die Gewinnung erfolgt durch → Pressen der äußeren Fruchtschale. Die Ausbeute beträgt ca. 0,5 %. Die Welt-Jahresproduktion liegt bei ca. 250 Tonnen.
Das honigfarbene bis braungelbe, häufig durch Chlorophyllanteile grünlich gefärbte Öl ist von einem lebhaften angenehm-erfrischenden, leicht süß-fruchtigen Geruch und aromatisch bitterem Geschmack. Ein Volumenteil löst sich bei Raumtemperatur in 2 Volumenteilen 90%igem Ethanol.

PHYSIKALISCH-CHEMISCHE DATEN:

d_{20}^{20}: 0,875 bis 0,884; $[n]_D^{20}$: 1,4640 bis 1,4680; $[\alpha]_D^{20}$: + 8° bis + 30°; SZ: max. 2; EZ: 86 bis 129, entsprechend einem Estergehalt von 30 bis 45 % (berechnet als Linalylacetat); Verdampfungsrückstand: 4,5 bis 6,5 %.

Den Hauptinhaltsstoff stellt mit 30 bis 45 % das (+)-Linalylacetat. Daneben sind u. a. ca. 5 bis 10 % (+)-Linalool, Citronellol, Nerol, α-Terpineol, Terpinen-4-ol, Perillaalkohol, Dihydrocuminalkohol, Geranyl- und Nerylacetat, Citral (ca. 1 %), Methylheptenon, Jasmon, Nootkaton, Limonen, Dipenten, α- und γ-Terpinen, β-Bisabolen, α-Caryophyllen, Bergamoten, Cumarin-Derivate (wie Limettin [5,7-Dimethoxy-cumarin] und 7-Methoxy-5-geranoxy-cumarin), bis zu 5 % Furocumarine (Bergapten [5-Methoxy-psoralen], Bergaptol [5-Hydroxy-psoralen] und Bergamottin [Bergaptol-geranylether]) sowie Spuren von Anthranilsäuremethylester enthalten. Die Qualität des Öles wird durch seinen Linalylacetat-Gehalt bestimmt. Auch die in geringen Mengen enthaltenen aliphatische Aldehyde (besonders Octanal und Decanal) leisten einen wichtigen Beitrag zum Geruch.
In der Parfümerie wird Bergamottöl in sehr vielen → Parfüm-Kompositionen (besonders als Komponente in Chypre-, Fougère-, Blumen-, Opopanax-, Lavendel-, Ambra- und Phantasie-Düften) sowie zur Parfümierung von Kölnischwässern, Haarölen und Pomaden verwendet. Geringe Mengen dienen zur Aromatisierung (vgl. → Aromastoffe) von Tee, Likören, Süß- und Backwaren.
Das Öl wirkt abweisend auf Insekten.

TOXIKOLOGIE:

Die als Inhaltsstoffe beschriebenen Cumarin-Derivate können bei der oralen Zufuhr größerer Mengen zu Schädigungen von Leber

B

und Nieren führen. Die zu den Furocumarinen zählenden Psoralen-Derivate entfalten photosensibilisierende und phototoxische Wirkungen; d. h., unter gleichzeitigem Einfluß von Sonnenlicht kann es zu Dermatitiden (Photo-Dermatitis, Berloque-Dermatitis) kommen. Furocumarine (wie Psoralene) zeigen des weiteren mutagene und karzinogene Wirkungen. Linalylacetat, Linalool, Citral und Limonen besitzen ein allergenes Potential.
Der Bergaptenanteil in Parfümölen soll 75 ppm nicht überschreiten (entspricht ca. 2 % gepreßtes Bergamottöl).

Engl.: bergamot oil; franz.: essence de bergamote; ital.: olio della bergamotta; span.: esencia de bergamota.

Bibergeil

Siehe → Castoreum.

Bienenwachs-Extrakt (Absolue)

Das durch → Extraktion mit Ethanol aus dem Wachs der Honigbiene (*Apis mellifica*, *Apis mellifera*) gewonnene absolute Öl (vgl. → Absolue). Die Ausbeute liegt bei 0,1 bis 0,2 %.
Das viskose gelblich-braune Öl besitzt einen milden ölig-süßen honigartigen Geruch.
Es wird in der Feinparfümerie in blumigen Duftnoten angewandt.

Engl.: beeswax absolute; franz.: extrait de cire d´abeille.

Birkenknospenöl

Das aus den harzigen Knospen der in Europa heimischen Sand- oder Weißbirke (*Betula pendula* ROTH, *Betula alba* L. sensu COSTE) [Betulaceae] durch → Wasserdampf-Destillation gewonnene → ätherische Öl (CAS-Nr.: 8027-43-8). Die Ausbeute liegt bei 4 bis 6 %.
Das viskose gelbe Öl besitzt einen angenehmen balsamischen Geruch. Ein Volumenteil löst sich bei Raumtemperatur in 2 Volumenteilen 80%igem Ethanol.

PHYSIKALISCH-CHEMISCHE DATEN:
d_4^{20}: 0,962 bis 0,979; $[\alpha]_D^{20}$: - 2° bis - 14°.

Hauptinhaltsstoffe sind 41 bis 47 % α-, β- und γ-Betulenol, Betulen, Betulenon, α-Betulenylacetat und andere Sesquiterpene.
In der Parfümerie wird das Öl vor allem für Haarwässer verwendet.

Engl.: birch buds oil; franz.: essence de bourgeons de bouleau; ital.: essenza di betulla dalle gemme.

Birkenrindenöl (Zuckerbirkenrindenöl)

Das aus der in Wasser fermentierten Rinde (und dem Wasser) der in Nord-Amerika heimischen Zuckerbirke (*Betula lenta* L.) [Betulaceae] durch → Wasserdampf-Destillation gewonnene → ätherische Öl (CAS-Nr.: 68917-50-0). Bei der Fermentation wird das enthaltene Gaultherin durch das Enzym Betulase zu Methylsalicylat gespalten. Die Ausbeute liegt bei 0,2 bis 0,6 %.
Das farblose, gelbliche oder rötliche (Eisenspuren) Öl besitzt einen leicht phenolischen Methylsalicylat-Geruch. Es ist in Ethanol löslich.

PHYSIKALISCH-CHEMISCHE DATEN:
d_{15}^{15}: 1,18015 bis 1,188.

Das Öl besteht zu 97 bis 99,8 % aus Methylsalicylat, neben geringen Mengen Triacontan (Melissin) u. a.
In der Parfümerie wird es für Chassie-, Chypre, Nelkenblüten- und Phantasie-Noten eingesetzt, ferner in Haarwässern sowie als → Aromastoff für Zahnpasten.

Engl.: sweet birch oil; franz.: essence de betula; ital.: essenza di betulla.

Birkenteeröl (rektifiziert)

Das aus verschiedenen in Europa gedeihenden Birken-Arten, vor allem der Sand- oder Weißbirke (*Betula pendula* ROTH, *Betula alba* L. sensu COSTE) [Betulaceae], durch destruktive Destillation des Holzes und anschließende Rektifikation gewonnene Öl (CAS-Nr.: 8001-88-5). Birkenteeröl wird ferner durch → Wasserdampf-Destillation von Birkenteer hergestellt.
Die braune Flüssigkeit weist einen waldig-teerigen rauchigen Duft mit einer angenehmen süß-öligen Ledernote auf. Ein Volumenteil löst sich bei Raumtemperatur in 3 Volumenteilen 99%igem Ethanol.

PHYSIKALISCH-CHEMISCHE DATEN:
D^{25}: 0,886 bis 0,950.

Inhaltsstoffe des Birkenteers sind u. a. Kohlenwasserstoffe, Terpentinöl, Guajakol, Cresol, Brenzcatechin und Betulin [Lup-20(29)-en-3β,28-diol].
Die Feinparfümerie nutzt das Öl in Spuren für Herren-Düfte (Leder-, Tabak-, Phantasie- und moderne Chypre-Noten). Es wird ferner in pharmazeutischen Präparaten (gegen Ekzeme und Dermatitiden) und in der Veterinärmedizin (bei Koliken und Wurmbefall) angewandt.

TOXIKOLOGIE:
Aufgrund des Gehaltes an → Terpentinöl ist bei größeren Mengen mit allergenen, hautreizenden und ekzemauslösenden, bei oraler Aufnahme mit nephro- und hepatotoxischen sowie narkotischen Wirkungen zu rechnen.
Nach der Aromenverordnung der Bundesrepublik Deutschland ist die Anwendung verboten.

Engl.: birch tar oil; franz.: huiles de bouleau; ital.: olio di betulla; span.: aceite de bétula lenta.

Bittermandelöl

Das vorwiegend aus den zerquetschten Kernen reifer Aprikosen (*Prunus armeniaca* L., *Armeniaca vulgaris* LAM.) [Rosaceae], seltener aus Bitteren Mandeln (*Prunus amygdalus* BATSCH. var. *amara* (DC.) FOCKE, *Prunus dulcis* (MILL.) D. A. WEBB var. *amara* (DC.) BUCHHEIM), aber auch Pfirsich-, Kirsch- und Pflaumenkernen nach Abpressen des fetten Öls durch → Wasserdampf-Destillation gewonnene → ätherische Öl (CAS-Nr.: 8016-68-0).
Das rohe Bittermandelöl enthält ca. 2 bis 4 % Blausäure, die aus dem in den Kernen bzw. Mandeln vorkommenden cyanogenen Glycosid Amygdalin stammt. Letzteres wird nach Zerkleinerung der Kerne enzymatisch gespalten, wobei über intermediäres Mandelsäurenitril Benzaldehyd und Blausäure entstehen.
Durch Waschen mit Kalkmilch und Eisen(II)-sulfat wird die toxische Blausäure als schwerlösliches Calciumeisen(II)-cyanid ab-

getrennt. Die Redestillation ergibt ein Produkt, das zu 95 bis 99 % aus Benzaldehyd besteht.
Die farblose bis leicht gelbliche Flüssigkeit weist einen intensiven bittermandel- und kirschartigen Geruch sowie einen leicht adstringierenden milden Bittermandel-Geschmack auf. Ein Volumenteil löst sich bei Raumtemperatur in 2 Volumenteilen 70%-igem Ethanol.

PHYSIKALISCH-CHEMISCHE DATEN:
d_{25}^{25}: 1,040 bis 1,050; n_D^{20}: 1,5410 bis 1,5460; $[\alpha]_D$: 0° bis 0°25″; SZ: max. 8; Aldehydgehalt (berechnet als Benzaldehyd): mind. 95 %.

Das unbehandelte rohe Öl enthält ca. 90 % Benzaldehyd, ca. 2 bis 4 % Blausäure, Mandelsäurenitril (Benzaldehyd-Cyanhydrin), Benzoin und Aldehydharze.
Bittermandelöl wird hauptsächlich als → Aromastoff für Marzipan, Schokolade und Liköre verwendet, in der Parfümerie sehr selten für Düfte der Noten Heliotropblüte, Mandelblüte, Oleanderblüte, Flieder, in Spuren auch für Rose und Maiglöckchen.

TOXIKOLOGIE:
Rohes Bittermandelöl darf aufgrund seine Blausäuregehaltes nicht verwendet werden. Bei Kindern können bereits 10 Tropfen tödlich sein. Die chronische Aufnahme nicht akut toxischer Blausäure-Mengen kann zu Schädigungen des Nervensystems führen. Nach der Aromenverordnung der Bundesrepublik Deutschland ist die Anwendung von freie oder gebundene Blausäure enthaltendem Bittermandelöl verboten.

Engl.: bitter almond oil; franz.: essence d´amandes amères; ital.: olio di mandorle amare; span.: esencia (aceite) de almendras amargas.

Blätteralkohol

CHEMISCHE BEZEICHNUNG: *cis*-3-Hexen-1-ol, *cis*-Hex-3-en-1-ol
CAS-NR.: 928-96-1
STRUKTURFORMEL: CH_3-CH_2-CH=CH-CH_2-CH_2-OH
MOLEKULARGEWICHT: 100,16

Blätteralkohol ist eine farblose Flüssigkeit mit dem charakteristischen Geruch von frisch geschnittenem Gras.
Natürlich kommt die Verbindung u. a. bis zu 50 % in Maulbeerblätteröl und bis zu 30 % in grünem Tee vor. Darüber hinaus ist sie in fast allen anderen grünen Teilen der Pflanzen anzutreffen.

PHYSIKALISCH-CHEMISCHE DATEN:

Sdp.$_{101,3\ kPa}$: 156 bis 157 °C; d_4^{20}: 0,8495; n_D^{20}: 1,4384.

Blätteralkohol ist entzündlich (Flammpunkt: 44 °C).

Die Herstellung erfolgt aus den Grundstoffen Ethyliodid und Natriumacetylid über But-1-in und und Hex-3-in-1-ol nach folgendem Schema:

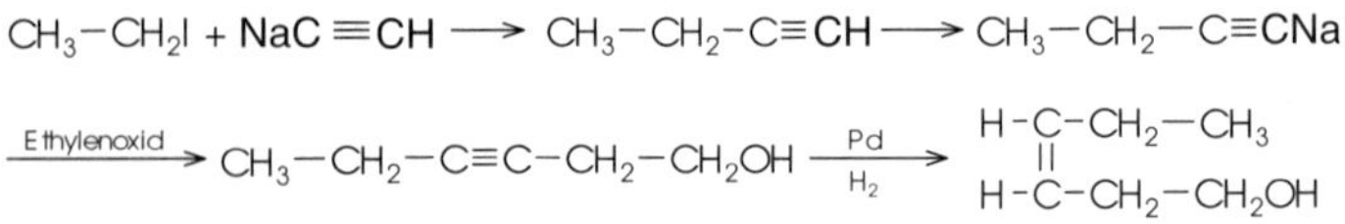

Blätteralkohol wird zur Erzeugung von grünen Spitzennoten in → Parfüm- und → Aroma-Kompositionen eingesetzt. Ferner dient er als Ausgangsstoff für die Synthesen von *trans*, *cis*-Nona-2,6-dien-1-ol und *trans*, *cis*-Nona-2,6-dien-1-al.

Blütenöle

Siehe → Concrets, → Absolues, → Wasserdampf-Destillation.

Bohnenkrautöl

Das aus dem Kraut des im Mittelmeerraum heimischen und auch in den gemäßigten Zonen kultivierten Bohnenkrautes (Pfefferkraut, Wurstkraut; *Satureja hortensis* L. und Winterbohnenkraut, Karstbohnenkraut; *Satureja montana* L.) [Lamiaceae, Labiatae] durch → Wasserdampf-Destillation gewonnene → ätherische Öl (CAS-Nr.: 8016-68-0). Die Ausbeute beträgt 0,3 bis 1,9 %. Hauptproduzenten sind Frankreich, Spanien, einige Balkanstaaten und der Mittelwesten der USA.
Das hellgelbe bis dunkelbraune Öl weist einen würzig-kräuterartigen, an Thymian und Origanum (Oregano) erinnernden Geruch

auf. Ein Volumenteil löst sich bei Raumtemperatur in 2 Volumenteilen 80%igem Ethanol. Beim weiteren Verdünnen mit 10 Volumenteilen Ethanol kann leichte Trübung erfolgen.

PHYSIKALISCH-CHEMISCHE DATEN:
d_{25}^{25}: 0,875 bis 0,954; n_D^{20}: 1,4860 bis 1,5050; $[\alpha]_D$: - 5° bis + 4°; Phenolgehalt: 20 bis 59 %; VZ: max. 6.

Hauptinhaltsstoff des Öls ist mit einem Anteil von 30 bis 45 % das Carvacrol. Daneben wurden u. a. bis zu 30 % p-Cymol, bis zu 8 % α-Pinen, β-Pinen, Camphen, γ-Terpinen, Dipenten, Caryophyllen, Linalool, Terpinen-4-ol, α-Terpineol, Borneol, (–)-Carvon, Menthon und Thymol nachgewiesen.
Bohnenkrautöl wird zur Aromatisierung von Nahrungsmitteln (vgl. → Aromastoffe) angewandt.

TOXIKOLOGIE:
Die als Inhaltsstoffe beschriebenen Pinene können in größeren Mengen bei empfindlichen Personen zu Hautreizungen und Ekzemen, bei oraler Aufnahme zu Nierenreizungen führen. Die Aufnahme größerer Mengen Thymol kann Leberschädigungen nach sich ziehen. Linalool, Carvon, Thymol und Carvacrol besitzen ein allergenes Potential.

Engl.: savory oil; franz.: essence de sarriette.

Bois-de-rose-Öl

Siehe → Rosenholzöl, Brasilianisches.

Boldoblätteröl

Das aus den getrockneten Blättern des in Süd-Amerika heimischen Boldostrauches (*Peumus boldus* MOL.) [Monimiaceae] durch → Wasserdampf-Destillation gewonnene → ätherische Öl (CAS-Nr.: 8022-81-9). Die Ausbeute liegt bei 2,0 bis 2,6 %.
Das gelbe Öl besitzt einen kräftigen würzigen blumig-fruchtigen Geruch. Ein Volumenteil löst sich bei Raumtemperatur in 6 bis 9 Volumenteilen 70%igem Ethanol, meist unter schwacher Trübung.

PHYSIKALISCH-CHEMISCHE DATEN:
d_{15}^{15}: 0,915 bis 0,956; n_D^{20}: 1,4791 bis 1,4792; $[\alpha]_D^{20}$: + 1,4° bis + 2,0°.

B

Hauptinhaltsstoffe sind 40 bis 45 % Ascaridol, ca. 30 % p-Cymol, *cis*-Hex-3-en-1-ol, *trans*-Hex-2-en-1-ol, Cuminaldehyd, Eugenol, Terpineol, 1,8-Cineol (Eucalyptol), α-Pinen, Dipenten u. a.
In den Blättern wurden des weiteren Alkaloide, wie Boldin, nachgewiesen. Über ein Vorkommen im Öl ist nichts bekannt.
Das Öl wird in der Parfümerie für blumig-fruchtige Düfte, in der Aromenindustrie (vgl. → Aromastoffe) als Basis für das Blaubeeraroma verwendet.
Der Extrakt der Blätter findet medizinische Anwendung als Diureticum und Choleretikum.

TOXIKOLOGIE:
Das Öl wirkt, oral aufgenommen, zusammenziehend auf Eingeweide und Harnröhre. Toxische Wirkungen sind nicht auszuschließen.
Zur toxikologischen Bewertung des Inhaltsstoffes Ascaridol vgl. → Wurmsamenöl.
Eugenol ist bei oraler Zufuhr mäßig giftig. Im Tierversuch wirkt es hautreizend, karzinogen und mutagen. Es besitzt ferner ein allergenes Potential. 1,8-Cineol (Eucalyptol) kann in größeren Mengen bei empfindlichen Personen zu Hautreizungen, bei oraler Aufnahme zu Gastroenteritis und Nierenreizungen führen, α-Pinen zu Hautreizungen und Ekzemen bzw. Nierenreizungen.
Das Alkaloid Boldin bewirkt, oral aufgenommen, Krämpfe und Lähmungserscheinungen.

Engl.: boldo (leaves) oil; franz.: essence de boldo

Borneol

SYNONYME: Bornylalkohol
CHEMISCHE BEZEICHNUNG: Bornan-2-ol, 2-Bornanol
CAS-NR.: 507-70-0, (+)-Borneol: 464-43-7, (–)-Borneol: 464-45-9
STRUKTURFORMEL:

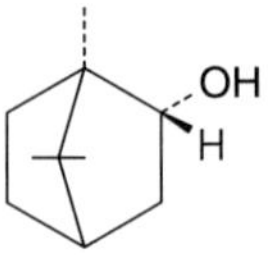

(–)-Borneol

MOLEKULARGEWICHT: 154,25

Borneol, ein bicyclischer Terpenalkohol, ist eine farblose kristalline Masse. (+)-Borneol hat einen campherartigen Geruch mit einer leicht scharfen erdig-pfeffrigen Note, welche im (–)-Borneol weniger deutlich wird.
Borneol ist ein Endo-Isomer, das entsprechende Exo-Isomer ist Isoborneol (CAS-Nr.: 124-76-5). Die Verbindung kommt in der Natur reichlich als ein einzelnes Enantiomer vor, weniger häufig als das Racemat. (–)-Borneol ist besonders in den Ölen von *Pinaceae*-Arten und im → Citronellöl anzutreffen, während (+)-Borneol z. B. als Bestandteil von → Campherölen, → Rosmarin-, → Lavendel- und → Olibanumölen auftritt. Das Handelsprodukt ist oft links drehend ($[\alpha]_D^{20}$: - 18° bis - 28°, in Ethanol) und enthält (–)-Borneol sowie bis zu 40 % Isoborneol.

PHYSIKALISCH-CHEMISCHE DATEN:
Schmp. (+)- und (–)-Form: 208 °C; Schmp. (±)-Form: 210,5 °C; d_4^{20}: 1,011; $[\alpha]_D^{20}$: + bzw. - 37,7°.

Borneol ist unlöslich in Wasser, leicht löslich in Ethanol, Ether, Petrolether, Benzol und Chloroform.
Durch Chrom- oder Salpetersäure wird Borneol zu Campher oxidiert, die Dehydrierung mit verdünnten Säuren liefert Camphen. Die Verbindung läßt sich leicht mit Säuren verestern, wobei jedoch die industrielle Herstellung der Bornylester auf anderen Wegen erfolgt.
Das linksdrehende Borneol wird synthetisch aus linksdrehenden Pinenen nach Wagner-Meerwein mit verdünnter Säure und anschließender Hydrolyse der erhaltenen Ester gewonnen.

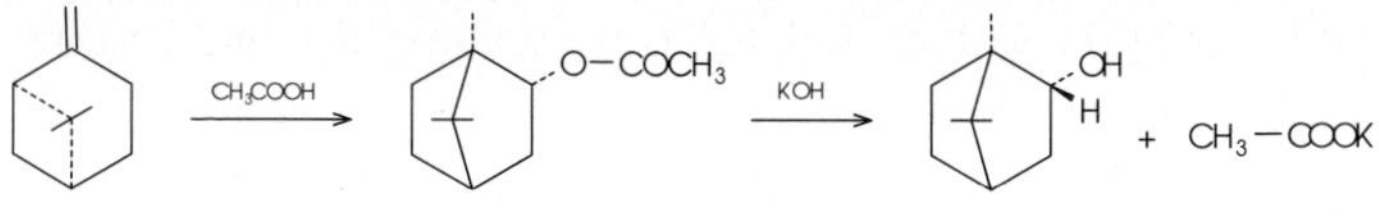

(–)-β-Pinen (–)-Bornylacetat (–)-Borneol

Borneol findet Einsatz bei der Rekonstruktion (Rekonstitution) der → ätherischen Öle, in denen es natürlich vorkommt.

B

Bornylacetat

SYNONYME: Essigsäurebornylester
CAS-NR.: 76-49-3, (–)-Bornylacetat: 5655-61-8, (+)-Bornylacetat: 20347-65-3
STRUKTURFORMEL:

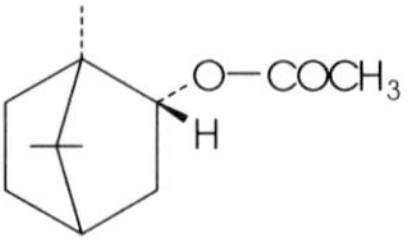

(–)-Bornylacetat

MOLEKULARGEWICHT: 196,29

Bornylacetat hat einen campherartigen fichtennadelähnlichen Geruch. (+)- und (–)-Bornylacetat bilden farblose Kristalle. (±)-Bornylacetat ist bei Raumtemperatur eine farblose Flüssigkeit.
Die Verbindung kommt in den optisch aktiven Formen und als Racemat in vielen → ätherischen Ölen vor. (–)-Bornylacetat ist ein charakteristischer Bestandteil der meisten → Koniferenöle.

PHYSIKALISCH-CHEMISCHE DATEN:
Schmp. (+)- und (–)-Form: 29 °C; $Sdp._{101,3\,kPa}$: 223 bis 224 °C; d_4^{20}: 0,9838; n_D^{20}: 1,4630; $[\alpha]_D^{20}$: + bzw. - 44,4° .

Bornylacetat ist in Wasser sehr wenig löslich, in Ethanol und Ether löslich.
Die Verbindung wird durch Veresterung von Borneol mit Essigsäureanhydrid hergestellt.
Aufgrund des charakteristischen Fichtennadelgeruches findet Bornylacetat häufig Einsatz in → Parfüm-Kompositionen mit Koniferennote, in Seifen, Badezusätzen, Raumsprays und pharmazeutischen Produkten.

Boronia-Absolue

Das aus den Blüten der australischen Rauten-Art *Boronia megastigma* NEES ex BARTL. [Rutaceae] durch → Extraktion mit Lösungsmitteln über das → Concret gewonnene → Absolue. Die Ausbeute beträgt 0,1 bis 0,2 %.

Das absolute Öl weist einen fruchtigen würzig-kräuterartigen Geruch mit einem blumigen rosig-süßen Ton auf.
Es findet in der Feinparfümerie vor allem in Fougère- und Chypre-Noten Einsatz.

Engl.: boronia absolute.

Brechungsindex (n_D^{20})

Wichtiger Parameter zur qualitativen Beurteilung von → einheitlichen Riechstoffen.
Bei der refraktometrischen Bestimmung (Abbe-Refraktometer) wird die Lichtbrechung beim Übergang von einem Medium in ein anderes bei einer bestimmten Temperatur (im allgemeinen 20 °C) gemessen. Mit steigender Temperatur nimmt der Brechungsindex etwas ab, so daß die Temperaturangabe stets erforderlich ist. Des weiteren ist der Brechungsindex von der Meßwellenlänge der einfallenden Strahlung abhängig. Man mißt daher bei der Standardwellenlänge der gelben D-Linie des Natriums (589 nm).
n_D^{20} heißt also Brechungsindex, gemessen bei 589 nm und 20 °C.

Da die Brechungsindizes der → ätherischen Öle im allgemeinen nur gering voneinander abweichen, sind sie in diesem Fall weniger bedeutungsvoll als andere Parameter, werden aber dennoch zu deren Charakterisierung angegeben. Beispielsweise beeinflußt ein Zusatz von → Terpentinöl zu → Citronenöl das Brechungsvermögen kaum, verändert aber das → optische Drehungsvermögen beträchtlich.

Bruyère-Resinoid

Das aus den zerkleinerten Wurzeln der im Mittelmeergebiet heimischen Baumheide (Bruyère; *Erica arborea* L.) [Ericaceae] durch → Extraktion mit Lösungsmitteln über das konkrete Resinoid (Resinoid-Concret; vgl. → Resinoide) gewonnene absolute Resinoid (Resinoid-Absolue; vgl. → Resinoide). Die Ausbeute beträgt 0,08 bis 0,1 %.
Das absolute Öl weist einen milden balsamisch-würzigen kräuterartigen Geruch mit einer trockenen Holznote auf.

B

In der Feinparfümerie wird es in Chypre-Düften und Herren-Noten eingesetzt.

Engl.: bruyère absolute.

Buccoöl

Siehe → Buchublattöl.

Buchublattöl (Buccoöl, Bukkoöl)

Das aus den Blättern der südafrikanischen Buccostrauch-Arten *Barosma betulina* (BERGIUS) BARTL. et H. L. WENDL. (*Agathosma betulina* (BERGIUS) PILLANS) und *Barosma crenulata* (L.) HOOK. (*Agathosma crenulata* (L.) PILLANS.) [Rutaceae] durch → Wasserdampf-Destillation gewonnene → ätherische Öl (CAS-Nr.: 68650-46-4). Die Ausbeute beträgt 0,8 bis 2,5 %.

Das dunkelgelbe bis braune Öl weist einen intensiv minzig-fruchtigen campherartigen Duft auf, der an schwarze Johannisbeeren erinnert. Allerdings besitzt es auch den unangenehmen „Katergeruch“ schwefelhaltiger Verbindungen. Problematisch ist die selbst in alkoholischer Lösung zu verzeichnende Instabilität dieses Öls.

PHYSIKALISCH-CHEMISCHE DATEN:
d_{25}^{25}: 0,912 bis 0,956; n_D^{20}: 1,4740 bis 1,4880; $[\alpha]_D$: - 36° bis - 8°, SZ: 1 bis 5; EZ: 20 bis 85.

Hauptinhaltsstoffe sind ca. 35 % (–)-Isomenthon, ca. 12 % (aber auch bis zu 30 %) Diosphenole (Buccocampher), ca. 10 % (–)-Pulegon, ca. 10 % (+)-Limonen und ca. 10 % Piperitonepoxid. Für den Geruch nach schwarzen Johannisbeeren sind jedoch das p-Menthan-8-thiol-3-on (ca. 4 %) und das korrespondierende S-Acetat verantwortlich, für die minzartige Nuance das ebenfalls enthaltene (+)-Menthon (ca. 9 %).

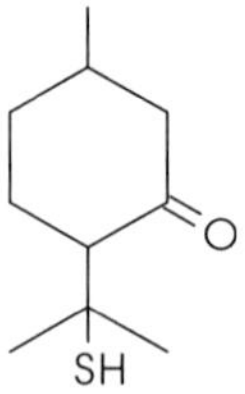

p-Menthan-8-thiol-3-on

Als weitere von ca. 120 Inhaltsstoffen werden u. a. Terpinen-4-ol und Isopulegon beschrieben.

Das Öl sorgt in → Parfüm-Kompositionen für eine frische Kopfnote und wird in der Parfümerie für Chypre- und Fougère-Duftnoten sowie Eau de Colognes genutzt. Es kommt ferner in Fruchtaromen, z. B. für Zahnpasten (vgl. → Aromastoffe), und pharmazeutischen Präparaten (Diuretica, Harndesinfizientien) zum Einsatz. Für *Barosma* als homöopathisches Arzneimittel ist eine Monographie der Kommission D beim Bundesinstitut für Arzneimittel und Medizinprodukte (BfArM) verfügbar, für *Barosma folium* eine Monographie der Kommission E beim BfArM.

TOXIKOLOGIE:
Das als Inhaltsstoff beschriebene Limonen besitzt ein allergenes Potential.

Engl.: buchu leaf oil; franz.: essence de feuilles de bucco.

Butan-2,3-dion

Siehe → Diacetyl.

4-tert.-Butyl-cyclohexylacetat

CAS-NR.: 32210-23-4
STRUKTURFORMEL:

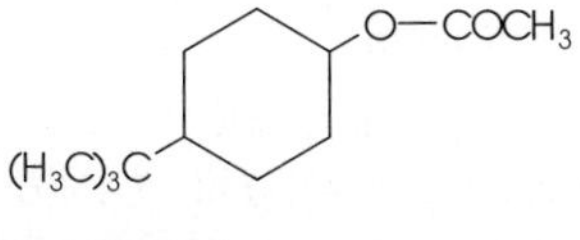

MOLEKULARGEWICHT: 198,30

Das nicht in der Natur anzutreffende 4-tert.-Butyl-cyclohexylacetat kommt in der *cis*- und *trans*-Form vor. Das *trans*-Isomer hat einen starken Holzgeruch, während der Geruch des *cis*-Isomers intensiver und mehr blumiger ist. Größere Unterschiede zwischen den *cis*- und *trans*-Anteilen im Handelsprodukt haben nur kleine Auswirkungen auf die physikalischen Konstanten, weshalb die Zusammensetzung der Mischungen durch Gaschromatographie bestimmt wird.

PHYSIKALISCH-CHEMISCHE DATEN:
Sdp.$_{1\ kPa}$: 89 bis 95 °C; d_{25}^{25}: 0,933 bis 0,939; n_D^{20}: 1,4500 bis 1,4540.

C

Dieser aus 4-tert.-Butylphenol durch katalytische Hydrierung und Acetylierung des entstandenen 4-tert.-Butyl-cyclohexanols hergestellte Ester ist als Oryclon und Vertenex im Handel.
Beim Einsatz von Raney-Nickel als Katalysator entsteht das *trans*-Isomer, während bei der Verwendung von Rhodium oder Palladium hauptsächlich das *cis*-Isomer erhältlich ist. Letzteres kann auch gewonnen werden, wenn man die *trans*-Form in Gegenwart von alkalischen Katalysatoren umlagert und die niedriger siedende *cis*-Form kontinuierlich abdestilliert.
4-tert.-Butyl-cyclohexylacetat findet insbesondere in Seifenparfüms Einsatz.

Cabreuvaöl

Das aus dem zerkleinerten Holz der in Paraguay und Brasilien heimischen *Myrocarpus*-Arten *Myrocarpus frondosus* ALLEM. und *Myrocarpus fastigiatus* ALLEM. [Fabaceae, Leguminosae] durch → Wasserdampf-Destillation erhaltene → ätherische Öl. Die Ausbeute beträgt 1,6 bis 1,8 %. Die Jahresproduktion liegt bei 5 bis 10 Tonnen.
Das Öl besitzt einen warm-holzigen fetten (etwas speckartigen) Geruch. Ein Volumenteil löst sich bei Raumtemperatur in 6 Volumenteilen 70%igem Ethanol.

PHYSIKALISCH-CHEMISCHE DATEN:
d_{20}^{20}: 0,889 bis 0,910; n_D^{20}: 1,4820 bis 1,4880; $[\alpha]_D$: + 2° bis + 8°; Gesamt-Alkoholgehalt (berechnet als Nerolidol): 82 bis 90 %.

Hauptinhaltsstoff ist mit einem Anteil bis zu 80 % das (+)-Nerolidol.
Das Öl wird in der Parfümerie als holzige Komponente in Phantasie-Noten sowie in Blumen-, Rose-, Ambra- und Maiglöckchen-Düften eingesetzt. Bis zur Einführung einer Synthese (im Rahmen der Vitamin-E-Herstellung) nutzte die Riechstoffindustrie das Öl zur Gewinnung von (+)-Nerolidol.

Engl.: cabreuva oil.

Cadeöl

Siehe → Wacholderbeeröl.

Cajeputöl (Kajeputöl)

Das aus den frischen Blättern und Zweigspitzen des in Indonesien, Australien und Malaysia heimischen Cajeputbaumes (*Melaleuca leucadendra* (L.) L. [Myrtaceae] durch → Wasserdampf-Destillation gewonnene → ätherische Öl (CAS-Nr.: 8008-98-8). Die Ausbeute beträgt 0,8 bis 1,0 %.
Das Öl besitzt einen stark krautigen eucalyptusähnlichen Geruch. Hauptinhaltsstoffe sind 50 bis 70 % 1,8-Cineol (Eucalyptol), α-Terpineol, α-Pinen und Limonen.
Es wird aufgrund des mangelnden Angebotes heute kaum noch in der Parfümerie eingesetzt. Sehr selten wird es in Mundwässern verwendet. In pharmazeutischen Zubereitungen kommt es als Expectorans und Antisepticum sowie in Einreibungen (Rheuma) und als homöopathisches Mittel zum Einsatz. Für *Melaleucae aetheroleum* als homöpathisches Arzneimittel ist eine Monographie der Kommission D beim Bundesinstitut für Arzneimittel und Medizinprodukte (BfArM) verfügbar.

TOXIKOLOGIE: LD_{50} (Ratte, oral): 3870 mg/kg KG.
Das als Inhaltsstoff beschriebene 1,8-Cineol (Eucalyptol) kann in größeren Mengen bei empfindlichen Personen zu Hautreizungen, bei oraler Aufnahme zu Gastroenteritis und Nierenreizungen führen, α-Pinen zu Hautreizungen und Ekzemen bzw. Nierenreizungen. Limonen besitzt ein allergenes Potential.

(Weitere → ätherische Öle aus *Melaleuca*-Arten siehe → Niaouliöl, → Teebaumöl.)

Engl.: cajuput oil.

Calendula-Absolue

Siehe → Ringelblumen-Absolue.

Calmusöl (Kalmusöl, Kalamusöl)

C

Das aus den zerkleinerten frischen oder getrockneten Wurzeln des in Europa und Asien angebauten Calmus (*Acorus calamus* L.) [Aracaceae] durch → Wasserdampf-Destillation gewonnene → ätherische Öl (CAS-Nr.: 8015-79-0). Die Ausbeute beträgt bei europäischem Calmus 1,5 bis 3,5 %.

Das gelbe bis bräunliche Öl besitzt einen schweren erdig-wurzelartigen, leicht süßlich-aromatischen campherähnlichen Geruch mit einer bitteren Note und einen würzig-bitteren Geschmack. Ein Volumenteil der europäischen und indischen Öle löst sich bei Raumtemperatur in 5 Volumenteilen 90%igem Ethanol. Dabei kann Trübung erfolgen.

PHYSIKALISCH-CHEMISCHE DATEN (europäisches Öl):
d_{25}^{25}: 0,940 bis 0,980; n_D^{20}: 1,060 bis 1,080; $[\alpha]_D$: + 5° bis + 32°; SZ: max. 4; EZ: 3 bis 20.

Hauptinhaltsstoffe des europäischen Öls sind Sesquiterpenketone, wie Shyobunon, Preisocalamendiol und Acorenon. Daneben sind u. a. Sesquiterpenkohlenwasserstoffe (wie ar-Curcumen, Caryophyllen, Calamenen, Calacoren, Selinen, α-Elemen), Sesquiterpenalkohole (wie Calemenol), Pinen, Camphen, 1,8-Cineol (Eucalyptol), Campher, Asarylaldehyd, Eugenol und Methyleugenol (Eugenolmethylether) enthalten. Der typische Geruch wird durch eine Reihe von Spurenkomponennten, besonders aliphatische Aldehyde (wie *Z,Z*-Deca-4,7-dienal) bestimmt. Ein toxikologisch bedenklicher Inhaltsstoff ist das β-Asaron (*cis*-Isoasaron), das im europäischen Öl in Mengen bis zu 10 % (in indischen Ölen bis 96 % !) enthalten ist.

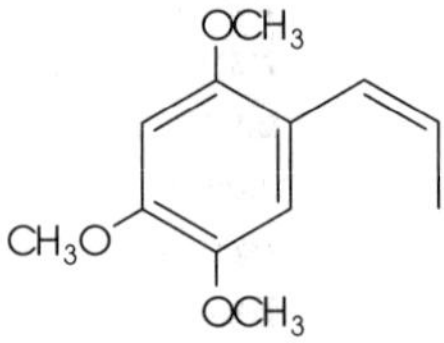

β-Asaron (*cis*-Isoasaron)

In der Parfümerie kommt Calmusöl zur Komposition von würzig-krautigen Noten sowie von Ambra-, Chypre- und Tabak-Düften zum Einsatz. In der Vergangenheit wurde es ferner zur Herstellung von Bitterlikören und Magenbittern genutzt.

Calmusöl bzw. das darin enthaltene Asaron besitzt eine insektensterilisierende Wirkung.

Volksmedizinisch wurde Calmus als Stomachicum und sedierendes Mittel angewandt. Die sedative Wirkung beruht vermutlich auf dem Gehalt an β-Asaron. Für *Acorus calamus* als homöopathisches Arzneimittel ist eine Monographie der Kommission D beim Bundesinstitut für Arzneimittel und Medizinprodukte (BfArM) verfügbar.

TOXIKOLOGIE:

Nachdem im Rattenversuch die Auslösung von Darmkrebs beobachtet werden konnte, wurde die Anwendung von Calmusöl in Nahrungsmitteln in den meisten Staaten stark beschränkt bzw. verboten. Als verantwortlichen Stoff erkannte man das β-Asaron. Mittlerweile werden in den USA jedoch auch asaronfreie Varietäten angebaut.

Das in geringen Mengen enthaltene Eugenol ist bei oraler Zufuhr mäßig giftig. Im Tierversuch wirkt es hautreizend, karzinogen und mutagen. Es besitzt ferner ein allergenes Potential. 1,8-Cineol (Eucalyptol) kann in größeren Mengen bei empfindlichen Personen zu Hautreizungen, bei oraler Aufnahme zu Gastroenteritis und Nierenreizungen führen, Pinen zu Hautreizungen und Ekzemen bzw. Nierenreizungen.

Nach der Aromenverordnung der Bundesrepublik Deutschland ist die Anwendung von Calmusöl beschränkt. Die für Trinkbranntwein zulässige Höchstmenge an Asaron beträgt 1 mg pro Liter.

Engl.: calmus oil; franz.: essence d´acore odorant (acore vrai), essence de calmus; iatl.: essenza di calamo aromatico.

Campher (Kampfer)

CHEMISCHE BEZEICHNUNG: 1,7,7-Trimethyl-bicyclo[2.2.1]heptan-2-on

CAS-NR. (+)-Campher: 464-49-3, (–)-Campher: 464-48-2; (±)-Campher: 2136-8-68-3

STRUKTURFORMEL:

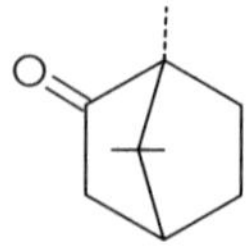

MOLEKULARGEWICHT: 152,24

Campher bildet weiße, charakteristisch-durchdringend riechende Kristalle mit leichter Minznote. Beide Isomere sind in der Natur weit verbreitet, (+)-Campher in größerem Maße. So stellt es den Hauptbestandteil des Öls von *Cinnamonum camphora* (vgl. → Campheröl),

PHYSIKALISCH-CHEMISCHE DATEN:
Schmp.: 178,8 °C; Sdp.$_{101,3\ kPa}$: 204 °C; $[\alpha]_D^{20}$: + 54,9° bzw. – 44,2° (Ethanol).

Campher ist wenig löslich in Wasser, löslich in Ethanol, Ether, Aceton, Benzol, Chloroform, Terpentinöl, Olivenöl und Eisessig. Die Verbindung wird durch fraktionierte Destillation und Kristallisation von → Campheröl hergestellt. Technische Synthesen gehen von α- oder β-Pinen aus und verlaufen vorwiegend über folgende Stufen: α- oder β-Pinen → Bornylchlorid → Camphen → Isobornylester → Isoborneol → Campher.
Campher wird nur in der technischen Parfümerie eingesetzt, größere Bedeutung hat er als Weichmacher, z. B. für Filme und Celluloid.

TOXIKOLOGIE: LD_{50} (Maus, i. p.): 3 g/kg KG.

Campheröl (Kampferöl)

Das aus dem zerkleinerten Holz des in China, Taiwan und Japan gedeihenden Campherbaumes (*Cinnamomum camphora* (L.) J. S. PRESL., *Cinnamomum camphora* SIEB. ssp. *eucamphora* HIROTA) [Lauraceae] durch → Wasserdampf-Destillation gewonnene → ätherische Öl (CAS-Nr.: 8008-51-3). Infolge der Produktion von synthetischem Campher ist die früherer mehrere tausend Tonnen betragende Produktion von Naturcampheröl deutlich gesunken.
Hauptbestandteil des rohen Campheröls sind ca. 50 % (+)-Campher, der sich nach Abkühlen abscheidet und abzentrifugiert wird.

Weitere Inhaltsstoffe sind u. a. 1,8-Cineol (Eucalyptol), Safrol, Borneol, Acetaldehyd, Pinen, Fenchen, Phellandren, Limonen, Azulen und Terpineol.
Die Destillation des nach dem Zentrifugieren verbleibenden Öls ergibt 2 Fraktionen.

Das **Weiße Campheröl** (ca. 20 % des rohen Öls) ist eine im allgemeinen farblose Flüssigkeit von cineolartigem Geruch. Ein Volumenteil löst sich bei Raumtemperatur in einem Volumenteil 95%igem Ethanol. Bei weiterer Verdünnung kommt es meist zur Trübung.

PHYSIKALISCH-CHEMISCHE DATEN:
d_{25}^{25}: 0,855 bis 0,875; n_D^{20}: 1,4670 bis 1,4720; $[\alpha]_D$: + 16° bis + 28°.

Das Öl ist durch einen Gehalt von bis zu 35 % 1,8-Cineol charakterisiert.
(Durch weitere Fraktionierung werden Öle noch höheren Cineol-Gehaltes hergestellt, ebenso durch → Wasserdampf-Destillation der Blätter. Sie sind als chinesische Eucalyptusöle [vgl. → *Eucalyptus*-Öle] im Handel, haben jedoch mit *Eucalyptus*-Arten nichts zu tun.)
Weißes Campheröl wird medizinisch für Einreibungen sowie als Expectorans verwendet, technisch als Lacklösungsmittel und parfümierender Zusatzstoff für Schuh- und Fußbodenpflegemittel. Campheröl besitzt durch seinen Camphergehalt eine insektenabschreckende Wirkung.

Das höher siedene **Braune Campheröl** (ca. 20 % des rohen Öls) ist eine gelbe bis braune Flüssigkeit mit einem charakteristischen Safrol-Geruch. Ein Volumenteil löst sich bei Raumtemperatur in 2 Volumenteilen 90%igem Ethanol.

PHYSIKALISCH-CHEMISCHE DATEN:
d_{25}^{25}: 1,064 bis 1,075; n_D^{20}: 1,5100 bis 1,5500; $[\alpha]_D$: 0° bis + 3°; Erstarrungspunkt: 6 °C.

Es enthält bis zu 80 % Safrol und wird in der Riechstoffindustrie zu dessen Gewinnung sowie Weiterverarbeitung zu Isosafrol und

Piperonal verwendet. In Seifenparfüms dient es als → Fixateur und Bindemittel.

C

TOXIKOLOGIE:
Das als Inhaltsstoff beschriebene Safrol erzeugt im Tierversuch (Ratte) Leberzirrhosen und bösartige Lebergeschwülste. 1,8-Cineol (Eucalyptol) kann in größeren Mengen bei empfindlichen Personen zu Hautreizungen, bei oraler Aufnahme zu Gastroenteritis und Nierenreizungen führen, Pinen zu Hautreizungen und Ekzemen bzw. Nierenreizungen. Limonen und Linalool besitzen ein allergenes Potential.

Ein Campheröl mit hohem Safrol-Gehalt wird ferner aus der Art *Cinnamomum parthenoxylon* NEES erhalten.
Aus dem Holz von *Cinnamomum camphora* SIEB. ssp. *formosana* var. *occidentalis* subvar. *linaloola* HIROTA und var. *orientalis* subvar. *linaloola* HIROTA wird das **Ho-Holzöl** mit einem Anteil von ca. 40 % Campher und 10 % (+)-Linalool gewonnen und destillativ auf 70, 80 und 85 % Linalool angereichert. Das rohe Öl wurde in der Vergangenheit auch als Ho-Scho-Öl oder Schiu-Öl bezeichnet. Das aus den Blättern gewonnene **Ho-Blattöl** enthält von vornherein ca. 85 % Linalool.
Infolge der Verfügbarkeit von synthetischem Linalool ist die Bedeutung dieser Öle als Ausgangsstoff für natürliches (+)-Linalool heute stark zurückgegangen.

TOXIKOLOGIE:
Das als Inhaltsstoff beschriebene Linalool besitzt ein allergenes Potential.

Engl.: camphor oil; franz.: huile de camphre; ital.: olio canforato; span.: aceite de alcanfor.

Cananga-Öl

Siehe → Ylang-Ylang-Öl und *Cananga*-Öl.

Caprinaldehyd

Siehe → Aldehyd C_{10}.

Capronaldehyd

Siehe → Aldehyd C_6.

Caprylaldehyd

Siehe → Aldehyd C_8.

Cardamomöl (Cardamomenöl, Kardamomöl)

Das aus den Samen oder den ganzen Früchten des Cardamom (*Elettaria cardamomum* (L.) MATON, *Elettaria cardamomum* WHITE et MATON, *Amomum cardamomum* L. non ROXB.) [Zingiberaceae] durch → Wasserdampf-Destillation gewonnene → ätherische Öl (CAS-Nr.: 8000-66-6). Die Ausbeute beträgt bei Verwendung der Früchte 3,5 bis 7 %, bei Verwendung der Samen 1,0 bis 4,5 %. Die Hauptproduktionsgebiete liegen in den Bergregionen Süd-Indiens, Süd-Chinas, Sri Lankas, Thailands, Indonesiens und Guatemalas.
Das farblose bis stark gelbe Öl weist einen durchdringend würzig-aromatischen, leicht campherartigen Geruch mit einem balsamisch-blumigen Unterton und einen länger anhaltenden beißend-scharfen aromatischen Geschmack auf. Ein Volumenteil löst sich bei Raumtemperatur in 5 Volumenteilen 70%igem Ethanol, teilweise unter leichter Trübung.

PHYSIKALISCH-CHEMISCHE DATEN:
d_{25}^{25}: 0,917 bis 0,947; n_D^{20}: 1,4630 bis 1,4660; $[\alpha]_D$: + 22° bis + 44°.

Hauptinhaltsstoffe sind ca. 20 bis 50 % 1,8-Cineol (Eucalyptol), ca. 25 bis 35 % α-Terpinylacetat, ca. 2 bis 14 % Limonen, Sabinen, α-Terpineol, Borneol, Terpinen-4-ol, Geraniol, Nerol, Linalool, Nerolidol und Linalylacetat. Zum charakteristischen Geruch tragen vor allem Spurenkomponenten, wie ungesättigte aliphatische Aldehyde, bei.
Geringe Mengen des Öls werden in der Parfümerie als würziger Nunaceur für Herren- und Damen-Kompositionen (Moos-, Maiglöckchen-, Gewürz-, Holz-, Nelkenblüten-, Orchideen- und Ylang-Ylang-Düfte) verwendet. Die Nutzung als → Aromastoff

erfolgt vor allem in Likören und Backwerk. Volksmedizinisch dient Cardamom als Carminativum.

TOXIKOLOGIE:
Der Hauptinhaltsstoff 1,8-Cineol (Eucalyptol) kann in größeren Mengen bei empfindlichen Personen zu Hautreizungen, bei oraler Aufnahme zu Gastroenteritis und Nierenreizungen führen, Sabinen zu Hautreizungen bzw. Gastroenteritis, Nierenschäden, Menorrhagie und Abort. Geraniol, Linalool und Linalylacetat besitzen ein allergenes Potential.

Engl.: cardamom oil; franz.: essence de cardamome; ital.: essenza di cardamome.

Carvon

CHEMISCHE BEZEICHNUNG: p-Mentha-6,8-dien-2-on, 1,8-p-Menthadien-6-on, p-Mentha-1,8-dien-6-on
CAS-NR.: 99-49-0, (+)-Carvon: 2244-16-8, (-)-Carvon: 6485-40-1, (±)-Carvon: 22327-39-5
STRUKTURFORMEL:

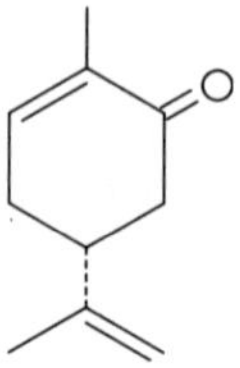

MOLEKULARGEWICHT: 150,22

Die Carvone sind farblose bis hellgelbe Flüssigkeiten. Es treten zwei optische Isomere auf, die sich in ihrem Geruch beträchtlich voneinander unterscheiden. (+)-Carvon weist einen starken, an Kümmel und Dillsamen erinnernden Geruch auf, während (–)-Carvon minzig duftet.
Die Verbindungen kommen in großen Anteilen in → ätherischen Ölen vor. (+)-Carvon ist Hauptbestandteil von → Kümmel-(60 %) und → Dillöl. (–)-Carvon kommt vor allem im → Krauseminzöl (70 bis 80 %) und (±)-Carvon im → Gingergrasöl und → Lavendelöl vor.

PHYSIKALISCH-CHEMISCHE DATEN:
Sdp.$_{101,3\ kPa}$: 230 °C; d_4^{20}: 0,960; n_D^{20}: 1,4990; $[\alpha]_D^{18}$ (+)-Carvon: + 64,3°; $[\alpha]_D^{20}$ (–)-Carvon: - 62,5°.

(±)-Carvon ist in Wasser unlöslich, jedoch mit Ethanol mischbar. Bei Lichteinwirkung isomerisiert die Verbindung zu Carvoncampher und bei Alkalieinwirkung zu Carvacrol.

(+)-Carvon wird durch fraktionierte Destillation aus → Kümmelöl gewonnen, (–)-Carvon aus → Krauseminzöl.

(±)-Carvon hängt strukturell eng mit dem (±)-Limonen zusammen, aus dessen Nitrosochlorid es sich über das Oxim synthetisch herstellen läßt.

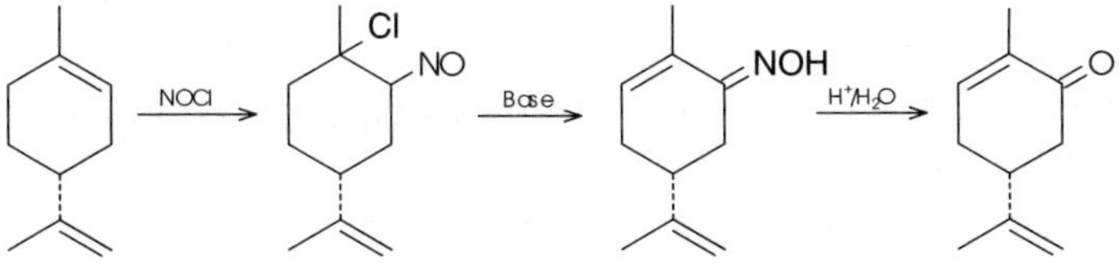

(+)-Limonen (+)-Limonen-nitrosochlorid (–)-Carvonoxim (–)-Carvon

(+)- und (–)-Carvon finden Einsatz in → Aromastoffen für Nahrungsmittel und Getränke. Das in weitaus größeren Mengen produzierte (–)-Carvon wird auch in Mundpflegemitteln verwendet.

TOXIKOLOGIE: LD_{50} (±)-Carvon (Ratte, oral): 1,6 g/kg KG.
(+)- und (–)-Carvon besitzen ein allergenes Potential.
Gemäß der Gefahrstoffverordnung der Bundesrepublik Deutschland ist Carvon gesundheitsschädlich beim Verschlucken (R 22).

Cascarillöl (Kaskarillaöl)

Das aus der Rinde des auf den Karibischen Inseln heimischen Kaskarilla-Baumes (*Croton eluteria* BENN. und *Croton cascarilla* BENN.) [Euphorbiaceae] durch → Wasserdampf-Destillation gewonnene → ätherische Öl (CAS-Nr.: 8007-06-5). Die Ausbeute beträgt 1,2 bis 3,0 %.
Das Öl weist einen stark aromatischen, leicht zimt-, pfeffer- und

küchenkräuterartigen Geruch und einen bitteren gewürzhaften Geschmack auf. Es ist leicht löslich in Ethanol.

C

PHYSIKALISCH-CHEMISCHE DATEN:
d_4^{20}: 0,890 bis 0,925.

Hauptinhaltsstoffe sind Linalool, Borneol, Terpinen-4-ol, α-Terpineol, die Methylether des Thymols, Carvacrols und Eugenols, das phenolische Sesquiterpen Cuparophenol, Sesquiterpenkohlenwasserstoffe, Cascarilladien und Cascarillon, Cascarillsäure und Vanillin.
Es wird in der Parfümerie in geringen Mengen für Gewürz-, Holz-, Tabak-, Oregano-, Nelkenblüten- und Chypre-Düfte eingesetzt, die es würzig und frisch gestaltet.

TOXIKOLOGIE:
Das als Inhaltsstoff beschriebene Linalool besitzt ein allergenes Potential.

Engl.: cascarilla oil; franz.: essence de cascarille.

Cassiaöl (Kassiaöl)

Siehe → Zimtöle.

Cassie-Absolue (Akazienblütenöl)

Das aus den Blüten der in Westindien und im Mittelmeergebiet heimischen Akazien-Art *Acacia farnesiana* (L.) WILLD. [Fabaceae, Leguminosae] durch → Extraktion mit Lösungsmitteln über das → Concret gewonnene → Absolue. Die Ausbeute an → Concret beträgt 0,5 %. Daraus erhält man ca. 30 % → Absolue. Hauptproduktionsgebiet ist Süd-Frankreich. Weitere Lieferanten sind Italien (Kalabrien), Ägypten und die Komoren.
Das Öl entfaltet einen würzigen Duft mit blumig-fruchtiger Note.

Hauptinhaltsstoffe sind ca. 11 % Salicylsäuremethylester, p-Cresol, Benzaldehyd, Geranyl- und Linalylacetat sowie α-Jonon.
Es wird in → Parfüm-Kompositionen eingesetzt und verbindet sich besonders gut mit Jasmin und Rose. Das durch → Wasserdampf-Destillation gewonnenen Öl wird auch als Antispasmodicum, Aphrodisiacum und Insektenabschreckungsmittel verwendet.

TOXIKOLOGIE:
Die als Inhaltsstoffe beschriebenen Verbindungen Linalylacetat und α-Jonon besitzen ein allergenes Potential.

Engl.: cassie absolute.

Cassis-Resinoid

Siehe → Schwarze-Johannisbeeren-Resinoid.

Castoreum (Bibergeil)

Das aus den Drüsensäcken (Präputialdrüsen) des in Nord-Amerika und Rußland heimischen kanadischen Bibers (*Castor fiber*) [Castoridae] durch → Extraktion mit Lösungsmitteln gewonnene konkrete Resinoid (Resinoid-Concret; vgl. → Resinoide). Zur Gewinnung müssen die Biber getötet und die unter der Haut zwischen dem After und den Geschlechtsorganen (beider Geschlechter) liegenden Drüsenbeutel herausgeschnitten werden.
Aus den getrockneten Beuteln werden entweder ethanolische → Tinkturen hergestellt, oder es wird durch → Extraktion mit Aceton, Benzol oder Ethanol (Ausbeuten 30 bis 50 %, 20 bis 25 % bzw. 45 bis 80 %) ein → Resinoid gewonnen, das in dieser konzentrierten Form einen unangenehmen Geruch besitzt.

CHEMISCHE DATEN:
SZ: 15 bis 30, 20 bis 35 bzw. 15 bis 30; EZ: 145 bis 200; Carbonylzahl: 55 bis 70, 40 bis 60 bzw. 10 bis 20.

Verdünntes Castoreum, wie etwa die → Tinktur, riecht angenehm und anhaltend nach Birkenteer und → Moschus, mit einer leicht fruchtigen Note.
Das wertvollere Sekret der sibirischen Biber duftet deutlich nach → Juchten. Verantwortlich sind hauptsächlich phenolische Inhaltsstoffe, wie 4-Alkyl-phenole (z. B. 4-Propyl-phenol) und Brenzcatechin-Derivate (z. B. Brenzcatechin, Ethylguajakol), aber auch in Spuren vorhandene Alkaloide (wie Castoramin).
Weitere Inhaltsstoffe sind u. a. Alkohole (wie Benzylalkohol), Aldehyde (wie Salicylaldehyd), Ketone (wie Acetophenon), Säuren (wie Benzoesäure, Zimtsäure, Hydroxyzimtsäure, Salicylsäure und Anissäure) sowie Ester (wie Benzylester).

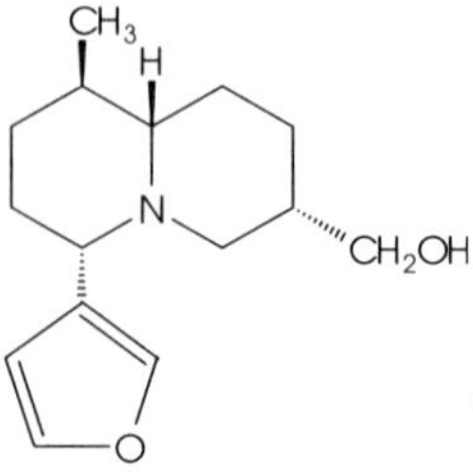

Castoramin

Castoreum wird in der Feinparfümerie zumeist in Form der ethanolischen → Tinktur als → Fixateur und für bestimmte Leder- und Chypre-Nuancen sowie zur Parfümierung von Pudern und Seifen verwendet. In der Vergangenheit kam die Droge auch medizinisch als Antispasmodicum und Nervinum zum Einsatz.

Engl.: castoreum; franz.: castoréum; ital.: sacca ghiandolare del castoro; span.: castóreo.

Cayenne-Linaloeöl

Siehe → Rosenholzöl, Brasilianisches.

Cedernöle (Zedernöle)

Verschiedene Koniferen werden landläufig als Cedern bezeichnet, so daß auch verschiedene Cedernöle unterschiedlicher botanischer Herkunft (wie Lebensbaum-, Wacholder-, Cypressen- bzw. Scheincypressen- und Cedern-Arten) im Handel sind.

Das **Cedernblätteröl (Thujaöl)** ist das durch → Wasserdampf-Destillation aus den frischen Blättern und Zweigspitzen des in den nördlichen Bundesstaaten der USA und Kanada kultivierten Immergrünen oder Abendländischen Lebensbaumes (Sumpfceder, Gelbe oder Falsche Weiße Ceder; *Thuja occidentalis* L.) [Cupressaceae] gewonnene → ätherische Öl (CAS-Nr.: 8007-20-3). Die Ausbeute beträgt 0,6 bis 1 %.
Das farblose, schwach gelbliche oder grünlich-gelbe Öl ist von scharfem kräftig-krautigem campher- und salbeiartigem Geruch

und bitterem Geschmack. Ein Volumenteil löst sich bei Raumtemperatur in 3 Volumenteilen 70%igem Ethanol.

PHYSIKALISCH-CHEMISCHE DATEN:

d_{25}^{25}: 0,910 bis 0,920; n_D^{20}: 1,4560 bis 1,4590; $[\alpha]_D^{20}$: - 14° bis - 10°; Ketongehalt (berechnet als Thujon): mind. 60 %.

Den Hauptinhaltsstoff stellt mit bis ca. 60 % das (–)-Thujon. Daneben sind u. a. α-Pinen, Camphen, Fenchon, Bornylester und Thujaplicin enthalten.
Thujaöl wird in der Parfümerie zur Erzielung trockener Nuancen in holzigen und Citrus-Kompositionen verwendet. Auch mit Lavendel- und Fichten-Noten ist es gut kombinierbar und bietet in Herren-Düften vielfältige Verwendungsmöglichkeiten. Es dient ferner zur Parfümierung technischer Produkte, wie z. B. Schuhcremes.

TOXIKOLOGIE:

Thujaöl ist toxikologisch nicht unbedenklich. In größeren Mengen wirkt es aufgrund seines Gehaltes an Thujaplicin und Thujon äußerlich hautreizend, innerlich als narkotisches Nerven-, Krampf- und Lebergift. Auch abortive Wirkungen sind bekannt. Das als Inhaltsstoff beschriebene α-Pinen kann in größeren Mengen bei empfindlichen Personen zu Hautreizungen und Ekzemen, bei oraler Aufnahme zu Nierenreizungen führen.

Engl.: thuja oil, white cedar oil, cedar laef oil; franz.: essence de thuya; ital.: olio di tuia; span.: esencia de tuya.

Die Bezeichnung **Cedernholzöl** wird für folgende → ätherischen Öle verwendet:

Das **Texas-Cedernholzöl** wird durch → Wasserdampf-Destillation des zerkleinerten Holzes der vor allem in Mexiko und den zentralamerikanischen Staaten sowie Nord-Amerika verbreiteten Texas-Ceder (Texanischer Wacholder; *Juniperus mexicana* SCHIEDE) [Cupressaceae] gewonnen. Die Ausbeute beträgt 2 bis 4 %.
Das viskose braune bis rötlich-braune Öl, das sich bei Raumtemperatur teilweise verfestigen kann, besitzt einen charakteristischen würzig-pinienartigen Cedernholzgeruch. Ein Volumenteil löst sich bei Raumtemperatur in 5 Volumenteilen 90%igem Ethanol.

PHYSIKALISCH-CHEMISCHE DATEN:
d_{20}^{20}: 0,954 bis 0,967 n_D^{20}: 1,5050 bis 1,5080; $[\alpha]_D^{20}$: - 50° bis - 35°; Gesamt-Alkoholgehalt (berechnet als Cedrol): 35 bis 48 %.

Hauptinhaltsstoffe sind bis zu ca. 80 % α- und β-Cedren, *cis*-Thujopsen, Cedrol, Cedrenol, Cedrolester und andere Sesquiterpene. Das Öl wird als Komponente in verschiedenen, besonders holzigen Duftnoten (aber auch Chypre-, Fougère-, Tabak- und Heu-Düften), in Seifenparfüms sowie als → Fixateur verwendet. Es vermittelt Wärme und Fülle. Ferner dient es zur Parfümierung von Haushaltsprodukten und → Kosmetika. In der Riechstoffindustrie stellt es ein Ausgangsprodukt zur Gewinnung von (+)-Cedrol und Cedrylacetat. Aus den verbleibenden Sesquiterpenen (besonders α-Cedren und *cis*-Thujopsen) können durch Acetylierung nutzbare Ketonriechstoffe hergestellt werden.
Mitunter dient das Öl auch zur „Streckung" teurer Öle (wie → Vetiveröl, → Sandelholzöl, → Patschuliöl). Ferner wird es in pharmazeutischen Präparaten (Expectorantien) verarbeitet.

Das **Virginia-Cedernholzöl** wird durch → Wasserdampf-Destillation des zerkleinerten Holzes der ausschließlich im Südosten der USA (Virginia, North-Carolina, Tennessee) gedeihenden Virginia-Ceder oder Roten Ceder (Virginischer Wacholder; *Juniperus virginiana* L.) [Cupressaceae] gewonnen. Verwendet werden dabei die Baumstümpfe und Wurzeln sowie die bei der Bleistift- und Zigarrenkistenproduktion anfallenden Abfälle. Die Ausbeute beträgt 2 bis 4 %. Die Jahresproduktion liegt bei ca. 500 Tonnen.
Das viskose, schwach gelbe bis hellbraune Öl, das sich bei Raumtemperatur verfestigen kann, besitzt einen charakteristischen würzig-pinienartigen Cedernholzgeruch. Ein Volumenteil löst sich bei Raumtemperatur in 0,5 bis 5 Volumenteilen 95%igem Ethanol.

PHYSIKALISCH-CHEMISCHE DATEN:
d_{25}^{25}: 0,939 bis 0,958 n_D^{20}: 1,5020 bis 1,5100; $[\alpha]_D^{20}$: - 45° bis - 22,5°; Gesamt-Alkoholgehalt (berechnet als Cedrol): 20 bis 46 %.

Inhaltsstoffe sind ca. 80 % α- und β-Cedren, ferner u. a. Cedrol, Cedrenol, Pseudocedrol, Cedrylacetat und bicyclische Sesquiterpene. Bei der Lagerung des Öls (Alterung) erfolgt eine langsame Umwandlung der Cedrene in Cedrol.

Die Anwendung entspricht der des Texas-Cedernholzöls. Das Öl wird ferner als Insektizid, besonders gegen Zimmermilben, genutzt.

Das **Atlas-Cedernholzöl** (CAS-Nr.: 68916-71-2) wird durch → Wasserdampf-Destillation der in Marokko heimischen Atlas-Ceder (*Cedrus atlantica* (ENDL.) MANETTI ex CARR., *Cedrus libani* A. RICH. ssp. *atlantica* (ENDL.) FRANCO, *Cedrus libanotica* LINK ssp. *atlantica* (ENDL.) HOLMBOE) [Pinaceae] gewonnen.
Das leicht viskose gelbliche bis bräunliche Öl besitzt einen süßlich-aromatischen anhaltend-holzigen Geruch. Ein Volumenteil löst sich bei Raumtemperatur in 5 Volumenteilen 95%igem Ethanol.

PHYSIKALISCH-CHEMISCHE DATEN:
d^{25}_{25}: 0,925 bis 0,940 n^{20}_{D}: 1,5060 bis 1,5160; $[\alpha]_D$: + 50° bis + 77°; Ketongehalt (berechnet als Atlanton): mind. 20 %.

Geruchsbestimmender Inhaltsstoff ist das Sesquiterpen *E*-(+)-α-Atlanton.

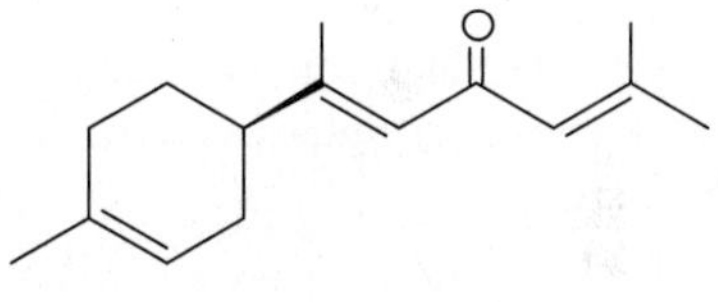

E-(+)-α-Atlanton

Das Öl wird vorzugsweise zur Parfümierung von Seifen, aber auch in → Parfüm-Kompositionen (Holz-, Ambra-, Mimosa- und Farn-Noten) verwendet.

Das vor allem in Indien gewonnene, aus der Himalayaceder (*Cedrus deodora* (D. DON) G. DON) stammende **Himalaya-Cedernholzöl** wird ebenfalls aus den Baumstümpfen und Wurzeln hergestellt. Dabei werden Ausbeuten bis zu 8 % erzielt. Durch Lösungsmittel-Extraktion kann der Öl-Ertrag noch wesentlich gesteigert werden.
Hauptinhaltsstoffe sind wiederum Sesquiterpene, wie α-Atlanton und Himachalol-Derivate.

In der Parfümerie dient das Öl zur Seifenparfümierung. Es weist ferner gegen Stechmücken eine ausgeprägte insektizide Wirkung auf.

Das sogenannte **Chinesische Cedernholzöl** wird durch → Wasserdampf-Destillation des zerkleinerten Holzes der in China heimischen Trauercypresse (*Chamaecyparis funebris* (ENDL.) FRANCO, *Cupressus funebris* ENDL.) [Cupressaceae] gewonnen. Die Zusammensetzung ähnelt der des Texas-Cedernholzöles.

Weitere Öle aus *Cupressus*-Arten siehe → Cypressenöl.)

TOXIKOLOGIE:
Von Cedernholzölen sind Hautreizungen, allergische Wirkung bei empfindlichen Personen und phototoxische Reaktionen bekannt.

Engl.: cedar oils (cedar wood oils); franz.: essence de cèdre; ital.: oli essenziali di cedro; span.: esencia de cedro.

Das häufig ebenfalls zu den Cedernölen gerechnete **Hibaöl** wird durch → Wasserdampf-Destillation aus dem zerkleinerten Holz des Japanischen Lebensbaumes (Hiba-Lebensbaum; *Thujopsis dolobrata* (L. f.) SIEB. et ZUCC., *Thuja dolobrata* L.) [Cupressaceae] erhalten.
Hauptinhaltsstoff ist *cis*-Thujopsen; der Cedrol-Gehalt ist gering. Aufgrund seines cedernholzartigen Geruches wird es zur Seifenparfümierung genutzt.

Engl.: hiba oil.

Celestolid

SYNONYM: Crysolid
CHEMISCHE BEZEICHNUNG: 4-Acetyl-1,1-dimethyl-6-tert.-butylindan
CAS-NR.: 13171-00-1
STRUKTURFORMEL:

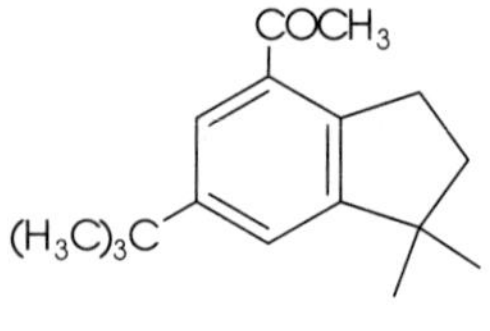

MOLEKULARGEWICHT: 244,38

Celestolid ist ein in der Natur nicht vorkommender Moschusriechstoff.

PHYSIKALISCH-CHEMISCHE DATEN:
Schmp.: 76,7 bis 77,2 °C.

Die Verbindung gewinnt man durch Reaktion von tert.-Butylbenzol mit Isopren in Gegenwart von Schwefelsäure und anschließende Acetylierung des erhaltenen 1,1-Dimethyl-6-tert.-butylindans.

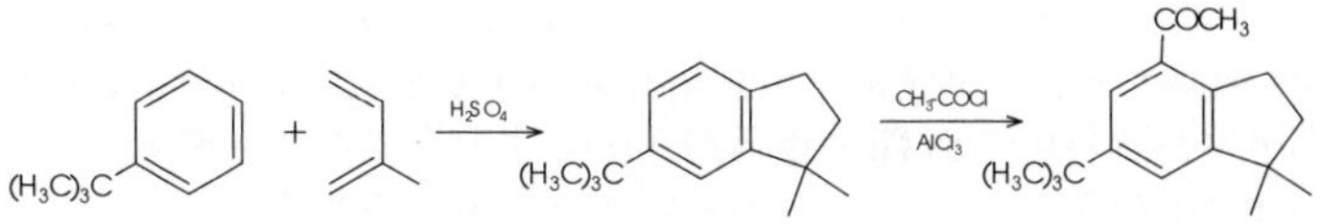

tert.-Butylbenzol Isopren 1,1-Dimethyl-tert.-6-butyl-indan 4-Acetyl-1,1-dimethyl-6-tert.-butyl-indan

Das lichtstabile Indan wird vor allem für Seifenparfüms verwendet.

Cervolid

CHEMISCHE BEZEICHNUNG: 12-Oxa-16-hexadecanolid, 16-Hydroxy-12-oxa-hexadecansäurelacton
CAS-NR.: 6707-60-4
STRUKTURFORMEL:

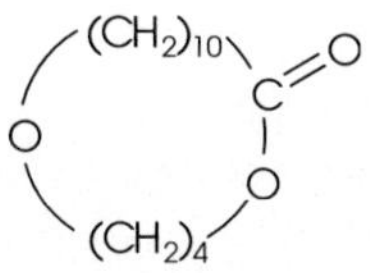

MOLEKULARGEWICHT: 256,38

Cervolid kommt nicht in der Natur vor, und sein Geruch ist ähnlich, aber weniger intensiv als der des 15-Pentadecanolids.
Hergestellt wird der → Riechstoff durch Reaktion von Methyl-ω-bromundecanat mit dem Natriumsalz von Butan-1,4-diol. Das erhaltene Methyl-16-hydroxy-12-oxa-palmitat kondensiert zum entsprechenden Polyester, der schließlich das gewünschte Endprodukt durch nachfolgende Depolymerisation ergibt.

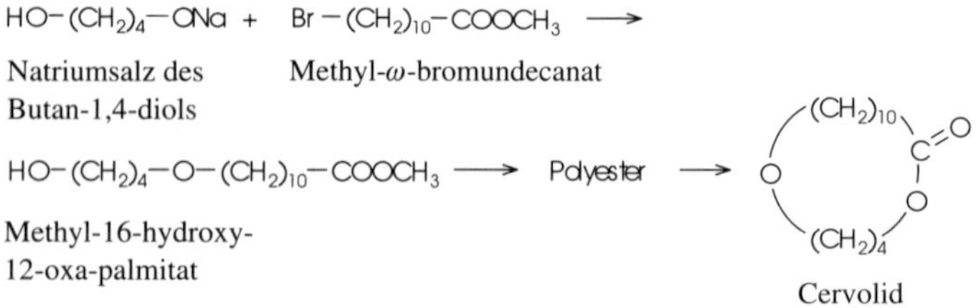

Cervolid

Sowohl 12-Oxa-16-hexadecanolid als auch das stärker riechende 11-Oxa-Isomer, welches auf dem gleichen Weg aus der entsprechenden Hydroxyoxasäure gewonnen wird, verwendet man als Substituenten für 15-Pentadecanolid in Luxusparfüms.

Champaca-Absolue

Das aus den Blüten des in Indonesien und auf den Philippinen heimischen Champaca-Baumes (*Michelia champaca* L.) [Magnoliaceae] durch → Extraktion mit Lösungsmitteln über das → Concret gewonnene → Absolue. Die Aubeute des → Concrets beträgt ca. 0,1 %. Daraus erhält man ca. 25 % → Absolue.
Das Öl besitzt einen schweren süßen, leicht krautigen Blütenduft. Es wird in → Parfüm-Kompositionen eingesetzt.

Engl.: champaca absolute.

Chenopodium-Öl

Siehe → Wurmsamenöl, Amerikanisches.

Cheribonöl

Siehe → Ylang-Ylang-Öl und Canangaöl.

Chlorgehalt

Die Testung auf Chlor ist eine wichtige Prüfung für → Riech- und → Aromastoffe. Bei synthethischen Produkten (besonders Benzylalkohol, Benzaldehyd, Phenylethylalkohol, Phenylacetaldehyd, Zimtaldehyd, Benzylbenzoat, Benzylacetat) gibt sie Auskunft über deren Reinheitsgrad.

Eine einfache klassische Methode zum qualitativen Nachweis von Chlor in Verbindungen ist deren Verbrennung und die anschließende Untersuchung der Verbrennungsprodukte auf Salzsäure. Dazu wird ein ca. 5×6 cm großes, fidibusartig zusammengefaltetes Filterpapier mit der zu prüfenden Flüssigkeit versetzt, in einem kleinen Halter befestigt und in eine Porzellanschale eingebracht. Über diese deckt man, nachdem das Papier entzündet wurde, ein ca. 2 l fassendes, innen mit destilliertem Wasser befeuchtetes Becherglas. Nach Erlöschen der Flamme wartet man noch ca. 1 Minute und spült dann die an den Wänden des Becherglases abgesetzten Verbrennungsprodukte mit ca. 10 ml Wasser auf einen Filter. Ist die zu prüfende Substanz chlorfrei, muß das mit einigen Tropfen Salpetersäure angesäuerte Filtrat bei Zusatz von Silbernitrat-Lösung klar bleiben. Es ist ratsam, mit dem verwendeten destilliertem Wasser eine Blindprobe vorzunehmen.

1,8-Cineol

SYNONYME: Eucalyptol, Cajeputol, Limonenoxid
CHEMISCHE BEZEICHNUNG: 1,8-Epoxy-p-menthan
CAS-NR.: 470-82-6.
STRUKTURFORMEL:

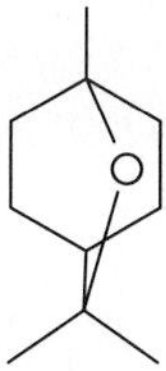

MOLEKULARGEWICHT: 154,25

1,8-Cineol ist eine blaßgelbe Flüssigkeit mit einem leicht an Campher erinnernden Geruch.
Die Verbindung kommt in vielen terpenhaltigen → ätherischen Ölen vor, in einigen Fällen als Hauptbestandteil. So enthält zum Beispiel → *Eucalyptus*-Öl bis zu 92 % und → Lorbeeröl bis zu 70 % 1,8-Cineol.

PHYSIKALISCH-CHEMISCHE DATEN:
Sdp.$_{101,8\ kPa}$: 176 bis 177 °C; d_4^{20}: 0,9267; n_D^{20}: 1,4586.

1,8-Cineol ist unlöslich in Wasser, mischbar mit Ethanol, Ether, Chloroform und Eisessig.

C

In Spanien gewinnt man 1,8-Cineol in großen Mengen mit 99,6 bis 99,9 %iger Reinheit durch fraktionierte Destillation von *Eucalyptus globulus* (vgl. → *Eucalyptus*-Öle).

Wegen seines frischen Geruches wird 1,8-Cineol in beträchtlichem Maße als → Riech- und → Aromastoff, z. B. in Mundpflegemitteln, eingesetzt.

TOXIKOLOGIE: LD_{50} (Ratte, oral): 2,5 mg/kg KG.
Im Tierversuch verursacht 1,8-Cineol Somnolenz und Koma. Das hauptsächlich 1,8-Cineol enthaltende → *Eucalyptus*-Öl kann, im Übermaß genossen (Hustenbonbons!), bei Kindern zu Übelkeit, Erbrechen, Gastroenteritis und Nierenreizung führen. Bei empfindlichen Personen kann es auf der Haut stark juckende Exantheme hervorrufen.

Cistus-Öl

Siehe → Labdanumöl.

Citral

SYNONYM: Geraniumaldehyd
CHEMISCHE BEZEICHNUNG: 3,7-Dimethyl-octa-2,6-dien-1-al
CAS-NR.: 5392-40-5, *trans*-Citral (Geranial): 141-27-5,
cis-Citral (Neral): 106-26-3
STRUKTURFORMEL:

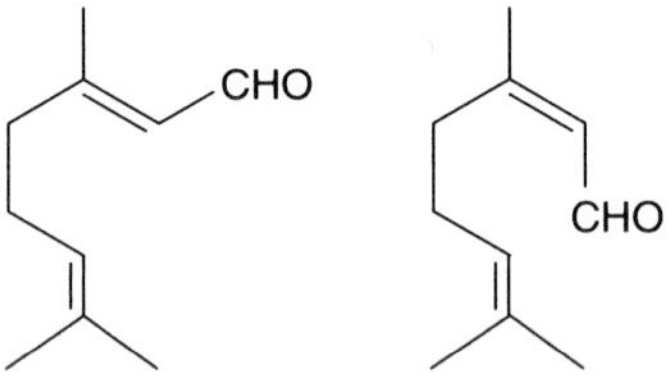

Citral a = Geranial Citral b = Neral

MOLEKULARGEWICHT: 152,24

Citral ist ein leicht bewegliches farbloses bis schwach gelbliches, nach Zitronen riechendes Öl, das aus den *cis-/trans*-Isomeren Ne-

ral (Citral b) und Geranial (Citral a) besteht, die sich in ihren Eigenschaften kaum voneinander unterscheiden.
Die Verbindung kommt in zahlreichen → ätherischen Ölen vor, besonders im → Lemongrasöl (bis 85 %), → *Litsea cubeba*-Öl (bis 75 %), → Citronenöl (bis 5 %) sowie in → Basilikumölen.

PHYSIKALISCH-CHEMISCHE DATEN:

Sdp.$_{2,7\ kPa}$ (Geranial): 118 bis 119 °C; Sdp.$_{2,7\ kPa}$ (Neral): 120 °C; D^{20} (Geranial): 0,8888; D^{20} (Neral): 0,8869; n_D^{20} (Geranial): 1,4898; n_D^{20} (Neral): 1,4869.

Citral ist unlöslich in Wasser, löslich in 7 Volumenteilen 60%igem Ethanol, mischbar mit Ether, Diethylphthalat, Propylenglycol, Glycerin und Ölen.
Es ist empfindlich gegenüber Aluminium, Eisen, Alkalien, Säuren, Licht und Luft.
Gewonnen wird Citral durch Rektifikation von → Lemongrasöl und Öl von → *Litsea cubeba*. Synthetisch erhält man es durch katalytische Dehydrierung des aus Myrcen hergestellten Geraniol-Nerol-Gemisches bzw. aus Dehydrolinalylacetat, welches in Gegenwart von Katalysatoren zum Allenacetat des Citrals umgelagert und dann verseift wird.
Wegen seines starken Zitronen-Geruches wird es in großem Maße in entsprechenden → Aroma-Kompositionen verwendet. In der Parfümerie kann es im wesentlichen nur im neutralen Medium eingesetzt werden, da es zur Verfärbung, Oxidation und Polymerisation neigt. Citral dient deshalb vorwiegend der Herstellung von Jonon und Vitamin A.

TOXIKOLOGIE: LD_{50} (Ratte, oral): 5 g/kg KG.
Citral besitzt ein allergenes Potential.
Nach der Gefahrstoffverordnung der Bundesrepublik Deutschland reizt Citral die Haut (R 38), und es ist eine Sensibilisierung durch Hautkontakt möglich (R 43).

Citronellal

SYNONYME: Rhodinal
CHEMISCHE BEZEICHNUNG: 3,7-Dimethyl-6-octen-1-al, 3,7-Dimethyl-oct-6-en-1-al

C

CAS-NR.: 106-23-0, (+)-Citronellal: 2385-77-5, (–)-Citronellal: 5949-05-3, (±)-Citronellal: 26489-02-1

STRUKTURFORMEL:

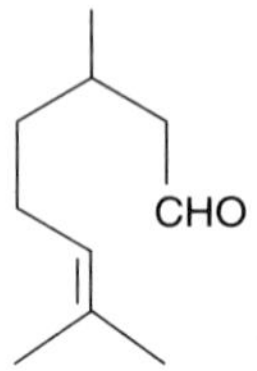

MOLEKULARGEWICHT: 154,25

Reines Citronellal ist eine farblose Flüssigkeit mit einem frischen, zwischen Rose und Zitrone liegenden Geruch.
Die Verbindung kommt in → ätherischen Ölen in ihrer (+)- und (–)-Form vor, oft zusammen mit dem Racemat. (+)-Citronellal ist bis zu 45 % im → Citronellöl anzutreffen, während das *Backhousia-citriodora*-Öl bis zu 80 % (–)-Citronellal enthält. Racemisches Citronellal kommt in verschiedenen → *Eucalyptus*-Ölen bis zu einer Konzentration von 85 % vor.

PHYSIKALISCH-CHEMISCHE DATEN:

Sdp.$_{101,3\ kPa}$: 207 bis 208 °C; d_4^{20}: 0,851; n_D^{20}: 1,4477; $[\alpha]_D^{18}$ (+)-Citronellal: + 13,09°; $[\alpha]_D^{20}$ (–)-Citronellal): - 13,1°.

Citronellal ist in Wasser wenig, in Ethanol und Ether leicht löslich.
Gegen Metalle, Säuren und Alkalien ist die Verbindung sehr empfindlich, sie polymerisiert und autoxidiert leicht. In Abhängigkeit von den Reaktionsbedingungen entstehen bei katalytischer Hydrierung des Citronellals Dihydrocitronellal, Citronellol oder Dihydrocitronellol. Bei der Spaltung des hydratisierten Bisulfit-adduktes erhält man Majal. Charakteristisch für Citronellal ist seine leichte Cyclisierung zu Isopulegol, das wegen seines minzigen Geruches häufig bei Folgeprodukten des Citronellals und auch des Citronellols stört.
Wichtig ist die säurekatalysierte Cyclisierung allerdings bei der Synthese des Menthols.
Citronellal wird in beträchtlichen Mengen aus → ätherischen Ölen isoliert, man gewinnt die Verbindung aber auch auf synthe-

tischem Weg. (+)-Citronellal ist aus → Citronellöl durch fraktionierte Destillation, (±)-Citronellal aus → *Eucalyptus*-Ölen erhältlich. Synthetische Verfahren gehen vom Geraniol/Nerol, Citronellol oder Citral aus. So stellt man (±)-Citronellal in der Dampfphase durch Umlagerung von Geraniol oder Nerol in Gegenwart z. B. eines Barium enthaltenden Kupfer-Chromoxid-Katalysators her.

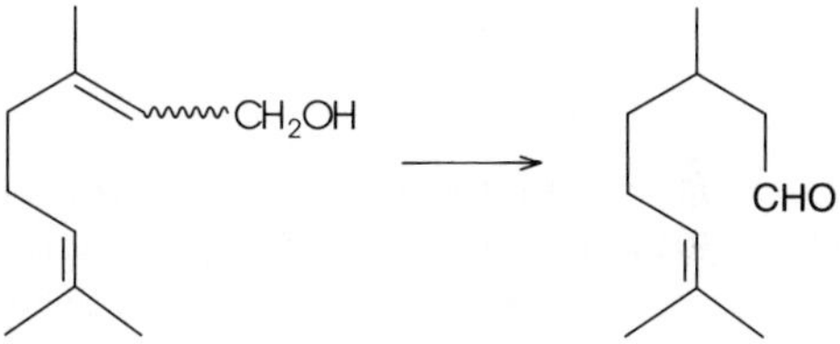

Geraniol/Nerol Citronellal

Des weiteren führt die Dehydrierung von Citronellol unter reduziertem Druck mit einem Kupferchromit-Katalysator ebenfalls zu (±)-Citronellal. Das gewünschte Endprodukt geht schließlich aus Citral durch selektive Hydrierung mit einem Palladium-Katalysator in alkalisch-alkoholischem Medium hervor.
Citronellal wird in beschränktem Umfang für Seifenparfüms und Reinigungsmittel verwendet. Hauptsächlich kommt die Verbindung als Ausgangsstoff für die Produktion von Isopulegol, Citronellol und Hydroxydihydrocitronellal zum Einsatz.

TOXIKOLOGIE: LD_{50} (Ratte, oral): > 5 g/kg KG.
Citronellal besitzt ein allergenes Potential.
Gemäß der Gefahrstoffverordnung der Bundesrepublik Deutschland ist eine Sensibilisierung durch Hautkontakt möglich (R 43).

Citronellol

SYNOYME: β-Citronellol, Rhodinol, Cephrol, Dihydrogeraniol
CHEMISCHE BEZEICHNUNG: 3,7-Dimethyl-6-octen-1-ol, 3,7-Dimethyl-oct-6-en-1-ol
CAS-NR.: 106-22-9, (+)-Citronellol: 1117-61-9, (–)-Citronellol: 7540-51-4, (±)-Citronellol: 26489-01-0

STRUKTURFORMEL:

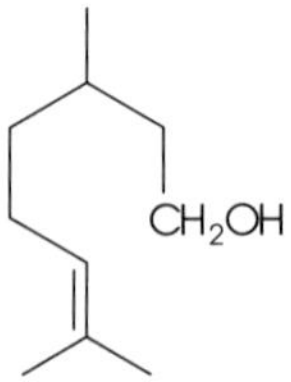

MOLEKULARGEWICHT: 156,27

Citronellol ist eine farblose Flüssigkeit von angenehm rosenartigem Geruch. (+)- und (–)-Formen kommen zumeist gemeinsam vor. (–)-Citronellol ist hauptsächlich in → Rosen- und → Geraniumölen enthalten, (+)-Citronellol in → Citronellölen, Öl von *Boronia citriodora* und *Eucalyptus citriodora* (vgl. → *Eucalyptus*-Öle). Der Geruch der (–)-Form ist angenehmer.

PHYSIKALISCH-CHEMISCHE DATEN:

Sdp.$_{101,3\ kPa}$: 244,4 °C; d_4^{20}: 0,855 bis 0,8590; n_D^{20}: 1,4558; $[\alpha]_D$: + bzw. - 5° bis + bzw. - 6°.

Citronellol ist mit Wasser kaum mischbar, jedoch in Ethanol und Ether löslich.
Die Verbindung ist leicht autoxydabel.

Ein wichtiger Syntheseweg zur Gewinnung von (±)-Citronellol ist die partielle katalytische Hydrierung (Raney-Cobalt) des aus Citronellöl destillativ gewonnenen Geraniols. Auch synthetisches Geraniol und/oder Nerol dienen als Ausgangsprodukte für die Hydrierung. Ebenso kann Citral katalytisch (Palladium, Ruthenium, Triethylamin) reduziert und partiell hydriert werden.

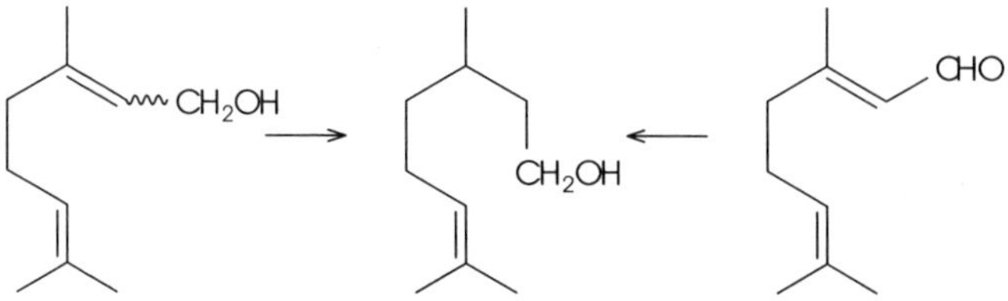

Geraniol/Nerol Citronellol Citral

(+)- und (±)-Citronellol werden durch Hydrierung von (+)-Citronellal aus Java-Citronellöl bzw. (±)-Citronellal aus dem Öl von *Eucalyptus citriodora* (vgl. → *Eucalyptus*-Öle) gewonnen.
Eine neue Herstellungsmethode für (–)-Citronellol geht von (+)-α- oder (+)-β-Pinen aus, die zu (+)-*cis*-Pinan hydriert werden. Durch Pyrolyse gelangt man zu (+)-3,7-Dimethyl-octa-1,6-dien, das mit Triisobutylaluminium oder Diisobutylaluminiumhydrid zum Aluminiumalkoholat reagiert, welches nach Luftoxidation und Hydrolyse Citronellol ergibt.
In der Parfümerie wird Citronellol für Rosen-Noten und blumige Noten eingesetzt. Es dient ferner als Ausgangsmaterial zur Herstellung von Rosenoxid, Citronellylestern, Hydroxydihydrocitronellol.

TOXIKOLOGIE: LD_{50} (Ratte, oral): 3,4 g/kg KG.
Citronellol besitzt ein allergenes Potential.
Gemäß der Gefahrstoffverordnung der Bundesrepublik Deutschland ist eine Sensibilisierung durch Hautkontakt möglich (R 43).

Citronellöle (Bartgrasöle)

Zu den → Cymbopogonölen zählende → ätherische Öle, von denen zwei verschiedene Sorten gehandelt werden.

Das **Ceylon-Citronellöl** (CAS-Nr.: 8029-29-1) ist das durch → Wasserdampf-Destillation des frischen oder teilweise getrockneten Grases des auf Sri Lanka kultivierten Lenabatu-Grases (*Cymbopogon nardus* (L.) RENDLE var. *nardus*) [Poaceae] gewonnene → ätherische Öl. Die Ausbeute beträgt ca. 1 %.

C

Java-Citronellöl (CAS-Nr.: 8000-29-1) erhält man auf die gleiche Weise aus dem in Indien, Südost-Asien, Indonesien (vor allem auf Java), auf Sri Lanka sowie in Mittel- und Süd-Amerika heimischen Maha-Pengiri-Gras (*Cymbopogon winterianus* JOWITT, *Cymbopogon nardus* (L.) RENDLE var. *mahapengiri* WINTER). Die wichtigsten Öl-Erzeugungsgebiete befinden sich im westlichen Java, auf Taiwan und in China (Provinz Hainan). Die Ausbeute liegt bei 0,5 bis 1,2 %. Bis in die siebziger Jahre betrug die Welt-Jahresproduktion mehr als 5000 Tonnen, heute sind es nur noch ca. 2000 Tonnen.

Das hellgelbe bis bräunliche **Ceylon-Citronellöl** weist einen herb-frischen grasartigen campherähnlichen Geruch auf. Ein Volumenteil löst sich bei Raumtemperatur in 2 Volumenteilen 80%igem Ethanol.

PHYSIKALISCH-CHEMISCHE DATEN:

d_{20}^{20}: 0,894 bis 0,910; n_D^{20}: 1,4790 bis 1,4870; $[\alpha]_D^{20}$: - 22° bis - 12°; EZ (nach Acetylierung): 157 bis 200; Carbonylzahl: 18 bis 55, entsprechend 5 bis 15 % Carbonylverbindungen (berechnet als Citronellal).

Hauptinhaltsstoffe sind ca. 26 bis 39 % Geraniol, ca. 5 bis 16 % (+)-Citronellal und ca. 10 bis 15 % Terpenkohlenwasserstoffe (wie Limonen und Camphen). Weiterhin wurden u. a. (–)-Borneol, Farnesol, Nerol, Citronellol, Methylheptenon, Geranylacetat und Methyleugenol nachgewiesen.

Das farblose, schwach gelbe bis schwach bräunliche **Java-Citronellöl** weist einen feineren blumig-süßen rosenähnlichen Geruch mit einer Citronellal-Citrusnote auf. Ein Volumenteil löst sich bei Raumtemperatur ebenfalls in 2 Volumenteilen 80%igem Ethanol.

PHYSIKALISCH-CHEMISCHE DATEN:

d_{20}^{20}: 0,880 bis 0,895; n_D^{20}: 1,4660 bis 1,4730; $[\alpha]_D^{20}$: - 5° bis 0°; EZ (nach Acetylierung): mind. 250, entsprechend 85 % acetylierbare Verbindungen (berechnet als Geraniol; einschließlich Citronellal, das quantitativ in Isopulegylacetat umgewandelt wird); Carbonylzahl: mind. 127, entsprechend 35 % Carbonylverbindungen (berechnet als Citronellal).

Die Hauptinhaltsstoffe des **Java-Öls** stellen mit bis zu 97 % die acetylierbaren Verbindungen und mit bis zu 45 % die Carbonylverbindungen. Außer den Hauptkomponenten Geraniol (ca. 25 bis 45 %) und (+)-Citronellal (ca. 25 bis 55 %) enthält das aus Java und Taiwan stammende Öl u. a. 11 bis 15 % Citronellol, 3 bis 8 % Geranylacetat und 2 bis 4 % Citronellylacetat.
Daneben wurden u. a. Limonen, Camphen, Dipenten, Citral, Borneol, Elemol, Cadinol, Geranylbutyrat, Citronellylcitronellat, Isovaleraldehyd, Eugenol, Methyleugenol (Eugenolmethylether), Vanillin, Citronelloxid und (+)-Citronellsäure nachgewiesen.

Das **Java-Citronellöl** wird umfangreich in der Parfümerie, gelegentlich auch als → Aromastoff für Liköre genutzt. Es ist wichtigstes Ausgangsmaterial zur destillativen Gewinnung von (+)-Citronellal, aber auch von Geraniol und (–)-Elemol.
Das qualitativ weniger wertvolle **Ceylon-Citronellöl** wird vor allem zur Parfümierung von Toilettenseifen, Waschpulvern und Haushaltsprodukten verwendet. Es ist Quelle für natürliches Geraniol.
Citronellöle kommen ferner als Zusatzstoffe für Rheumaeinreibungen und als Mittel zur Vertreibung von Insekten zum Einsatz.

TOXIKOLOGIE:
Citronellöl kann bei empfindlichen Personen Dermatitis hervorrufen.
Das in geringen Mengen als Inhaltsstoff beschriebene Eugenol ist bei oraler Zufuhr mäßig giftig. Im Tierversuch wirkt es hautreizend, karzinogen und mutagen. Es besitzt ferner ein allergenes Potential. Auch Geraniol, Citronellal, Citronellol, Limonen, Citral und Vanillin besitzen ein allergenes Potential.

Engl.: citronella oil; franz.: essence de citronella; ital.: essenza della citronella; span. esencia de citronella.

Citronenöl (Zitronenöl)

Das aus den Fruchtschalen der Früchte des u. a. in in den Mittelmeerstaaten, den USA (Kalifornien, Florida) und Süd-Amerika kultivierten Zitronenbaumes (*Citrus limon* (L.) BURM. f., *Citrus limonum* RISSO, *Citrus medica* L. var. *limon* L., *Citrus medica* L.

C

var. *limonum* (RISSO) WIGHT et ARN.) [Rutaceae] gewonnene, zu den → Citrusölen zählende → ätherische Öl (CAS-Nr.: 8008-56-8). Die Ausbeute beträgt 0,6 bis 0,8 %. Die Hauptproduktionsgebiete liegen in den USA (Kalifornien, Florida), in Italien (Kalabrien, Sizilien) und Argentinien. Die Welt-Jahresproduktion beträgt einige tausend Tonnen. In Italien dienen zur Ölgewinnung hauptsächlich die Winterfrüchte (ital.: limoni).
Die Gewinnung erfolgt durch → Pressen der äußeren Fruchtschale. Früher erfolgte dies mit der Hand, heute maschinell. Beim Handpressen ergeben 1000 Zitronen ca. 0,5 kg Öl, beim maschinellen Pressen ca. 3 bis 6 kg.
Das hellgelbe bis hellgrüngelbe Öl ist von einem angenehm-frischen zitronenartigen Geruch und aromatisch-mildem bis würzig-bitterem Geschmack. Ein Volumenteil löst sich bei Raumtemperatur in 0,5 bis 1 Volumenteilen 95%igem Ethanol. Zur Stabilisierung werden dem Öl häufig Antioxidantien (ca. 0,005 %) zugesetzt.

PHYSIKALISCH-CHEMISCHE DATEN:

d_{20}^{20}: 0,852 bis 0,858; n_D^{20}: 1,4740 bis 1,4760; $[\alpha]_D^{20}$: + 57° bis + 65°; SZ: max. 1,4; Aldehydgehalt (berechnet als Citral): 3 bis 5 %; Verdampfungsrückstand: 1,6 bis 3,6 %.

Die Zusammensetzung der Citronenöle hängt von den verwendeten Varietäten und der Herkunft ab.
Den Hauptinhaltsstoff der italienischen Öle stellt mit bis zu ca. 80 % das (+)-Limonen. Das in ca. 3 bis 5 % enthaltene Citral a und b (Geranial und Neral) trägt wesentlich zum charakteristischen Geruch bei, ebenso die in geringen Mengen vorkommenden Ester Linalyl-, Geranyl- und Nerylacetat. Daneben sind u. a. Dipenten, α- und β-Pinen, Camphen, β-Phellandren, Myrcen, γ-Terpinen, Bisabolen, Bergamotten, Caryophyllen, α-Terpineol, Terpinen-4-ol, Linalool, Citronellol, Geraniol, Nerol, Citronellal, Heptanal, Octanal, Nonanal, Decanal und Methylheptenon enthalten. In geringen Mengen kommen auch Phenylallyl- und Phenylpropenyl-Derivate, Cumarine (wie Limettin [5,7-Dimethoxy-cumarin] und Isopimpinellin) sowie Furocumarine (wie Bergamottin [Bergaptol- bzw. 5-Hydroxy-psoralen-geranylether]) vor.

Amerikanische Citronenöle enthalten als Hauptinhaltsstoffe ca. 65 % (+)-Limonen und jeweils ca. 8 bis 10 % β-Pinen und γ-Terpinen.

C

In der Parfümerie wird Citronenöl aufgrund seines frischen Duftes vor allem für Kopfnoten in Phantasie-Parfüms, Kölnischwässern und andere Toilettenwässern sowie Sprays angewandt, in der Aromenindustrie (vgl. → Aromastoffe) für Backwerk, Öle und Speisen sowie zur Geschmacksverbesserung von Medikamenten. Das Öl dient ferner technisch zur Aufhellung mikroskopischer Präparate.

Citronenöl ist vor allem für Geschmacksstoffe auch in terpenfreier Form (vgl. → terpenfreie ätherische Öle) im Handel. Dieses besteht hauptsächlich aus Citral sowie Geranyl- und Linalylacetat. Es riecht und schmeckt sehr intensiv nach Zitrone.

Citronenöl ist als Monographie im DAB 10 enthalten.

TOXIKOLOGIE:

Citronenöl kann bei empfindlichen Personen hautreizend, allergen und phototoxisch wirken. Auf der Haut von Mäusen zeigt Citronenöl eine kokarzinogene (krebsfördernde) Wirkung. Bei der oralen Verabreichung können gelegentlich Geschwülste des Vormagens und der Harnröhre beobachtet werden. Des weiteren sind phototoxische Reaktionen bekannt.

Die als Inhaltsstoffe beschriebenen Cumarin-Derivate können bei oraler Aufnahme größerer Mengen zu Schädigungen der Leber und Nieren führen. Furocumarine entfalten photosensibilisierende und phototoxische Wirkungen; d. h., unter gleichzeitigem Einfluß von Sonnenlicht kann es zu Dermatitiden (Photo-Dermatitis, Berloque-Dermatitis) kommen. Furocumarine zeigen des weiteren mutagene und karzinogene Wirkungen. Pinene können in größeren Mengen bei empfindlichen Personen zu Hautreizungen und Ekzemen, bei oraler Aufnahme zu Nierenreizungen führen. Oral aufgenommene Phenylallyl- und Phenylpropenyl-Derivate wirken in größeren Mengen psychosomimetisch, nieren- und leberschädigend. Limonen, Citral, Citronellal, Citronellol, Geraniol, Linalool und Linalylacetat besitzen ein allergenes Potential.

Engl.: lemon oil; franz.: essence de citron; ital.: olio di limone; span.: aceite de limon.

Citrus-Öle (Citrusöle, Zitrusöle, Agrumenöle)

Die aus den Schalen von Citrusfrüchten [Rutaceae] durch kaltes → Pressen, → Extraktion, → Mazeration oder → Wasserdampf-Destillation gewonnenen, auch als → Agrumenöle bezeichneten → ätherischen Öle.
Wichtigste Vertreter sind das → Bergamottöl, das → Grapefruitöl, das → Citronenöl, das → Limettenöl, das → Mandarinenöl, das süße → Orangenöl und das → Pomeranzenöl.
Nicht zu den Citrusölen rechnet man die aus Blüten (vgl. → Neroliöl) und Blättern sowie Zweigspitzen (vgl. → Petitgrainöl) von *Citrus*-Arten gewonnenen → ätherischen Öle.
Die Citrusöle werden entweder direkt oder nach destillativer Trennung in Form ihrer Hauptinhaltsstoffe für Kompositionen in der Parfümerie, für Seifen und Kosmetika sowie zur Herstellung von → Aromastoffen verwendet. Sie sind im allgemeinen empfindlich gegen Luftsauerstoff (Autoxidation), Sonnenlicht und Wasser.

Cognacöl

Siehe → Weinhefeöl.

Concrets (Concrètes, konkrete Blütenöle)

Durch → Extraktion mit niedrigsiedenden Lösungsmitteln (meist Petrolether oder Hexan) aus frischen oder leicht getrockneten Blüten und anschließendes Abdestillieren des Lösungsmittels gewonnene konkrete Blütenöle. Durch ihren Gehalt an Wachsen, Paraffinen, Harzen und Blütenfarbstoffen sind sie in dieser Form lediglich in Seifen- und Cremeparfümölen einsetzbar. Für die Feinparfümerie gewinnt man durch Behandlung mit warmem absolutem Ethanol die als → Absolues (absolute Blütenöle) bezeichneten alkohollöslichen Anteile, verbunden mit einem Verlust von 60 bis 75 %. Durch → Wasserdampf-Destillation der Absolues erhält man, unter Verlusten von 70 bis 90 %, die reinen → ätherischen Öle (Blütenöle).
Die Concrets duften infolge ihrer schonenden Gewinnung meist natürlicher als die entsprechenden durch → Wasserdampf-Destil-

lation gewonnenen → ätherischen Öle, haften länger und sind nicht restlos flüchtig. Sie haben jedoch zumeist eine dunklere Farbe und müssen für viele Anwendungszwecke erst aufgehellt werden. Weitere klassische Verfahren zur → Extraktion der duftenden konkreten Blütenöle sind die heute kaum noch angewandten Verfahren der → Mazeration und → Enfleurage. Zur Gewinnung besonders empfindlicher Blütenöle nutzt man zunehmend die → Destraktion mit überkritischen Gasen.

Die → Extraktion der anderen Pflanzenteile mit flüchtigen Lösungsmitteln ergibt die ebenfalls in der Parfümerie genutzten konkreten Resinoide (Resinoid-Concrets; vgl. → Resinoide), die zu aboluten → Resinoiden (Resinoid-Absolues) aufgearbeitet werden können.

Copaivabalsamöl (Kopaivabalsamöl, Copaibabalsamöl)

Das aus dem Balsam (Copaivabalsam, CAS-Nr.: 8001-64-4) verschiedener in Süd-Amerika, aber auch Afrika und Indien heimischer *Copaifera*-Arten (wie *Copaifera officinalis* (JACQ.) L., *Copaifera reticulata* DUCKE, *Copaifera langsdorfii* DESF., *Copaifera coriacea* MART. und *Copaifera guyanensis* DESF.) [Fabaceae, Leguminosae] durch → Wasserdampf-Destillation gewonnene → ätherische Öl (CAS-Nr.: 8001-61-4). Die Ausbeute liegt bei 40 bis 90 %.
Die farblose bis gelbliche Flüssigkeit besitzt den charakteristischen mild-pfeffrigen Geruch des Balsams und einen aromatischen, leicht bitteren scharfen Geschmack. Ein Volumenteil löst sich bei Raumtemperatur in 5 bis 10 Volumenteilen 95%igem Ethanol.

PHYSIKALISCH-CHEMISCHE DATEN:
d_{25}^{25}: 0,880 bis 0,907; n_D^{20}: 1,4930 bis 1,5000; $[\alpha]_D$: - 33° bis - 7°.

Das Öl besteht hauptsächlich aus Sesquiterpenkohlenwasserstoffen, besonders mehr als 50 % α- und β-Caryophyllen sowie größeren Anteilen Cadinen und Copaen.
Balsam und Öl werden in der Parfümerie in Verbindung mit → Patschuliöl für balsamische, betont holzige Kompositionen (aber auch Gewürz-, Veilchen- und Jasmin-Düfte) sowie als → Fixateur in Seifenparfüms eingesetzt.

C

Das Öl dient in der Riechstoffindustrie ferner zur Gewinnung von Caryophyllen und Cadinen. In pharmazeutischen Präparaten kommt das Öl als Antisepticum und Adstrigens (bei Erkrankungen der Harnwege und Bronchien) und in homöopathischen Zubereitungen zum Einsatz.

Engl.: copaiba balsam oil; franz.: huile de baume de copahu; ital.: olio di balsamo di copaibe.

Corianderöl (Korianderöl)

Das aus den reifen Früchten des Corianders (Wanzendill; *Coriandrum sativum* L.) [Apiaceae, Umbelliferae] durch → Wasserdampf-Destillation gewonnene → ätherische Öl (CAS-Nr.: 8008-52-4). Die Ausbeute beträgt 0,5 bis 1 %. Wichtige Anbaugebiete liegen in Rußland, Polen, Ungarn und Marokko. Die Welt-Jahresproduktion beträgt ca. 50 bis 100 Tonnen.
Das farblose bis hellgelbe Öl weist einen charakteristischen blumig-würzigen (an Linalool erinnernden) Geruch auf. Ein Volumenteil löst sich bei Raumtemperatur in 8 Volumenteilen 65%igem Ethanol.

PHYSIKALISCH-CHEMISCHE DATEN:
d_{20}^{20}: 0,862 bis 0,878; n_D^{20}: 1,4620 bis 1,4700; $[\alpha]_D^{20}$: + 5° bis + 13°; SZ: max. 3, EZ: max 22; EZ (nach Acetylierung): mind. 200.

Die Hauptinhaltsstoffe stellen mit einem Anteil von 60 bis 80 % das aromabestimmende (+)-Linalool sowie ca. 20 % Terpenkohlenwasserstoffe (wie α- und β-Pinen, α-, β- und γ-Terpinen, Dipenten, Limonen). Daneben sind u. a. Campher (ca. 5 %), Geraniol, Nerol, (–)-Borneol, Citronellol, α-Terpineol, Terpinen-4-ol, Linalyl-, Geranyl- und Bornylacetat, Decanal und andere gesättigte und ungesättigte Aldehyde sowie Spuren von Essig- und Decylsäure enthalten.
Der wanzenartige Geruch des frischen Corianders, der sich beim Trocknen verliert, stammt vom *trans*-Tridecan-2-al.
In der Vergangenheit wurde Corianderöl zur Gewinnung von (+)-Linalool aufgearbeitet.

Heute wird das Öl in → Parfüm-Kompositionen (Blumen-, Chypre-, Geißblatt-, Veilchen- und Nelkenblüten-Düfte), in Wässern (Lavendelwasser), als → Aromastoff für Nahrungsmittel, vor allem Back- und Wurstwaren, Liköre, Pflaumenmus, und in pharmazeutischen Präparaten (Carminativa, Stomachica, Einreibungen gegen Rheuma und Gelenkleiden) angewandt.

TOXIKOLOGIE:
Die als Inhaltsstoffe beschriebenen Pinene können in größeren Mengen bei empfindlichen Personen zu Hautreizungen und Ekzemen, bei oraler Aufnahme zu Nierenreizungen führen. Linalool, Limonen, Citronellol und Geraniol besitzten ein allergenes Potential.

Engl.: coriander oil; franz.: essence de coriandre; ital.: olio di coriandolo; span.: esencia de cilantro.

Costuswurzelöl

Das aus den getrockneten und zerkleinerten Wurzeln der in Indien und China beheimateten Costuspflanze (*Saussurea costus* (FALC.) LIPSCHITZ, *Saussurea lappa* (DECNE.) C. B. CLARKE, *Aplataxis lappa* DECNE., *Aplataxis auriculata* DC., *Aucklandia costus* FALC.) [Asteraceae, Compositae] durch → Wasserdampf-Destillation gewonnene → ätherische Öl (CAS-Nr.: 8016-00-0). Die Ausbeute beträgt bis zu 1 %.
Das Öl besitzt einen anhaftenden holzig-süßen fettigen Geruch, der an Veilchen, Iris und Vetiver erinnert und auch eine animalischen Note aufweist. Ein Volumenteil löst sich bei Raumtemperatur in 0,5 Volumenteilen 90%igem Ethanol.

PHYSIKALISCH-CHEMISCHE DATEN:
d_{25}^{25}: 0,995 bis 1,039; n_D^{20}: 1,5120 bis 1,5230; $[\alpha]_D$: + 10° bis + 36°; SZ: max. 42; EZ: 90 bis 150.

Hauptinhaltsstoffe sind Sesquiterpene, besonders Lactone wie Costunolid und Dehydrocostuslacton. Für den Geruch bedeutsam sind vor allem Dehydrocostuslacton und das Sesquiterpen-Derivat Costol, für die Veilchennote das ebenfalls enthaltene α-Jonon.
Die Anwendung erfolgt in → Parfüm-Kompositionen (Veilchen-, Narzissen-, Jasmin-. Chypre- und Phantasie-Noten). Das Öl ent-

faltet dabei eine starke fixierende Wirkung. Bis ins 18. Jahrhundert war Costus in allen bekannten Antidots apothekenüblich.

TOXIKOLOGIE:
Das Öl wird im Riechstoffbereich heute nur noch selten eingesetzt, da Costunolid und Dehydrocostuslacton zu allergischen Hautreaktionen führen können.

Engl.: costus root oil; franz.: huile de racine de costus; span.: aceite de raiz de costo.

Crataegon

SYNONYM: 4-Acetyl-anisol
CHEMISCHE BEZEICHNUNG: o- und p-Methoxyacetophenon, 2- und 4-Methoxy-acetophenon
CAS-NR. 4-Methoxy-acetophenon: 100-06-1
STRUKTURFORMEL:

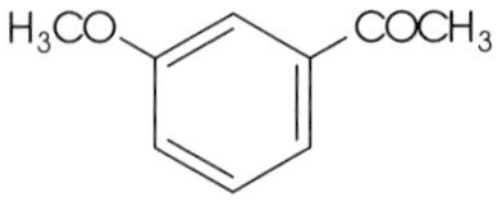

2-Methoxy-acetophenon

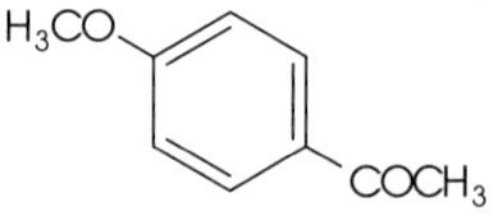

4-Methoxy-acetophenon

MOLEKULARGEWICHT: 150,18

Crataegon, ein Gemisch aus 4-Methoxy-acetophenon (Hauptprodukt) und 2-Methoxy-acetophenon, ist eine farblose kristalline Masse mit einem süßen, an Weißdorn erinnernden Geruch. Natürlich kommt die Verbindung im → Anisöl vor.

PHYSIKALISCH-CHEMISCHE DATEN (4-Methoxy-acetophenon):
Schmp.: 37 bis 38 °C; Sdp.$_{98,1\ kPa}$: 264 °C; D^{41}: 1,0818; n_D^{41}: 1,5470.

Crataegon wird aus Anisol (in Benzol) und Essigsäureanhydrid nach Friedel-Crafts hergestellt.
Verwendung findet es in → Parfüm-Kompositionen (Chypre, Fougère, Klee, Mimose), besonders in Seifenparfüms.

TOXIKOLOGIE:
Die Verbindung kann eine reizende Wirkung entfalten.

Gemäß der Gefahrstoffverordnung der Bundesrepublik Deutschland ist 4-Methoxy-acetophenon gesundheitsschädlich beim Verschlucken (R 22), und es reizt die Haut (R 38).

C

Cravoöl

Das durch → Pressen der Fruchtschalen einer in Brasilien heimischen, als „Laranja cravo" bezeichneten Tangerinen-Sorte (vgl. → Mandarinenöl), einer Hybride aus *Citrus aurantium* L. und *Citrus reticulata* BLANCO [Rutaceae], in Ausbeuten von 0,5 bis 1,2 % gewonnene → ätherische Öl.
Es besitzt einen frischen, zwischen Orange und Mandarine liegenden Fruchtduft und wird in der Parfümerie für frische Frucht-Noten und Eau de Colognes eingesetzt.

Engl.: cravo oil.

Cubebenöl (Kubebenöl)

Das aus den zerkleinerten Früchten des auf dem Malaiischen Archipel heimischen Cubeben- oder Stielpfeffers (*Piper cubeba* L. f.) [Piperaceae] durch → Wasserdampf-Destillation gewonnene → ätherische Öl (CAS-Nr.: 8007-87-2). Die Ausbeute liegt bei 7 bis 20 %. Bei der Destillation kommt es zur Bildung von Ammoniak. Kultiviert wird die Pflanze besonders auf Java, Sumatra, Borneo, Sri Lanka, auf den Westindischen Inseln und im Kongogebiet.
Das viskose farblose, hellgrüne oder blaugrüne Öl besitzt einen charakteristischen Cubeben-Geruch und einen warmen campherartigen, später kratzenden Geschmack. Ein Volumenteil löst sich bei Raumtemperatur in 1 bis 10 Volumenteilen 90%igem Ethanol.

PHYSIKALISCH-CHEMISCHE DATEN:
d_{20}^{20}: 0,915 bis 0,930; n_D^{20}: 1,4938 bis 1,4981; $[\alpha]_D^{20}$: - 25° bis - 43°.

Hauptinhaltsstoffe sind Car-3-en, Sabinen, 1,8-Cineol (Eucalyptol), Cadinen, Cubeben, Copaen, Cubebol, Cubebin [Tetrahydro-3,4-dipiperonyl-2-furanol] u. a.
Das Öl kommt nur begrenzt als Duftstoff zum Einsatz. Cubebenpfeffer wird volksmedizinisch als Stomachicum, Diureticum und

Harndesinfiziens angewandt. Die harndesinfizierende Wirkung beruht vor allem auf dem Inhaltsstoff Cubebin.

C

TOXIKOLOGIE:
Das als Inhaltsstoff beschriebene Car-3-en kann in größeren Mengen bei empfindlichen Personen Hautreizungen und Ekzeme nach sich ziehen, 1,8-Cineol (Eucalyptol) Hautreizungen, bei oraler Aufnahme Gastroenteritis und Nierenreizungen, Sabinen Hautreizungen bzw. Gastroenteritis, Nierenschäden, Menorrhagie und Abort.

(Weitere → ätherische Öle aus *Piper*-Arten vgl. → Pfefferöl.)

Engl.: cubeb oil; franz.: essence de cubèbe.

Cumarin (Kumarin)

SYNONYME: Tonkabohnencampher, o-Cumar(in)säurelacton, Chromen-2-on, α-Benzopyron, 1,2-Benzopyron
CHEMISCHE BEZEICHNUNG: 2*H*-1-Benzo-1-pyran-2-on
CAS-NR.:91-64-5
STRUKTURFORMEL:

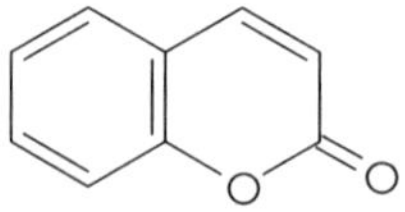

MOLEKULARGEWICHT: 146,15

Cumarin bildet farblose glänzende Prismen, die einen angenehmen gewürzhaften Geruch sowie einen bitteren Geschmack aufweisen und in sehr starker Verdünnung nach frischem Heu und Waldmeister riechen.
Natürlich kommt die Verbindung, teilweise als Glycosid, in den Blüten und Blättern von vielen Gras- und Kleearten, im Steinklee, in Waldmeister, in der Tonkabohne (franz.: coumarou) usw. vor, wobei es biosynthetisch durch Hydroxylierung von Zimtsäure, Glycosidierung und Cyclisierung entsteht. Die Abspaltung des Zuckers erfolgt oft bei Verletzung der Pflanzen (Duft nach frisch gemähtem Gras oder Heuduft beim Trocknen).

PHYSIKALISCH-CHEMISCHE DATEN:
Schmp.: 71 °C; Sdp.$_{101,3\ kPa}$: 301 °C; d_4^{20}: 0,935

Cumarin ist wenig löslich in Wasser, löslich in Ethanol, Ether, Chloroform und Ölen.
Unter dem Einfluß von UV-Strahlung cyclodimerisiert es zu vier Produkten mit Cyclobutanring.
Synthetisch wird Cumarin nach der Perkinschen Synthese aus Salicylaldehyd und Essigsäureanhydrid hergestellt.

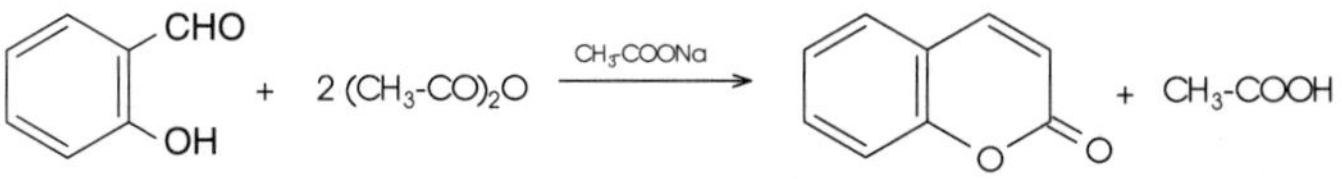

Salicylaldehyd Cumarin

Ein zweiter Weg geht von Tri-o-cresylphosphat aus, das zum korrespondierenden Tri-o-dichlormethylphosphat chloriert und weiter mit Natriumacetat und Essigsäureanhydrid in Gegenwart von Bi_2O_3, ZnO oder CoO kondensiert wird.
Cumarin gehört zu den am häufigsten eingesetzten → Riechstoffen. So wird es in der Feinparfümerie sowie in Seifenparfüms für grüne Gewürznoten verwendet. Ferner dient die Verbindung zur Parfümierung technischer Produkte.
Limonaden, Backwaren sowie Tabak u. a. dürfen nach der Essenzen-Verordnung vom 20.12.1977 nicht mehr mit Cumarin oder cumarinhaltigen Pflanzen aromatisiert werden.

TOXIKOLOGIE: LD_{50} (Ratte, oral): 953 mg/kg KG.
Im Tierversuch erweisen sich höhere Konzentrationen als lebertoxisch. Bei Pflanzenzellen ruft Cumarin Chromosomenbrüche hervor. In den Organismus resorbiertes Cumarin kann in höheren Konzentrationen Kopfschmerzen, Übelkeit, Schwindel, Bewußtlosigkeit und Atemlähmung hervorrufen. Darüber hinaus sind Leber- und Nierenschädigungen möglich. Chronische Zufuhr ist zu vermeiden.
Gemäß der Gefahrstoffverordnung der Bundesrepublik Deutschland ist Cumarin gesundheitsschädlich beim Verschlucken (R 22).

Cuminaldehyd

SYNONYM: Cuminal

CHEMISCHE BEZEICHNUNG: p-iso-Propylbenzaldehyd; 4-Isopropylbenzaldehyd; 4-(1-Methylethyl)-benzaldehyd

CAS-NR.: 122-03-2
STRUKTURFORMEL:

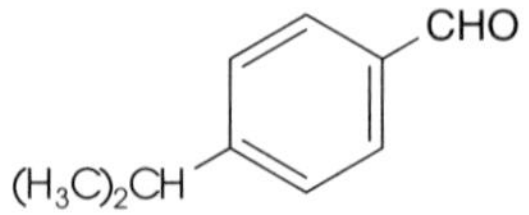

MOLEKULARGEWICHT: 148,20

Cuminaldehyd ist eine klare, farblose, angenehm riechende Flüssigkeit und kommt in zahlreichen → ätherischen Ölen vor, insbesondere im → Cuminöl aus dem römischen Kümmel.

PHYSIKALISCH-CHEMISCHE DATEN:
Sdp.$_{101,3\ kPa}$: 232 °C; D^{20}: 0,978; n_D^{20}: 1,5301.

Die Verbindung ist unlöslich in Wasser, jedoch löslich in Ethanol und Ether.

Cuminaldehyd wird nach Gattermann-Koch aus Cumol (in Benzol) und Kohlenstoffmonoxid in Gegenwart von Aluminiumchlorid und Chloroform hergestellt.
Verwendung findet die Verbindung für die Herstellung von Cyclamenaldehyd und in kleinen Mengen in der Parfümerie.

TOXIKOLOGIE: LD_{50} (Ratte, oral): 1,4 g/kg KG.
Gemäß der Gefahrstoffverordnung der Bundesrepublik Deutschland ist Cuminaldehyd gesundheitsschädlich beim Verschlucken (R 22).

Cuminöl (Kuminöl, Kreuzkümmelöl, Römisches Kümmelöl)

Das aus den getrockneten und zerkleinerten Früchten des in den Mittelmeerstaaten und Indien kultivierten Mutter- oder Kreuzkümmels (Wanzenkümmel; *Cuminum cyminum* L., *Cuminum odorum* SALISB.) [Apiaceae, Umbelliferae] durch → Wasserdampf-Destillation gewonnene → ätherische Öl (CAS-Nr.: 8014-13-9). Die Ausbeute liegt bei 2,5 bis 4,5 %.
Es besitzt einen weichen grünen süß-krautigen anisartigen Geruch, der an Kümmel erinnert, aber auch unangenehm wanzenartige Nuancen aufweist. Ein Volumenteil löst sich bei Raumtemperatur in 4 bis 8 Volumenteilen 80%igem Ethanol.

PHYSIKALISCH-CHEMISCHE DATEN:
d_{25}^{25}: 0,905 bis 0,925; n_D^{20}: 1,5010 bis 1,5060; $[\alpha]_D$: + 3° bis + 8°; Aldehydgehalt (berechnet als Cuminaldehyd): 45 bis 52 %.

Neben dem in Anteilen von über 30 % vorkommenden Hauptinhaltsstoff Cuminaldehyd tragen vor allem p-Mentha-1,3-dien-7-al und p-Menth-3-en-7-al zum Geruch bei. Mit einem Anteil von ca. 30 % zählt auch das γ-Terpinen zu den Hauptkomponenten. Als weitere Inhaltsstoffe werden u. a. Dihydrocuminaldehyd, Cuminalkohol, Myrcen, α- und β-Pinen (ca. 20 %), Limonen, α- und β-Phellandren und Sabinenhydrat beschrieben.
Das Öl wird in der Parfümerie in sehr geringer Dosierung in → Parfüm-Kompositionen (Aldehyd-, Fougère-, Blüten-, Veilchen- und Phantasie-Düfte) als Nuanceur mit „erogenem Charakter" sowie als → Aromastoff in Magenlikören und Würzmischungen vom Currytyp verwendet.
Die Volksmedizin nutzt Kreuzkümmel bei Verdauungsbeschwerden, Blähungen, Magen- und Darmkrämpfen sowie in der Schwangerschaft auftretender Übelkeit.

TOXIKOLOGIE:
Das Öl besitzt phototoxische Eigenschaften.
Die als Inhaltsstoffe beschriebenen Pinene können in größeren Mengen bei empfindlichen Personen Hautreizungen und Ekzeme, bei oraler Aufnahme auch Nierenreizungen bewirken. Auch Sabinenhydrat ist toxikologisch zu beachten. Limonen besitzt ein allergenes Potential.

Engl.: cumin oil; franz.: essence de cumin; ital.: essenza di comino.

Curcuma-Öl (Kurkumaöl)

Das aus den getrockneten und zerkleinerten Wurzeln der in Südost-Asien, besonders Indien und Korea, kultivierten Curcumapflanze (Gelbwurz, Gelber Ingwer; *Curcuma longa* L., *Curcuma domestica* VALETON) [Zingiberaceae] durch → Wasserdampf-Destillation gewonnene → ätherische Öl. Die Ausbeute beträgt 1 bis 5 %.

C

Das gelbe Öl besitzt einen würzig-frischen fruchtigen (an Ingwer erinnernden) Geruch und einen würzig-brennenden erdig-bitteren Geschmack.
Hauptinhaltsstoffe sind bis zu 30 % des Sesquiterpenketons Turmeron, bis zu 25 % ar-Tumeron, bis zu 25 % Zingiberen sowie Atlanton. Daneben sind u. a. α-Phellandren, 1,8-Cineol (Eucalyptol), Sabinen, Borneol, p-Cymol und ein C_{15}-Alkohol enthalten.
Das Öl kommt in der Parfümerie heute nur noch selten zum Einsatz.
Curcuma selbst wird in Curry, Senf und Würzmischungen verwendet. Die asiatische Volksmedizin nutzt die Wurzel bei Magen-, Leber- und Gallenbeschwerden sowie als antibiotisches Mittel. Eine besonders intensive galletreibende Wirkung besitzt das Öl der Varietät *Curcuma xanthorrhiza* ROXB. („Temoe Lawak"), was auf den enthaltenen p,α-Dimethylbenzylalkohol, vermutlich ein Artefakt des Sesquiterpens Xanthorrhizol zurückgeführt wird. Auch die Farbstoffe Curcumin und Desmethoxycurcumin haben eine ausgeprägte cholagogische Wirkung.

TOXIKOLOGIE:
Die als Inhaltsstoffe beschriebenen Verbindungen 1,8-Cineol (Eucalyptol) und Sabinen können in größeren Mengen bei empfindlichen Personen zu Hautreizungen führen. Bei oraler Aufnahme kann Cineol Gastroenteritis und Nierenreizungen auslösen, Sabinen Gastroenteritis, Nierenschäden, Menorrhagie und Abort.

(Aus einer anderen *Curcuma*-Art wird das → Zitweröl gewonnen.)

Engl.: curcuma (tumeric, Indian safran) oil; franz.: essence de curcuma (safran des Indes).

Cyclamenaldehyd

SYNONYM: Cyclamal
CHEMISCHE BEZEICHNUNG: α-Methyl-β-(p-isopropyl-phenyl)-propionaldehyd, 2-Methyl-3-(4-isopropyl-phenyl)- propanal
CAS-NR.: 103-95-7

STRUKTURFORMEL:

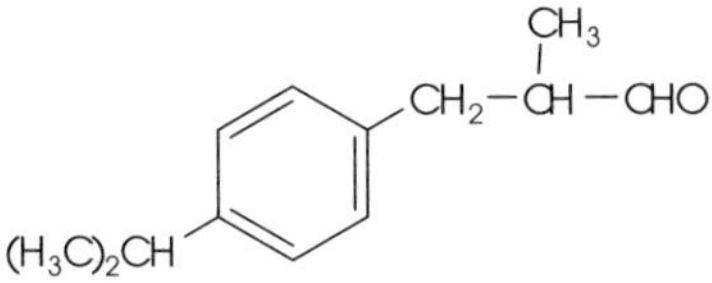

MOLEKULARGEWICHT: 190,28

Cyclamenaldehyd ist eine farblose bis schwach gelbliche Flüssigkeit mit einem intensiven Blütengeruch, an Alpenveilchen erinnernd.
In der Natur kommt die Verbindung nicht vor.

PHYSIKALISCH-CHEMISCHE DATEN:
$Sdp._{0,3\ kPa}$: 108 bis 108,5 °C; d_4^{20}: 0,9502; n_D^{20}: 1,5068.

Cyclamenaldehyd ist in Wasser unlöslich, jedoch löslich in Ethanol.
Die Herstellung erfolgt vorwiegend durch Hydrierung des aus Cuminaldehyd und Propionaldehyd (Propanal) durch Kondensation gewonnenen Cuminalpropionaldehyds.

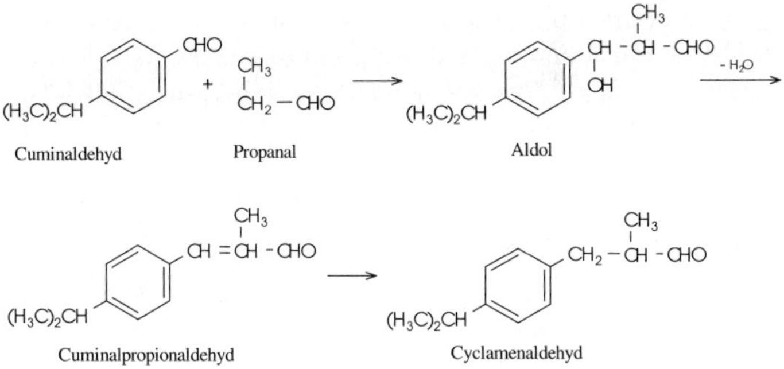

Cyclamenaldehyd ist wichtiger Bestandteil von → Parfüm-Kompositionen mit blumigen Noten, insbesondere Alpenveilchen. Wegen seines frischen Blütengeruches wird er auch für Spitzennoten in vielen anderen „Blütenkompositionen" verwendet.

Cyclohexadec-5-en-1-on

SYNONYM: 5-Cyclohexadecen-1-on
CAS-NR.: 37609-25-9
STRUKTURFORMEL:

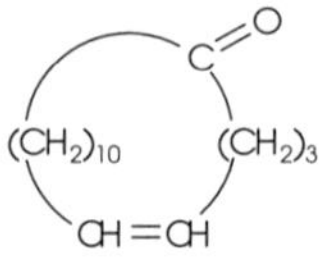

MOLEKULARGEWICHT: 236,40

Cyclohexadec-5-en-1-on ist eine farblose Flüssigkeit mit einem intensiven Moschusgeruch.
Das Handelsprodukt besteht aus einer Mischung von *cis*- und *trans*-Isomeren im Verhältnis 40 : 60.

PHYSIKALISCH-CHEMISCHE DATEN:
Sdp.$_{0{,}01\,\text{kPa}}$: 121 °C; n_D^{25}: 1,4865.

Die Herstellung geht in 3 Stufen vom Cyclododecanon aus, dessen Chlorierung zunächst 2-Chlor-cyclododecanon ergibt, welches mit 2 Mol Vinylmagnesiumchlorid zu 1,2-Divinyl-cyclo-dodecan-1-ol reagiert, das schließlich zu Cyclohexadec-5-en-1-on umgewandelt wird.

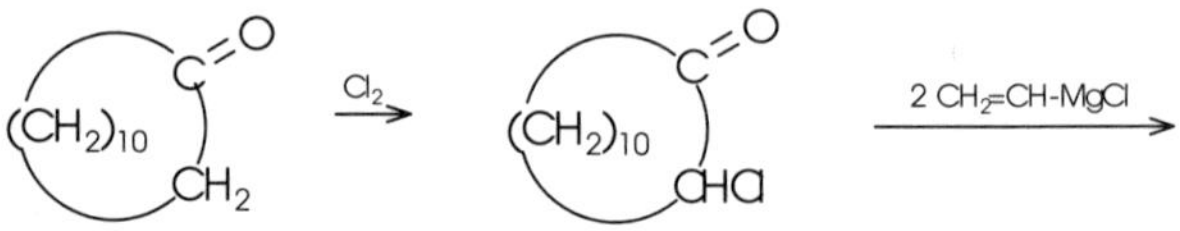

Cyclododecanon 2-Chlor-cyclododecanon

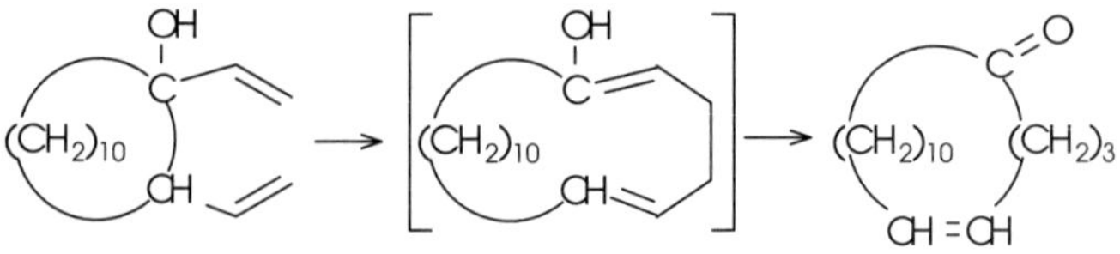

1,2-Divinyl-cyclododecanon-1-ol Cyclohexadec-5-en-1-on

Cyclohexadec-5-en-1-on kann → Parfüm-Kompositionen als Ersatz für die natürlichen makrocyclischen Ketonmoschus-Verbindungen zugefügt werden.

C

Cyclopentadecanon

SYNONYM: Exalton
CAS-NR.: 502-72-7
STRUKTURFORMEL:

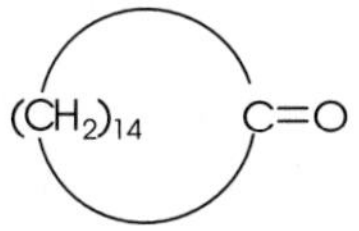

MOLEKULARGEWICHT: 224,39

Cyclopentadecanon ist ein Moschusriechstoff, der im Drüsensekret der männlichen Zibetkatze (vgl. → Zibet) gefunden wurde.

PHYSIKALISCH-CHEMISCHE DATEN:
Sdp.$_{7\ Pa}$: 85 °C; Schmp.: 65 bis 67 °C.

Zur Herstellung der Verbindung wurden verschiedene Synthesen entwickelt. Bei einem neueren Verfahren reagiert Dodecan-1,12-dial mit 1,3-Bis(dimethylphosphono)-propan-2-on in Gegenwart einer Base in 2 Stufen über die Zwischenprodukte 15-(Dimethylphosphono)-pentadec-12-en-14-on-1-al und Cyclopentadeca-2,14-dien-1-on. Die nachfolgende Hydrierung ergibt Cyclopentadecanon.
Die Verbindung wird für hochwertige Duftstoffe verwendet.

Cymbopogon-Öle

Zu den aus *Cymbopogon*-Arten gewonnenen, in der Riechstoffindustrie verwendeten → ätherischen Ölen zählen die → Citronellöle, die → Lemongrasöle, das → Palmarosaöl und das mit letzterem eng verwandte Gingergrasöl (siehe → Palmarosaöl).

Cypressenöl (Zypressenöl)

Das aus den Zweigspitzen der Echten oder Mittelmeer-Cypresse (*Cupressus sempervirens* L., *Cupressus fastigiata* DC.) [Cupres-

C

saceae] durch → Wasserdampf-Destillation gewonnene → ätherische Öl (CAS-Nr.: 8013-86-3). Die Ausbeute beträgt 1,3 bis 1,8 %. Hauptproduzenten sind Algerien, Spanien und Süd-Frankreich.
Das gelbe Öl weist einen würzigen limonenartigen fichtenholzähnlichen Geruch mit einer Ambra-Note auf. Ein Volumenteil löst sich bei Raumtemperatur in 10 Volumenteilen 90%igem Ethanol.

PHYSIKALISCH-CHEMISCHE DATEN:
D^{15}: 0,870 bis 0,891; n_D^{20}: 1,4710 bis 1,4820; $[\alpha]_D$: + 4° bis + 31°.

Hauptinhaltsstoffe sind α-Pinen und Car-3-en. Daneben sind u. a. Camphen, Sylvestren, Cadinen, Sabinol, Terpineol, Furfurol, Campher und p-Cymol enthalten. Als geruchsbestimmend werden Terpinylacetat, Cedrol und *trans*, *cis*-Deca-2,4-dienyl-isovalerianat angesehen.
Für die Ambra-Note macht man Abbauprodukte höherer Terpen-Derivate verantwortlich.
Das Öl wird in der Parfümerie vor allem für Herren-Parfüms, Chypre- und Ambra-Noten sowie Kölnischwässer und Badeessenzen genutzt. Ferner wird es in pharmazeutischen Präparaten (Einreibungen bei Asthma und Keuchhusten) angewandt.

TOXIKOLOGIE:
Aufgrund des hohen α-Pinen- und Car-3-en-Gehaltes sind hautreizende Wirkungen und Ekzeme bei empfindlichen Personen nicht auszuschließen. Bei der oralen Zufuhr größerer Mengen kann α-Pinen Nierenreizungen nach sich ziehen. Das als Inhaltsstoff beschriebene Sabinol kann in größeren Mengen zu Hautreizungen, bei oraler Aufnahme zu Gastroenteritis, Nierenschäden, Menorrhagie und Abort führen.

Engl.. cypress oil; franz.: essence de cyprès; ital.: olio di cipresso; span.: esencia de ciprés.

Aus einer anderen Cypressen- bzw. Scheincypressen-Art wird das sogenannte **Chinesisches Cedernholzöl** (siehe → Cedernöle) gewonnen.

Damascon

CHEMISCHE BEZEICHNUNG: 1-(2,6,6-Trimethyl-cyclohexenyl)-but-2-en-1-on, 1-(2,6,6)-Trimethyl-cyclohexenyl-2-buten-1-on
CAS-NR. α-Damascon: 24720-09-0, β-Damascon: 23726-91-2
STRUKTURFORMEL:

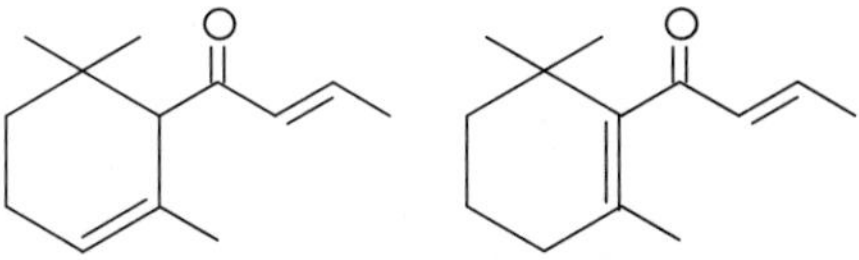

α-Damascon β-Damascon

MOLEKULARGEWICHT: 192,30

Damascone sind Flüssigkeiten mit einem fruchtigen rosenähnlichen Geruch.
In Abhängigkeit von der Stellung der Doppelbindung im Cyclohexan-Ring existiert Damascon, ein Jononisomer, in der α-, β-, γ-, δ- und ε-Form. Für den Handel bedeutend sind α-, β- und δ-Damascon als Mischungen ihrer *cis*- und *trans*-Isomere.
α- und β-Damascon wurden als Bestandteile im Teearoma nachgewiesen.

PHYSIKALISCH-CHEMISCHE DATEN:
Sdp.$_{0,13\ Pa}$ (α-Damascon): 77 bis 78 °C, Sdp.$_{0,13\ Pa}$ (β-Damascon): 52 °C.

Ein Herstellungsverfahren geht von einem geeigneten Cyclogeraniumsäure-Derivat aus. Dieses reagiert mit Allylmagnesiumhalogenid zu 2,6,6-Trimethyl-cyclohexenyl-diallylcarbinol, welches durch Pyrolyse 1-(2,6,6-Trimethyl-cyclohexenyl)-but-3-en-1-on ergibt, aus dem durch Isomerisierung der Doppelbindung in der Seitenkette Damascon entsteht.

Damascon wird in → Parfüm-Kompositionen, speziell in Rosenparfüms, sowie in → Aroma-Kompositionen eingesetzt, welchen es Natürlichkeit verleiht.

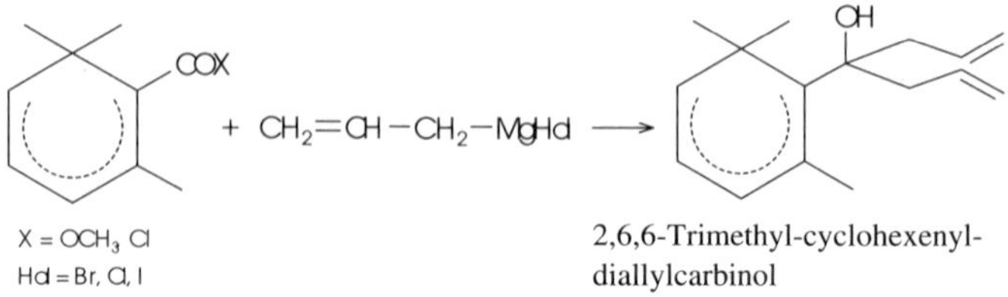

2,6,6-Trimethyl-cyclohexenyl-diallylcarbinol

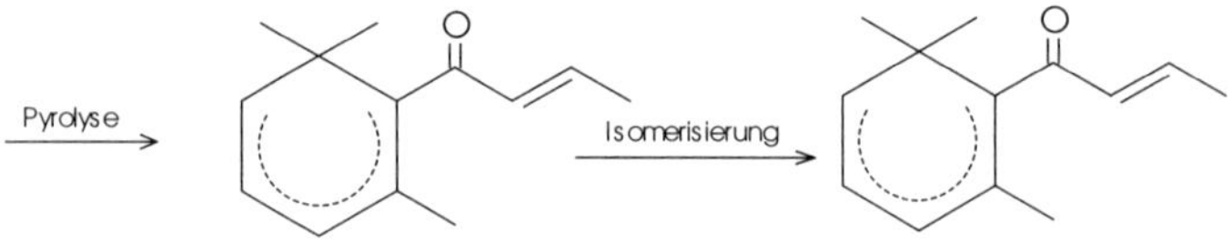

1-(2,6,6-Trimethyl-cyclohexenyl)-but-3-en-1-on

Damascon

Davanaöl

Das aus dem Kraut der in Süd-Indien verbreiteten *Artemisia*-Art *Artemisia pallens* WALL. [Asteraceae, Compositae] durch → Wasserdampf-Destillation gewonnene → ätherische Öl (CAS-Nr.: 8016-03-3). Die Ausbeute beträgt 0,2 bis 0,5 %.
Das orangefarbene bis braune Öl weist einen krautigen teeähnlich-süßen, an getrocknete Früchte (besonders Pflaumen) erinnernden Geruch mit leichten Nuancen von Whisky, Cognac und Rum sowie einen holzigen Ambra-Aspekt auf. Die Basisnote haftet extrem lange und hat einen starken feigenähnlichen Charakter.

PHYSIKALISCH-CHEMISCHE DATEN:
D^{28}: 0,9458; n_D^{20}: 1,4476; $[\alpha]_D^{20}$: + 41° bis + 53°.

Hauptinhaltsstoffe des sehr komplex zusammengesetzten Produktes sind ca. 52 % Davanon, ca. 11 % Nerol, ca. 6 % Geraniol u. a. Für den Geruch macht man die zu 0,8 % enthaltenen Davana-Furane verantwortlich.
Das Öl wird in Parfüms (Chypre-, Fougère- und Phantasie-Noten) und → Kosmetika, vorzugsweise jedoch für → Aromastoff-Kompositionen (Getränke, Nahrungsmittel) verwendet.

TOXIKOLOGIE:
Das als Inhaltsstoff beschriebene Geraniol besitzt ein allergenes Potential.

(Weitere *Artemisia*-Öle siehe → *Artemisia*-Öl, → Estragonöl, → Wermutöl.)

Engl.: davana oil.

n-Decanal

Siehe → Aldehyd C_{10}.

Destillation

Siehe → Wasserdampf-Destillation, → Molekular-Destillation.

Destraktion

Aus **Dest**illation und Ext**raktion** abgeleitete Bezeichnung für die Fluidextraktion mit Gasen im überkritischen Zustand, in dem diese ein extremes Lösungsvermögen für bestimmte Stoffe entfalten. Als Destraktionsmittel für besonders empfindliche Blütenöle eignen sich vor allem Kohlenstoffdioxid und Butan.

Diacetyl

CHEMISCHE BEZEICHNUNG: 2,3-Butandion, Butan-2,3-dion
CAS-NR.: 431-03-8
STRUKTURFORMEL: CH_3-C(O)-C(O)-CH_3
MOLEKULARGEWICHT: 86,09

Diacetyl ist eine gelbe, leicht flüchtige Flüssigkeit.
Die Verbindung kommt in vielen Frucht- und Nahrungsmittelaromaen (z. B. im → Vanille-Resinoid) vor und ist Bestandteil der Butter.

PHYSIKALISCH-CHEMISCHE DATEN:
Sdp.$_{101,3kPa}$: 87 bis 88 °C; d_4^{20}: 0,9831; n_D^{20}: 1,3933.

Diacetyl löst sich in Wasser wenig, in organischen Lösungsmitteln leicht.
Eine der zahlreichen Gewinnungsmethoden geht vom Methyl-

ethylketon aus, das sich mit salpetriger Säure zu 3-Hydroximino-butan-2-on umsetzt, dessen Hydrolyse zum Diacetyl führt.
Diacetyl wird vielfach in → Aromastoffen für Butter- und Bratennoten eingesetzt. Ein großer Teil dient der Aromatisierung der Margarine, während kleinere Mengen für Parfüms Verwendung finden.

D

Dichte (D, d)

Wichtiger Parameter zur qualitativen Beurteilung von → Riechstoffen.
Die Dichte oder Massendichte (D) eines einheitlichen Stoffes ist definiert als die Masse der Volumeneinheit, d. h. die in 1 cm^3 enthaltene Masse in g (Gramm). In der Regel nimmt die Dichte mit zunehmender Temperatur infolge der Wärmeausdehnung ab, so daß eine Angabe der Temperatur erforderlich ist. Im allgemeinen erfolgt die Messsung bei 0 °C, 15 °C oder 20 °C. $\mathbf{D^{20}}$ heißt also Dichte bei 20 °C (Dimension: Masse/Volumen).
In der der Vergangenheit gab man zumeist die relative Dichte (d) an, die mit einem Standard (im allgemeinen Wasser von 4 °C, dessen Dichte gleich 1 gesetzt wurde) verglichen und somit zur dimensionslosen Zahl wurde. Eine spezifische Dichte von 2 bedeutet in diesem Fall also, daß die betreffende Verbindung zweimal so schwer ist wie Wasser bei 4 °C. Der untere Zahlenwert der Dichteangabe d_4^{20} bezieht sich auf die Temperatur der Vergleichsubstanz (Wasser).
In der Riechstoffindustrie werden zumeist auch heute noch die relativen Dichten angegeben.
Die Bestimmung der Dichte erfolgt für größere Mengen in der Riechstoffindustrie im allgemeinen mit der Mohr-Westphalschen Waage, die bis auf die dritte Dezimalstelle zuverlässige Werte liefert. Allerdings ergibt sie Werte der spezifischen Dichte, die jedoch für die industrielle Praxis ausreichen. Die Angabe stellt das Verhältnis der Dichte der Meßflüssigkeit zur Dichte von Wasser bei der gleichen Temperatur dar. Meist ist die Waage auf 15 °C, 20 °C oder 25 °C geeicht. Die Angabe erfolgt als $\mathbf{d_{15}^{15}}$, $\mathbf{d_{20}^{20}}$ oder $\mathbf{d_{25}^{25}}$.

Bei genaueren Untersuchungen und für kleinere Mengen wird vorteilhafter das Pyknometer nach Ostwald oder Sprengel verwendet.

D

Dillsamenöl

Das aus den zerquetschten Früchten des Dills (*Anethum graveolens* L., *Peucedanum graveolens* L.) [Apiaceae, Umbelliferae] durch → Wasserdampf-Destillation gewonnene → ätherische Öl (CAS-Nr.: 8016-06-6). Die Ausbeute beträgt 2,5 bis 4 %. Hauptproduzenten sind Ungarn, die Balkanstaaten, die USA und Südafrika.
Zusammensetzung und Eigenschaften sind von der verwendeten Varietät und der Herkunft abhängig.
Das farblose bis gelbliche Öl weist einen kümmelartigen Geruch und Geschmack auf. Ein Volumenteil löst sich bei Raumtemperatur in 2 Volumenteilen 80%igem Ethanol, teilweise unter leichter opaleszenter Trübung.

PHYSIKALISCH-CHEMISCHE DATEN (europäisches Öl):
d_{25}^{25}: 0,890 bis 0,915; n_D^{20}: 1,4830 bis 1,4900; $[\alpha]_D$: + 70° bis + 82°; Carvon-Gehalt: 42 bis 60 %.

Hauptinhaltsstoff ist mit einem Anteil von 40 bis 60 % das (+)-Carvon. Daneben sind u. a. (+)-Limonen (bis zu 40 %), Phellandren, Terpinen, Dihydrocarvon und Carveol enthalten.
Das Öl wird als → Aromastoff für Mundpflegemittel und Nahrungsmittel genutzt, in der Parfümerie begrenzt für Chypre-Kompositionen und spezielle Effekte. Die Volksmedizin schätzt das Gewürz als verdauungsförderndes, blähungstreibendes Mittel.

Das sogenannte **indische Dillsamenöl** wird aus den Samen von *Anethum sowa* DC. (*Anethum sowa* ROXB.) gewonnen. Der Carvongehalt liegt bei 20 bis 30 %. Weitere Inhaltsstoffe sind u. a. Caryophyllen, Apiol und Dill-Apiol. Der herbere Geruch wird vor allem auf das Dill-Apiol zurückgeführt.

In den USA wird durch → Wasserdampf-Destillation des Dillkrautes von *Anethum graveolens* L. (*Peucedanum graveolens* L.) in Ausbeuten von 0,3 bis 1,5 % ferner ein **(amerikanisches) Dillkrautöl** gewonnen.

Das hellgelbe bis gelbe Öl weist einen süß-würzigen kümmelartigen, aber auch an Minze erinnernden Geruch auf. Ein Volumenteil löst sich bei Raumtemperatur in 1 Volumenteil 90%igem Ethanol.

D

PHYSIKALISCH-CHEMISCHE DATEN:
d_{25}^{25}: 0,884 bis 0,900; n_D^{20}: 1,4800 bis 1,4850; $[\alpha]_D$: + 84° bis + 95°; Carvon-Gehalt: 28 bis 45 %.

Es ist durch einen Gehalt von 28 bis 45 % (+)-Carvon (abhängig von der Erntezeit), bis zu 60 % α-Phellandren und 30 % (+)-Dillether gekennzeichnet, der für die typischen organoleptischen Eigenschaften des Dills und des Dillkrautöls verantwortlich gemacht wird. In geringen Mengen sind auch Limonen, Carvon, Dill-Apiol und Myristicin enthalten.

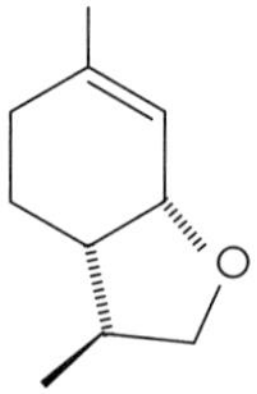

(+)-Dillether

Das Öl wird in würzigen Kräuter-Düften als Kopfnote, zur Aromatisierung (vgl. → Aromastoffe) von Likören und Nahrungsmitteln sowie zur Herstellung pharmazeutischer Präparate (Car-minativa, Diuretica, Einreibungen) verwendet.

TOXIKOLOGIE:
Die Inhaltsstoffe Carvon, Limonen und Apiol besitzen ein allergenes Potential. Zur toxikologischen Bedeutung von Apiol und Myristicin vgl. → Petersilienöle.

Engl.: dill (seed, weed) oil; franz.: essence d´aneth; ital.: olio di aneto; span.: esencia de eneldo.

3,4-Dimethoxy-benzaldehyd

Siehe → Veratrumaldehyd.

D

Diphenylether

SYNONYM: Phenylether
CHEMISCHE BEZEICHNUNG: Diphenyloxid
CAS-NR.: 101-84-8
STRUKTURFORMEL:

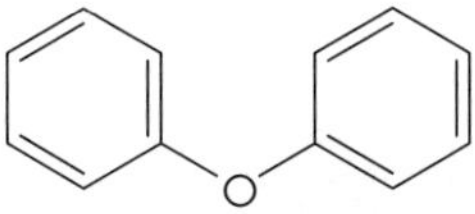

MOLEKULARGEWICHT: 170,21

Diphenylether ist eine farblose, geranienartig riechende Flüssigkeit oder Kristallmasse, die in der Natur nicht vorkommt.

PHYSIKALISCH-CHEMISCHE DATEN:
Schmp.: 26,8 °C; Sdp.$_{1,34\,kPa}$: 121 °C; D^{20}: 1,0748; n_D^{25}: 1,5785.

Diphenylether ist unlöslich in Wasser, leicht löslich in Ethanol, Ether, Benzol und Mineralölen.
Er wird durch Erhitzen von Natriumphenolat mit Chlorbenzol in Gegenwart eines Kupferbronzekatalysators hergestellt.
Wegen seiner Stabilität und seines niedrigen Preises wird Diphenylether in großen Mengen für billige Seifenparfümöle verwendet.

Diterpene

Siehe → Terpene.

n-Dodecanal

Siehe → Aldehyd C_{12}.

Dostenöle

Siehe → Origanumöle.

Drehungsvermögen

Siehe → Optische Drehungsvermögen.

Duftnoten

Siehe → Gerüche.

Duftstoffe

E

Siehe → Riechstoffe.

Eau-de-Brouts-Absolue

Siehe → Neroliöl, → Petitgrainöl.

Eau de Cologne

Siehe → Parfüm.

Eau de Parfüm

Siehe → Parfüm.

Eau de Toilette

Siehe → Parfüm.

Edeltannennadelöl

Siehe → Tannennadelöle.

Edeltannenzapfenöl

Siehe → Tannennadelöle.

Eichenmoos-Resinoid

Das aus der auf Baumrinde von Eichen lebenden Bandflechte (*Evernia prunastri* (L.) ARCH., *Lichen prunasti* L.) [Unsneaceae, Parmeliaceae] durch → Extraktion mit Lösungsmitteln (meist Petrolether oder thiophenfreies Benzol) über das konkrete Resinoid (Resinoid-Concret; vgl. → Resinoide) gewonnene absolute Resinoid (Resinoid-Absolue; vgl. → Resinoide). Die Ausbeute an konkretem Resinoid beträgt 4 bis 6 %, aus dem durch Ethanol-Extraktion 40 bis 60 % absolutes Resinoid erhalten werden. Die auch als „Mousse de chêne“ bezeichnete Flechte kommt besonders in

Frankreich, Italien, Dalmatien und Marokko vor. Pro Jahr werden in Dalmatien ca. 5000 Tonnen, in Frankreich ca. 2500 Tonnen und in Marokko ca. 1000 Tonnen Eichenmoos-Flechten gesammelt und aufgearbeitet.

Das konkrete Resinoid ist eine grüne bis braune wachsähnliche Paste, das absolute Resinoid ein mehr oder weniger viskoses Öl von erdigem moosig-holzigem Geruch mit einer leichten phenolischen Ledernote.

Die sauren Anteile bestehen vor allem aus den sogenannten Flechtensäuren (wie Everninsäure und Furfuracinsäure).

In den neutralen Anteilen der Extrakte werden als Inhaltsstoffe u. a. α- und β-Thujon, Campher, Borneol, 1,8-Cineol (Eucalyptol), Phenole (Resorcinole), Geraniol, Citronellol und Vanillin beschrieben. Für den charakteristischen erdig-moosigen Geruch sind vor allem Resorcinol-Derivate, wie Orcinol (Orcin), β-Orcinol (β-Orcin), deren Monomethylether und Methyl-3-methyl-orsellinat (β-Orcincarbonsäuremethylester), verantwortlich.

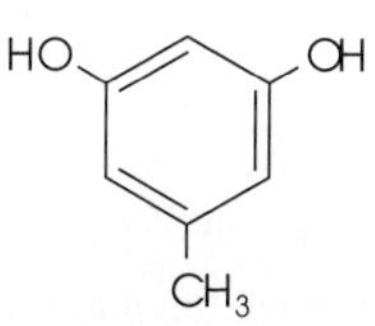

Orcinol

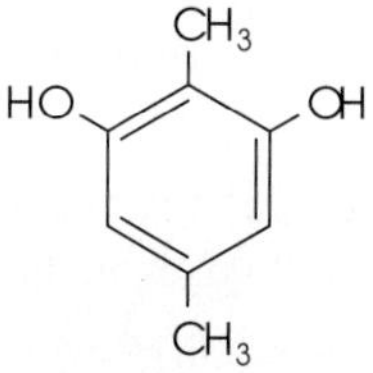

β-Orcinol

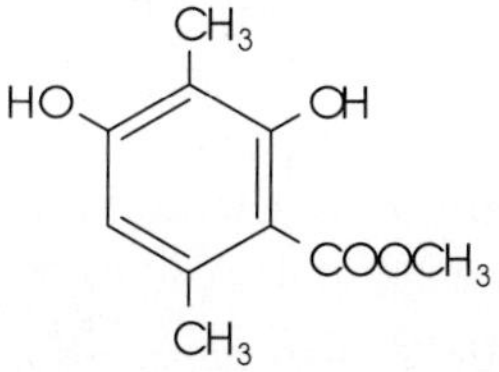

Methyl-3-methyl-orsellinat

Das konkrete und absolute Eichenmoos-Resinoid wirken in Parfüms abrundend, füllend und fixierend. Sie werden in der Parfümerie besonders für trockene süße Duftnoten, wie Fougère- und Chypre-Parfüms, sowie als → Fixateur genutzt.

TOXIKOLOGIE:

Eichenmoos-Resinoid besitzt ein allergenes Potential, photoallergische Reaktionen sind bekannt.

Toxikologisch bedenkliche Inhaltsstoffe sind die Thujone, die in größeren Mengen zu Hautreizungen, bei oraler Aufnahme zu zentralen Lähmungserscheinungen, Krämpfen und Leberschädigungen führen können. Auch abortive Wirkungen sind bekannt.

1,8-Cineol (Eucalyptol) kann in größeren Mengen bei empfindlichen Personen Hautreizungen, bei oraler Aufnahme Gastroenteritis und Nierenreizungen bewirken. Geraniol, Citronellol und Vanillin besitzen ein allergenes Potential.

E

Engl.: oakmoss absolute (resinoid); franz.: extrait de mousse de chêne.

Das sogenannte **Baummoos-Resinoid** stammt von Bandflechten der Art *Evernia furfuracea* FR., die in Frankreich und Marokko auf verschiedenen Bäumen (z. B. Fichten und Kiefern) vorkommen und als „Mousse d´arbre“ bezeichnet wird. Die Ausbeute des konkreten Resinoids beträgt 2 bis 4 %. Daraus erhält man ca. 50 % absolutes Resinoid.
Das absolute Öl besitzt einen natürlichen phenolisch-teerigen Geruch.
Es wird als → Fixateur in → Parfüm-Kompositionen, vor allem Fougère- und Chypre-Düften, eingesetzt.

Auch aus der Bartflechte (*Usnea barbata* (L.) WIGG.) wird ein Baummoos („Mousse de barbe“) gewonnen.

TOXIKOLOGIE:
Die als Inhaltsstoff bekannte, in Benzol leicht lösliche Usninsäure ist bei oraler Aufnahme toxikologisch nicht unbedenklich.

Engl.: tree moss absolute (resinoid); franz.: extrait de mousse d´arbre.

Einheitliche Riechstoffe

Aus → ätherischen Ölen isolierte, definierte Einzelriechstoffe (**Isolate**), wie z. B. Citral aus → Lemongrasöl, Eugenol aus → Gewürznelkenöl, Geraniol und Citronellal aus → Citronellölen, aus diesen hergestellte **halbsynthetische** Folgeprodukte (wie Jonone aus Citral, Majal aus Citronellal) sowie **vollsynthetische** Verbindungen (wie Benzylalkohol, Benzaldehyd, Benzophenon, Phenylethylalkohol, Phenylacetaldehyd, Benzylacetat, Benzylbenzoat, α-Amylzimtaldehyd, Ambrettemoschus u. a. Moschusriechstoffe) mit oder vielfach ohne natürliches Vorbild.
Einheitliche → Riechstoffe werden in Kombination mit → ätherischen Ölen, → Absolues, → Resinoiden sowie sogenannten Ba-

sen, deren Zusammensetzung Betriebsgeheimnis der Produktionsfirmen ist, zur Herstellung von Riechstoff-Kombinationen (vgl. → Parfüm-Kompositionen) verwendet.
Einige der einheitlichen Riechstoffe (wie Phenylessigsäure, Benzylalkohol, Benzaldehyd, Benzylcyanid, Vanillin) werden auch als Zwischenprodukte zur Produktion von → Aromastoffen benötigt oder direkt als → Aromastoff eingesetzt. So dient Vanillin beispielsweise als Vanille-Geschmacksstoff in zahlreichen Nahrungsmitteln, die durch Hydrolyse von Benzylcyanid erhältliche Phenylessigsäure verleiht Fruchtaromen eine süße Honignote, und Benzaldehyd dient in Backwaren als Bittermandel-Geruchs- und Geschmackstoff.

Nähere Angaben zu einheitlichen Riechstoffen sind unter den jeweiligen Stichworten zu finden.

Elemiöl (Elemibitter, Manilaöl)

Das aus dem Gummiharz (Elemi, CAS-Nr.: 9000-75-3) des auf den Philippinen gedeihenden Baumes *Canarium luzonicum* (MIQ.) A. GRAY und anderen *Canarium*-Arten [Burseraceae] durch → Wasserdampf-Destillation gewonnene → ätherische Öl (CAS-Nr.: 8023-89-0). Die Ausbeute beträgt 20 bis 30 %.
Das farblose bis gelbe Öl weist einen frischen würzig-terpentinartigen citrusähnlichen pfeffrigen Geruch mit waldig-grünen Untertönen auf. Ein Volumenteil löst sich bei Raumtemperatur in 1 Volumenteil 90%igem Ethanol.

PHYSIKALISCH-CHEMISCHE DATEN:
D^{15}: 0,870 bis 0,914; n_D^{20}: 1,4790 bis 1,4890; $[\alpha]_D$: + 35° bis + 64°; SZ: max. 1,5; EZ: 4 bis 8.

Hauptinhaltsstoffe sind Limonen, Dipenten, α-Phellandren und der Sesquiterpenalkohol (–)-Elemol. Daneben sind u. a. Elemen, Elemicin und die Steroide 3-Hydroxy-tirucalla-7,24- sowie 8,24-dien-21-carbonsäure enthalten.
Das Öl wird in → Parfüm-Kompositionen (Koniferen-, Fougère-, Chypre-, Tabak-, Citrus-, Klee-, Jasmin- und Phantasie-Düfte) sowie zur Parfümierung von Seifen verwendet. Es ist Quelle für natürliches (–)-Elemol.

TOXIKOLOGIE:
Das als Inhaltsstoff beschriebene Elemicin entspricht in seinen Wirkungen dem Myristicin (vgl. → Petersilienöle). Limonen besitzt ein allergenes Potential.

E

Engl.: elemi oil; franz.: huile d´elèmi; ital.: olio elemi.

Durch → Extraktion mit Lösungsmitteln gewinnt man in Ausbeuten von 80 bis 90 % ferner ein konkretes **Elemi-Resinoid** (Resinoid-Concret; vgl. → Resinoide), das im Geruch dem Elemiöl entspricht und wie dieses angewandt wird.

Engl.: elemi resinoid.

Enfleurage

Die → Extraktion von Blüten-Duftstoffen mittels geeigneter Fette, meist Rinder- oder Hammelfett, ist eine spezielle Variante der → Mazeration. Dazu werden in Holzrahmen (Chassis) gefaßte Glasplatten beidseitig mit einer dünnen Schicht des speziell gereinigten Fettes bestrichen, mit den Blüten (ca. 50 g pro Rahmen) bedeckt, übereinandergestellt und stehengelassen. Nach Auszug der Blüten werden diese so lange erneuert, bis das Fett mit den Duftstoffen gesättigt ist. Der Wechsel erfolgt in 10 bis 12 Wochen etwa 35mal, wobei für 2,5 kg Blüten etwa 1 kg Fett benötigt wird. Die mit den Duftstoffen beladenen Fette wurden in der Vergangenheit direkt als → Pomaden angewendet. Später gewann man durch die anschließende Behandlung mit warmem absolutem Ethanol auch die absoluten Blütenöle (vgl. → Absolues).
Die durch Enfleurage hergestellten → Pomaden duften infolge ihrer schonenden Gewinnung meist natürlicher als die entsprechenden → ätherischen Öle, haften länger und sind nicht restlos flüchtig. Sie sind jedoch zumeist dunkler und müssen für viele Anwendungszwecke erst aufgehellt werden.
Die früher vor allem in Süd-Frankreich angewandte Gewinnungsmethode für Blütenöle wird heute kaum noch praktiziert. Sie wurde von der → Extraktion mit Lösungsmitteln (vgl. auch → Concrets, → Absolues) und für besonders empfindliche Blütenöle von der → Destraktion mit überkritischen Gasen abgelöst.

Erdbeeraldehyd

Siehe → Aldehyd C_{16}.

Erstarrungspunkt

Der Erstarrungspunkt → ätherischer Öle, d. h. diejenige Temperatur, bei welcher durch Unterkühlung der Übergang vom flüssigen in den festen Aggregatzustand stattfindet, ermöglicht Rückschlüsse auf die Qualität und den Gehalt an bestimmten wertvollen Komponenten. So weist beispielsweise ein hoher Erstarrungspunkt bei → Anis- und → Fenchelöl auf einen hohen Anethol-Gehalt hin, beim → Rautenöl auf einen hohen Anteil an Undecan-2-on (Methylnonylketon). Der Erstarrungspunkt ist relativ scharf und gut zu beobachten. Die Bestimmung erfolgt im Beckmannschen Apparat.

Essenz

Im allgemeinen eine zur Aromatisierung von Lebensmitteln genutzte Mischung aus verschiedenen natürlichen und/oder synthetischen → Aromastoffen zur Erzielung eines bestimmten Geschmackseindruckes. Die Benennung erfolgt nach Einsatzzweck (z. B. Likoressenz, Limonadenessenz) oder Geschmackstyp (z. B. Orangenessenz, Kräuteressenz).
Nach der Essenzen-Verordnung der Bundesrepublik Deutschland sind Essenzen (= Aromen) konzentrierte Zubereitungen von Geruchsstoffen oder Geschmacksstoffen, die ausschließlich dazu bestimmt sind, Lebensmitteln einen besonderen Geruch oder Geschmack, ausgenommen einen lediglich süßen, sauren oder salzigen Geschmack, zu verleihen (vgl. auch → Aromastoffe).

Esterzahl (EZ)

Eine Reihe von → ätherischen Ölen enthält als qualitätsbestimmende Komponenten Ester. So ist das Linalylacetat beispielsweise Hauptinhaltstoff und geruchsbestimmender Bestandteil des → Bergamottöls. Der gleiche Ester kommt u. a. im → Lavendelöl, Muskateller Salbeiöl (siehe → Salbeiöle) und → Petitgrainöl vor. Auch die in → Kiefernnadelölen, → Tannennadelölen und

→ Fichtennadelöl nachgewiesenen Bornylester sind wesentlich an deren Duft beteiligt. Bornylacetat und andere Bornylester sind ferner Hauptinhaltsstoffe des → Baldrianöls. Menthylacetat ist Bestandteil des → Pfefferminzöls, Eugenylacetat des → Gewürznelkenöls. Methylbenzoat, Benzylacetat und Geranylacetat sind in → Ylang-Ylang-Öl enthalten, Benzylbenzoat und Benzylcinnamat in → Perubalsamöl, α-Terpinylacetat in dem aus den Blättern gewonnenen → Liebstöckelöl. Der Geranylester der Tiglinsäure wurde in → Geraniumölen nachgewiesen.

Die Bestimmung des Estergehaltes erfolgt durch quantitative Verseifung. Die Esterzahl (EZ) gibt dabei die verbrauchte Menge Kalilauge in mg zur Verseifung des in 1 g Öl enthaltenen Esters bzw. der Ester an.

Dazu werden 1 g Öl und 20 ml 0,5 N alkoholische Kalilauge zusammen mit einigen Siedesteinchen in einem Kölbchen mit aufgesetztem Rückflußkühler 1 Stunde auf dem Dampfbad erhitzt. Nach dem Erkalten wird der Kolbeninhalt mit destilliertem Wasser verdünnt und die unverbrauchte Kalilauge mit 0,5 N Schwefelsäure zurücktitriert. Um den tatsächlichen Verbrauch an 0,5 N KOH zu erhalten, führt man noch einen Blindversuch mit 20 ml 0,5 N KOH/Phenolphthaleinlösung durch und titriert ebenfalls mit 0,5 N H_2SO_4. Der Schwefelsäureverbrauch nach der Verseifung wird von der für den Blindversuch verbrauchten Menge subtrahiert. Die Esterzahl ergibt sich wie folgt:

$$\mathrm{EZ} = \frac{28 \cdot a}{s}$$

a: verbrauchte ml 0,5 N KOH

s: eingesetzte Menge Öl in g

Aus der Esterzahl kann der prozentuale Estergehalt berechnet werden:

$$\%\ \mathrm{Ester} = \frac{\mathrm{EZ} \cdot m}{560 \cdot b}$$

m: Molmasse des betreffenden Esters

b: Basizität der zugehörigen Säure

Der prozentuale Alkoholgehalt ergibt sich wie folgt:

$$\% \text{ Alkohol} = \frac{\text{EZ} \cdot m_1}{560}$$

m_1: Molmasse des zugehörigen Alkohols

E

Estragonöl

Das aus dem blühenden Kraut des in Europa kultivierten Estragons (*Artemisia dracunculus* L., *Artemisia glauca* PALL.) [Asteraceae, Compositae] durch → Wasserdampf-Destillation gewonnene → ätherische Öl (CAS-Nr.: 8016-88-4). Die Ausbeute beträgt 0,2 bis 3 %. Wichtige Produzenten sind Süd-Frankreich und Italien. Die Welt-Jahreproduktion liegt bei einigen Tonnen. Das hellgelbe bis bernsteinfarbene Öl weist einen angenehmen süß-würzigen (an Anis, Lakritze, Sellerie sowie Basilikum erinnernden) Geruch und einen bitteren Geschmack auf. Ein Volumenteil löst sich bei Raumtemperatur in 0,5 bis 1 Volumenteil 90%igem Ethanol.

PHYSIKALISCH-CHEMISCHE DATEN:
d_{25}^{25}: 0,914 bis 0,956; n_D^{20}: 1,5040 bis 1,5200; $[\alpha]_D$: + 1,3° bis + 6,3°; SZ: max. 2; VZ: max. 18.

Hauptinhaltsstoff ist mit einem Anteil von 60 bis 70 % das Methylchavicol (Estragol). Daneben wurden u. a. ca. 10 % Anethol, p-Methoxyzimtaldehyd, α- und β-Pinen, Camphen und Limonen, aber auch Cumarine nachgewiesen.
Der kleinere Teil des Öls wird in der Parfümerie für würzig-frische → Parfüm-Kompositionen (Grün-, Chypre-, Fougère- und moderne Phantasie-Noten; zur Erzielung besonderer Effekte) verwendet, die Hauptmenge als → Aromastoff, besonders für Mundpflegemittel. Die Volksmedizin schätzt Estragon als appetitan-regendes Mittel.

TOXIKOLOGIE:
Der in großen Mengen enthaltene Inhaltsstoff Methylchavicol (Estragol) zeigt im Tierversuch karzinogene Eigenschaften. Cumarine entfalten bei oraler Aufnahme größerer Mengen leber- und nierenschädigende Wirkungen.

Die enthaltenen Pinene können in größeren Mengen bei empfindlichen Personen zu Hautreizungen und Ekzemen, bei oraler Aufnahme zu Nierenreizungen führen. Limonen besitzt ein allergenes Potential.

E

(Weitere *Artemisia*-Öle siehe → *Artemisia*-Öl, → Wermutöl, → Davanaöl.)

Engl.: estragon oil, tarragon oil; franz.: essence d´estragon; ital.: essenza di estrogone.

Eucalyptol

Siehe → 1,8-Cineol.

Eucalyptus-Öle (Eucalyptusöle, Eukalyptusöle)

Aus verschiedenen *Eucalyptus*-Arten [Myrtaceae] durch → Wasserdampf-Destillation gewonnene → ätherische Öle. Von den ca. 600 hauptsächlich in Australien, aber auch in tropischen Gebieten Afrikas, Asiens und Amerikas verbreiteten Arten haben nur wenige größere praktische Bedeutung. Dazu gehören vor allem:

Das ***Eucalyptus-globulus*-Öl (Eucalyptusöl globulus**, CAS-Nr.: 8000-48-4), das durch → Wasserdampf-Destillation aus den frischen oder getrockneten Blättern des Blaugummibaumes (*Eucalyptus globulus* LABILL.) gewonnen wird. Die Ausbeute an → ätherischem Öl liegt bei frischen Blättern zwischen 0,7 und 0,9 %, bei getrockneten zwischen 1,6 und 3 %. Hauptproduktionsgebiete sind Spanien und Portugal, wo jährlich mehr als 1000 Tonnen hergestellt werden. Weiterere Produzenten sind Australien, China, Indien, Brasilien und die USA (Kalifornien).
Das farblose, hellgelbe oder grünliche Öl riecht angenehm erfrischend nach Campher und ist von würzigem Geschmack.
Das rohe Öl ist durch einen Anteil von ca. 65 % 1,8-Cineol (Eucalyptol) und mehr als 15 % α-Pinen gekennzeichnet. Durch höhersiedende Sesquiterpene hat es einen unangenehmen Beigeruch, der durch Rektifikation beseitigt wird. Die handelsüblichen rektifizierten Öle enthalten entweder 70 bis 75 % oder 80 bis 85 % 1,8-Cineol (Eucalyptol). Von ersterem löst sich bei Raumtempe-

ratur 1 Volumenteil in 8 Volumenteilen 70%igem Ethanol, von zweiterem 1 Volumenteil in 3 Volumenteilen 80%igem Ethanol.

PHYSIKALISCH-CHEMISCHE DATEN (70 bis 75 % Cineol enthaltendes Öl):
d_{20}^{20}: 0,907 bis 0,917; n_D^{20}: 1,4600 bis 1,4640; $[\alpha]_D^{20}$: + 3° bis + 8°.

PHYSIKALISCH-CHEMISCHE DATEN (80 bis 85 % Cineol enthaltendes Öl):
d_{20}^{20}: 0,913 bis 0,920; n_D^{20}: 1,4590 bis 1,4620; $[\alpha]_D^{20}$: + 2° bis + 4°.

Neben dem Hauptinhaltsstoff 1,8-Cineol (Eucalyptol) sind als weitere Komponenten u. a. α-Pinen, Camphen, α-Phellandren, Aromadendren, 3-Isopropyliden-1-acetyl-cyclopent-3-en, Borneol, Myrtenol, Pinocarveol, Globulol, Pinocarvon, Piperiton, Carvon, Verbenon, Dihydrocuminaldehyd, Butyl-, Valer- und Capronaldehyd sowie Isoamylalkohol bekannt.
Eucalyptusöle mit hohem Cineolgehalt sind in der Riechstoffindustrie Ausgangsprodukt für die Cineol-Gewinnung. Die Öle selbst werden in erster Linie in pharmazeutischen Zubereitungen (Rheumaeinreibungen und Mittel bei Husten und Bronchialkatarrh) verwendet. *Eucalyptus-globulus*-Öl ist als Monographie im DAB 10 enthalten. Für *Eucalypti aetheroleum* ist eine Monographie der Kommission E beim Bundesinstitut für Arzneimittel und Medizinprodukte (BfArM) verfügbar.

Eucalyptusöle entfalten ferner eine appetitanregende Wirkung. Auf Insekten wirken sie abschreckend. In der Parfümerie werden sie zur „Imitation“ cineolhaltiger → ätherischer Öle, in Kräuter- und Fichtennadel-Kompositionen sowie zur Parfümierung von Seifen, Reinigungsmitteln und Zimmerparfüms eingesetzt. Als → Aromastoffe finden sie sich in Süßwaren, Zahnpasten und Mundwässern. Technisch dienen sie als Flotationshilfsmittel, Desinfektionsmittel und Konservierungsstoffe.
Nicht verwechselt werden darf das Öl mit in Asien unter der irreführenden Bezeichnung Eucalyptusöl gehandelten, 70 bis 80 % 1,8-Cineol enthaltenden → Campheröl-Fraktionen.

TOXIKOLOGIE:
Die orale Aufnahme größerer Mengen des Öls kann zu toxikologisch bedenklichen Erscheinungen, wie Senkung von Blutdruck,

E

E

Atemfrequenz und Temperatur sowie Lähmungserscheinungen des Nervensystems, führen. Das rohe *Eucalyptus-globulus*-Öl hat eine hustenreizende Wirkung. Auf der Haut ruft es stark juckende Exantheme hervor. Der exzessive Genuß von Eucalyptus-Bonbons kann bei Kindern zu Erbrechen, Übelkeit, Gastroenteritis und Nierenreizung führen.
Diese Wirkungen sind vermutlich auf den Gehalt an 1,8-Cineol (Eucalyptol) und α-Pinen zurückzuführen. 1,8-Cineol (Eucalyptol) kann in größeren Mengen bei empfindlichen Personen Hautreizungen, bei oraler Aufnahme Gastroenteritis und Nieren-reizungen bewirken, α-Pinen Hautreizungen und Ekzeme bzw. Nierenreizungen.
Auf der Haut von Mäusen entfaltet Eucalyptusöl zudem eine kokarzinogene (krebsfördernde) Wirkung.

Das **Australische Eucalyptusöl**, das durch → Wasserdampf-Destillation der Blätter verschiedener australischer *Eucalyptus*-Arten, wie *Eucalyptus fruticetorum* F. v. MUELL. ex MIQ. (*Eucalyptus polybractea* R. T. BAK.; Busch-Eucalyptus), *Eucalyptus smithii* R. T. BAK. (Smith-Eucalyptus) und *Eucalyptus leuc-oxylon* F. v. MUELL., gewonnen wird. Die jährliche Produktion liegt bei ca. 50 Tonnen.

Der Geruch des Öles ähnelt dem aus *Eucalyptus globulus*, ist jedoch im allgemeinen angenehmer. Ein Volumenteil löst sich bei Raumtemperatur in 3 Volumenteilen 70%igem Ethanol.

PHYSIKALISCH-CHEMISCHE DATEN:

d_{20}^{20}: 0,918 bis 0,928; n_D^{20}: 1,4580 bis 1,4650; $[\alpha]_D^{20}$: - 2° bis + 2°; Cineol-Gehalt: 80 bis 85 %.

In den Neben- und Spuren-Komponenten unterscheidet sich das Öl vom *Eucalyptus-globulus*-Öl.
Ansonsten wird es jedoch wie dieses verwendet.

TOXIKOLOGIE:
Vgl. *Eucalyptus-globulus*-Öl.

Das ***Eucalyptus-dives*-Öl (Eucalyptusöl dives)**, das durch → Wasserdampf-Destillation von frischen Blättern der in Neu Süd-Wales gedeihenden *Eucalyptus dives* SCHAU gewonnen wird. Die Ausbeute beträgt 2 bis 4 %.

Die Welt-Jahresproduktion ist wegen des Bedeutungsverlustes auf 50 Tonnen gesunken.
Das Öl besitzt einen ausgeprägten Minzduft mit frisch-grasigen Nuancen.

PHYSIKALISCH-CHEMISCHE DATEN:
D^{15}: 0,889 bis 0,910; n_D^{20}: 1,4770 bis 1,4810; $[\alpha]_D^{20}$: - 75° bis - 50°; Carbonylgehalt (berechnet als Piperiton): 40 bis 50 %.

Hauptinhaltsstoffe sind 40 bis 45 % (–)-Piperiton sowie 15 bis 25 % α- und β-Phellandren.
Das Öl dient als Nuanceur für → Aromastoffe und zur Gewinnung von (–)-Piperiton als Ausgangsstoff zur Herstellung von (–)-Menthol. Eine weitere dehydrierende Umsetzung zu Thymol ist möglich. α- und β-Phellandren können über das (+)-*trans*-Piperitol zu einem Gemisch aus 97 % (+)-Isomenthol und 3 % (+)-Menthol umgesetzt werden.

Das ***Eucalyptus-citriodora*-Öl (Eucalyptusöl citriodora)**, das durch → Wasserdampf-Destillation der Blüten und Zweigspitzen von *Eucalyptus citriodora* HOOK. (*Eucalyptus maculata* HOOK. var. *citriodora* (HOOK.) F. M. BAILEY) gewonnen wird. Die Ausbeute beträgt 1 bis 2 %. Hauptproduzent ist mit ca. 500 Tonnen pro Jahr Brasilien. Weitere Lieferanten sind Guatemala, Australien, Indien sowie einige afrikanische Staaten.
Das farblose, gelbliche oder grünlich-gelbe Öl besitzt einen rosen- und grasartigen (an Citronellal erinnernden) Geruch. Ein Volumenteil löst sich bei Raumtemperatur in 2 Volumenteilen 80%igem Ethanol.

PHYSIKALISCH-CHEMISCHE DATEN:
d_{20}^{20}: 0,858 bis 0,877; n_D^{20}: 1,4500 bis 1,4590; $[\alpha]_D^{20}$: - 2° bis + 4°; Carbonylgehalt (berechnet als Citronellal): mind. 70 %.

Neben 50 bis 80 % Citronellal sind als Hauptkomponenten 5 bis 10 % Citronellol und 5 bis 10 % Isopulegol enthalten.
In der Parfümerie wird das Öl vor allem zur Parfümierung von Haushaltsreinigungsmitteln verwendet. Technisch dient es in der Riechstoffindustrie als Ausgangsmaterial zur Gewinnung von racemischem Citronellal.

TOXIKOLOGIE:
Bei empfindlichen Personen sind allergene Wirkungen möglich. Das als Inhaltsstoff beschriebene Citronellal besitzt ein allergenes Potential.

E

Das ***Eucalyptus-staigeriana*-Öl (Eucalyptusöl staigeriana)**, das durch → Wasserdampf-Destillation der Blätter von *Eucalyptus staigeriana* F. v. MUELL. gewonnen wird. Die Ausbeute beträgt 1,9 bis 2,1 %.
Das Öl hat einen frisch-krautigen zitronenähnlichen Geruch.
Hauptinhaltsstoffe sind ca. 60 % (–)-Limonen und ca. 30 % Citral. Daneben sind u. a. Geraniol und Nerol sowie deren Acetate enthalten.
Das Öl wird in der Parfümerie für frische Duftnoten verwendet. In der Riechstoffindustrie dient es ferner der Gewinnung von Citral.

TOXIKOLOGIE:
Limonen, Citral und Geraniol besitzen ein allergenes Potential.

Engl.: eucalyptus oil; franz.: essence d´eucalyptus; ital.: olio di eucalipto; span.: aceite de eucalipto.

Eugenol

CHEMISCHE BEZEICHNUNG: 2-Methoxy-4-allyl-phenol, 4-Hydroxy-3-methoxy-1-allyl-benzol
CAS-NR.: 97-53-0
STRUKTURFORMEL:

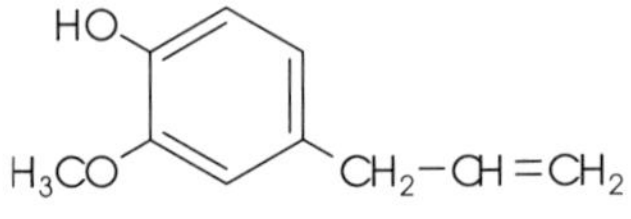

MOLEKULARGEWICHT: 164,20

Eugenol ist ein farbloses bis gelbes Öl, das sich an der Luft bräunt und intensiv nach Nelken riecht.
Natürlich kommt es in → Basilikumölen, im → Gewürznelkenöl (70 bis 90 %), → Piment- und Pimentblätteröl (60 bis 90 %), → Bayöl (bis 50 %) sowie in → Zimtölen (Zimtrindenöl: 5 bis 10 %, Zimtblätteröl: > 90 %) vor.

PHYSIKALISCH-CHEMISCHE DATEN:
Sdp.$_{1,3\ kPa}$: 121 °C; Schmp.: - 12 °C; d_4^{20}: 1,0652; n_D^{20}: 1,5409.

In Wasser ist Eugenol wenig, in Ethanol, Ether, Chloroform und Ölen leicht löslich. Durch Kaliumpermanganat oder Ozon wird es zu Vanillin oxidiert.
Man erhält Eugenol durch Extraktion von → Gewürznelkenöl mit 5%iger Natronlauge.
Eugenol wird in der Parfümerie für würzige Noten, besonders Nelkentypen, sowie für orientalische Geruchsrichtungen eingesetzt. Ebenso ist es u. a. Bestandteil von → Aroma-Kompositionen ähnlicher Noten. In der Zahnheilkunde dient Eugenol als antiseptisches Mittel.

TOXIKOLOGIE: LD_{50} (Ratte, oral): 2,7 bis 3 g/kg KG.
Die Verbindung besitzt ein allergenes Potential.
Gemäß der Gefahrstoffverordnung der Bundesrepublik Deutschland ist Eugenol gesundheitsschädlich beim Verschlucken (R 22).

Expression

Siehe → Pressen.

Extrait

Siehe → Parfüm.

Extrakte

Siehe → Extraktion.

Extraktion

Die Extraktionsverfahren zur Gewinnung von Duftstoffen aus pflanzlichen Materialien und tierischen Drogen sind im allgemeinen schonender als die zur Gewinnung von → ätherischen Ölen angewandte → Wasserdampf-Destillation.
In der Vergangenheit nutzte man zur Abtrennung von Blütenölen vor allem die → Mazeration mit fetten Ölen und die → Enfleurage mit tierischen Fetten. Heute gewinnt man durch Lösungsmittel-Extraktion von Blüten die → Concrets (konkrete Blütenöle) und

von anderen Pflanzenteilen sowie animalischen Drogen die konkreten → Resinoide (Resinoid-Concrets).
Besonders empfindliche Blütenöle werden durch → Destraktion, d. h. Extraktion mit überkritischen Gasen, gewonnen.

F

Farnesol

CHEMISCHE BEZEICHNUNG: 3,7,11-Trimethyl-2,6,10-docecatrien-1-ol, 3,7,11-Trimethyl-dodeca-2,6,10-trien-1-ol
CAS-NR.: 4602-84-0
STRUKTURFORMEL:

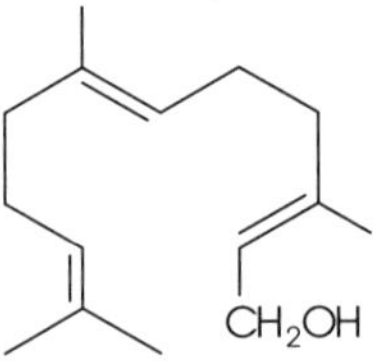

MOLEKULARGEWICHT: 222,37

Farnesol ist eine farblose Flüssigkeit mit einem Lindenblüten-Geruch. Beim Verdampfen verstärkt sich der Geruch, was möglicherweise auf die Oxidation zurückzuführen ist.
Die Verbindung ist Bestandteil vieler Blütenöle. Von den vier möglichen Isomeren kommt das *trans*, *trans*-Isomer gewöhnlich am häufigsten in der Natur vor. Es ist zum Beispiel im → Ambrettesamenöl enthalten, während das 2-*cis,* 6-*trans*-Isomer im → Petitgrainöl Bigarade nachgewiesen wurde. Geruchlich gibt es nur geringe Unterschiede zwischen den Isomeren.

PHYSIKALISCH-CHEMISCHE DATEN:
Sdp.$_{1,6\ kPa}$: 156 °C; d_4^{20}: 0,8846; n_D^{20}: 1,4890.

Das synthetische Farnesol, welches durch Isomerisation aus Nerolidol gewonnen wird, kann besonders in Blumenkompositionen das natürliche Produkt ersetzen. Es dient ferner als → Fixateur. 0,3%ige Farnesol-Lösungen inhibieren das Wachstum der für die Schweißbildung verantwortlichen Mikroorganismen und wirken somit als milde Deodorantien.

TOXIKOLOGIE: LD_{50} (oral, ohne Versuchstierangabe): 20 ml/kg KG.

Fenchelöle

Das aus den getrockneten zerquetschten Früchten des im Mittelmeerraum heimischen Gewöhnlichen Fenchels (*Foeniculum vulgare* MILL., *Foeniculum officinale* ALL.) [Apiaceae, Umbelliferae] durch → Wasserdampf-Destillation gewonnene → ätherische Öl (CAS-Nr.: 8006-84-6). Die Ausbeute beträgt 1 bis 6 %. Dabei werden zwei verschiedene Varietäten, *dulce* (MILL.) BATT. et TRAB. und *vulgare*, verwendet, die ein **„süßes Fenchelöl" (Süßfenchelöl)** bzw. ein **„bitteres Fenchelöl" (Bitterfenchelöl)** liefern. Die Varietät *dulce* wird hauptsächlich in Italien, Frankreich und auf dem Balkan angebaut, die Varietät *vulgare* in Mitteleuropa und Rußland.

Beide Öle sind farblose bis gelbe Flüssigkeiten mit einem typisch campherartigen Fenchelgeruch und einem anfangs süßen, später bitter und etwas scharf werdenden Geschmack. Ein Volumenteil löst sich bei Raumtemperatur in 5 Volumenteilen 80%igem Ethanol.

PHYSIKALISCH-CHEMISCHE DATEN:
d_{20}^{20}: 0,961 bis 0,977; n_D^{20}: 1,5280 bis 1,5430; $[\alpha]_D^{20}$: + 11° bis + 24°; Erstarrungspunkt: 3 bis 11,5 °C.

Hauptinhaltsstoffe sind je nach Art des Öls *trans*-Anethol oder (+)-Fenchon. Daneben wurden u. a. Isoanethol (2 bis 5 %), α-Pinen (1 bis 5 %), Limonen (1 bis 3 %), Dipenten, α-Phellandren, Anisaldehyd und Methylchavicol (Estragol, 2 bis 5 %) nachgewiesen.

Das **Süßfenchelöl** weist im allgemeinen einen Anethol-Gehalt von 80 bis 95 % auf und enthält weniger als 1 % Fenchon. Im **Bitterfenchelöl** finden sich 60 bis 75 % Anethol, während Fenchon-Gehalte bis 25 % charakteristisch sind. Aufgrund seines hohen Anethol-Gehaltes ist das süße Öl bedeutender.

Ein Teil beider Öle wird in der Parfümerie in Kräuter-, Chypre- und Fougère-Noten sowie in Deck- und Seifenparfüms angewandt, die größere Menge jedoch als → Aromastoff. Auch pharmazeutische Präparate (Expectorantien, Stomachica) werden hergestellt. Fenchelöl ist als Monographie im DAB 10 enthalten. Für *Foeniculi aetheroleum* ist eine Monographie der Kommission

E beim Bundesinstitut für Arzneimittel und Medizinprodukte (BfArM) verfügbar.

TOXIKOLOGIE:
Eine orale Verabreichung von purem Fenchelöl sollte bei Säuglingen und Kleinkindern unterbleiben, da es zu Laryngospasmen, Dyspnoe und Erregungszuständen kommen kann. Vom bitteren Fenchelöl sind allergene Wirkungen bekannt, während süßes Fenchelöl keine derartigen Wirkungen zeigt.
Das als Inhaltsstoff beschriebene Methylchavicol (Estragol) zeigt im Tierversuch karzinogene Eigenschaften. Pinen kann bei empfindlichen Personen in größeren Mengen zu Hautreizungen und Ekzemen, bei oraler Aufnahme zu Nierenreizungen führen. Limonen besitzt ein allergenes Potential.

Engl.: fennel oil; franz.: essence (huile) de fenouil; ital.: olio di finocchio; span.: esencia de hinojo.

Fichtennadelöle (Spruceöle)

Von alters her werden → Kiefernnadelöle aus *Pinus*-Arten im Handel häufig fälschlicherweise als Fichtennadelöle bezeichnet. Das gleiche gilt für das als Sibirisches Fichtennadelöl angebotene → Tannennadelöl aus der Sibirischen Edeltanne (*Abies sibirica* LEDEB.) und das Öl der zur Gattung *Tsuga* zählenden Kanadischen Hemlock-Tanne (*Tsuga canadensis* (L.) CARR.).
Echte Fichtennadelöle (CAS-Nr.: 8002-09-3) werden durch → Wasserdampf-Destillation der frischen Nadeln und Zweige der Schwarzfichte (*Picea mariana* (MILL.) B. S. P., *Picea nigra* (L.) LINK) und der Weißfichte (*Picea glauca* (MOENCH) VOSS, *Picea alba* (MÜNCHH.) LINK) [Pinaceae] hergestellt. Sie werden auch als **Schwarzfichtenöl** bzw. **Weißfichtenöl** bezeichnet. Hauptproduzenten sind Kanada und die Nordost-Staaten der USA. Es sind farblose bis hellgelbe Öle mit einem an Kiefernnadeln erinnernden angenehmen Geruch. Ein Volumenteil löst sich bei Raumtemperatur in 1 Volumenteil 90%igem Ethanol. Bei Zusatz von mehr als 2 Volumenteilen Ethanol trübt sich die Lösung.

PHYSIKALISCH-CHEMISCHE DATEN:
d_{25}^{25}: 0,900 bis 0,915; n_D^{20}: 1,4670 bis 1,4720; $[\alpha]_D$: - 25° bis - 10°; Estergehalt (berechnet als Bornylacetat): 37 bis 45 %.

Hauptinhaltsstoffe der echten Fichtennadelöle sind neben bis zu 45 % Bornylacetat u. a. Pinen, Phellandren, Limonen, Dipenten, Camphen, Cadinen, Car-3-en und 1,8-Cineol (Eucalyptol).
Die Öle werden zur Parfümierung von Badezusätzen, Seifen und Luftverbesserern sowie in pharmazeutischen Produkten (wie Einreibungen, Inhalationsmittel) angewandt. Fichtennadelöl ist als Monogaphie im DAB 10 enthalten. Für *Piceae aetheroleum* ist eine Monographie der Kommission E beim Bundesinstitut für Arzneimittel und Medizinprodukte (BfArM) verfügbar.
Verschiedene *Picea*-Arten dienen als Quelle für natürliches (–)-Camphen.

TOXIKOLOGIE:
Die als Inhaltsstoffe beschriebenen Verbindungen α-Pinen und Car-3-en können in größeren Mengen bei empfindlichen Personen hautreizende Wirkungen und Ekzeme hervorrufen. Bei der oralen Zufuhr können Pinene Nierenreizungen nach sich ziehen. 1,8-Cineol (Eucalyptol) kann bei empfindlichen Personen Hautreizungen, bei oraler Aufnahme Gastroenteritis und Nierenreizungen bewirken. Limonen besitzt ein allergenes Potential.

Engl.: spruce oils, fire needle oils; franz.: essences d´aiguilles de pin; ital.: oli di pino; span.: esencias de agujas de pino.

Eine sehr ähnliche Zusammensetzung hat das **Hemlocköl** der zur Gattung *Tsuga* zählenden kanadischen Hemlock- oder Schierlings-Tanne (*Tsuga canadensis* (L.) CARR.) (vgl. → Tannennadelöle). Es dient als Quelle für natürliches (–)-Bornylacetat.

Engl.: hemlock oil.

Fixateur

Durch den Zusatz von Fixateuren (Duftverzögerern) werden Bindung und Haftfestigkeit der leichtflüchtigen → Riechstoffe in einer → Parfüm-Komposition gesteigert und ihre Verdunstung verlangsamt. Die Duftkombinationen erhält insgesamt eine höhere Beständigkeit.

Dabei unterscheidet man in **echte Fixateure** (wie → Olibanum-, → Opopanax-, → Labdanum-, → Styrax-, → Benzoe-, → Galbanum-, → Tolubalsam-, → Eichenmoos- und → *Iris*-Öle bzw. -Resinoide), die andere, leichtflüchtige Komponenten adsorptiv fixieren; schwerflüchtige **Eigenfixateure** (wie z. B. synthetische Moschusriechstoffe), die ihren Eigengeruch sehr lange bewahren ohne andere, leichtflüchtige Komponenten in ihrem Geruch zu beeinflussen; viskose oder kristalline schwachriechende **Pseudofixateure** (wie Diethylenglycolmethylether), die als Stabilisatoren oder Diffusionsmittel wirksam werden; sowie **Stimulantien** (wie → Ambra, → Castroreum, → Moschus, → Zibet, Muscon und verschiedene synthetische → Makrolide), welche die Duftentwicklung „katalysieren".

Flouveöl

Das aus dem Ruchgras („Flouve-odorante"-Gras; *Anthoxanthum odoratum* L.) [Poaceae] durch → Wasserdampf-Destillation gewonnene → ätherische Öl.
Es besitzt einen süßen kräuter- und heuartigen (an Mimose erinnernden) Geruch und wird in → Parfüm-Kompositionen eingesetzt.

Engl.: flouve oil.

Foenum-Graecum-Resinoid

Das aus den zerkleinerten Samen des in Südost-Europa und Kleinasien heimischen und kultivierten Bockshornklees (*Trigonella foenum-graecum* L.) [Fabaceae, Leguminosae] durch → Extraktion mit Lösungsmitteln gewonnene konkrete Resinoid (Resinoid-Concret; vgl. → Resinoide).
Das konkrete Öl ist von walnußartigem Duft mit waldigen rindenartigen Nuancen.
Der typische Geruch wird dem 3-Hydroxy-4,5-dimethyl-2(5*H*)-furanon zugeschrieben, der bittere Geschmack Furostanolglycosiden. Als weitere Inhaltsstoffe der Samen werden u. a. Trigonellin (N-Methyl-nicotinsäurebetain), Foenugraecin, ein Tripeptidester des Diosgenins, Nicotinsäureamid, Sterole und Flavonoide angegeben. In den wasserdampfflüchtigen Anteilen fand man u. a.

n-Alkane (Undecan bis Hexadecan), Sesquiterpene, Alkohole und Lactone.
Foenum-graecum-Resinoid wird als Nuanceur in → Parfüm-Kompositionen genutzt.
In der Volksmedizin werden Auszüge oder Breiumschläge zur Behandlung von Furunkulosen, Ekzemen und entzündlichen Verhärtungen angewandt. Virostatische und cardiotone Wirkungen konnten nachgewiesen werden. Wäßrige Auszüge zeigten stimulierende Wirkungen auf Uterus und Darm.

Engl.: fenugreek resinoid; franz.: extrait de fenugrec.

Galaxolid

SYNONYM: Abbalide
CHEMISCHE BEZEICHNUNG: 4,6,6,7,8,8-Hexamethyl-1,3,4,6,7,8-hexahydrocyclopenta[*g*]benzopyran
CAS-NR.: 1222-05-5
STRUKTURFORMEL:

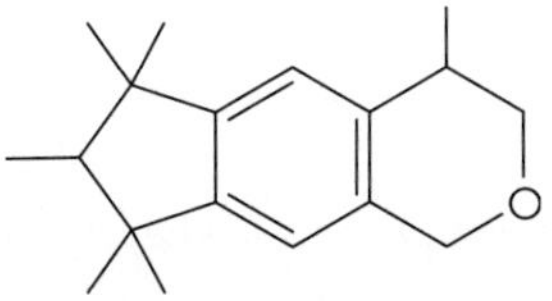

MOLEKULARGEWICHT: 258,40

Galaxolid, einer der am meisten verwendeten synthetischen Moschusriechstoffe, ist eine viskose Flüssigkeit mit einem moschusähnlichen Geruch.

PHYSIKALISCH-CHEMISCHE DATEN:
$Sdp._{1,1\,kPa}$: 129 °C; d_4^{20}: 1,0054; n_D^{20}: 1,5342.

Ausgangsstoff für die Synthese ist 1,1,2,3,3-Pentamethyl-indan, welches durch Cycloaddition von tert.-Amylen (Penten) mit α-Methylstyrol gewonnen wird. Das Pentamethylindan hydroxyalkyliert man mit Propylenoxid nach Friedel-Crafts unter Verwendung von Aluminiumchlorid als Katalysator. Der Ringschluß des erhaltenen 1,1,2,3,3-Pentamethyl-5-(β-hydroxy-isopropyl)-indans zu Galaxolid wird mit Paraformaldehyd und einem niedrigeren aliphatischen Alkohol über das Acetal oder mit Paraformaldehyd sowie einem Carbonsäureanhydrid über das Acylat vollzogen. Das Handelsprodukt wird durch die Verdünnung mit Lösungsmitteln (Diethylphthalat, Isopropylmyristat, Benzylbenzoat) weniger viskos. Es ist alkalienstabil und verfärbt sich nicht im Licht. Deshalb wird die Verbindung in großen Mengen als Bestandteil von → Parfüm-Kompositionen für Seifen, Reinigungsmitteln und Kosmetika verwendet.

Galbanumöl

Das aus dem Gummiharz (Galbanum, CAS-Nr.: 9000-24-2) der im Iran gedeihenden Steckenkraut-Arten *Ferula galbaniflua* BOISS. et BUHSE (*Ferula gummosa* BOISS.) und *Ferula rubricaulis* BOISS. [Apiaceae, Umbelliferae] durch → Wasserdampf-Destillation gewonnene → ätherische Öl. Die Ausbeute beträgt ca. 20 %. Jährlich werden ca. 100 Tonnen Galbanum-Gummiharz gesammelt.
Das gelbliche Öl weist einen grünen, leicht würzigen laubartigen Geruch mit waldigen, fichtennadelartigen und balsamischen Nuancen auf. Ein Volumenteil löst sich bei Raumtemperatur in 6 Volumenteilen 90%igem Ethanol.

PHYSIKALISCH-CHEMISCHE DATEN:
d_{25}^{25}: 0,870 bis 0,903; n_D^{20}: 1,4760 bis 1,4880; $[\alpha]_D$: + 1° bis + 11°30′; SZ: max. 2; VZ: 5 bis 20.

Hauptinhaltsstoffe sind bis zu 75 % Monoterpenkohlenwasserstoffe (vor allem Pinen), ca. 10 % Sesquiterpenkohlenwasserstoffe (besonders Cadinen) und ca. 6 % Sequiterpenalkohole (besonders Cadinole, Eudesmol, Guajol, Bulnesol) sowie deren Acetate. Zum charakteristischen Geruch tragen Spurenstoffe, wie (*E*,*Z*-)-Undeca-1,3,5-trien, 2-Methoxy-3-isobutyl-pyrazin, 2-Methoxy-3-sek.-butylpyrazin, S-sek.-Butyl-3-methyl-butanthioat (3-Methylbutanthiosäure-S-sek.-butylester) und S-sek.-Butyl-3-methyl-but-2-enthioat (3-Methyl-but-2-enthiosäure-S-sek. butyl-ester), bei.

(*E*,*Z*-)-Undeca-1,3,5-trien

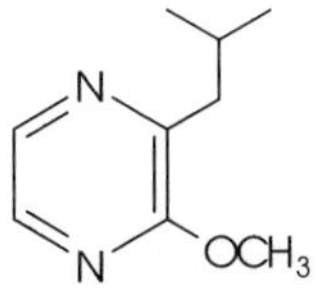

2-Methoxy-3-isobutyl-pyrazin

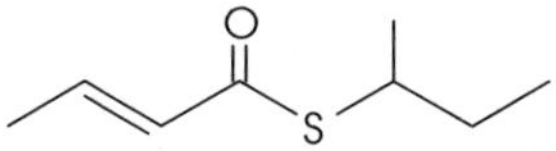

S-sek.-Butyl-3-methyl-but-2-enthioat

Auch Spuren-Anteile verschiedener → Makrolide wurden nachgewiesen, wie das im → *Angelica*-Öl enthaltene, holzig duftende 12-Tridecanolid und die moschusartig duftenden Verbindungen 14-Pentadecanolid, 15-Pentadecanolid (Exaltolid) und 15-Hexadecanolid.
Galbanumöl wird in blumigen, krautigen und koniferenartigen → Parfüm-Kompositionen zur Erzeugung grüner Kopfnoten sowie zur Parfümierung von Seifen eingesetzt. Die Volksmedizin nutzt Galbanumpflaster bei rheumatischen Erkrankungen.

TOXIKOLOGIE:
Das als Inhaltsstoff beschriebene Pinen kann in größeren Mengen bei empfindlichen Personen zu Hautreizungen und Ekzemen, bei oraler Zufuhr auch zu Nierenreizungen führen.

Engl.: galbanum oil; franz.: huile de galbanum.

Durch → Extraktion des Galbanum-Harzes mit unpolaren Lösungsmitteln wird in Ausbeuten von 35 bis 50 % auch ein konkretes **Galbanum-Resinoid** (Resinoid- Concret; vgl. → Resinoide) gewonnen, das in der Parfümerie wie das Öl und als → Fixateur angewandt wird.

Engl.: galbanum resinoid.

Galgantöl

Das aus den zerkleinerten Wurzeln des auf der Insel Hainan, in Süd-China, Indien und Thailand verbreiteten Galgants (*Alpinia officinarum* HANCE) [Zingiberaceae] durch → Wasserdampf-Destillation gewonnene → ätherische Öl (CAS-Nr.: 8024-40-6). Die Ausbeute liegt bei 0,5 bis 1,5 %.

G

Das grünlichgelbe Öl besitzt einen würzigen campherartigen (an Cardamom- und Myrtenöl erinnernden) Geruch und einen schwach bitteren, später leicht kühlenden Geschmack. Ein Volumenteil löst sich bei Raumtemperatur in 0,5 Volumenteilen 90%igen Ethanol (nach anderen Angaben in 10 bis 25 Volumenteilen 80%igem Ethanol).

PHYSIKALISCH-CHEMISCHE DATEN:
d_{20}^{20}: 0,915 bis 0,924; n_D^{20}: 1,4760 bis 1,4820; $[\alpha]_D^{20}$: - 1° bis - 7°.

Hauptinhaltsstoffe stellen Sesquiterpene und Sesquiterpenalkohole, Eugenol, 1,8-Cineol (Eucalyptol), α-Pinen u. a.
Das Öl wird in der Parfümerie für Holz-, Gewürz- und Lavendel-Noten verwendet, ferner als → Aromastoff für Liköre.

TOXIKOLOGIE:
Das als Inhaltsstoff beschriebene Eugenol ist bei oraler Zufuhr mäßig giftig. Im Tierversuch wirkt es hautreizend, karzinogen und mutagen. Es besitzt ferner ein allergenes Potential. 1,8-Cineol (Eucalyptol) kann in größeren Mengen bei empfindlichen Personen zu Hautreizungen, bei oraler Aufnahme zu Gastroenteritis und Nierenreizungen führen, α-Pinen zu Hautreizungen und Ekzemen bzw. Nierenreizungen.

Engl.: galanga oil; franz.: essence de galanga.

Gaschromatographische Untersuchung

Wichtiges Verfahren zur Trennung von Stoffgemischen, die gasförmig vorliegen oder sich bis zu ca. 500 °C unzersetzt verdampfen lassen. Bei Verbindungen mit zu geringem Dampfdruck kann oftmals durch Derivatisierung (z. B. Silylierung) eine ausreichende Flüchtigkeit erreicht werden.

Als mobile Phase wird ein inertes Trägergas (wie Helium, Argon oder Stickstoff) verwandt. Es transportiert das Gemisch durch eine Trennsäule (stationäre Phase). Für analytische Zwecke verwendet man heute Dünnfilm- oder Dünnschichtkapillarsäulen.
Bei der **Gas-Adsorptions-Chromatographie** nutzt man als Füllmaterial Adsorptionsmittel (wie Aktivkohle, Aluminiumoxid, Kieselgel, Molekularsiebe). Die Stofftrennung erfolgt aufgrund der unterschiedlichen Adsorptionskräfte zwischen den einzelnen Komponenten des Gemisches und dem Adsorptionsmittel.
Bei der **Gas-Verteilungs-Chromatographie** verwendet man auf einen inerten Träger (wie Kieselgur, Tonerde, Celite, Schamottemehl, Glas, PTFE-Pulver) aufgebrachte, wenig flüchtige Trennflüssigkeiten (wie Paraffine, Siliconöle, Apiezonfett, Wachse, polymere Ester und Ether). Die Stofftrennung vollzieht sich hier auf der Basis der unterschiedlichen Löslichkeit der einzelnen Komponenten in der Trennflüssigkeit.
Der Nachweis der am Ende der Säule getrennt austretenden Komponenten erfolgt nach der klassischen Methode durch Detektoren aufgrund der Veränderung der Wärmeleitfähigkeit des Trägergases oder durch Ionisiation einer Wasserstoffflamme. Die Veränderungen werden in einem Gaschromatogramm erfaßt, daß eine qualitative und quantitative Auswertung ermöglicht. Die qualitative Auswertung erfolgt über die Retentionszeit, d. h. die Zeit von der Einspritzung bis zum Austritt des Substanzmaximums, die quantitative Bestimmung über die Flächenermittlung der erhaltenen Peaks durch Integration.
Moderne Methoden koppeln die Gaschromatographie mit Atomemissionsdetektoren, IR-, Fourier-Transformations- oder Massenspektrometern
Der Substanzbedarf liegt bei 10^{-3} bis 10^{-7} g, die Nachweisgrenze bei 10^{-10} %, die Analysendauer bei 1 bis 30 Minuten.
Eine spezielle Technik zur Berstimmung flüchtiger Verbindungen ist die → Head-Space (Kopfraum-)-Analyse.

Gaultheria-Öl

Siehe → Wintergrünöl.

G

Genet-Absolue

Siehe → Ginster-Absolue.

Geraniol

SYNONYM: Geranylalkohol
CHEMISCHE BEZEICHNUNG: 3,7-Dimethyl-*trans*-2,6-octadien-1-ol, 3,7-Dimethyl-*trans*-octa-2,6-dien-1-ol
CAS-NR.: 106-24-1
STRUKTURFORMEL:

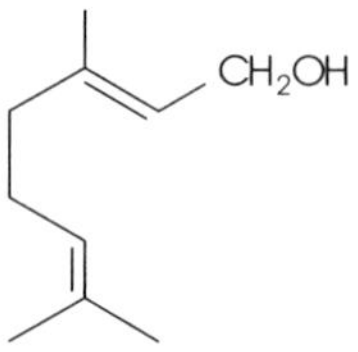

MOLEKULARGEWICHT: 154,25

Geraniol ist eine farblose Flüssigkeit mit einem rosenähnlichen Geruch.
Natürlich kommt die Verbindung in allen terpenhaltigen → ätherischen Ölen vor, häufig als Ester, so in → Palmarosaöl (75 bis 95 %), → Geraniumöl (40 bis 50 %), → Citronellöl (25 bis 45 %), → Rosenöl, → Neroliöl, → Lavendelöl, → Jasminöl und in → Basilikumölen (bis zu 25 %).

PHYSIKALISCH-CHEMISCHE DATEN:
$Sdp._{101,3\ kPa}$: 230 °C; d_4^{20}: 0,8894; n_D^{20}: 1,4777.

Geraniol ist unlöslich in Wasser, mit Ethanol und Ether mischbar. Die Verbindung ist autoxidabel und empfindlich gegen Wärme, Aluminium, Kupfer, Säuren, jedoch alkalifest (z. B. in Seifen).
Geraniol ist stereoisomer mit Nerol. Die Oxidation gibt die Aldehyde Geranial bzw. Neral (siehe → Citral). Durch Reduktion von Geraniol ist Citronellol, durch katalysierte Umlagerung Citronellal zugänglich.
Geraniol kann durch Isolation aus → ätherischen Ölen, synthetisch aus β-Pinen und durch Isomerisation aus Linalool erhalten werden. Die fraktionierte Destillation von → Citronellöl liefert

nach Verseifung der Ester ein Produkt mit 60%iger Reinheit, während man aus → Palmarosaöl eine Verbindung mit höherem Geraniolanteil und besserer Geruchsqualität zur Verwendung in der Feinparfümerie erhält. Bei der Synthese aus β-Pinen (aus amerikanischem → Terpentinöl) entsteht durch Pyrolyse in ca. 85%iger Ausbeute Myrcen, das über die Hydrochloride und Acetate in die Alkohole Nerol, Geraniol sowie Linalool übergeführt wird. Die Geraniolfraktion enthält hierbei einen Anteil von 98 % Geraniol, das technischen Forderungen genügt. Schließlich liefert die destillative Trennung eines durch Isomerisation von Linalool erhaltenen Geraniol-Nerol-Gemisches ein Hauptprodukt mit 96%iger Reinheit.
Geraniol ist der am häufigsten verwendete terpenoide → Riechstoff. Er kann in allen rosenblütenähnlichen Kompositionen und nicht verfärbenden Seifen verwertet werden. In → Aroma-Kompositionen findet er in kleinen Mengen Eingang zur Betonung der Citrusnoten. Außerdem dient Geraniol als Zwischenprodukt zur Herstellung von Geranylester, Citronellol und Citral.

TOXIKOLOGIE: LD_{50} (Ratte, oral): 3,6 g/kg KG.
Geraniol besitzt ein allergenes Potential.

Geraniumöle (Pelargoniumöle)

Die aus blühenden *Geranium-* und *Pelargonium-*Arten durch → Wasserdampf-Destillation gewonnenen → ätherischen Öle (CAS-Nr.: 8916-42-7, Bourbon-Typ). In der Hauptsache wird Geraniumöl aus *Pelargonium graveolens* L'HERITIER ex AIT. und *Pelargonium roseum* WILLD. (sowie weiteren nichtidentifizierten Hybriden) [Geraniaceae] hergestellt. Die Ausbeute beträgt 0,1 bis 0,3 %. Hauptproduzenten des qualitativ besseren (und teureren) **Bourbon-Typs** sind Madagaskar und Réunion, des **nordafrikanischen** Typs Ägypten, Algerien und Marokko. Weitere Lieferanten sind Italien, Rußland und China. Die Welt-Jahresproduktion liegt bei ca. 500 Tonnen.
Das farblose, bernsteinfarbene oder grünlichgelbe Bourbon-Öl weist einen laubartigen und angenehm rosenähnlichen Geruch mit minzig-fruchtigen Nuancen auf. Das nordafrikanische Öl ist leichter und weniger minzig, besitzt jedoch einen starken Rosen-

geruch. Ein Volumenteil löst sich bei Raumtemperatur in 3 Volumenteilen 70%igem Ethanol.

PHYSIKALISCH-CHEMISCHE DATEN des Bourbon-Typs:
d_{20}^{20}: 0,884 bis 0,892; n_D^{20}: 1,4620 bis 1,4680, $[\alpha]_D^{20}$: - 14° bis - 8°; SZ: max. 10; EZ: 52 bis 78; EZ (nach Acetylierung): 205 bis 230; Carbonylgehalt (berechnet als Isomenthon): 16 %; Alkoholgehalt (berechnet als Citronellol/Rhodinol): 42 bis 55 %.

Sowohl der Bourbon-Typ als auch der nordafrikanische Typ enthalten bis zu 80 % (–)-Citronellol (Rhodinol) und Geraniol, z. T. verestert (z. B. Tiglinsäuregeranylester). Daneben sind u. a. größere Mengen (–)-Isomenthon, aber auch (–)-α-Pinen, β-Phellandren, Isoamylalkohol, n-Hexanol, (+)-3-Methyl-pentan-1-ol, Hex-3-en-1-ol, Methylhexylcarbinol, (±)-α-Terpineol, Menthol, Borneol, Linalool, Eugenol, Phenylethylalkohol, Citral, Rosenoxid, Dimethylsulfid, Formiate und Tiglinate sowie Säuren (Ameisen-, Essig-, Butter-, Tiglin-, Valerian- und Pelargonsäure) enthalten.
Bourbon-Öl enthält zudem geringe Mengen des Sesquiterpens (–)-Guaja-6,9-dien, nordafrikanisches Öl 10-epi-γ-Eudesmol.

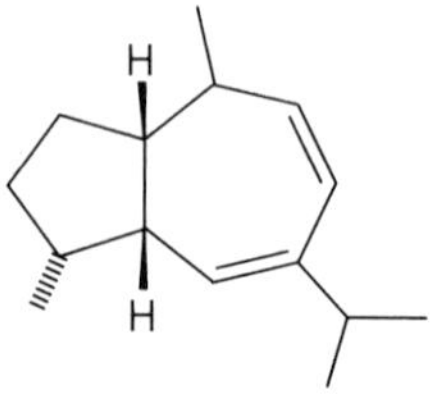

(–)-Guaja-6,9-dien

Geraniumöl spielt in der Parfümerie eine wichtige Rolle. Es wird für zahlreiche → Parfüm-Kompositionen, besonders für Rosendüfte (aber auch Chypre-, Fougère-, Lavendel- und Phantasie-Noten) sowie in der Seifenparfümierung genutzt.
Es besitzt eine insektenabschreckende Wirkung.

TOXIKOLOGIE:
Bei empfindlichen Personen kann besonders das Bourbon-Öl zu Kontaktdermatitis führen.

Das in größeren Mengen enthaltene Geraniol sowie die Inhaltsstoffe Eugenol, Linalool, Citronellol, Citral und Menthol besitzten ein allergenes Potential. Eugenol erweist sich im Tierversuch zudem als hautreizend, karzinogen und mutagen.
α-Pinen kann in größeren Mengen bei empfindlichen Personen zu Hautreizungen und Ekzemen, bei der oralen Zufuhr zu Nierenreizungen führen.

(Ebenfalls aus einer *Geranium*-Art wird das → Zdravetzöl gewonnen.)

Engl.: geranium oil; franz.: essence de géranium; ital.: olio di geranio; span.: esencia de geranio.

Geranylacetat

SYNONYM: Essigsäuregeranylester
CAS-NR.: 105-87-3
STRUKTURFORMEL:

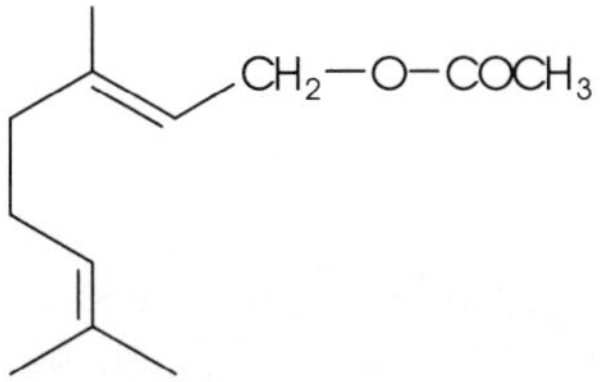

MOLEKULARGEWICHT: 126,29

Geranylacetat ist eine farblose Flüssigkeit mit einer fruchtigen Rosennote, erinnernd an Birne und schwach an Lavendel.
Natürlich kommt die Verbindung in verschiedenen Mengen in → ätherischen Ölen vor, so bis zu 60 % im Öl von *Callitris*-Arten, in einer großen Zahl von → *Eucalyptus*-Ölen und bis zu 14 % im → Palmarosaöl. Geringere Mengen befinden sich zum Beispiel im → Geranium-, → Petitgrain- und → Lavendelöl.

PHYSIKALISCH-CHEMISCHE DATEN:
$Sdp._{1,5\,kPa}$: 98 °C; d_4^{25}: 0,9080; n_D^{20}: 1,4624.

Das durch Veresterung von Geraniol erhaltene Geranylacetat wird in der Parfümerie häufig zur Kreierung blumig-fruchtiger Nuancen verwendet, zum Beispiel für Rosen-, aber auch für Citrus- und Lavendelnoten. Ferner dient es in kleineren Mengen zur Geschmacksverbesserung in Fruchtaromen.

Geruch (Geruchswahrnehmung)

G

Mit dem auf chemischen Prinzipien aufgebauten Geruchssinn des Menschen können gasförmige Stoffe wahrgenommen werden (vgl. auch → Geruchsschwelle). Als Trägermedium dient die Luft. Dabei kann der Mensch mehrere tausend verschiedene Düfte unterscheiden, wobei jedoch eine scharfe Abgrenzung nicht möglich ist. Die olfaktorischen Eigenschaften einer Verbindung werden durch die Struktur ihrer Moleküle bestimmt.
Zum Zweck der Geruchswahrnehmung ist die Riechschleimhaut der Nasenhöhle mit ca. 10^7 speziell dafür ausgestatteten Sinneszellen (Riechzellen) ausgerüstet. Im Vergleich dazu besitzt ein Schäferhund $2 \cdot 10^8$ derartige Zellen.
Die Aufgabe dieser Nervenzellen besteht darin, Menge und geruchliche Eigenschaften der in die Nase gelangten flüchtigen → Riechstoffe zu erfassen und die erhaltenen chemischen Informationen in elektrische Signale (Aktionspotentiale) umzuwandeln (periphere olfaktorische Transduktion).
An ihrer Spitze tragen die Riechzellen Sinneshärchen (Zilien), welche in die das Epithel bedeckende äußerte Schleimschicht ragen. Die Anzahl der Zilien variiert zwischen Mensch und den einzelnen Tierarten. Während der Mensch pro Riechzelle 5 bis 10 Zilien besitzt, sind es beim Hund ca. 100.
Die mit der Atemluft aufgenommenen Duftstoffmoleküle müssen sich zunächst in der die Riechhärchen umgebenden, von der Schleimhaut abgesonderten Flüssigkeit lösen. Das Durchdringen der Schleimschicht ist nicht durch einfache Diffusion beschreibbar. Vielmehr wirken dabei sogenannte Duftstoff-Bindeproteine mit, welche spezifisch und reversibel Duftstoffe verschiedenster Strukturklassen binden. (Sie dürften ferner eine Schutzmechanismusrolle für die Riechzellen vor zu hohen Reizkonzentrationen spielen.) Durch diesen auch als „erleichterte Diffusion“ bezeichneten Transportprozeß gelangen die Duftstoffmoleküle an die Membran der Zilien, wo sie mit dort lokalisierten jeweiles „pas-

senden“ Rezeptorproteinen reagieren. Diese Geruchsrezeptoren gehören zu einer Familie von Rezeptorproteinen, welche intrazelluläre Signale durch Kopplung an sogenannte G-Proteine (signalweiterleitende Proteine) weitergeben. Man nimmt heute an, daß eine große Zahl unterschiedlicher Geruchsrezeptoren existiert, von denen jeder nur mit einem oder einer sehr geringen Zahl von Duftstoffen in Wechselwirkung treten kann. Sobald sich ein Duftstoff am Rezeptor anlagert, ändert dieser seine Konformation und bindet das an der Innenseite der Zellmembran befindliche G-Protein. Dieses stimuliert nun seinerseits die Bildung von als Zweit-Messenger bezeichneten Botenstoffen, in diesem Fall speziell cyclisches Adenosinmonophosphat, das im weiteren durch die Aktivierung von Ionenkanälen in der Riechhaarmembran und das dadurch ermöglichte Einströmen von Kationen ein elektrisches Aktionspotential aufbaut.
Über die sich in Bündeln sammelnden basalen Fortsätze der Riechzellen wird das elektrische Potential zu dem an der vorderen Hirnbasis befindlichen Riechkolben (Bulbus olfactorius) und von dort in die verschiedenen Hirnareale weitergeleitet.

Gerüche

Für die grundlegenden Geruchsrichtungen in der Parfümerie exisitiert bis heute keine allgemeinverbindliche Einteilung. Meist werden die Grundgerüche nach Duft-Familien bestimmter Duftnoten unterschieden (Einteilung nach Römpp). Im einzelnen sind dies:

- **Grün-Noten** (herb-frische Düfte mit einem Geruch nach Blättern, Gräsern, Wiesen),
- **Citrus-Noten** (meist → ätherische Öle aus Citrusfrüchten mit erfrischendem Geruch),
- **Lavendel-Noten** (Lavendel-Geruch),
- **Blumige Noten** (überwiegend aus mehreren Einzelblumen-Noten, wie Jasmin, Flieder, Rose, Maiglöckchen, Iris/Veilchen, Nelke, zusammengesetzt),

G

- **Aldehyd-Noten** (basieren überwiegend auf synthetischen Produkten mit blumigem, z. T. auch holzigem, balsamischem oder animalischem Geruch),
- **Chypre**- oder **Moos-Noten** (überwiegend → Eichenmoos-Resinoide von herb-frischem Geruch, z. T. in Kombination mit → Bergamottöl),
- **Fougère**- oder **Farn-Noten** (ähnlich den Chypre-Noten),
- **Gewürz-Noten** (Gewürz-Extrakte u. a. von Thymian, Muskat, Zimt, Nelken, Ingwer, Cardamom und Coriander, z. T. auch synthetische → Riechstoffe und speziell kombinierte Gewürz-Basen),
- **Orientalische Noten** (kombinieren Gewürz-Noten mit schweren, süßen, balsamischen oder animalischen Noten zu Gerüchen mit würzig-süßem bis süßlich schwerem Charakter),
- **Holz-Noten** (basieren auf → Cedern-, → Sandel- u. a. Holz- und Wurzelholzölen und variieren von herb-frischen bis zu holzig-herben Gerüchen),
- **Leder-Noten** (erinnern an den Geruch feinster Lederwaren, wie z. B. die Duftrichtung → Juchten),
- **Phantasie-Noten** (kreative Neuschöpfungen der Parfümeure ohne natürliche Vorbilder).

Geruchsschwelle

Bei den Geruchsschwellen-Werten unterscheidet man in die **Wahrnehmungsschwelle**, bei der ein Geruch festgestellt wird, und die **Erkennungsschwelle**, bei der die Art des Duftes erkannt wird.

Die permanente Einwirkung eines bestimmten Duftstoffes auf die Riechzellen (vgl. → Geruch) führt zur Adaption, d. h. einer Abnahme der Geruchsempfindung bis hin zum völligen Verschwinden. Dies kann beispielsweise im Fall von hochgiftigem Schwefelwasserstoff (Geruchsschwelle ca. 0,15 mg/m^3 = 0,1 ppm) auch zu einer ernsten Gefahr werden. Ein charakteristisches Beispiel aus dem Bereich der Duftstoffe sind die Jonone, deren Geruch nach relativ kurzer Zeit nicht mehr wahrgenommen wird.

Die Geruchsschwelle ist von der Art des erregenden Stoffes abhängig. So reicht die Wahrnehmungsschwelle riechender Stoffe im allgemeinen von ca. $2 \cdot 10^{-7}$ bis zu 1 ppm. Zu den am intensivsten riechenden Substanzen gehören u. a. das in Grapefruitsaft vorkommende (+)-(*R*)-p-Menth-1-en-8-thiol, das in → Galbanumöl und der Peperoni enthaltene 2-Methoxy-3-isobutyl-pyrazin und das im bulgarischen → Rosenöl wirksame β-Damascenon (vgl. auch Tabelle).

G

Tabelle: Geruchsschwellenwerte ausgewählter Riech- und Aromastoffe in ppb [µg/ml Wasser] (nach Brunke, E. J., Rittler, F. und Schmaus, G.: Dragoco Report 1996, Nr. 1)

Aceton	500000
Ethylalkohol	100000
Benzylalkohol	10000
Phenylessigsäure	10000
Phenylethylalkohol	1000
Methyleugenol	820
Ethylvanillin	100
δ-Decalacton	100
β-Caryophyllen	64
γ-Decalacton	11
4-Vinyl-phenol	10
Geranylacetat	9
(+)-Nootkaton	1
Oct-1-en-8-ol	1
E-Non-2-enal	0,1
E,*Z*-Nona-2,6-dienal	0,01
β-Jonon	0,007
β-Damascenon	0,002
2-Methoxy-3-isobutyl-pyrazin	0,002
(+)-(*R*)-p-Menth-1-en-8-thiol	0,0002
Bis(2-methyl-3-furyl)-disulfid	0,0002

Die Geruchsschwellen-Werte sind beim Menschen und den einzelnen Tierarten verschieden. Sie schwanken auch von Individuum zu Individuum und beim Individuum von Zeit zu Zeit. Bei bestimmten Personen besteht eine selektive → Anosmie für bestimmte Gerüche, so daß diese nicht oder nur sehr schwach wahrgenommen werden.

G

Die Intensität, aber auch die Qualität eines Geruches können mit dessen Konzentration wechseln und hängen in bestimmtem Maße auch von Temperatur und Luftfeuchtigkeit ab. So entfaltet das in höheren Konzentrationen einen ekelerregenden Fäkalgeruch verbreitende Scatol in sehr geringen Konzentrationen einen jasminartigen Duft. Benzylcyanid riecht in höheren Konzentrationen bittermandelähnlich, in starker Verdünnung angenehm blumig.

Bei einer Mischung von → Riechstoffen existieren folgende Möglichkeiten der gegenseitigen Beeinflussung der Geruchsschwelle:

- die Einzelkomponenten werden **unabhängig voneinander**, d. h., entsprechend ihrer jeweiligen Geruchsschwelle, wahrgenommen,
- die Einzelkomponenten wirken **gegenläufig (subtraktiv)**; d. h., eine Mischung der Schwellenkonzentrationen zweier Stoffe wird als geruchlos empfunden,
- die Einzelkomponenten wirken **additiv**; d. h. eine Mischung zweier Stoffe wird bereits bei jeweils nur halber Schwellenkonzentration wahrgenommen,
- die Einzelkomponenten beeinflussen sich **synergistisch**; d. h., die Mischung hat einen stärkeren Geruch als durch additive Wirkung erklärbar; eine derartige Beeinflussung kann auch durch schwach riechende oder geruchlose Verbindungen hervorgerufen werden, so wirkt der nahezu geruchlose Benzylalkohol in Jasminöl (siehe → Jasmin-Absolue) als Synergist.

Geruchstheorie

Siehe → Geruch.

Gewinnung natürlicher Riechstoffe

Zur Gewinnung bzw. Isolation von Duftstoffen aus natürlichen Rohstoffen werden folgende technische Verfahren praktiziert:

- das → **Pressen (Auspressen, Epression)** (z. B. von Citrusfruchtschalen zur Gewinnung von → *Citrus*-Ölen),
- die → **Extraktion** von → **Concrets** (konkrete Blütenöle) aus Blüten mittels flüchtiger Lösungsmittel; aus diesen werden durch Behandlung mit warmem absolutem Ethanol die → Absolues gewonnen,
- die → **Mazeration** und die → **Enfleurage**, d. h. spezielle Varianten der → Extraktion empfindlicher Blütenöle mittels fetter Öle bzw. tierischer Fette (heute nur noch in Spezialfällen angewandt),
- die → **Destraktion** (*Dest*illation und Ext*raktion*) von Blütenölen mit überkritischen Gasen, besonders Kohlenstoffdioxid (die zunehmend an Bedeutung gewinnt),
- die → **Extraktion** von konkreten **Resinoiden** (Resinoid-Concrets, vgl. → Resinoide) aus pflanzlichen (Knospen, Blättern, Zweigen, Rinden, Samen, Wurzeln, Zwiebeln, Knollen, Moosen, Flechten, Harzen, Balsamen) und animalischen Drogen mittels flüchtiger Lösungsmittel, wie Aceton, Petrolether, Hexan (z. B. → Extraktion von → Eichenmoos-Resinoid, Labdanum-Resinoid [vgl. → Labdanumöl], → Castoreum); aus diesen können durch Behandlung mit warmem absolutem Ethanol die absoluten Resinoide (Resinoid-Absolues; vgl. → Resinoide) gewonnen werden,
- die → **Wasserdampf-Destillation** zerkleinerter Pflanzenteile zur Gewinnung → ätherischer Öle (z. B. Blütenöle, Blätteröle, Holzöle, Wurzelöle, Harz- und Balsamöle).

Gewürznelkenöle (Nelkenöle)

Die aus den Knospen (Nelken), Stielen und Blättern des Gewürznelkenbaumes (*Syzygium aromaticum* (L.) MERR. et L. M. PERRY, *Caryophyllus aromaticus* L., *Eugenia caryophyllus* (SPRENG.) BULLOCK et S. G. HARRISON, *Eugenia caryo-*

phyllata THUNB.) [Myrtaceae] gewonnenen → ätherischen Öle (CAS-Nr.: 8000-34-8). Ursprünglich auf den Philippinen heimisch, wird der 15 bis 20 m hohe Baum heute in fast allen tropischen Regionen angebaut, hauptsächlich jedoch in Indonesien, auf Sansibar, Pemba, Madagaskar und den Seychellen, daneben auch in Malaysia und auf Sri Lanka. Die weltweite Produktion an Gewürznelkenölen liegt bei ca. 2000 Tonnen pro Jahr, die Hälfte davon stammt aus Indonesien.

Das **Nelkenknospenöl** (Nelkenblütenöl) wird durch → Wasserdampf-Destillation aus den getrockneten Blütenknospen (Gewürznelken) in 15 bis 20%iger Ausbeute (Sansibar-Nelken) gewonnen.
Es ist ein farbloses bis gelbliches, stark lichtbrechendes (nach einiger Zeit, besonders bei Kontakt mit Eisen, dunkler werdendes) Öl mit einem warmen würzig-süßen Geruch (typischer Eugenol-Geruch) und brennendem Geschmack. Ein Volumenteil löst sich in 2 Volumenteilen 70%igem Ethanol.

PHYSIKALISCH-CHEMISCHE DATEN:
d^{20}_{20}: 1,044 bis 1,057; n^{20}_{D}: 1,5280 bis 1,5380; $[\alpha]^{20}_{D}$: - 1,5° bis 0°; Phenolgehalt: 85 bis 93 %.

Die Hauptinhaltsstoffe stellen mit 70 bis 90 % das Eugenol und mit 10 bis 15 % das Eugenylacetat (Acetyleugenol), welches ebenfalls einen wesentlichen Anteil am typischen Nelkengeruch hat (bei der → Wasserdampf-Destillation hydrolysiert es teilweise). Daneben sind u. a. Methanol, Heptan-2-ol, Nonan-2-ol, Benzylalkohol, Furfurylalkohol, Furfural, α-Methylfurfural, Dimethylfurfural, Isoeugenol, Vanillin, Methylamyl- und -heptylketon, Methylbenzoat sowie Methylsalicylat enthalten. Bei der Destillation entstehen als Artefakte ferner die Sesquiterpene α-Caryophyllen (Humulen) und β-Caryophyllen (ca. 5 bis 12 %).
Wegen seines süß-würzigen Geruches wird Nelkenknospenöl vielseitig in der Parfümerie eingesetzt, besonders in blumigen Phantasie-Noten, orientalischen Düften, Herren-Parfüms (aber auch Chypre-, Opopanax-, Klee-, Daphne-, Erica- sowie Orchis-Düften) und After-Shave-Lotions. Des weiteren wird es als → Aromastoff für Backwaren, Pökelfleisch, Büchsenfleisch und

Tabakwaren sowie als Bestandteil von Würzen eingesetzt. Ein geringer Teil dient der Gewinnung von Eugenol.
Die keimtötende und leicht anästhesierende Wirkung des Nelkenknospenöls (Eugenol) wird auch in der Zahnmedizin (Zusatz zu Zahnfüllmaterial) und zur Bereitung von Mundpflegemitteln genutzt. Die Volksmedizin schätzt das Öl als durchblutungsförderndes, appetit- und verdauungsanregendes sowie blähungswidriges Mittel. Nelkenöl ist als Monographie im DAB 10 enthalten.
Das Öl dient ferner als Insektenabwehrmittel (z. B. Zusatz zu Sonnenschutzcremes).

G

Als minderwertigere, billigere Qualitäten sind das durch → Wasserdampf-Destillation aus den getrockneten Nelkenstielen gewonnene **Nelkenstielöl** (Ausbeute ca. 6 %) und das aus Blättern und Zweigen gewonnene **Nelkenblätteröl** (Ausbeute ca. 2 bis 3 %) im Handel. Ein Volumenteil löst sich in 2 Volumenteilen 70%igem Ethanol.

PHYSIKALISCH-CHEMISCHE DATEN (Nelkenstielöl):
d_{20}^{20}: 1,041 bis 1,059; n_D^{20}: 1,5310 bis 1,5360; Phenolgehalt: 85 bis 95 %.

PHYSIKALISCH-CHEMISCHE DATEN (Nelkenblätteröl):
d_{20}^{20}: 1,039 bis 1,051; n_D^{20}: 1,5310 bis 1,5350; Phenolgehalt: 82 bis 90 %.

Das Nelkenstielöl weist einen Eugenolgehalt von bis zu 95 % (jedoch kein Eugenylacetat) auf und wird, außer für die genannten Zwecke, in größerem Umfang zur Eugenol-Gewinnung genutzt, das seinerseits als Ausgangsstoff für die Produktion von Isoeugenol, Eugenylestern, Eugenolethern und Vanillin dient.
Das dunkelbraune, gewürznelkenartig, jedoch trocken und phenolisch bis holzig streng riechende Nelkenblätteröl enthält bis zu 90 % Eugenol.
Der Anteil des Nelkenblätteröls, das vorwiegend zur Eugenol- und Caryophyllen-Gewinnung, aber auch als krautig-würzige Komponente in → Parfüm-Kompositionen verwendet wird, macht auf Madagaskar ca. 80 % aus.

TOXIKOLOGIE:
Gewürznelkenöl kann bei empfindlichen Personen Haut- und

Schleimhautreizungen sowie Dermatitis verursachen.
Der Hauptinhaltsstoff Eugenol ist bei oraler Zufuhr mäßig giftig. Im Tierversuch wirkt Eugenol hautreizend, karzinogen und mutagen. Es besitzt ferner ein allergenes Potential. Auch Isoeugenol und Vanillin besitzten ein allergenes Potential.

Engl.: clove (bud, stem. leaf) oil; franz.: essence (des clous) de girofle; ital.: essenze di garofano; span.: esencias de clavel.

G

Gingergrasöl

Siehe → Palmarosaöl.

Ginster-Absolue (Genet-Absolue)

Das aus den Blüten des im Mittelmeerraum verbreiteten Spanischen Ginsters (Binsenginster; *Spartium junceum* L.) [Fabaceae, Leguminosae] durch → Extraktion mit Lösungsmitteln über das → Concret erhaltene → Absolue. Die Ausbeute beträgt beim → Concret 0,2 %. Aus diesem erhält man 30 bis 40 % → Absolue. Die Hauptproduktionsgebiete liegen in Süd-Frankreich und Marokko.
Das absolute Öl weist einen süßen blumig-heuartigen Duft mit einer etwas bitteren Hintergrund-Note auf.
Es wird in der Feinparfümerie in blumigen → Parfüm-Kompositionen genutzt.

Engl.: broom absolute.

Grapefruitöl

Das aus den Fruchtschalen der Früchte des in den Südstaaten der USA, Israel und Südafrika kultivierten Grapefruitbaumes (*Citrus paradisi* MACFAD., *Citrus decumana* (L.) L. var. *racemosa* (RISSO et POIT.) ROEM.) [Rutaceae] durch → Pressen gewonnene, zu den → *Citrus*-Ölen zählende → ätherische Öl (CAS-Nr.: 8016-20-4). Die Ausbeute beträgt 0,05 bis 0,6 %. Hauptproduzent des Öls sind die USA.
Das blaß- bis orange-gelbe Öl weist einen frischen, charakteristisch krautig-bitteren Geruch auf. Ein Volumenteil löst sich in 1 Volumenteil 87%igem Ethanol.

PHYSIKALISCH-CHEMISCHE DATEN:
d_{20}^{20}: 0,852 bis 0,860; n_D^{20}: 1,4740 bis 1,4790; $[\alpha]_D^{20}$: + 91° bis + 96°; Carbonylgehalt (berechnet als Decanal): mind. 1 %. Verdampfungsrückstand: 5 bis 10 %.

Die Zusammensetzung schwankt je nach verwendeter Sorte und Herkunft.
Hauptinhaltsstoffe sind ca. 90 % (+)-Limonen, neben dem geruchstypischen Nootkaton (0,1 bis 0,6 %), Linalool und anderen sauerstoffhaltigen Terpenen. Zum Geruch tragen ferner die in Spuren vorhandenen Aldehyde Heptanal bis Dodecanal bei. Auch Ester, wie Octyl- und Decylacetat, wurden nachgewiesen. Die frisch-fruchtige Kopfnote stammt von dem in Spuren enthaltenen p-Menth-1-en-8-thiol.
Ferner wird über den Nachweis von Cumarinen und Furocumarinen (Psoralen) berichtet.
Das Öl wird in → Parfüm-Kompositionen zur Gestaltung frischer Kopfnoten, zur Parfümierung von → Kosmetika sowie als → Aromastoff für Getränke, Trockenpulver und Süßspeisen eingesetzt.

TOXIKOLOGIE:
Auf der Haut von Mäusen entfaltet Grapefruitöl eine kokarzinogene (krebsfördernde) Wirkung.
Die als Inhaltsstoffe beschriebenen Cumarine können bei der oralen Zufuhr größerer Mengen zu Leber und Nierenschädigungen führen. Furocumarine entfalten photosensibilisierende und phototoxische Wirkungen; d. h., unter gleichzeitigem Einfluß von Sonnenlicht kann es zu Dermatitiden (Photo-Dermatitis, Berloque-Dermatitis) kommen. Furocumarine zeigen des weiteren mutagene und karzinogene Wirkungen. Limonen und Linalool besitzen ein allergenes Potential.

Engl.: grapefruit oil; franz.: huile de grape-fruit, essence de pamplemousse.

Grasöle

Die aus Gräsern (Poaceae) gewonnenen → ätherischen Öle, wie → Cymbopogonöle (z. B. → Citronellöl, → Lemongrasöl, → Palmarosaöl, Gingergrasöl [siehe → Palmarosaöl]).

Guajakholzöl

Das aus dem zerkleinerten Holz (Pockholz) des in Argentinien und Paraguay heimischen Pockholz-Baumes (*Bulnesia sarmienti* LORENTZ) [Zygophyllaceae] durch → Wasserdampf-Destillation gewonnene → ätherische Öl (CAS-Nr.: 68991-34-4, wasserfrei; 68991-35-5, oxidiert). Die Ausbeute beträgt bis zu 5 %. Es ist ferner im Guajakholz (Pockholz, Franzosenholz) in Süd-Amerika und Westindien heimischer *Guajacum*-Arten [Zygophyllaceae] enthalten, nach denen das Öl auch benannt ist.

Die viskose, kräftig gelbe Flüssigkeit besitzt einen balsamisch-süßen Duft mit erdig-holzigen, räucherartig-phenolischen sowie schwach veilchenähnlichen Nuancen. Ein Volumenteil löst sich bei Raumtemperatur in 7 Volumenteilen 70%igem Ethanol, gelegentlich unter leichter Opaleszenz oder Trübung. Bei Raumtemperatur erstarrt das Öl langsam zu einer weiß-gelben bis hell bernsteinfarbenen, bei 40 bis 50 °C schmelzenden Masse.

PHYSIKALISCH-CHEMISCHE DATEN:

d_{25}^{25}: 0,960 bis 0,975; n_D^{20}: 1,5020 bis 1,5070; $[\alpha]_D$: - 12° bis - 3°; Gesamt-Alkoholgehalt (berechnet als Guajol): mind. 85 %.

Hauptinhaltsstoffe sind die Sesquiterpenalkohole (–)-Guajol (Guajakalkohol, 42 bis 72 %) und Bulnesol, neben Bulnesen, Guajoxid, α-Guajen und β-Patchoulin.

Das Öl wird für holzige → Parfüm-Kompositionen, als → Fixateur (für Rosen-, Veilchen- und Maiglöckchen-Düfte) und zur Parfümierung von Seifen verwendet.

Das abgetrennte (–)-Guajol dient zur halbsynthetischen Gewinnung von Guajazulen, das entzündungshemmende Eigenschaften besitzt und als Antiphlogisticum verwendet wird.

Das Öl selbst wurde in der Vergangenheit als „Blutreinigungsmittel“, Diaphoreticum, Diureticum, Laxans und Antisyphiliticum angewandt.

Engl.: guaiac wood oil; franz.: huile de bois de gaiac; ital.: olio del guaiaco; span.: aceite de madera de guayaco.

Guajakol

SYNONYME: Methylcatechol, Brenzcatechinmonomethylether
CHEMISCHE BEZEICHNUNGEN: 2-Methoxy-phenol, 2-Hydroxy-anisol, 1-Oxy-2-methoxy-benzol
CAS-NR.: 90-05-1
STRUKTURFORMEL:

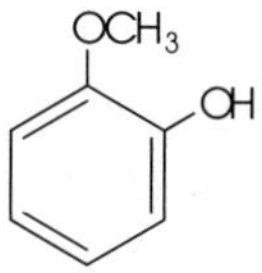

MOLEKULARGEWICHT: 124,13

Das häufig in Buchenholzteer und in den Destillationsprodukten von Guajakharz vorkommende Guajakol ist eine klare, farblose bis schwach gelbliche, deutlich lichtbrechende ölige Flüssigkeit oder eine kristalline Substanz von starkem gewürzhaftem Geruch.

PHYSIKALISCH-CHEMISCHE DATEN:
Schmp. 28,3 °C; $Sdp._{101,3\ kPa}$: 205 °C; d_4^{20}: 1,129.

In Wasser ist Guajakol schwer löslich (1 : 100), leicht löslich dagegen in Ethanol, Ether, Petrolether, Schwefelkohlenstoff, Glycerin, Ölen und Eisessig.
Mit Eisenchlorid gibt es eine Grünfärbung.
Hergestellt wird die Verbindung durch Methylierung von 1,2-Dihydroxy-benzol (Brenzcatechin) mittels Monomethylsulfat.
Guajakol findet Einsatz in der Riechstoffindustrie zur Herstellung von Vanillin sowie in der pharmazeutischen Branche, z. B. in Präparaten gegen Bronchialerkrankungen.

TOXIKOLOGIE: LD_{50} (Ratte, oral): 725 mg/kg KG.
Nach der Gefahrstoffverordnung der Bundesrepublik Deutschland ist Guajakol gesundheitsschädlich beim Verschlucken (R 22), es reizt die Augen und die Haut (R 36/38).

Gurjunbalsamöl

Das aus dem Balsam (Gurjunbalsam, CAS-Nr.: 8030-55-5) verschiedener in Ost-Asien heimischer *Dipterocarpus*-Arten, beson-

ders *Dipterocarpus turbinatus* GAERTN. f. und *Dipterocarpus alatus* ROXB. [Dipterocarpaceae], durch → Wasserdampf-Destillation gewonnene → ätherische Öl (CAS-Nr.: 8030-55-5). Die Ausbeute beträgt 60 bis 70 %.
Die schwach viskose gelbe Flüssigkeit besitzt einen holzähnlichen balsamischen Geruch mit einer leichten Patschuli-Note. Ein Volumenteil löst sich bei Raumtemperatur in 10 Volumenteilen 95%igem Ethanol.

PHYSIKALISCH-CHEMISCHE DATEN:
D^{15}: 0,918 bis 0,930; n_D^{20}: 1,5010 bis 1,5050; $[\alpha]_D$: - 130° bis - 35°.

Hauptinhaltsstoffe sind Sesquiterpenkohlenwasserstoffe, besonders mehr als 60 % α-Gurjunen, neben β- und γ-Gurjunen, sowie Sesquiterpenalkohole.

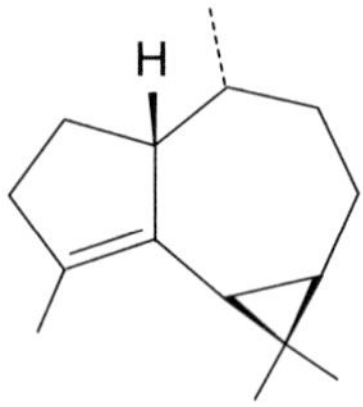

α-Gurjunen

Das Öl wird in der Parfümerie, besonders in Seifenparfüms, zur Verschneidung von → ätherischen Ölen und als → Fixateur verwendet. Es dient ferner als Ausgangsprodukt zur Herstellung von Guajazulen.

Engl.: gurjun balsam oil; franz.: huile de baume de gurjun.

Halbsynthetische Riechstoffe

Siehe → Riechstoffe.

Head-Space-Analyse

Die gaschromatographische Analyse der über einem → Riechstoff oder einer Riechstoffmischung befindlichen Luft (Kopfraum) bzw. der darin enthaltenen flüchtigen Stoffe. Deren Menge ist von ihrer Konzentration in der Probe abhängig. Durch Anwendung dieser Methode erspart man sich die zeitaufwendige und teilweise problematische Aufarbeitung für die konventionelle → gaschromatographische Untersuchung.

Helichrysum-Öle (Helichrysumöle)

H

Das aus dem Kraut von im Mittelmeerraum heimischen Strohblumen-Arten, besonders *Helichrysum angustifolium* DC., *Helichrysum italicum* (ROTH) GUSS ssp. *serotinum* BOISSY P. F. und *Helichrysum stoechas* (L.) MOENCH. [Asteracae, Compositae], durch → Wasserdampf-Destillation gewonnene → ätherische Öl. Die Ausbeute beträgt 0,07 bis 0,09 %.
Die Öle besitzten einen intensiven honigartig-süßen fruchtigen Geruch mit tee- und kamilleähnlichen Nuancen. Physikalisch-chemische Daten und Zusammensetzung differieren je nach verwendeter Art und Herkunft.
Als Hauptinhaltsstoffe werden Nerylester und Nerol beschrieben
In der Parfümerie kommen die Öle vor allem in Kräuter- und Phantasie-Noten zum Einsatz. Die Volksmedizin nutzt wäßrige Auszüge bestimmter *Helichrysum*-Arten bei entzündlichen Gallenerkrankungen.

Engl.: Helichrysum oil; franz.: essence (huile) de Helichrysum.

Die durch → Extraktion der Blüten mit Lösungsmitteln über die → Concrets erhaltene ***Helichrysum*-Absolues** (vgl. → Absolues) weisen einen honigartig-süßen fruchtig-kräuterartigen Geruch mit Untertönen von Tabakblättern und Sellerie auf.
Sie werden in der Parfümerie in Kräuter-Noten verwendet.

Engl.: Helichrysum abolute; franz.: extrait absolue de Helichrysum.

Heliotropin

SYNONYM: Piperonal
CHEMISCHE BEZEICHNUNG: 3,4-Methylendioxy-benzaldehyd
CAS-NR.: 120-57-0

STRUKTURFORMEL:

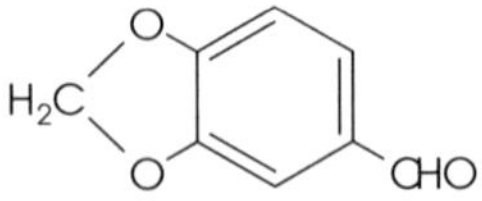

MOLEKULARGEWICHT: 150,13

Heliotropin sind weiße Kristalle mit einem süß-blumigen, leicht würzigen heliotrop-ähnlichen Geruch.
Die Verbindung kommt in wenigen → ätherischen Ölen und niemals als Hauptkomponente vor.

PHYSIKALISCH-CHEMISCHE DATEN:
Schmp.: 37 °C; Sdp.$_{101,3\ kPa}$: 263 °C; $d_4^{43,2}$: 1,2792.

Heliotropin ist löslich in Wasser (1 : 500) und leicht löslich in Ethanol und Ether.
Es wird durch Oxidation des durch alkalische Isomerisierung von Safrol (aus → Sassafras- oder → Campheröl) erhältlichen Isosafrols mit $K_2Cr_2O_7/H_2SO_4$ in Gegenwart von etwas Sulfanilsäure (auch durch Ozonisierung) hergestellt.

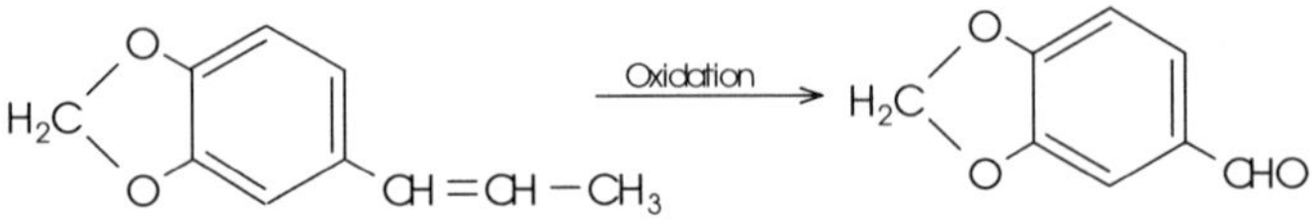

Isosafrol Heliotropin

Eine weitere Möglichkeit bietet die Synthese aus Brenzcatechin über dessen Methylenether, der entweder chlormethyliert und dann in den Aldehyd umgewandelt oder direkt der Aldehydsynthese nach Gattermann-Koch unterworfen wird. Früher hat man die Verbindung aus dem Alkaloid Piperin des schwarzen Pfeffers gewonnen.
Heliotropin wird in vielen blumig-würzigen Luxusparfüms eingesetzt und ist auch ein wichtiger Bestandteil von → Aroma-Kompositionen (z. B. Kirsche und Vanille).

TOXIKOLOGIE: LD_{50} (Ratte, oral): 2,7 g/kg KG.

Hemlocköl

Siehe → Tannennadelöle, → Fichtennadelöle.

Hepatotoxische Riech- und Aromastoffe

Einige wenige → ätherische Öle bzw. Inhaltsstoffe besitzen bei Aufnahme in den Organismus hepatotoxische (leberschädigende) Wirkung. Dazu gehören Thujon und thujonreiche Öle (wie z. B. Thujaöl [vgl. → Cedernöle], → *Artemisia*-Öl, → Salbeiöle, → Wermutöl, → Rainfarnöl). Weitere diesbezüglich zu beachtende Stoffe sind Thymol (z. B. in → *Mentha-arvenis*-Öl, → Pfefferminzöl, → Thymianöl und → Zimtöl), das in → Sassafrasöl, → Anisöl, → Campheröl (in kleineren Mengen in → Zimtöl, → Muskatnußöl, → Petersilienöl, → Ingweröl und → Pfefferöl) vorkommende Safrol und → Terpentinöl. Auch das in → Muskatnußöl, Dillkrautöl (vgl. → Dillöl) und Petersilienfruchtöl (vgl. → Petersilienöle) enthaltene Myristicin (vgl. → Muskatnußöl) und das in Petersilienfrüchten (vgl. → Petersilienöle) vorkommende Apiol können zu fettigen Leberdegenerationen führen. Verwandte Phenylallyl- und Phenylpropenyl-Derivate kommen in unbedeutenden Konzentrationen in → Anisöl und → Citronenöl vor. Weitere, in geringen Mengen in verschiedenen → ätherischen Ölen (z. B. kaltgepreßten → *Citrus*-Ölen, → Lavendelöl, → Spiköl, Cassiaöl [vgl. → Zimtöle], → Rautenöl, → Estragonöl, → Tonkabohnen-Resinoid) enthaltene leberschädigende Stoffe sind Cumarin und Cumarin-Derivate.

Bei der Besprechung der einzelnen → Riechstoffe, → ätherischen Öle, → Absolues und → Resinoide wird auf bekannte hepatotoxische Wirkungen bzw. Inhaltsstoffe hingewiesen.

Heterocyclische Verbindungen in ätherischen Ölen

Neben verschiedenen zu den → Terpenen (vgl. dort) zählenden heterocyclischen Verbindungen werden in → ätherischen Ölen noch zahlreiche andere Vertreter gefunden, vor allem aus der Gruppe der Lactone, Furane und Pyrane.
So gehören die Hauptgeruchsträger im → Selleriesamenöl zu den Phthaliden. Cumarin und Cumarin-Derivate finden sich u. a. in

kaltgepreßten → *Citrus*-Ölen, → Spiköl, → Lavendelöl, Cassiaöl [vgl. → Zimtöle], → Rautenöl, → Estragonöl und → Tonkabohnen-Resinoid, das pfirsichartig duftende γ-Undecalacton [sogenannter C_{14}-Aldehyd] und das ähnlich riechende δ-Decalacton in verschiedenen Früchten, das moschusähnlich wirkende 15-Pentadecanolid in Angelikawurzelöl (siehe → *Angelica*-Öl), das holzig duftende 12-Tridecanolid in → Galbanumöl, das Ambrettolid [(Z)-Hexadec-7-en-16-olid] in → Ambrettesamenöl, Furanone im Ananas-Aroma, Furfurylmercaptan im Kaffeearoma, das Pyranon-Derivat Maltol in Kiefernnadeln und Lärchenrinde.
1,3-Oxathiane tragen zum Aroma der Passionsfrucht (*Passiflora edulis* SIMS) bei.

Stickstoffhaltige Indol-Strukturen weisen in konzentrierter Form oft einen fäkalienartigen Geruch auf, der erst in Verdünnung angenehm wird. Indol selbst duftet dann blumig. Es ist in Spuren beispielsweise am Geruch von → Neroliöl und → Jasmin-Absolue beteiligt.
Pyridin- und Pyrazin-Derivate sind wichtige Komponenten von Röstgerüchen. 2-Methoxy-3-isobutyl-pyrazin findet sich in Spuren auch in → Neroliöl, → Petitgrainöl und → Galbanumöl, wo es zu einer Grünnote beiträgt.
1-Furfuryl-pyrrol, ein wichtiger Bestandteil des Kaffee-Aromas, leistet im → Sandelholzöl einen Beitrag zum Gesamtgeruch.

In dem tierischen → Riechstoff → Zibet spielen für den animalischen Geruch Indol, Skatol (3-Methyl-indol) und Dimethylindol eine Rolle, in → Moschus wurden ferner Spuren von 2,6-Nona- und 2,6-Decamethylen-pyridinen nachgewiesen.

Nähere Angaben zu Einzelriechstoffen sind unter den jeweiligen Stichworten zu finden.

n-Hexanal

Siehe → Aldehyd C_6.

cis-Hex-3-en-1-ol

Siehe → Blätteralkohol.

Hibaöl

Siehe → Cedernöle.

Ho-Öle

Siehe → Campheröl.

Hopfenöl

Das aus den reifen frischen Blütendolden des in Deutschland und verschiedenen osteuropäischen Staaten angebauten Gemeinen Hopfens (*Humulus lupulus* L.) [Moraceae] durch → Wasserdampf-Destillation gewonnene → ätherische Öl (CAS-Nr.: 8067-04-3). Die Ausbeute beträgt 0,2 bis 1,7 %.
Das dünnflüssige hellgelbe bis rotbraune Öl weist einen strengen bitteren krautig-würzigen, leicht käseartigen Geruch auf. Das Öl wird beim Stehenlassen allmählich viskos und ist in Ethanol schwer löslich.

PHYSIKALISCH-CHEMISCHE DATEN:
d_{15}^{15}: 0,855 bis 0,899; n_D^{20}: 1,4852 bis 1,4936; $[\alpha]_D^{20}$: - 1° bis + 2,27 °; Sdp.: 150 °C.

Hauptinhaltsstoffe sind Myrcen, Dipenten, α-Caryophyllen (Humulen, 20 bis 40 %), β-Caryophyllen, Farnesen, Myrcenol (und Myrcenolester), Geraniol, Nerol, Linalool, 2-Methyl-but-3-en-2-ol, Undecan-2-on, 2-Methyl-propylisobutyrat, 2-Methyl-butylisobutyrat, Ameisensäure, Dimethyltrisulfan (Dimethyltrisulfid) sowie cyclische Ether bzw. Ketone oder Spiroketale (mit Mono-terpengerüst).
In der Parfümerie findet Hopfenöl gelegentlich in herb-krautigen Noten, in Gewürz-, Tabak- und Chypre-Düften sowie Eau de Colognes Anwendung. In sehr geringen Mengen wird das Öl auch zur Aromatisierung (vgl. → Aromastoffe) von Likören verwendet. Es ist auch für das charakteristische Aroma des Biers verantwortlich, wenngleich beim Brauprozeß 88 bis 95 % verloren-gehen.
In pharmazeutischen Präparaten werden Hopfen-Auszüge als Sedativa und milde Hypnotica genutzt, äußerlich zur Behandlung

von Wunden und Geschwüren. Die beruhigende Wirkung beruht auf dem Gehalt an 2-Methyl-butylisobutyrat.

TOXIKOLOGIE:
Bei empfindlichen Personen kann das Öl zu allergenen Hautwirkungen führen.
Die als Inhaltsstoffe beschriebenen Verbindungen Geraniol und Linalool besitzen ein allergenes Potential.
Außerdem enthält Hopfen vermutlich flüchtige, estrogenwirksame Verbindungen, die bei Hopfenpflückerinnen Menstruationsstörungen auslösen können. Ob diese im Öl eine Rolle spielen, ist nicht bekannt.

Engl.: hop oil; ital.: olio di luppolo.

Hyazinthen-Absolue

Das aus den Blüten der Hyazinthe (*Hyacinthus orientalis* L.) [Liliaceae] durch → Extraktion mit Lösungsmitteln über das → Concret gewonnene → Absolue. Die Ausbeute an → Concret beträgt 0,01 bis 0,02 %. Daraus erhält man ca. 50 % → Absolue.
Das absolute Öl besitzt einen intensiv-süßen grünen laubartigen blumigen, an Styrax erinnernden Duft von narkotischer Intensität. Es wird in der Parfümerie in grünen blumigen Noten eingesetzt.

Engl.: hyazinth absolute.

Hydratropaldehyd

SYNONYM: α-Phenylpropionaldehyd
CHEMISCHE BEZEICHNUNG: 2-Phenyl-propanal
CAS-NR.: 93-53-8
STRUKTURFORMEL:

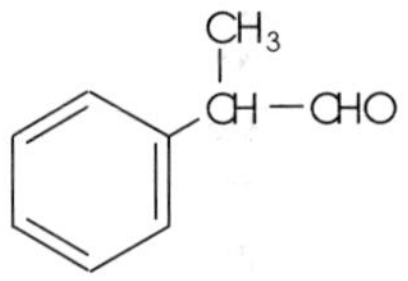

MOLEKULARGEWICHT: 134,18

Hydratropaldehyd ist eine farblose Flüssigkeit mit einem frischen Hyazinthengeruch.

PHYSIKALISCH-CHEMISCHE DATEN:
Sdp.$_{1,5\ kPa}$: 92 bis 94 °C; d_4^{20}: 1,0089; n_D^{20}: 1,5176.

Die Verbindung kann zu Hydratropalkohol hydriert werden, der in beschränktem Umfang als → Riechstoff eingesetzt wird.
Hydratropaldehyd ist aus Styrol durch Oxosynthese erhältlich, wobei kleine Mengen des isomeren Dihydrozimtaldehyds als Nebenprodukt gebildet werden.
Parfümistisch wird die Verbindung für Blütenkompositionen verwendet.

TOXIKOLOGIE:
Die Verbindung besitzt eine reizende Wirkung.
Gemäß der Gefahrstoffverordnung der Bundesrepublik Deutschland reizt Hydratropaldehyd die Haut (R 38).

Hydroxycitronellal

Siehe → Majal.

Infusion

Siehe → Mazeration.

Ingweröl

Das aus den getrockneten und zermahlenen Wurzeln des Ingwers (*Zingiber officinale* ROSC.) [Zingiberaceae] durch → Wasserdampf-Destillation gewonnene → ätherische Öl (CAS-Nr.: 8007-08-7). Die Ausbeute beträgt 2,0 bis 4,4 %. Hauptproduzenten sind Indien, Malaysia, die Fidji-Inseln und Taiwan.
Das gelbe bis grünlich-gelbe, beim Stehenlassen langsam viskos werdende Öl weist einen charakteristischen anhaftenden würzig-warmen Ingwer-Geruch, aber auch eine Citrus- und Coriander-Note und einen aromatischen (nicht scharfen) Geschmack auf. Das Öl löst sich in Ethanol, im allgemeinen jedoch unter Trübung.

PHYSIKALISCH-CHEMISCHE DATEN:
d_{25}^{25}: 0,871 bis 0,882; n_D^{20}: 1,4880 bis 1,4940; $[\alpha]_D$: - 45° bis - 28°; VZ: max. 20.

Hauptinhaltsstoffe sind die Sesquiterpene α- und β-Zingiberen (ca. 70 %) sowie β-Sesquiphellandren.

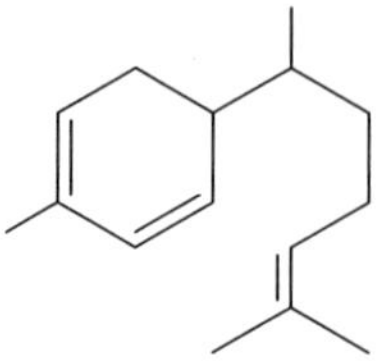

Zingiberen

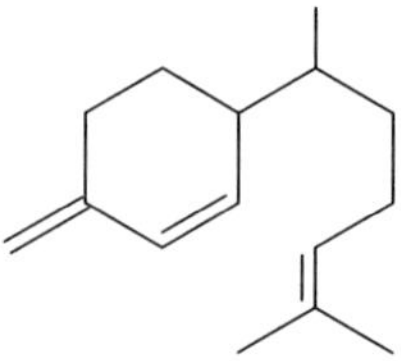

β-Sesquiphellandren

Daneben sind u. a. (+)-ar-Curcumen (ca. 18 %), Camphen, β-Phellandren, Terpinen, Limonen, β-Bisabolen, Farnesen, γ-Selinen, 1,8-Cineol (Eucalyptol), Safrol, α-Terpineol, Borneol, Linalool, Zingiberol, β-Sesquiphellandrol, Nerolidol, Citral und Geranylacetat, enthalten. Den Haupanteil am typischen Geruch trägt das Zingiberol. Zum charakteristischen Duft trägt ferner das in geringen Mengen enthaltene *trans*-β-Sesquiphellandrol bei. Die Citrus-Note ist vor allem auf das Citral zurückzuführen, der holzig-seifige Geschmack auf Nerolidol.

Ingweröl wird in der Parfümerie als Nuanceur in Natur-Düften und krautigen Noten sowie als → Fixateur (orientalische, Gewürz-, Rosen- und Nelkenblüten-Düfte) genutzt. In Likören, Limonaden (Ginger Ale), Bieren, Süß- und Backwaren dient es als → Aromastoff.

Die Volksmedizin nutzt Ingwer bzw. Ingweröl bei Magenbeschwerden, Blähungen und Krämpfen im Verdauungstrakt sowie bei Muskelschmerzen und Rheuma. Auch über eine positive Wirkung auf die psychische Verfassung wird berichtet.

TOXIKOLOGIE:

Höhere Konzentrationen des Öls können zu Hautreizungen führen, bei empfindlichen Personen zu allergenen Erscheinungen. Das Öl ist schwach phototoxisch.

Das als Inhaltsstoff beschriebene 1,8-Cineol (Eucalyptol) kann in größeren Mengen bei empfindlichen Personen Hautreizungen, bei oraler Aufnahme Gastroenteritis und Nierenreizungen bewirken. Safrol verursacht im Tierversuch (Ratte) Leberzirrhosen und bösartige Lebergeschwülste. Limonen, Linalool und Citral besitzen ein allergenes Potential.

Engl.: ginger oil; franz.: huile de gingembre; ital.: olio allo zenzero.

Aus den Wurzeln des Ingwers wird durch → Extraktion mit Aceton oder Ethanol auch ein mitunter als **Gingerol** bezeichnetes **Ingwer-Resinoid** (vgl. → Resinoide) gewonnen. Im Gegensatz zum Ingweröl enthält es neben dem → ätherischen Öl die Scharfstoffe Gingerol, Shogaol und Zingeron.
Der Extrakt wird vor allem als → Aromastoff oder medizinisch als Scharfstoff (in Stomachica) angewendet.

Engl.: ginger oleoresin (resinoid).

Iris-Öl (Irisöl, Iriswurzelöl, Veilchenwurzelöl)

Das aus den zerkleinerten, mehrere Jahre gelagerten Wurzelstökken der Süßen Iris (Schwertlilie; *Iris pallida* LAM.; aber auch *Iris florentina* L., *Iris germanica* L. und deren Varietäten) [Iridaceae] durch → Wasserdampf-Destillation gewonnene → ätherische Öl (CAS-Nr.: 8002-73-1). Die Ausbeute beträgt 0,1 bis 0,2 %. Kultiviert werden die *Iris*-Arten besonders in Italien (Toscana).
Das Wasserdampf-Destillat erstarrt zu einer gelblich-weißen bis gelb-braunen, bei 38 bis 50 °C schmelzenden Masse von ölig-waldigem veilchenähnlichem Geruch (daher auch die mitunter fälschlicherweise benutzte Bezeichnung Veilchenwurzelöl) mit süßen und blumig-fruchtigen Nuancen. Das Öl ist bei 50 °C in jedem Verhältnis mit Ethanol mischbar.

CHEMISCHE DATEN:

SZ: 175 bis 235, entsprechend einem Säuregehalt (berechnet als Myristinsäure) von 71 bis 95 %; EZ: 4 bis 35; Ketongehalt (berechnet als Iron): 9 bis 20 %.

Das Wasserdampf-Destillat ist infolge seines Gehaltes an Myristinsäure und anderen Fettsäuren ähnlich einem → Concret wachsartig fest und wird als Irisbutter bezeichnet.
Es enthält 80 bis 95 % Myristinsäure, ca. 15 % Irone und ca. 20 % neutrale Anteile.

Nach Entfernen der Fettsäuren durch Alkalibehandlung erhält man ein unter der Bezeichnung Irisöl-Absolue (das jedoch kein → Absolue im Sinne der Definition ist), absolutes Irisöl oder Irisöl 10fach gehandeltes, gelb gefärbtes → ätherisches Öl mit strengem Iris-Geruch, das 55 bis 75 % Irone enthält. Hauptvertreter sind (–)-*cis*-γ-Iron und (–)-*cis*-α-Iron.

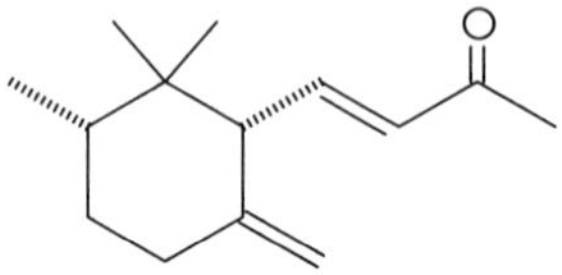

(–)-*cis*-γ-Iron

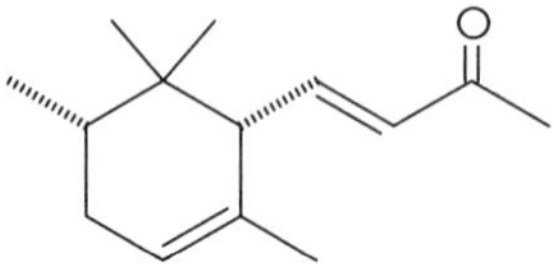

(–)-*cis*-α-Iron

Als weitere Inhaltsstoffe werden u. a. Acetophenon, Acetovanillon, Acetoveratron und Naphthalin beschrieben.
Das ziemlich teure Öl wird in der Parfümerie vor allem für → Parfüm-Kompositionen (Veilchen, Teerose, Cyclamen, Flieder, Goldlack, Lavendel, Tabak, Ambra, Chypre), vor allem blumige, sowie zur Parfümierung von Seifen und → Kosmetika genutzt.
In Hustenteemischungen wird die Wurzel volksmedizinisch als reizminderndes Mittel genutzt

Engl.: orris (root) oil; franz.: essencia de racine d´iris; ital.: olio iridato.

Durch → Extraktion der Wurzeln mit Lösungsmitteln (Petrolether, Benzol u. a.) werden auch konkrete ***Iris*-Resinoide** (Resinoid-Concrets; vgl. → Resinoide) gewonnen, die in der Riech-stoffindustrie zur Gewinnung natürlicher Irone genutzt werden.

Engl.: orris (root) resinoid.

α- und β-Iron

CHEMISCHE BEZEICHNUNG:
4-(2,5,6,6-Tetramethyl-cyclohex-2-en-1-yl)-but-3-en-2-on,
4-(2,5,6,6-Tetramethyl-2-cyclohexen-1-yl)-3-buten-2-on und
4-(2,5,6,6)-Tetramethyl-cyclohex-1-en-1-yl)-but-3-en-2-on,
4-(2,5,6,6-Tetramethyl-1-cyclohexen-1-yl)-3-buten-2-on

CAS-NR. α-Iron: 79-69-6, β-Iron: 79-70-9

STRUKTURFORMELN:

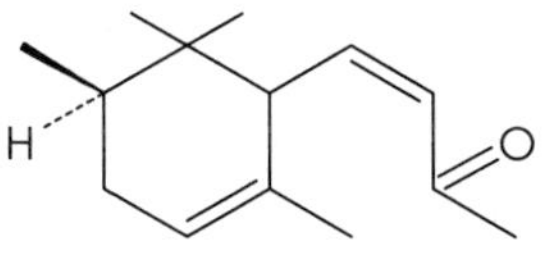

α-Iron

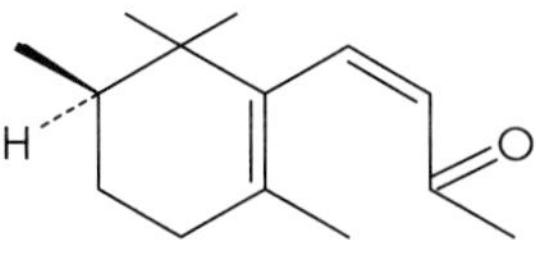

β-Iron

MOLEKULARGEWICHT: 206,33

α- und β-Iron sind wie die Jonone und Methylviolone leicht viskose gelbliche Flüssigkeiten. α-Iron duftet nach Iris, β-Iron nach β-Jonon, jedoch etwas intensiver, in Verdünnung veilchenähnlich. Beide Verbindungen kommen im → *Iris*-Öl vor.

PHYSIKALISCH-CHEMISCHE DATEN (α-Iron):
$Sdp._{0,36\ kPa}$: 109 °C; d_4^{20}: 0,934; n_D^{20}: 1,4998.

PHYSIKALISCH-CHEMISCHE DATEN (β-Iron):
$Sdp._{0,21\ kPa}$: 108 bis 109 °C; d_4^{20}: 0,9465; n_D^{20}: 1,5183.

α-Iron ist fast unlöslich in Wasser und löslich in Ethanol.
α- und β-Iron werden analog den zur Herstellung von Jononen gebräuchlichen Verfahren (siehe → α-Jonon) sowie Methylviolone (siehe → α-Isomethylviolon) gewonnen.
Beide mit den Isomethylviolonen isomeren Verbindungen sind ausgezeichnete → Riechstoffe, die man aber wegen ihrer hohen Kosten nur in beschränktem Umfang produziert. Sie werden in blumigen → Parfüm-Kompositionen eingesetzt.

Irreguläre Terpene

Die Grundgerüste regulärer Monoterpene (siehe → Terpene) kommen durch Kopf-Schwanz-Addition zweier Isopren-Bausteine zustande, während irreguläre Monoterpene durch andersartige Additionen (z. B. Schwanz-Schwanz-Addition) oder nachträgliche, sehr komplizierte Umlagerungen entstehen. Sie kommen im Pflanzenreich wesentlich seltener vor. Beispiele sind Camphen, Fenchon, α-Fenchol, Lavandulol, Artemisiaketon, Santolinatrien und Chrysanthemumsäure.

Isobornylacetat

CHEMISCHE BEZEICHNUNG: 2-exo-Bornanylacetat
CAS-NR.: 125-12-2
STRUKTURFORMEL:

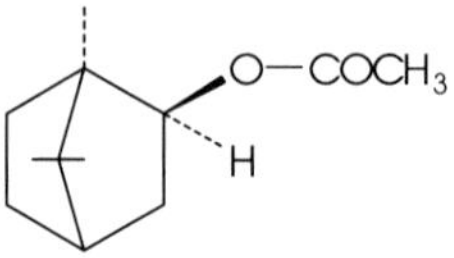

MOLEKULARGEWICHT: 196,29

Isobornylacetat ist eine farblose Flüssigkeit mit angenehmem Fichtennadelgeruch.
Nachgewiesen wurde die Verbindung in verschiedenen → ätherischen Ölen.

PHYSIKALISCH-CHEMISCHE DATEN:
Sdp.$_{1,6-1,7\,kPa}$: 102 bis 103 °C; d_4^{20}: 0,9841; n_D^{20}: 1,4640.

Isobornylacetat ist synthetisch aus Camphen und Eisessig in Gegenwart von Schwefelsäure zugänglich.

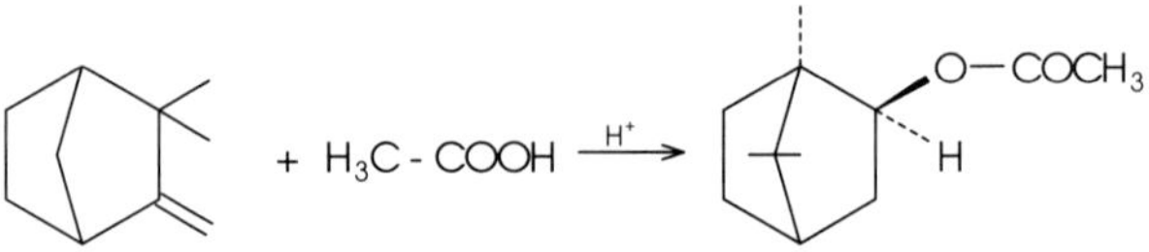

(–)-Camphen (+)-Isobornylacetat

Isobornylacetat wird in großen Mengen zur Parfümierung von Seifen, für Badeprodukte und Lufterfrischer eingesetzt. Der größte Teil der Verbindung dient als Zwischenprodukt für die Herstellung von Campher.

α-Isomethyljonon

Siehe → α-Isomethylviolon.

α-Isomethylviolon

CHEMISCHE BEZEICHNUNG: α-Isomethyljonon, α-Isomethylionon
CAS-NR.: 127-51-5
STRUKTURFORMEL:

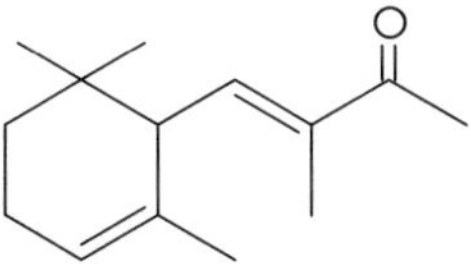

MOLEKULARGEWICHT: 206,33

α-Isomethylviolon ist eine leicht viskose gelbliche Flüssigkeit mit einem an Veilchen erinnernden Geruch, der den feinsten aller Jonone darstellt.
Die zu den Homologen der Jonone zählende und in kleinen Mengen in → ätherischen Ölen vorkommende Verbindung existiert als α-, β- sowie γ-Isomer. Jedes Isomer kann in der *cis*- oder *trans*-Form auftreten.

PHYSIKALISCH-CHEMISCHE DATEN:
Sdp.$_{1,3\ kPa}$: 130 - 131 °C; d_4^{20}: 0,9345; n_D^{20}:1,5019.

Kondensiert man Citral mit Methylethylketon, so entstehen je nach den Bedingungen der nachfolgenden Cyclisierung neben den verschiedenen Methylviolonen (Methyljononen) auch α- und β-Isomethylviolon (α- und β-Isomethyljonon).
Mit Raney-Nickel-/Kupferchromit-Katalysatoren können Methylviolone in die ebenfalls als → Riechstoffe verwendeten Tetrahydromethyljonole umgewandelt werden.

α-Isomethylviolon ist der bedeutendste Vertreter der Methylviolone.
Es wird wie das α-Jonon in → Parfüm-Kompositionen sehr vielseitig eingesetzt, vor allem für blumige Typen.

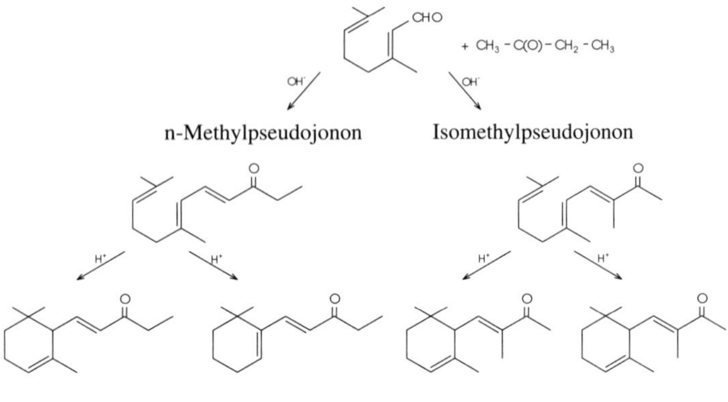

α-n-Methyljonon β-n-Methyljonon α-Isomethyljonon β-Isomethyljonon

4-Isopropyl-benzaldehyd

Siehe → Cuminaldehyd.

Isopulegol

CHEMISCHE BEZEICHNUNG: 1-p-Menthen-3-ol, p-Menth-1-en-3-ol, 8-p-Menthen-3-ol, p-Menth-8-en-3-ol
CAS-NR.: 89-79-2
STRUKTURFORMEL:

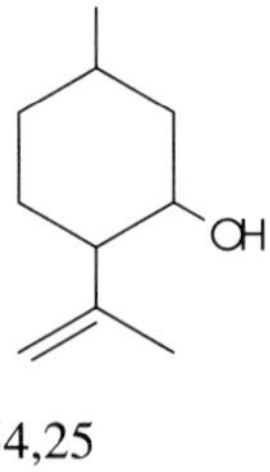

MOLEKULARGEWICHT: 154,25

Isopulegol ist ein farbloses flüssiges Isomerengemisch mit einem krautig-minzigen Geruch.
Es kommt in einer großen Anzahl → ätherischer Öle vor. Die vier Stereoisomere treten jeweils als ein Paar optisch aktiver Antipo-

den auf. Da Citronellal leicht zu Isopulegol cyclisiert, kommt dieses häufig in citronellhaltigen → ätherischen Ölen vor, in welchen es sich auch bei der Ölgewinnung bildet.

PHYSIKALISCH-CHEMISCHE DATEN (reines (–)-Isopulegol):
Sdp.$_{1,0\ kPa}$: 74 °C; d_4^{26}: 0,9062; n_D^{26}: 1,4690; $[\alpha]_D^{26}$: - 23,6°.

Technisches Isopulegol, hergestellt aus (+)-Citronellal, ist ein Isomerengemisch mit einem großen Anteil an (–)-Isopulegol. Bei der Hydrierung werden die Isomere in die entsprechenden Menthole umgewandelt.
Parfümistisch kommt Isopulegol in verschiedenen Blütenkompositionen sowie auch für Geranien-Noten zum Einsatz. Darüber hinaus ist es wichtiges Zwischenprodukt bei der (–)-Menthol-Produktion.

Isosafrol

CHEMISCHE BEZEICHNUNG: 1,2-Methylendioxy-4-propenyl-benzol
CAS-NR.: 120-58-1
STRUKTURFORMEL:

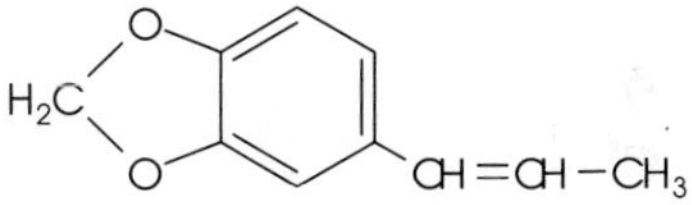

MOLEKULARGEWICHT: 162,19

Isosafrol ist eine farblose viskose Flüssigkeit mit einem süßen anisähnlichen Geruch.
Die Verbindung wurde nur in wenigen → ätherischen Ölen nachgewiesen und kommt als *cis*- und stabileres *trans*-Isomer vor.

PHYSIKALISCH-CHEMISCHE DATEN (*trans*-Isomer):
Sdp.$_{0,45\ kPa}$: 85 bis 86 °C; Schmp.: 8,2 °C; d_4^{20}: 1,1206; n_D^{20}: 1,5782.

Isosafrol wird durch alkalische Isomerisierung von Safrol, dem Hauptbestandteil u. a. des nordamerikanischen → Sassafrasöls, hergestellt.

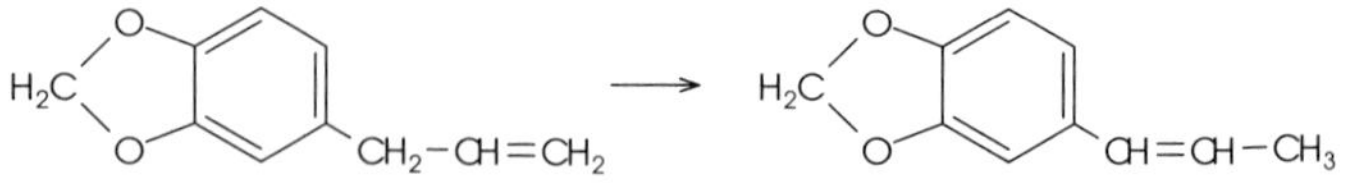

Safrol Isosafrol

Isosafrol wird für Toilettenseifen-Parfüms und hauptsächlich als Ausgangsstoff für Heliotropin verwendet.

TOXIKOLOGIE:
Phenylallyl- und Phenylpropenyl-Derivate stehen im Verdacht toxischer und karzinogener Wirkungen. Nachdem im Tierversuch (Ratte, oral) die Bildung von Leberzirrhosen und bösartigen Lebergeschwülsten durch Safrol bestätigt wurde, erfolgte in der Bundesrepublik Deutschland ein Verbot der Verwendung von Safrol, Isosafrol und Dehydrosafrol in Nahrungs- und Genußmitteln. Gemäß der Gefahrstoffverordnung der Bundesrepublik Deutschland ist Isosafrol gesundheitsschädlich beim Verschlucken (R 22), ein irreversibler Schaden ist möglich (R 40).

Ivarancusaöl

Siehe → Vetiveröl.

Jasmilan

SYNONYM: α-Amylzimtaldehyd, α-Pentylzimtaldehyd
CHEMISCHE BEZEICHNUNG: 2-Pentyl-3-phenyl-2-propenal,
2-Pentyl-3-phenyl-prop-2-enal
CAS-NR.: 122-40-7
STRUKTURFORMEL:

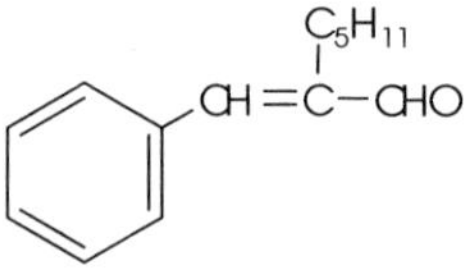

MOLEKULARGEWICHT: 202,30

Jasmilan ist eine noch nicht in der Natur nachgewiesene, schwach gelbe Flüssigkeit mit einem blumigen, leicht fettigen Geruch, in Verdünnung an Jasmin erinnernd.

PHYSIKALISCH-CHEMISCHE DATEN:
Sdp.$_{0,7\ kPa}$: 140 °C; d_4^{20}: 0,9710; n_D^{20}: 1,5381.

Der Aldehyd ist relativ instabil, was durch die Zugabe von Antioxidantien verbessert werden kann.
Die Verbindung wird durch alkalische Kondensation von Benzaldehyd mit n-Heptanal gewonnen.

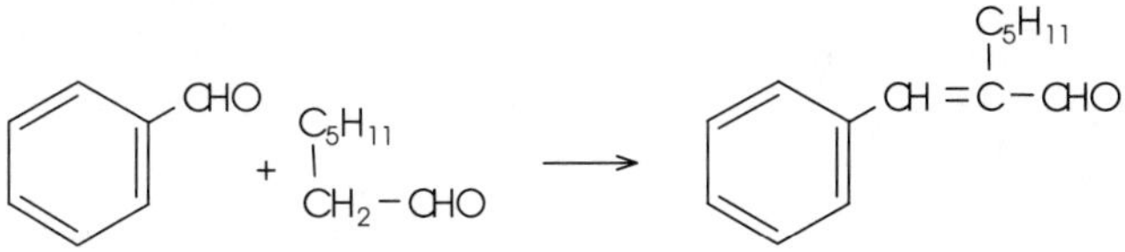

Benzaldehyd Heptanal Jasmilan

Jasmilan ist ein sehr beliebter Duftstoff für die Entwicklung von Jasmin-Noten. Das Produkt wird auf Grund seiner guten Alkalienbeständigkeit in großen Mengen besonders für Seifenparfüms verwendet.

TOXIKOLOGIE:
Jasmilan (α-Amylzimtaldehyd) besitzt ein allergenes Potential.

Jasmin-Absolue

Das aus den Blüten des Echten Jasmins (*Jasminum grandiflorum* L., *Jasminum officinale* L. var. *grandiflorum* (L.) STOKES) [Oleaceae] durch → Extraktion mit Hexan (in der Vergangenheit durch → Enfleurage) über das → Concret gewonnene → Absolue. Bei zwei- bis dreimaliger → Extraktion ergibt 1 Tonne Jasminblüten ca. 2 bis 3 kg → Concret. Dessen → Extraktion mit Ethanol führt in 50 bis 60 % Ausbeute zum → Absolue. Hauptproduzenten sind Ägypten, Marokko, Italien und Indien. (In Indien und China wird auch aus *Jasminum sambac* (L.) AIT. ein Jasmin-Absolue hergestellt.) Die Welt-Jahresproduktion beträgt ca. 10 Tonnen.
Das absolute Öl ist eine rötlich-braune Flüssigkeit, die bei Lage-

rung nachdunkelt. Sie besitzt einem starken honigartig-süßen blumigem Geruch mit fruchtig-kräuterartigen Nuancen.

PHYSIKALISCH-CHEMISCHE DATEN:
n_D^{20}: 1,4780 bis 1,4920; SZ: 8 bis 14; EZ: 120 bis 220.

Hauptinhaltsstoff ist Benzylalkohol. Daneben kommen u. a. Essigsäurebenzylester (Benzylacetat), Benzoesäurebenzylester (Benzylbenzoat), Nicotinsäureester, Farnesen, Farnesol, Geraniol, Nerol, α-Terpineol, Linalool, Phytol, Eugenol, Vanillin, Methylheptenon, Linalylacetat, α-Amylzimtaldehyd und Anthranilsäuremethylester vor. In Spuren enthaltene Verbindungen, wie Jasmonsäuremethyl- und -ethylester, *cis*- und *trans*-Jasmon, Jasmolacton, Jasmolon, Dihydrojasmonat und Indol, sind für den Geruch bestimmend.

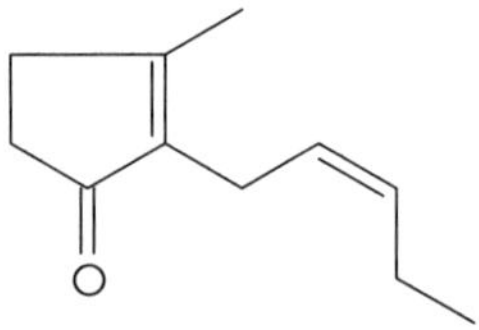

cis-Jasmon

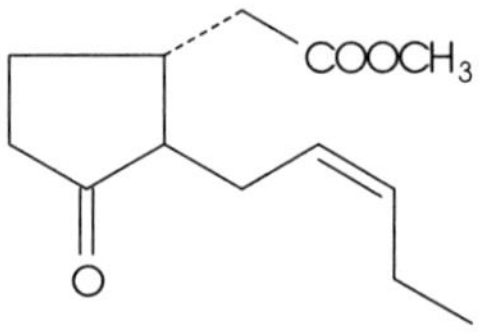

Jasmonsäuremethylester

Das Jasmin-Absolue ist ein wertvoller und sehr häufig verwendeter Rohstoff für die Feinparfümerie und wichtige Grundkomponente von → Parfüm-Kompositionen.

TOXIKOLOGIE:
Bei oraler Zufuhr ist das als Inhaltsstoff beschriebene Eugenol mäßig giftig. Im Tierversuch wirkt es hautreizend, karzinogen und mutagen. Es besitzt ferner eine allergenes Potential. Auch Geraniol, Linalool, Linalylacetat, α-Amylzimtaldehyd und Vanillin besitzen ein allergenes Potential. Benzylacetat steht im Verdacht, allergene Wirkungen auszulösen.
Wichtige Allergene in synthetischen Jasminölen sind Zimtaldehyd und α-Amylzimtaldehyd.

Engl.: jasmine absolute; franz.: essence absolue de jasmin.

Die Gewinnung des **ätherischen Jasminöls** (vgl. → ätherische Öle) durch → Wasserdampf-Destillation der Blüten erfolgt seltener.

Engl.: jasmine oil; franz. essence de jasmin.

cis-Jasmon

CHEMISCHE BEZEICHNUNG: 3-Methyl-2-(2-*cis*-penten-1-yl)-2-cyclopenten-1-on, 3-Methyl-2-(cis-pent-2-en-1-yl)-cyclopent-2-en-1-on

CAS-NR.: 488-10-8

STRUKTURFORMEL:

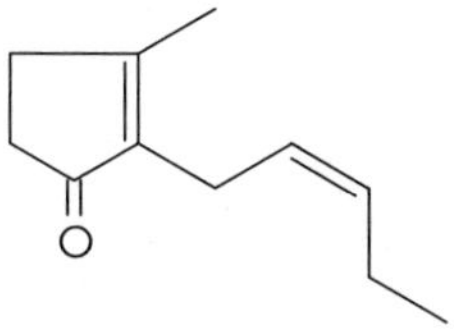

MOLEKULARGEWICHT: 164,25

cis-Jasmon ist eine hellgelbe viskose Flüssigkeit mit einem starken Jasmingeruch und einer der geruchsbestimmenden Inhaltsstoffe des absoluten und konkreten Jasminöls (vgl. → Jasmin-Absolue).

PHYSIKALISCH-CHEMISCHE DATEN:

Sdp.$_{1,6\,kPa}$: 78 bis 79 °C; d_4^{20}: 0,9423; n_D^{20}: 1,4989.

Die Verbindung ist fast unlöslich in Wasser, löslich in Ethanol sowie in Ölen.
Es sind verschiedene stereospezische Synthesen zur Herstellung von *cis*-Jasmon ausgearbeitet worden. Ein neueres Verfahren beruht auf der Alkylierung von 3-Methyl-cyclopent-2-en-1-on mit *cis*-Pent-2-enyl-chlorid in alkalischem Medium in Gegenwart eines Phasentransferkatalysators (z. B. Tricaprylmethylammoniumchlorid).

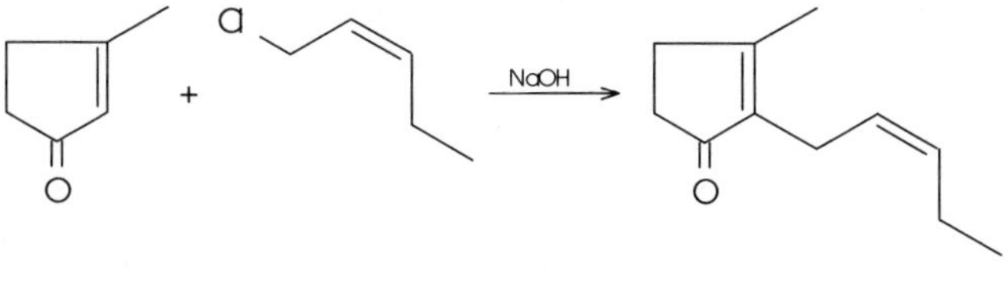

3-Methyl-cyclopent-2-en-1-on — *cis*-Pent-2enyl-chlorid — *cis*-Jasmon *cis*-Jasmon wird in der Parfümerie in Feinbasen für Jasmin als auch für Blütenkompositionen verwendet.

TOXIKOLOGIE: LD_{50} (Ratte, oral): 5 g/kg KG.

Johannisbeeren-Absolue

Siehe → Schwarze-Johannisbeeren-Absolue.

α-Jonon

SYNONYME: Violon, α-Ionon
CHEMISCHE BEZEICHNUNG: 4-(2,6,6-Trimethyl-cyclohex-2-en-1-yl)-but-3-en-2-on, 4-(2,6,6-Trimethyl-2-cyclohexen-1-yl)-3-buten-2-on
CAS-NR.: 127-41-3
STRUKTURFORMEL:

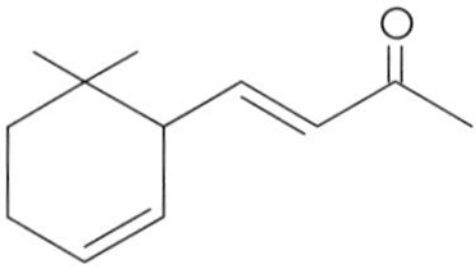

MOLEKULARGEWICHT: 192,30

α-Jonon ist ein schwach gelbes Öl mit süß-blumigem, an Veilchen erinnernden Geruch.
Beide optischen Isomere kommen in der Natur vor. Generell haben die Jonone eine *trans*-Konfiguration. Unter dem Einfluß von ultraviolettem Licht wird *trans*-α-Jonon jedoch in das *cis*-Isomer umgewandelt.

PHYSIKALISCH-CHEMISCHE DATEN:
$Sdp._{13\,kPa}$: 121 bis 122 °C; d_4^{20}: 0,9319; n_D^{20}: 1,4982.

α-Jonon ist wenig löslich in Wasser, löslich in 70%igem Ethanol (2 : 3), Ether und Chloroform.
Unter entsprechenden Reaktionsbedingungen kann man bei der Hydrierung Dihydro- oder Tetrahydro-Derivate erhalten.
Wird Citral in Gegenwart von Alkalien (Natronlauge, Kalilauge, Bariumhydroxid, Natriumphenolat u. a.) mit Aceton kondensiert, so entsteht Pseudojonon, dessen Cyclisierung mit Säuren Gemische aus vorwiegend α- und β-Jonon wechselnder Zusammenset-

zung ergibt. Mit Phosphorsäure entsteht hauptsächlich α-Jonon, mit Schwefelsäure vor allem das für die Synthese des Vitamins A als Zwischenprodukt dienende β-Jonon.

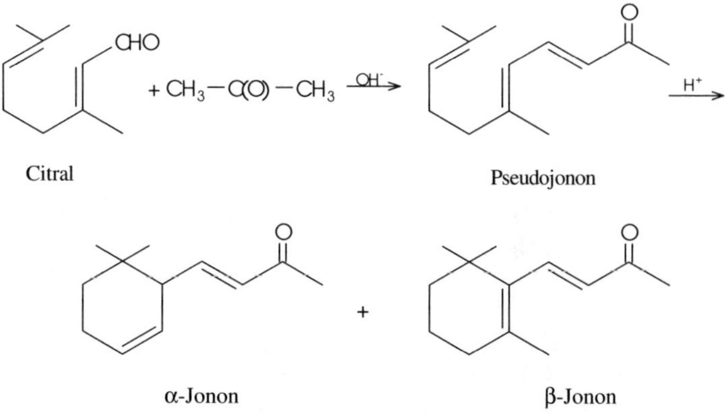

α-Jonon wird als hochwertiger → Riechstoff vor allem in Blüten- und Phantasie-Kompositionen sowie, wenn auch in geringerem Maße, in → Aroma-Kompositionen eingesetzt.

TOXIKOLOGIE: LD_{50} (Ratte, oral): 4,6 g/kg KG.
α-Jonon besitzt ein allergenes Potential.

Juchten

Allgemeine Bezeichnung für einen → Riechstoff mit dem Duft des mit Weidenrinde gegerbten und mit → Birkenteeröl (zum Einfetten) sowie Sandelholz (zum Färben) behandelten Juchten-Leders.

Kalmusöl

Siehe → Calmusöl.

Kamillenöle

Das **Echte Kamillenöl (Deutsches Kamillenöl, Blaues Kamillenöl)** ist das aus den Blüten und Stengeln der Echten Kamille

(*Matricaria chamomilla* L., *Matricaria recutita* L., *Chamomilla recutita* (L.) RAUSCHERT) [Asteraceae, Compositae] durch → Wasserdampf-Destillation gewonnene → ätherische Öl (CAS-Nr.: 8002-66-2). Die Ausbeute beträgt 0,3 bis 1,5 %. Die Hauptanbaugebiete liegen in Zentral- und Ost-Europa, Ägypten und Argentinien.
Das sich bei der → Wasserdampf-Destillation (durch Bildung von Guajazulen und Chamazulen aus den Proazulenen Matricin und Matricarin) blau bis blau-grün färbende Öl weist einen starken, fast betäubenden balsamisch-süßen kräuterartigen Geruch mit frisch-fruchtigen (an Kakao erinnernden) Nuancen und einen aromatisch-bitteren Geschmack auf. Bei der Lagerung an Licht und Luft färbt es sich grün, danach braun. Lösungen in 95%igem Ethanol sind trüb.

PHYSIKALISCH-CHEMISCHE DATEN:
d_{25}^{25}: 0,910 bis 0,950; SZ: 5 bis 50; EZ: 0 bis 40; EZ (nach Acetylierung): 65 bis 155.

Hauptinhaltsstoffe sind 25 bis 45 % Bisabolol-Derivate und 0,5 bis 15 % Azulene (wie Guajazulen, Chamazulen). Des weiteren wurden u. a. Polyacetylene, Furfurol, Nonan- und Decansäure, Myrcen, Sesquiterpene (wie Farnesen, Cadinen) sowie Fettsäuren nachgewiesen.
Für die entzündungshemmenden Eigenschaften des Kamillenöls macht man Chamazulen und (–)-α-Bisabolol verantwortlich.

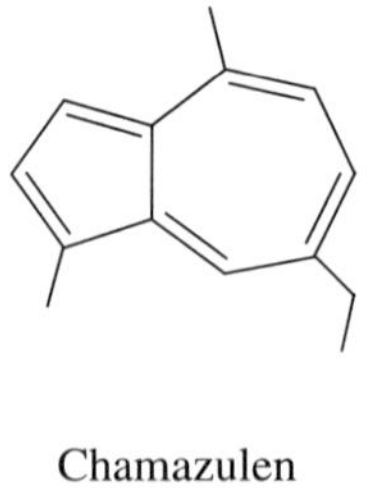

Chamazulen

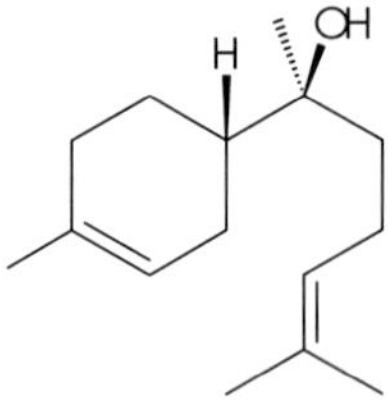

(–)-α-Bisabolol

Das Öl wird in geringer Dosierung in orientalischen Düften, Fougère-, Chypre- und Blumen-Noten eingesetzt. Es dient ferner als parfümierender und entzündungshemmender Zusatzstoff für → Kosmetika (wie Hautcremes, Rasiercremes) und als → Aromastoff in der Likörindustrie. Auch in parmazeutischen Präparaten (Carminativa, Spasmolytica, Antiphlogistica) wird Kamillenöl verwendet.

TOXIKOLOGIE:
Kamillenöl kann bei empfindlichen Personen zu einer Kontaktallergie führen. In der Kamille wird als Allergen das Sesquiterpenlacton Anthecotulid beschrieben, das vor allem in der aus Süd-Amerika importierten Ware enthalten sein soll. Ferner kommen in Spuren enthaltene Cumarin-Derivate und Flavonoide als verursachende Inhaltsstoffe in Betracht. Die Aufnahme größerer Mengen Cumarin-Derivate ist leber- und nierenschädigend.

K

Das **Römische Kamillenöl** (auch **Englisches Kamillenöl**) wird durch → Wasserdampf-Destillation aus den getrockneten Blüten von *Chamaemelum nobile* (L.) ALL. (*Anthemis nobilis* L.) [Asteraceae, Compositae] gewonnen. Die Ausbeute beträgt 0,5 bis 1,7 %. Hauptproduzenten des Öls sind Großbritannien und Frankreich.
Das hellblaue bis grünlich-blaue Öl besitzt einen frischen süßen kräuterartig-aromatischen Geruch mit fruchtigen und teerartigen Untertönen. Ein Volumenteil löst sich bei Raumtemperatur in 2 Volumenteilen 80%igem Ethanol. Ein leichter Niederschlag kann entstehen.

PHYSIKALISCH-CHEMISCHE DATEN:
d_{25}^{25}: 0,892 bis 0,910; n_D^{20}: 1,4400 bis 1,4500; SZ: max. 15; EZ: 250 bis 310.

Hauptinhaltsstoffe sind u. a. Azulene, Ester der Angelica- und Tiglinsäure (*cis*- und *trans*-2-Methyl-but-2-ensäure), Isobuttersäure, Anthemol und Cuminaldehyd. Auch geringe Mengen Cumarine wurden gefunden.
Das Öl dient in der Parfümerie als Nuanceur in blumigen und würzigen Noten sowie in Chypre- und Jasmin-Düften. Es kommt ferner als Zusatz zu Shampoos zum Einsatz. In pharmazeutischen

Präparaten wird es als Diaphoreticum und Spasmolyticum sowie bei schmerzhafter Regelblutung angewandt.

TOXIKOLOGIE:
Die Pflanze enthält potentiell allergene Sesquiterpenlactone (wie Nobilin). Über deren Bedeutung im Öl ist nichts bekannt. Die Aufnahme größerer Mengen der als Inhaltsstoffe beschriebenen Cumarin-Derivate ist leber- und nierenschädigend.

Das **Marokkanische Kamillenöl** (Wildkamillenöl) wird durch → Wasserdampf-Destillation aus in Marokko wild gedeihenden *Ormenis*-Arten [Asteraceae, Compositae] gewonnen.
Das gelbe Öl besitzt einen süßen krautigen holzig-balsamischen Geruch.
Es enthält irreguläre Monoterpene, wie Santolinaalkohol und Artemisiaalkohol.
Das Öl wird in der Parfümerie verwendet.

Engl.: chamomile oil (blue, German; Roman); franz.: essence de petite camomille; ital.: olio essenziale di camomilla; span.: esencia de camomila (manzanilla).

Kampfer

Siehe → Campher.

Kampferöl

Siehe → Campheröl.

Kanangaöl

Siehe → Ylang-Ylang-Öl und *Cananga*-Öl.

Kardamomöl

Siehe → Cardamomöl.

Karottensamenöl

Siehe → Möhrensamenöl.

Karzinogene Wirkung von Riech- und Aromastoffen

Einige wenige → ätherische Öle bzw. Inhaltsstoffe haben sich in den letzten Jahren im Tierversuch als karzinogen (krebserzeugend) erwiesen. Dazu gehören das in → Sassafrasöl, → Sternanisöl, → Campheröl (in kleineren Mengen in → Anisöl, Zimtrindenölen [vgl. → Zimtöle], → Muskatnußöl, → Petersilienöl, → Ingweröl, → Ylang-Ylang-Öl und → Pfefferöl) vorkommende Safrol.
Auch das in → Estragonöl, → Fenchelöl, → Basilikumöl und → Sternanisöl nachgewiesene verwandte Estragol wirkt im Tierversuch krebserzeugend, ebenso das in → Calmusöl und → Möhrensamenöl bestimmter Herkünfte enthaltene β-Asaron, das in → Gewürznelkenöl, → Pimentölen, → Bayöl und Zimtrindenölen (vgl. → Zimtöle), in geringen Mengen in → Calmusöl, → Geraniumölen und → Citronellölen vorkommende Eugenol und die in → *Angelica*-Öl, → Liebstöckelöl, → Pastinaköl, Petersiliensamen- und -wurzelöl (vgl. → Petersilienöle), → Rautenöl und einigen → *Citrus*-Ölen (wie → Bergamottöl, → Limettenöl, → Grapefruitöl) in Spuren enthaltenen Furocumarine.
Die aus den Schalen der entsprechenden Früchte gewonnenen → Orangen-, → Citronen- und → Grapefruitöle sowie das → *Eucalyptus*-Öl erwiesen sich auf der Haut von Mäusen als kokarzinogen (krebsfördernd). Bei der oralen Verabreichung von → Orangen- und → Citronenöl an Mäuse wurden gelegentlich auch Geschwülste des Vormagens und der Harnröhre beobachtet.
(+)-Limonen wird in der Bundesrepublik Deutschland zur Zeit auf eine mögliche karzinogene Wirkung untersucht.

Ketongehalt

Die Bestimmung des Ketongehaltes dient bei → ätherischen Ölen, deren Geruch durch Ketone (z. B. Octan-3-on, 2-Methyl-hept-2-en-6-on, Atlanton, Thujon, Carvon, Menthon, Fenchon, Jonon, Pulegon, Piperiton, Campher, Damascenon, Nootkaton) geprägt wird, zur analytischen Qualitätsprüfung.
Die klassische chemische Analyse kann mit Hilfe der Hydroxylamin-Methode erfolgen. Dabei wird durch Zusatz von Hydroxylamin-Chlorhydrat das entsprechende Ketoxim gebildet und die dabei freigesetzte Salzsäure titrimetrisch bestimmt.

Dazu wiegt man 1 g Substanz in ein 100-ml-Standkölbchen ein und setzt 20 ml Hydroxylamin-Chlorhydrat-Lösung zu, die als Indikator Bromphenolblau enthält.
Die freigesetzte Salzsäure wird mit 0,5 N alkoholischer Kalilauge bis zum Farbumschlag von gelb nach gelbgrün zurücktitriert. Falls sich der Inhalt des Kölbchens nach 1 Minute wieder gelb färbt, ist nochmals zu titrieren. Anschließend wird das Kölbchen mit aufgesetztem Rückflußkühler auf dem Wasserbad erwärmt. Nach dem Abkühlen titriert man die gelb gefärbte Lösung erneut mit 0,5 N alkoholischer Kalilauge und wiederholt diesen Vorgang so lange, bis die Lösung auch nach dem Abkühlen gelbgrün bleibt.
Der prozentuale Ketongehalt wird wie folgt berechnet:

$$\%\ \text{Keton} = \frac{\text{Molmasse des Ketons} \cdot \text{verbrauchte ml 0,5 N KOH}}{20 \cdot \text{Substanzmenge in g}}$$

Der Ketongehalt einer Riechstoffprobe kann ferner durch quantitative Auswertung der gaschromatographischen Untersuchung bestimmt werden.

Ketonmoschus

SYNONYME: Moschusketon, Musk Keton
CHEMISCHE BEZEICHNUNG: 2,6-Dimethyl-3,5-dinitro-4-tert.-butylacetophenon
CAS-NR.: 81-14-1
STRUKTURFORMEL:

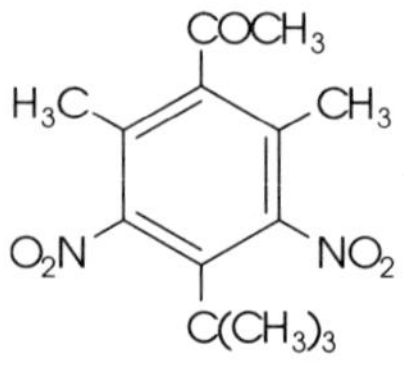

MOLEKULARGEWICHT: 294,31

Der in der Natur nicht vorkommende Ketonmoschus tritt in Form von gelblichen Kristallen mit einem süßen, sehr anhaltenden, schwach tierischen Moschusgeruch auf.

PHYSIKALISCH-CHEMISCHE DATEN:
Schmp.: 137 °C.

Ketonmoschus wird durch Friedel-Crafts-Acetylierung von 1,3-Dimethyl-5-tert.-butyl-benzol und anschließender Nitrierung des so erhaltenen 2,6-Dimethyl-4-tert.-butyl-acetophenons mit Salpetersäure gewonnen.
Ketonmoschus findet weitverbreitet Einsatz als → Fixateur in Blüten- und Phantasie-Kompositionen.

K

TOXIKOLOGIE:
Die synthetischen Nitromoschus-Riechstoffe stehen im Verdacht einer karzinogenen (krebserzeugenden) Wirkung. Der eng verwandte Ambrettemoschus wurde in den EU-Richtlinien als gesundheitlich bedenklich eingestuft; eine europaweites Verbot ist geplant. Photoallergische Reaktionen (vgl. → allergene Riech- und Aromastoffe) sind nicht auszuschließen.

Kiefernnadelöle

Unter **Kiefernnadelöl** ist das aus den frischen Nadeln der europäischen Gemeinen Waldkiefer (Norwegische oder Schottische Kiefer, Föhre; *Pinus sylvestris* L.) [Pinaceae] durch → Wasserdampf-Destillation gewonnene → ätherische Öl (CAS-Nr.: 8000-26-8) zu verstehen. Die Ausbeute beträgt 0,45 bis 0,55 %. Hauptproduzenten sind Österreich (Tirol), der Balkan und Rußland.
Das farblose bis gelbliche Öl weist einen harzig-frischen kienig-aromatischen Geruch auf. Ein Volumenteil löst sich bei Raumtemperatur in 6 Volumenteilen 90%igem Ethanol, manchmal unter leichter opaleszenter Trübung.

PHYSIKALISCH-CHEMISCHE DATEN:
D^{25}: 0,857 bis 0,885; n_D^{20}: 1,4730 bis 1,4785; $[\alpha]_D$: - 4° bis + 10°; Estergehalt (berechnet als Bornylacetat): 1,5 bis 5 %.

Hauptinhaltsstoffe sind α-Pinen, Dipenten, Car-3-en, Cadinen, Bornylacetat und Terpinylacetat.

Das **Latschenkiefernöl** (CAS-Nr.: 8000-26-8) wird durch → Wasserdampf-Destillation aus den frischen Nadeln und Zweigspitzen der Latsche, Berg- oder Latschenkiefer (*Pinus mugo* TURRA ssp. *mugo* ZENARI [*Pinus montana* MILL. ssp. *mughus* (SCOP.) ASCHERS. et GRAEBN.] und *Pinus mugo* TURRA ssp. *pumilio* (HAENKE) FRANCO [*Pinus montana* MILL. ssp. *pumilio* (HAENKE) ASCHERS. et GRAEBN.]) [Pinaceae] gewonnen. Die Ausbeute beträgt bis zu 1 %. Hauptproduzenten sind Österreich (Tirol) und andere bergige Regionen Mittel- und Südost-Europas.

Das farblose Öl weist einen balsamisch-aromatischen, leicht fettig-grünen Geruch auf, mit einem an Moschuskörner (vgl. → Ambrettesamenöl) sowie Labdanum (vgl. → Labdanumöl) erinnernden Nachgeruch. Der Geschmack ist bitter. Sommeröle riechen dabei im allgemeinen lieblicher und weicher, Winteröle rauher und fettiger. Ein Volumenteil löst sich bei Raumtemperatur in 10 Volumenteilen 90%igem Ethanol.

PHYSIKALISCH-CHEMISCHE DATEN:

d_{25}^{25}: 0,853 bis 0,871; n_D^{20}: 1,4750 bis 1,4800; $[\alpha]_D^{25}$: - 16° bis - 3°; Estergehalt (berechnet als Bornylacetat): ca. 1,5 bis 5 %.

Hauptinhaltsstoffe sind α- und β-Pinen, α- und β-Phellandren, Sylvestren, Cadinen, Dipenten und der Geruchsträger Bornylacetat.

Das **Zirbelkiefernöl** wird durch → Wasserdampf-Destillation aus den Nadeln oder Zweigen der in den mitteleuropäischen Hochgebirgen gedeihenden Zirbelkiefer (*Pinus cembra* L.) [Pinaceae] gewonnen.

Das farblose Öl besitzt einen dem Latschenkiefernöl ähnlichen Geruch. Es ist in Ethanol löslich.

PHYSIKALISCH-CHEMISCHE DATEN:

d_{15}^{15}: 0,861 bis 0,868; n_D^{20}: 1,4750 bis 1,4780; $[\alpha]_D^{20}$: - 15,12° bis + 11,38°.

Wichtige Inhaltsstoffe sind Pinen, Cadinen und Bornylacetat.

Kiefernnadelöle werden vor allem in Herren-Parfüms und Koniferen-Noten sowie zur Parfümierung von Badezusätzen, Hautölen, Seifen, Luftverbesserungsmitteln, Bohnerwachsen und Schuhcremes genutzt.

Kiefernnadelöl wird als Inhalationsmittel und in Einreibungen angewandt. Es ist als Monographie im DAB 10 enthalten. Für *Pini aetheroleum* ist eine Monographie der Kommission E beim Bundesinstitut für Arzneimittel und Medizinprodukte (BfArM) verfügbar.
Das schwach antiseptische Latschenkiefernöl und das Zirbelkiefernöl werden in Rheumaeinreibungen und Inhalationsmitteln (Expectorantien) angewandt. Kiefernnadelöle besitzen eine insektenabschreckende Wirkung.
Das Nadelöl der nordamerikanischen Drehkiefer (*Pinus contorta* DOUGL. ex LOUD.) dient als Quelle für natürliches (–)-β-Phellandren.
Häufig werden die Kiefernnadelöle noch, wie von altersher, fälschlicherweise als → Fichtennadelöl gehandelt.

TOXIKOLOGIE:
Die Öle wirken hautreizend und können bei empfindlichen Personen allergene Wirkungen entfalten.
Die als Inhaltsstoffe beschriebenen Pinene und Car-3-en können in größeren Mengen bei empfindlichen Personen Hautreizungen und Ekzeme hervorrufen. Pinene können bei oraler Aufnahme Nierenreizungen nach sich ziehen.

Zu den aus Kiefernhölzern gewonnenen **Holzterpentinölen (Pinusölen, Pinölen)** vgl. → Terpentinöle.

Kiefernnadelöle

Engl.: fir oils; franz.: huile de pin; ital.: oli di pinastro.

Latschenkiefernöl

Engl.: dwarf pine needle oil; franz.: huile de pin nain; ital.: olio essenziale del pino mugo; span.: esencia de pino de montana.

Kiefernöle

Die aus Kiefern-Arten (*Pinus* sp.) [Pinaceae] gewonnenen → ätherischen Öle. Dazu gehören vor allem die → Terpentinöle und die → Kiefernnadelöle (häufig noch, wie von altersher, fälschlicherweise als → Fichtennadelöl gehandelt).

Knoblauchöl

Siehe → *Allium*-Öle.

Kokosaldehyd

Siehe → Aldehyd C_{18}.

Koniferenöle

K

Sammelbezeichnung für → ätherische Öle, die durch → Wasserdampf-Destillation oder → Extraktion aus Pflanzenteilen (Nadeln, Zweige, Rinde, Zapfen, Holz) oder dem Harz von Koniferen gewonnen und in der Riechstoffindustrie bzw. für technische Zwecke (z. B. als Lösungsmittel) eingesetzt werden. Wichtige Vertreter sind → Kiefernnadelöle, → Tannennadelöle, → Fichtennadelöle, → Terpentinöle, → Cedernöle und → Cypressenöl.
Verschiedene aus den Nadeln von Tannen- und Kiefern-Arten gewonnene → ätherische Öle werden häufig fälschlicherweise als → Fichtennadelöle bezeichnet.
Das Lärchen-Terpentin oder Venezianische Terpentin ist ein durch Anbohren der Stämme der Europäischen Lärche (*Larix decudua* L.) [Pinaceae] gewonnener Balsam, der ca. 15 % → ätherisches Öl (Lärchenöl) enthält.

Kopaivabalsamöl

Siehe → Copaivabalsamöl.

Korianderöl

Siehe → Corianderöl.

Kornminzöl

Siehe → *Mentha-arvensis*-Öl.

Kosmetika

In der Vergangenheit wurden die kosmetischen Mittel in Körperpflegemittel und zur Verschönerung des menschlichen Körpers dienende dekorative Kosmetika unterteilt. Heute werden gesetzlich beide als kosmetische Mittel zusammengefaßt. Da Kosmetika vom Verbraucher über viele Jahre, teilweise lebenslang angewandt werden, wurden strenge gesetzliche Bestimmungen erlassen, die in der Bundesrepublik Deutschland im Lebensmittel- und Bedarfsgegenstände-Gesetz sowie der Kosmetik-Verordnung fixiert sind. Die Anwendung laut Arzneimittelgesetz verschreibungspflichtiger Stoffe ist in Kosmetika grundsätzlich untersagt. Weitere verbotene Stoffe sind im Rahmen der Kosmetik-Verordnung in einer Negativ-Liste zusammengestellt. Alle erlaubten Stoffe sind, gegliedert nach den Gruppen kosmetische Färbemittel, Konservierungsstoffe und UV-Absorber, Bestandteil einer Positiv-Liste, wobei Einsatzbeschränkungen und Höchstmengen vermerkt sind.

Kosmetika (wie z. B. → Parfüms, → Eau de Toiletts, → Eau de Colognes, Duft-, Rasier- und Gesichtswässer, Seifen, Hautpflegemittel, Sonnenschutzmittel, Haarpflegemittel, Zahnpflegemittel, Badezusätze, Puder, Deodorantien, Rasiercremes) enthalten zur geruchlichen Wirkung → Parfümöle bzw. → Riech- und → Aromastoffe.

Die Zusätze werden im Rahmen der EU nach einem Codesystem eingruppiert, das eine Erkennung von allergischen Reaktionen durch bestimmte Zusatzstoffe ermöglichen soll.

Krauseminzöl (Spearmintöl)

Das zu den → Minzölen zählende → ätherische Öl (CAS-Nr.: 8006-79-5) wird durch → Wasserdampf-Destillation aus dem blühenden Kraut (frisch oder leicht getrocknet) der Wilden Krauseminze (Ährenminze; *Mentha spicata* L., *Mentha viridis* (L.) L.) und der Schottischen Krauseminze (*Mentha cardiaca* GERRARD ex BAK.) [Lamiaceae, Labiatae] gewonnen. Im Angelsächsischen werden sie als „Native Spearmint Oil“ und „Scotch Spearmint Oil“ bezeichnet. Die Pflanzen gedeihen in Europa und Nord-Amerika. Haupterzeugungsgebiet sind die USA (Staat Washington, geringere Mengen im Mittelwesten). Die Ausbeute beträgt ca. 0,7 %. Die Jahresproduktion liegt bei ca. 1000 bis 1500 Tonnen. Davon stammen 30 bis 50 % aus Wilder Krauseminze, 50 bis 70 % aus Schottischer Krauseminze.

Das farblose bis gelbliche oder gelbgrüne Öl ist von angenehm-frischem kümmelartig-minzigem durchdringendem Geruch und Geschmack. Ein Volumenteil löst sich bei Raumtemperatur in 1 bis 1,5 Volumenteil 80%igem Ethanol.

PHYSIKALISCH-CHEMISCHE DATEN:
d_{20}^{20}: 0,920 bis 0,937; n_D^{20}: 1,4850 bis 1,4910; $[\alpha]_D^{20}$: - 60° bis - 45°; Carbonylzahl: mind. 200, entsprechend einem Carvon-Gehalt von 55 %.

K

Den Hauptinhaltsstoff der amerikanischen Öle stellt mit 55 bis 65 % das aromabestimmende (–)-Carvon (→ Kümmelöl enthält als geruchsbestimmende Hauptkomponment (+)-Carvon). Daneben sind u. a. ca. 9 bzw. 15 % (–)-Limonen (Wilde bzw. Schottische Krauseminze), α-Pinen, Phellandren, Dihydrocarveol, (–)-Linalool, 1,8-Cineol (Eucalyptol), Carvacrol, Octan-3-ol, (–)-Menthon, Dihydrocarvon, 6-Hydroxy-carvon, Pulegon, Sabinenhydrat sowie die den Geruch wesentlich mitbestimmenden Ester Dihydrocarveylacetat (die Angaben schwanken zwischen < 0,1 und 20 % !), *cis*-Carveylacetat und Dihydrocuminylacetat beschrieben.
Wesentliche Inhaltsstoffe in russischen Krauseminzölen sind 50 bis 60 % (–)-Linalool, ca. 20 % 1,8-Cineol, ca. 20 % (–)-Limonen und nur 5 bis 10 % (–)-Carvon.
In der Parfümerie geht Krauseminzöl in grüne, Lavendel-, Fougère- und Jasmin-Kompositionen ein, die vor allem in Seifen verwendet werden. Als → Aromastoff wird es in der Süßwaren- und Gewürzindustrie genutzt, besonders als Zusatz zu Kaugummi und Mundpflegemitteln. Das Öl ist Quelle für natürliches (–)-Carvon.

TOXIKOLOGIE:
Das als Inhaltsstoff beschriebene 1,8-Cineol (Eucalyptol) kann in größeren Mengen bei empfindlichen Personen Hautreizungen, bei oraler Aufnahme Gastroenteritis und Nierenreizungen bewirken, α-Pinen Hautreizungen und Ekzeme bzw. Nierenreizungen. Toxikologisch zu beachten ist auch das Sabinenhydrat. Carvon, Limonen, Linalool und Carvacrol besitzen ein allergenes Potential.

Engl.: spearmint oil; franz.: essence de menthe crépue; ital.: oli di menta crespata; span.: esencia de menta rizada.

Kreuzkümmelöl

Siehe → Cuminöl.

Kubebenöl

Siehe → Cubebenöl.

Kumarin

Siehe → Cumarin.

Kuminöl

Siehe → Cuminöl.

K

Kümmelöl

Das aus den zerquetschten Früchten des Kümmels (*Carum carvi* L.) [Apiaceae, Umbelliferae] durch → Wasserdampf-Destillation gewonnene → ätherische Öl (CAS-Nr.: 68917-82-8). Die Ausbeute beträgt 2 bis 8 %. Hauptproduzenten sind Polen und Ungarn.
Das farblose bis gelbe Öl weist einen charakteristischen Kümmel-Geruch und einen mild-würzigen, etwas brennenden Geschmack auf. Bei längerer Lagerung und Luftkontakt verstärken sich Farbe und Viskosität. Ein Volumenteil löst sich bei Raumtemperatur in 2 Volumenteilen 80%igem Ethanol.

PHYSIKALISCH-CHEMISCHE DATEN:
D^{15}: 0,904 bis 0,919; n_D^{20}: 1,4840 bis 1,4880; $[\alpha]_D$: + 70° bis + 81°; Ketongehalt (berechnet als Carvon): 50 bis 60 %.

Hauptinhaltsstoffe sind 50 bis 65 % (+)-Carvon (→ Krauseminzöl enthält als geruchsbestimmende Hauptkomponente (–)-Carvon) und 30 bis 50 % (+)-Limonen. Daneben sind u. a. Dihydrocarvon (und Isomere), Carveol, Dihydrocarveol, α- und β-Pinen, Car-3-en, Sabinen, Geraniol und Perillaalkohol enthalten.
In geringen Mengen wird Kümmelöl in modernen Herren-Parfüms (Moos-, Chypre-, Jasmin- und Tabak-Noten) sowie zur Seifenparfümierung eingesetzt. In der Riechstoffindustrie ist es Ausgangsstoff zur Gewinnung von (+)-Carvon. Es dient ferner als → Aromastoff für Liköre, Mundpflegemittel und Nahrungsmittel so-

wie zur Herstellung pharmazeutischer Präparate (Spasmolytica und Carminativa bei Koliken, Flatulenz und Meteorismus; veterinärmedizinische Mittel gegen Hunderäude). Dem Kümmelöl wird auch eine beträchtliche fungizide Wirkung zugeschrieben. Es ist als Monographie im DAB 10 enthalten. Für *Carvi aetheroleum* ist eine Monographie der Kommission E beim Bundesinstitut für Arzneimittel und Medizinprodukte (BfArM) verfügbar.

TOXIKOLOGIE:
Die als Inhaltsstoffe beschriebenen Pinene und Car-3-en können in größeren Mengen bei empfindlichen Personen Hautreizungen und Ekzeme bewirken, Pinene bei oraler Aufnahme Nierenreizungen. Sabinen kann Hautreizungen und bei oraler Zufuhr Gastroenteritis, Nierenschäden, Menorrhagie und Abort auslösen. Carvon, Limonen und Geraniol besitzen ein allergenes Potential.

L

Engl.: caraway oil; franz.: essence de carvi; ital.: olio essenziale di carvi; span.: esencia de comino.

Kurkumaöl

Siehe → *Curcuma*-Öl.

Labdanumöl (Ladanumöl, *Cistus*-Öl, Cistusöl)

Durch → Wasserdampf-Destillation des Labdanum-Harzes, gewonnen durch Auskochen der Zweige der Zistrosen-Art *Cistus ladanifer* L. [Cistaceae] mit Wasser, erhält man als → ätherisches Öl das **Labdanum**- oder ***Cistus*-Öl** (CAS-Nr.: 8016-26-0). Hauptproduzenten von Labdanum-Harz sind Kreta, Süd-Frankreich und Nordwest-Spanien. Die jährliche Produktion liegt bei mehr als 500 Tonnen.
Das viskose goldgelbe Öl färbt sich an der Luft rasch dunkelbraun und weist einen warmen würzigen holzig-balsamischen Geruch mit einer leichten Ambra- und Ledernote auf. Ein Volumenteil löst sich bei Raumtemperatur in 0,5 Volumenteilen 90%igem Ethanol, häufig unter Opaleszenz oder Trübung. Bei weiterer Verdünnung scheidet sich Paraffin ab.

PHYSIKALISCH-CHEMISCHE DATEN:
d_{25}^{25}: 0,905 bis 0,993; n_D^{20}: 1,4920 bis 1,5070; $[\alpha]_D$: + 0°15′ bis + 7°; SZ: 18 bis 86; EZ: 31 bis 86.

Das Öl enthält ca. 250 Verbindungen, von denen nur 10 in Mengen über 1 % enthalten sind. Dazu gehören α-Pinen (6,8 %), (+)-Camphen (1,4 %), Pinocarveol (1,8 %), Bornylacetat (1,2 %), Borneol (1,1 %), 2,6,6-Trimethyl-cyclohexan-1-on (1,7 %), *cis*-Ocimenon (1,8 %) Alloaromadendren/Leden (3,4 %), Ledol (1,1 %) und Viridiflorol (3,7 %), die zusammen einen Anteil von 24 % ausmachen. Zum charakteristischen Geruch tragen vor allem verschiedene, in geringen Mengen bzw. Spuren enthaltene terpenoide, phenolische, aliphatische und heterocyclische Sauerstoffverbindungen bei (z. B. Borneol, *cis*-Hex-3-en-1-ol, Eugenol, 2,6,6-Trimethyl-cyclohexan-1-on).
Labdanumöl wird in der Parfümerie vor allem für warme balsamische Duftnoten mit leichtem Ambra-Ton sowie als „erogene" Komponente in Phantasie-Noten genutzt. Bis ins 18. Jahrhundert kam Labdanum auch als Nervinum zur Anwendung.

TOXIKOLOGIE:
Das als Inhaltsstoff beschriebene α-Pinen kann in größeren Mengen bei empfindlichen Personen zu Hautreizungen und Ekzemen, bei oraler Zufuhr zu Nierenreizungen führen. Eugenol ist bei oraler Aufnahme mäßig giftig. Im Tierversuch wirkt es hautreizend, karzinogen und mutagen. Es besitzt ferner ein allergenes Potential.

Engl.: labdanum oil; franz.: huile de labdanum.

Durch → Extraktion mit Ethanol oder Methanol wird aus dem Labdanum-Harz ferner ein als **Labdanum-Absolue** (Resinoid-Absolue; vgl. → Resinoide) gehandeltes absolutes Resinoid isoliert.

Engl.: labdanum absolute; franz.: essence absolue de labdanum.

Das sogenannte **„echte *Cistus*-Öl (Cistusöl)"** wird durch → Wasserdampf-Destillation aus frischen Pflanzenteilen der *Cistus*-Arten erhalten. Es enthält im Gegensatz zum Labdanumöl hauptsächlich Monoterpenkohlenwasserstoffe.

TOXIKOLOGIE:
Die enthaltenen Terpenkohlenwasserstoffe (wie Pinene) können in größeren Mengen bei empfindlichen Personen zu Hautreizungen und Ekzemen, bei oraler Aufnahme zu Nierenreizungen führen.

Engl.: Cistus oil.

Bei der Extraktion der *Cistus*-Zweige mit organischen Lösungsmitteln erhält man das konkrete ***Cistus*-Resinoid** (Resinoid-Concret; vgl. → Resinoide).

Das Labdanum-Absolue und das *Cistus*-Resinoid sind in der Parfümerie als ausgezeichnete → Fixateure für orientalische Duftnoten (Fougère, Chypre, Holz, Leder) geschätzt.

Lärchenöl

Siehe → Koniferenöle.

L

Latschenkiefernöl

Siehe → Kiefernöle.

Lauchöl

Siehe → *Allium*-Öle.

Laurinaldehyd

Siehe → Aldehyd C_{12}.

Lavandin- und Lavendel-Absolue

Lavandin- und Lavendel-Blütenöle (vgl. → Absolues) werden außer durch → Wasserdampf-Destillation auch durch → Extraktion der Blütenstände des Lavandins (*Lavandula angustifolia* MILL. × *Lavandula latifolia* MEDIK.) bzw. des Echten Lavendels (*Lavandula angustifolia* MILL.) [Lamiaceae, Labiatae] mit Lösungsmitteln (z. B. Petrolether) gewonnen. Aus den dabei zunächst anfallenden pastösen → Concrets (Ausbeute 1,5 bis 2,2 %) erhält man durch Ethanol-Auszug die → Absolues. Die Hauptproduktionsgebiete liegen in Süd-Frankreich.
Die absoluten Öle weisen eine dunkelgrüne Farbe (Chlorophyll) auf und sind löslicher als die durch → Wasserdampf-Destillation erhaltenen → ätherischen Öle. Der länger anhaltende Geruch ist heuähnlich und würzig.

Die → Absolues werden in der Feinparfümerie und in Eau de Colognes angewandt. Zuvor werden sie häufig mittels Aktivkohle entfärbt.
Engl.: lavandin (lavender) absolute; franz.: essence absolue de lavandine (lavande).

Lavandinöl

Das aus den frischen Blütenständen von Lavandin, einem Hybrid aus Echtem Lavendel (*Lavandula angustifolia* MILL.) und Spiklavendel (*Lavandula latifolia* MEDIK.) [Lamiaceae, Labiatae] durch → Wasserdampf-Destillation gewonnene → ätherische Öl (CAS-Nr.: 8022-15-9). Besonders bedeutsam sind die Varietäten *abrial* und *grosso*. Die Ausbeute beträgt 1,0 bis 2,5 %.

L

Obwohl Lavandinöl als Rohstoff für die Parfümerie qualitativ weniger wertvoll als echtes → Lavendelöl ist, werden größere Mengen produziert, da die Ölausbeuten mit 50 bis 100 kg pro Hektar wesentlich günstiger sind. Die Hauptanbau- und Produktionsgebiete liegen in Frankreich (Provence, Languedoc). Die jährliche Produktion erreicht ca. 1000 Tonnen. Weitere kleinere Produzenten sind der Balkan (ca. 50 Tonnen/Jahr), Italien, Spanien, Ungarn, Argentinien und Nord-Afrika.
Das schwach gelbliche bis bernsteinfarbene Öl ist von hartem frisch-krautig-waldigem campherartigem Lavendelgeruch. Ein Volumenteil löst sich bei Raumtemperatur in 4 Volumenteilen 70%igem Ethanol.

PHYSIKALISCH-CHEMISCHE DATEN des Öles (Abrialisöl der Varietät *abrial*):

d_{20}^{20}: 0,885 bis 0,897; n_D^{20}: 1,4590 bis 1,4660; $[\alpha]_D^{20}$: - 7° bis - 2°; SZ: max. 1; EZ: 80 bis 105, entsprechend einem Estergehalt von 28 bis 37 % (berechnet als Linalylacetat).

Hauptinhaltsstoffe sind 40 bis 50 % (–)-Linalool, 24 bis 35 % Ester (hauptsächlich Linalylacetat), ca. 10 % Campher, bis zu 9 % 1,8-Cineol (Eucalyptol), 6 bis 7 % Monoterpenkohlenwasserstoffe (hauptsächlich α- und β-Pinen, Camphen und Limonen, Ocimen, Alloocimen), ca. 1 % Sesquiterpenkohlenwasserstoffe (hauptsächlich Caryophyllen und Bisabolen), (–)-Lavandulol,

Nerol, (–)-α-Terpineol, (+)-Borneol (ca. 2,3 %), Terpinen-4-ol, Peril-laalkohol, Linalooloxid, Hexanal, Ethylamylketon, Crypton, Diisopropylketon, Nopinon, Carvon, Hexyl- und Octylacetat, Linalylbutyrat sowie Eugenol.
Lavandinöl wird in der Parfümerie vor allem für Eau de Colognes (Lavendelwässer), Badezusätze und Seifenparfüms angewandt.

TOXIKOLOGIE:
Das als Inhaltsstoff beschriebene Pinen kann in größeren Mengen bei empfindlichen Personen zu Hautreizungen und Ekzemen, bei oraler Zufuhr zu Nierenreizungen führen, 1,8-Cineol (Eucalyptol) zu Hautreizungen bzw. Gastroenteritis und Nierenreizungen. Eugenol ist bei oraler Aufnahme mäßig giftig. Im Tierversuch wirkt es hautreizend, karzinogen und mutagen. Es besitzt ferner ein allergenes Potential. Auch Limonen, Linalool, Linalooloxid und Linalylacetat besitzen ein allergenes Potential.

Engl.: lavandin oil; franz.: essence de lavandine; ital.: essenziale del lavandino.

Lavendelöl

Das aus den frischen blauen Blütenständen des Echten Lavendels (*Lavandula angustifolia* MILL.) [Lamiaceae, Labiatae] durch → Wasserdampf-Destillation gewonnene → ätherische Öl (CAS-Nr.: 8000-28-0). Die Ausbeute liegt bei 0,8 bis 1,6 %. Die Pflanze wird heute vor allem auf humusreichen, kalkhaltigen Böden der Mittelmeerländer in Höhenlagen von 600 m bis 1500 m kultiviert, aber auch in Rußland, auf dem Balkan, in Großbritannien und Australien. Die Hauptproduktionsgebiete liegen in der Provence (Süd-Frankreich). Pro Hektar werden etwa 10 bis 25 kg Öl gewonnen. Die Jahresproduktion liegt bei jährlich ca. 100 Tonnen. Auch in Bulgarien werden pro Jahr ca. 100 Tonnen Lavendelöl gewonnen. Spezielle Lavendelöle kommen aus anderen Regionen, z. B. aus Tasmanien (Australien).
Das farblose bis gelbliche Öl ist von angenehm-frischem süß-balsamisch bis krautartigem Lavendel-Geruch mit blumig-waldigen Nuancen und stark aromatisch-bitterem Geschmack. Ein Volumenteil löst sich bei Raumtemperatur in 5 Volumenteilen 70%igem Ethanol.

PHYSIKALISCH-CHEMISCHE DATEN:

d_{20}^{20}: 0,876 bis 0,892; n_D^{20}: 1,4570 bis 1,4640; $[\alpha]_D^{20}$: - 11° bis - 5°; SZ: max. 1; EZ: 100 bis 170, entsprechend einem Estergehalt von 35 bis 60 % (berechnet als Linalylacetat).

Die Hauptinhaltsstoffe des französischen Lavendelöles stellen mit 30 bis 40 % das (–)-Linalylacetat und mit 30 bis 35 % das (–)-Linalool. Daneben sind u. a. 5 bis 9 % *cis*-Ocimen, 3 bis 5 % *trans*-Ocimen, 3 bis 4 % Lavandulylacetat, 3 bis 4 % Terpinen-4-ol, weniger als 1 % 1,8-Cineol (Eucalyptol) und weniger als 0,4 % Campher (nach anderen Angaben kein Campher) enthalten. In Lavendelölen wurden ferner u. a. α-Pinen, Car-3-en, Camphen, Dipenten, Sabinen, Cadinen, Bisabolen, Caryophyllen, Geraniol, Nerol, Lavandulol, Borneol, (+)-Citronellol (und Ester), Bisabolol, Cadinol, Cuminalkohol, Eugenol, Amylalkohol, n-Hexanol, Octan-1-ol (auch als Acetat), 2-Methyl-but-3-en-2-ol, Furfurol, Valeraldehyd, Hex-2-en-1-al, Methylheptenon, Etylamylketon, Lavandulylmethyl-2-butyrat, Lavandulylcapronat, (+)-Bornylacetat, Linalooloxid, Caryophyllenoxid, Cumarin und Cumarin-Derivate (wie Methylumbelliferon) sowie (+)-Methylethylessigsäure nachgewiesen.

Der Gesamt-Estergehalt des italienischen Öles liegt etwas tiefer. Ansonsten ähnelt es dem französischen Öl. Auch das qualitativ etwas schlechtere bulgarische Öl hat eine ähnliche Zusammensetzung.

In der Parfümerie wird Lavendelöl vor allem für Lavendel-Parfüms, Fougère-, Chypre- und Phantasie-Düfte sowie zur Parfümierung von Rasierwässern, Toilettenwässern (Eau de Colognes, Lavendelwässer), Badezusätzen, Cremes, Lotions und Seifenparfüms genutzt. In verschiedenen Arzneimitteln dient es als Geschmackskorrigens.

Die südfranzösische Küche verwendet Lavendelblüten und -blätter auch als Würzmittel.

Das schwach antiseptische Lavendelöl kommt medizinisch in Einreibungen (bei Neuralgien und Rheuma) zum Einsatz. Es ist als Monographie im DAB 10 enthalten.

Die Volksmedizin schätzt Lavendeltee bei nervösen Magen- und Darmbeschwerden sowie als Beruhigungs- und Einschlafmittel.

Das Öl wirkt abschreckend auf Insekten. So schützt schon ein Säckchen Lavendelblüten im Kleiderschrank vor Mottenfraß.

TOXIKOLOGIE:
Bei empfindlichen Personen wird mitunter eine allergene hautreizende Wirkung beobachtet. Lavendelöl kann phototoxische Reaktionen bewirken. Bei übermäßigem Konsum von Lavendelprodukten kann Somnolenz (krankhafte Schläfrigkeit) auftreten.
Die als Inhaltsstoffe beschriebenen Verbindungen α-Pinen- und Car-3-en können in größeren Mengen zu Hautreizungen und Ekzemen führen. Bei der oralen Zufuhr kann α-Pinen Nierenreizungen nach sich ziehen. Sabinen kann bei empfindlichen Personen Hautreizungen, bei oraler Aufnahme Gastroenteritis, Nierenschäden, Menorrrhagie und Abort auslösen, 1,8-Cineol (Eucalyptol) Hautreizungen bzw. Gastroenteritis und Nierenreizungen. Bei oraler Zufuhr größerer Mengen an Cumarin und Cumarin-Derivaten sind Leber- und Nierenschäden möglich (Nach der Essenzen-Verordnung der Bundesrepublik Deutschland dürfen Lebens- und Genußmittel nicht mit Cumarin oder cumarinhaltigen Produkten aromatisiert werden). Eugenol ist bei oraler Aufnahme mäßig giftig. Im Tierversuch wirkt es hautreizend, karzinogen und mutagen. Es besitzt ferner ein allergenes Potential. Auch Linalool, Linalooloxid, Linalylacetat und Geraniol besitzen ein allergenes Potential.

Engl.: lavender oil; franz.: essence de lavande; ital.: essenza di lavanda; span.: esencia de lavanda.

Lavendelöle (Lavandulaöle)

Die aus verschiedenen *Lavandula*-Arten gewonnenen → ätherischen Öle, wie echtes → Lavendelöl, → Lavandinöl und → Spiköl.

Lemongrasöle

Zu den → Cymbopogonölen zählende → ätherische Öle (CAS-Nr.: 68916-87-0), von denen zwei verschiedene Sorten im Handel sind.

Das **Westindische** oder **Guatemaltekische Lemongrasöl** wird durch → Wasserdampf-Destillation aus dem Gras der in Mittel- und Süd-Amerika, auf den Westindischen Inseln, in Indien, Süd-

ost-Asien, Indonesien sowie Teilen Afrikas kultivierten Lemongras-Art (auch Citronengras) *Cymbopogon citratus* (DC.) STAPF (*Andropogon citratus* DC.) [Poaceae] gewonnen, das **Indische** oder **Ostindische Lemongrasöl** aus dem an der Malabarküste angebauten Malabar- oder Kotschingras (*Cymbopogon flexuosus* (NEES ex STEUD.) STAPF (*Andropogon flexuosus* NEES ex STEUD.).
Die → Wasserdampf-Destillation des frischen Grases ergibt beim westindischen Öl eine Ausbeute von ca. 0,3 %, beim ostindischen Öl von ca. 0,5 % (je nach Herkunft auch bis zu 2,2 %).
Die Welt-Jahresproduktion an Lemongrasölen beträgt ca. 1000 Tonnen.

L

Das **Westindische Lemongrasöl** ist ein lichtempfindliches schwach gelbes bis orange-gelbes Öl von zitronenähnlichem Citral-Geruch und -Geschmack. Das frisch destillierte Öl löst sich bei Raumtemperatur in 70%igem Ethanol. Beim Stehenlassen vermindert sich die Löslichkeit bis hin zur Unlöslichkeit in 90%igem Ethanol.

PHYSIKALISCH-CHEMISCHE DATEN:
d_{20}^{20}: 0,872 bis 0,897; n_D^{20}: 1,4820 bis 1,4890; $[\alpha]_D^{20}$: - 3° bis + 1°; Aldehydgehalt (berechnet als Citral): mind. 75 %.

Das **Ostindische Lemongrasöl** ist ein rötlichgelbes bis braunrotes, zitronen- und verbenenartig riechendes und schmeckendes Öl, das bei Raumtemperatur bis zu 3 % Wasser klar gelöst enthalten kann.

Die physikalisch-chemischen Daten sind ähnlich dem Westindischen Öl, die Dichte liegt etwas höher (d_{25}^{25}: 0,869 bis 0,894).

Die Hauptinhaltsstoffe des **Westindischen Öls** stellen mit 53 bis 83 % das Citral und mit 12 bis 20 % das Myrcen. Daneben sind u. a. Methylheptenon, Methylheptenol, Linalool, Geraniol, Nerol, Farnesol und Decanal enthalten.
Hauptinhaltsstoff des **Ostindischen Öls** ist mit einem Anteil von 70 bis 85 % das Citral. Daneben sind u. a. Methylheptenon, Methylheptenol, Geraniol, Nerol, Farnesol, Citronellal, Decanal und nur 0,8 % Myrcen enthalten.

Als weitere Inhaltsstoffe der Lemongrasöle sind u. a. Limonen, Dipenten, p-Cymol und Geranylsalicylat bekannt.
Beide Lemongrasöle werden nur in geringem Umfang direkt in der Parfümerie (zur Parfümierung von Seifen und Haushaltsprodukten) verwendet. In der Riechstoffindustrie dienten sie lange Zeit zur destillativen Gewinnung von Citral (4:1-Gemisch aus Geranial und Neral). Die Bedeutung ist jedoch zurückgegangen, da Citral auch aus dem Öl von *Litsea cubeba* PERS. (vgl. → *Litsea-cubeba*-Öl) und synthetisch gewonnen wird.
Die Volksmedizin schätzt Westindisches Lemongras- oder Citronengrasöl (3 bis 6 Tropfen auf Zucker) als Mittel bei Magenkrämpfen, Erbrechen und Darminfektionen. Äußerlich lindert es Hexenschuß und rheumatische Erkrankungen.

L

TOXIKOLOGIE:
Lemongrasöle können bei empfindlichen Personen zu Hautreizungen und allergenen Hautreaktionen führen.
Die als Inhaltsstoffe beschriebenen Verbindungen Citral, Linalool, Geraniol, Citronellal und Limonen besitzten ein allergenes Potential.

Engl.: lemongrass oil; franz.: essence de lemongrass; ital.: essenza della citronella; span.: esencia de lemongrás.

Liebstöckelöl

Das aus den Blättern **(Blätteröl)** sowie den den frischen oder getrockneten Wurzeln **(Wurzelöl)** des in Südost-Asien heimischen, aber auch in Europa und den USA kultivierten Liebstöckels (Maggikraut; *Levisticum officinale* W. D. J. KOCH, *Ligusticum paludapifolium* (LAM.) ASCHERS., *Angelica levisticum* BAILL.) [Apiaceae, Umbelliferae] durch → Wasserdampf-Destillation gewonnene → ätherisches Öl (CAS-Nr.: 8016-31-7). Die Ausbeute beträgt beim Blätteröl 0,1 bis 0,6 %, beim Wurzelöl 0,6 bis 2 %.
Das gelb-grün-braune bis dunkelbraune Öl weist einen stark aromatischen süß-würzigen sellerieähnlichen Geruch mit leichter Moos-Note und einen würzigen sellerieähnlichen Geschmack auf. Ein Volumenteil löst sich bei Raumtemperatur in 2 bis 4 Volumenteilen 80%igem Ethanol, teilweise unter leichter Trübung.

PHYSIKALISCH-CHEMISCHE DATEN:

d_{25}^{25}: 0,960 bis 0,985 (Blätteröl), 1,034 bis 1,057 (Wurzelöl); n_D^{20}: 1,5360 bis 1,5540; $[\alpha]_D$: - 1° bis + 5°; SZ: 2 bis 16; VZ: 238 bis 258.

Hauptinhaltsstoffe des Blätteröls sind α-Terpinylacetat (das im Wurzelöl fehlt) und β-Phellandren, geruchsbestimmend sind Phthalide. Hauptkomponenten des Wurzelöls sind mit einem Anteil von ca. 70 % Phthalide, wie 3-n-Butyliden-4,5-dihydrophthalid (*cis*- und *trans*-Ligustilid), n-Butylphthalid, n-Butylidenphthalid (Ligusticumlacton), Sedanonsäure und Sedanonsäureanhydrid.

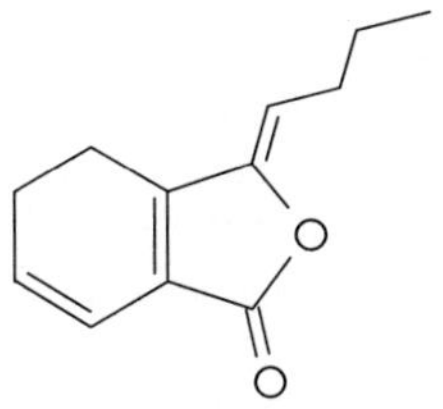

3-Butyliden-4,5-dihydrophthalid (Ligustilid)

Als weitere Inhaltsstoffe werden u. a. α-Terpineol, Carvacrol, Ester der Isovalerian-, Tiglin- und Buttersäure sowie das ungewöhnliche n-Pentylcyclohexadien (ca. 10 %) beschrieben. Des weiteren wurden in Wurzel und Wurzelöl geringe Mengen Furocumarine (Psoralen, Bergapten) nachgewiesen.
Geringe Mengen des ziemlich teuren Öls werden in der Parfümerie als Nuanceur für würzig-herbe, orientalische und Opopanax-Noten verwendet. Weiterhin dient es als → Aromastoff für Liköre, Nahrungsmittel und Tabake sowie zur Herstellung pharmazeutischer Präparate (Stomachica, Carminativa, Diuretica). In der Vergangenheit galt Liebstöckel als vor Vergiftungen schützendes Mittel.

TOXIKOLOGIE:

Das Öl kann bei empfindlichen Personen zu (photo)allergischen und phototoischen Reaktionen führen.
Die im Wurzelöl als Inhaltsstoffe beschriebenen Furocumarine entfalten photosensibilisierende und phototoxische Wirkungen;

d. h., unter gleichzeitigem Einfluß von Sonnenlicht kann es zu Dermatitiden (Photo-Dermatitis, Berloque-Dermatitis) kommen. Furocumarine zeigen des weiteren mutagene und karzinogene Wirkungen. Carvacrol besitzt ein allergenes Potential.

Engl.: lovage oil; franz.: essence de livèche.

Limettenöl (Limettöl)

Das aus den Fruchtschalen der Früchte des u. a. in den Mittelmeerländern, Mittel-Amerika, Westindien, den USA (Kalifornien), West-Afrika und Indien kultivierten Westindischen oder Sauren Limettenbaumes (*Citrus aurantiifolia* (CHRISTM. et PANZ.) SWINGLE, *Citrus medica* L. ssp. *acida* (ROXB.) ENGL., *Citrus lima* LUNAN) sowie des Persischen Limettenbaumes (*Citrus latifolia* TANAKA [Rutaceae]) gewonnene, zu den → *Citrus*-Ölen zählende → ätherische Öl (CAS-Nr.: 8008-26-2). Die Ausbeute beträgt 1,2 bis 2,1 %. Die Westindische oder Saure Limette wird vorwiegend in Mexiko, Peru und auf den Westindischen Inseln angebaut, die Persische Limette in den USA (Florida) und Brasilien. Das westindische Produkt ist qualitativ und geruchlich wertvoller.
Das Öl wird durch → Pressen der Schalen oder → Wasserdampf-Destillation der ganzen Früchte gewonnen. Die Welt-Jahresproduktion an destilliertem Westindischen Limettenöl liegt bei über 1000 Tonnen.

Das gepreßte gelbe bis grünlich-gelbe Öl weist einen charakteristischen spritzig-süßen, an Zitrone erinnernden Geruch auf. Dem destillierten Öl fehlt das natürliche Bouquet; es besitzt jedoch den gewünschten terpenartigen Geruch.

PHYSIKALISCH-CHEMISCHE DATEN (gepreßtes Öl):
d_{20}^{20}: 0,874 bis 0,882; n_D^{20}: 1,4820 bis 1,4860; $[\alpha]_D^{20}$: + 35° bis + 40°; Aldehydgehalt (berechnet als Citral): 4,5 bis 9 %; Verdampfungsrückstand: 8,0 bis 13,5 %.

Das **gepreßte Limettenöl** enthält große Mengen Terpenkohlenwasserstoffe, hauptsächlich 50 bis 65 % (+)-Limonen, 1,5 bis 2,5 % α-Pinen, 10 bis 12 % β-Pinen, 14 bis 22 % γ-Terpinen, 0,7 bis 10 % Myrcen, ca. 2,5 % Caryophyllen, ca. 2,5 % α-Bergamoten, ca. 1,6 % Sabinen und 2 bis 4 % β-Bisabolen. Von den sauerstoffhaltigen Terpenen sind 3 bis 8 % Citral, ca. 1,4 % Citronellal, ca. 3 % Nerylacetat und 0,6 bis 3 % Geranylacetat zu nennen. Auch 0,5 bis 2 % des aromatischen Kohlenwasserstoffes p-Cymol sind enthalten. Am Aroma haben ferner die in Spuren nachgewiesenen aliphatischen Aldehyde Octanal, Nonanal und Decanal Anteil. In Limettenölen wurden ferner Cumarin-Derivate (wie Limettin [5,7-Dimethoxy-cumarin] und 7-Methoxy-5-geranoxy-cumarin) sowie Furocumarine (wie Isopimpinellin) gefunden.

Das destillierte farblose bis gelbe Öl unterscheidet sich im Geruch von dem der frischen Frucht und dem gepreßten Öl.

PHYSIKALISCH-CHEMISCHE DATEN (destilliertes Öl):
d_{20}^{20}: 0,856 bis 0,865; n_D^{20}: 1,4740 bis 1,4780; $[\alpha]_D^{20}$: + 34° bis + 45°; Aldehydgehalt (berechnet als Citral): max. 1,5 %; Verdampfungsrückstand: max. 2,5 %.

Im **destillierten Limettenöl** sind neben 50 bis 60 % (+)-Limonen geringere Mengen an α- und β-Pinen (unter 2 %), γ-Terpinen (8 bis 11 %) und Citral (ca. 0,3 %), dafür erhöhte Mengen an Terpinolen (7 bis 9 %), (–)-α-Terpineol (6 bis 9 %), (–)-Terpinen-4-ol (ca. 1,6 %) und p-Cymol (ca. 12 %) zu finden. Es enthält zudem Farnesene, Germacren B, β-Terpineol, Terpinen-4-ol, Terpinen-1-ol, (+)-α-Fenchol, Borneol, 1,4- und 1,8-Cineol (Eucalyptol), sowie Tetrahydrofuran- und -pyran-Derivate, die zum charakteristischen Aroma beitragen.
Verschiedene Verbindungen bilden sich erst als Artefakte bei der → Wasserdampf-Destillation durch säurekatalysierte Cyclisierung und/oder Dehydrierung natürlich enthaltener Verbindungen, die stereoisomeren Farnesene z. B. aus Nerolidol und Farnesol, 1,4-Cineol, 1,8-Cineol, 2,2,6-Trimethyl-6-vinyl-tetrahydropyran und 2-(But-2-en-2-yl)-5,5-dimethyl-tetrahydrofuran aus Citral und Linalool.

Gepreßtes Limettenöl wird im allgemeinen für die gleichen Zwecke wie → Citronenöl verwendet. In der Parfümerie dient es als Frische-Komponente in → Parfüm-Kompositionen. Das destillierte Öl wird vorwiegend in alkoholfreien Erfrischungsgetränken und Softdrinks eingesetzt.

TOXIKOLOGIE:
Das gepreßte Öl entfaltet phototoxische Wirkungen.
Die als Inhaltsstoffe beschriebenen Pinene können in größeren Mengen bei empfindlichen Personen zu Hautreizungen und Ekzemen, bei oraler Zufuhr zu Nierenreizungen führen. Sabinen kann in größeren Mengen bei empfindlichen Personen Hautreizungen, bei oraler Aufnahme Gastroenteritis, Nierenschäden, Menorrhagie und Abort auslösen, 1,8-Cineol (Eucalyptol) Hautreizungen bzw. Gastroenteritis und Nierenreizungen. Die orale Zufuhr größerer Mengen Cumarin-Derivate kann Leber- und Nierenschäden auslösen. Furocumarine entfalten photosensibilisierende und phototoxische Wirkungen; d. h., unter gleichzeitigem Einfluß von Sonnenlicht kann es zu Dermatitiden (Photo-Dermatitis, Berloque-Dermatitis) kommen. Furocumarine zeigen des weiteren mutagene und karzinogene Wirkungen. Limonen, Citral, Citronellal und Linalool besitzen ein allergenes Potential.

Engl.: lime oil; franz.: essence de limette; ital.: olio essenziale della limetta; span.: aceite de lima.

Limonen

CHEMISCHE BEZEICHNUNG: 1,8-p-Menthadien, p-Mentha-1,8-dien
CAS-NR. (+)-Limonen: 5989-27-5, (–)-Limonen: 5989-54-8, (±)-Limonen: 7705-14-8
STRUKTURFORMEL:

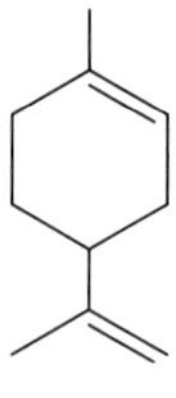

MOLEKULARGEWICHT: 136,24

Limonen ist eine Flüssigkeit mit zitronenähnlichem Geruch.
Die Verbindung kommt in der Natur sehr häufig vor, (+)-Limonen bis zu 90 % im → Pomeranzenöl, im → Kümmelöl (bis zu 50 %), → Citronenöl u. a., (–)-Limonen im → Edeltannenöl und

→ Pfefferminzöl, (±)-Limonen (Dipenten) im Kienöl (vgl. → Terpentinöle), sibirischen Fichtennadelöl (vgl. → Tannennadelöle), → Neroliöl, → Muskatnußöl sowie → Campheröl.

PHYSIKALISCH-CHEMISCHE DATEN:
Sdp.$_{101,3\ kPa}$: 178 °C; d_4^{20}: 0,8411; n_D^{20}: 1,4726; $[\alpha]_D^{20}$: + bzw. – 126,3°.

(±)-Limonen ist unlöslich in Wasser, mischbar mit Ethanol.
Limonen ist licht-, luft-, wärme-, alkali- sowie säureempfindlich und autoxidiert zu Carvon. Die Dehydrierung führt zu p-Cymol. Die Verbindung kann durch Hydrohalogenierung und anschließende Hydrolyse in cyclische Terpenalkohole umgewandelt werden.
(+)-Limonen ist in großen Mengen als Nebenprodukt bei der Gewinnung von Orangenjuice erhältlich. (–)-Limonen wird in verhältnismäßig kleinen Mengen aus den entsprechenden → ätherischen Ölen isoliert. Das racemische Limonen, das unter den Namen Dipenten gehandelt wird, bildet sich als (Neben-)produkt bei der säurekatalysierten Isomerisierung von α- und β-Pinen.
Die Limonene werden als Riechstoffkomponenten zur Parfümierung von Haushaltsprodukten und als Bestandteile von künstlichen → ätherischen Ölen eingesetzt.

TOXIKOLOGIE: LD_{50} (Ratte, oral): 5,3 g/kg KG, (Ratte, dermal): 5 g/kg KG.
(+)-Limonen besitzt ein allergenes (hautreizendes) Potential. In der Bundesrepublik Deutschland wird (+)-Limonen im Rahmen der MAK-Wert-Liste derzeit auf eine mögliche karzinogene (krebserzeugende Wirkung) geprüft.
Gemäß der Gefahrstoffverordnung der Bundesrepublik Deutschland reizt Limonen die Haut (R 38).

Linaloeöl, Brasilianisches

Siehe → Rosenholzöl, Brasilianisches.

Linaloeöl, Mexikanisches

Das aus dem zerkleinerten Holz von in Mexiko verbreiteten *Bursera*-Arten, wie *Bursera delpechiana* POISS. ex ENGL. (*Bursera*

penicillata (SEESÉ et MOC. ex DC.), *Bursera aloexylon* (SCHIEDE) ENGL., *Bursera glabrifolia* H. B. K. und *Bursera fagaroides* (H. B. K.) ENGL. var. *ventricosa*, [Burseraceae] durch → Wasserdampf-Destillation gewonnene → ätherische Öl (CAS-Nr.: 8006-86-8). Die Ausbeute liegt bei ca. 3 %.
Ein sehr ähnliches Öl wird auch aus den beerenähnlichen Früchten von *Bursera delpechiana* gewonnen. Hier liegen die Ausbeuten bedeutend höher.
Das farblose bis gelbe Öl weist einen angenehmen blumigen Geruch auf. Ein Volumenteil löst sich bei Raumtemperatur in 5 Volumenteilen 60%igem Ethanol.

L

PHYSIKALISCH-CHEMISCHE DATEN:
d_{25}^{25}: 0,876 bis 0,883; n_D^{20}: 1,4590 bis 1,4630; $[\alpha]_D$: - 13° bis - 5°; SZ: max. 3; EZ: 40 bis 75, entsprechend einem Linalylacetat-Gehalt von 14 bis 27 %; Gesamt-Alkoholgehalt (berechnet als Linalool): mind. 85 %.

Hauptinhaltsstoffe sind ca. 60 bis 70 % (+)-Linalool und Linalylacetat. Daneben wurden u. a. Myrcen, Limonen, Geraniol, Methylheptenol, Nerol, α-Terpineol, Nerylacetat, Geranylacetat, Octylen, Nonylen, Sesquiterpene, Amyrin und Epilupeol nachgewiesen. Ferner wurden 2 neue, citrusartig riechende Tetrahydropyran-Derivate (*cis*- und *trans*-2,6,6-Trimethyl-2-vinyl-5-acetoxy-tetrahydropyran) gefunden.
Bei einer Lagerung von mehr als 12 Monaten bilden sich *cis*- und *trans*-Linalooloxid.
Das Öl wird ähnlich wie → Rosenholzöl verwendet, das auch als Brasilianisches Linaloeöl bezeichnet wird. In der Parfümerie dient es vor allem zur Herstellung von Maiglöckchendüften. Es wirkt fungizid und bakterizid.

TOXIKOLOGIE:
Die als Inhaltsstoffe beschriebenen Verbindungen Linalool, Linalylacetat, Limonen und Geraniol besitzen ein allergenes Potential.

Engl.: Mexico linaloe oil; franz.: essence de linoloé de Mexique.

Linalool

SYNONYME: Linalylalkohol, Alloocimenol, Coriandrol
CHEMISCHE BEZEICHNUNG: 3,7-Dimethyl-octa-1,6-dien-3-ol, 3,7-Dimethyl-1,6-octadien-3-ol
CAS-Nr.: 78-70-6, (–)-Linalool: 126-90-9, (+)-Linalool: 126-91-0, (±)-Linalool: 22564-99-4
STRUKTURFORMEL:

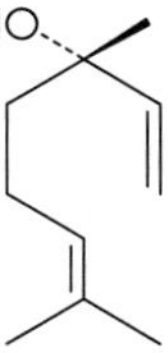

(+)-Linalool

(–)-Linalool

MOLEKULARGEWICHT: 154,25

(±)-Linalool ist ähnlich wie die einzelnen Enantiomere eine farblose Flüssigkeit mit einem blumig-frischen Geruch, an Maiglöckchen erinnernd.
Linalool kommt als eines seiner Enantiomere in vielen → ätherischen Ölen, oft als Hauptbestandteil, vor. (–)-Linalool ist bis zu einer Konzentration von 80 % im Brasilianischen → Rosenholzöl (Linaloeöl) sowie im verwandten Cayenne-Öl enthalten. (+)-Linalool kommt zu 60 bis 80 % im → Corianderöl und zu 85 % im Ho-Blatt-Öl (vgl. → Campheröl) vor.

PHYSIKALISCH-CHEMISCHE DATEN:
Sdp.:$_{101,3\ kPa}$: 198 °C; d_4^{20} (–)-Linalool: 0,8622; d_4^{20} (+)-Linalool: 0,8733; n_D^{20} (–)-Linalool: 1,4604; n_D^{20} (+)-Linalool: 1,4673.

Die (–)-Form ist unlöslich in Wasser, mischbar mit Ethanol und Ether; die (+)-Form ist löslich in 4 Volumenteilen 60%igem Ethanol.
In der Gegenwart von Säuren isomerisiert Linalool leicht zu → Geraniol, → Nerol und → α-Terpinol. Durch Chromsäure wird es zu → Citral oxidiert. Die Oxidation mit Peressigsäure ergibt Linalooloxide, welche in kleinen Mengen in → ätherischen Ölen vorkommen und auch in der Parfümerie verwendet werden.

Die Hydrierung von Linalool führt zu Tetrahydrolinalool, einem stabilen Riechstoffbestandteil. Sein Geruch ist nicht so stark, aber frischer als der des Linalools. Schließlich kann die Verbindung durch Reaktion mit Keten oder einem Überschuß an siedendem Essigsäureanhydrid auch zu Linalylacetat umgesetzt werden.
Gewonnen wird Linalool durch fraktionierte Destillation aus → ätherischen Ölen (z. B. → Rosenholzöl, → Corianderöl, Ho-Öl [vgl. → Campheröl]) sowie durch Synthese u. a. aus α-Pinen. Hier hydriert man α-Pinen (aus → Terpentinöl) selektiv zu *cis*-Pinan, welches mit Sauerstoff in der Gegenwart eines Radikalinitiators oxidiert wird und ein Gemisch von ca. 75 % *cis*- und 25 % *trans*-Pinanhydroperoxid ergibt. Das entweder mit Natriumhydrogensulfit oder einem Katalysator zu den entsprechenden Pinanolen reduzierte Gemisch wird durch fraktionierte Destillation getrennt und zu Linalool pyrolysiert.: (–)-α-Pinen ergibt *cis*-Pinanol und (+)-Linalool, während (–)-Linalool aus *trans*-Pinanol erhalten wird.

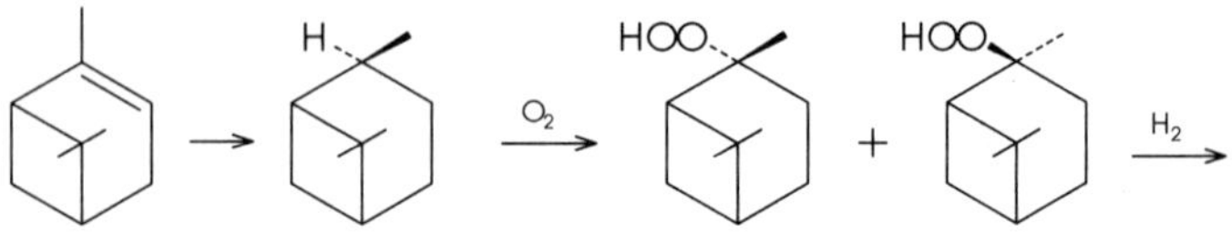

α-Pinen *cis*-Pinan *cis/trans*-Pinanhydroperoxid

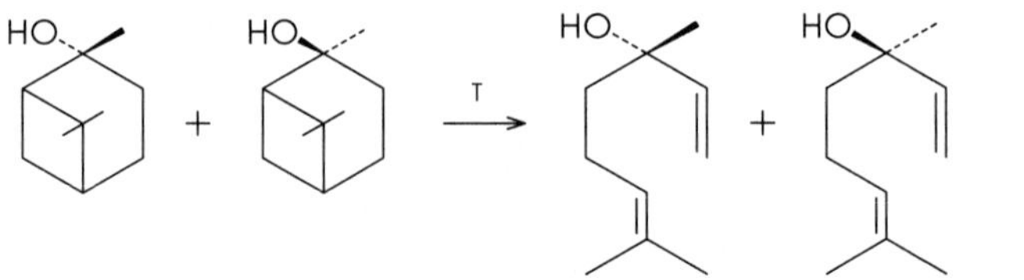

cis-Pinanol *trans*-Pinanol (+)-Linalool (–)-Linalool

Weitere Linalool-Synthesen gehen vom β-Pinen sowie 2-Methyl-hept-2-en-6-on aus.
Linalool findet in der Parfümerie häufig in Fruchtnoten sowie vielen violen Blütenkompositionen (Maiglöckchen, Lavendel, Neroli) Einsatz. Die relativ hohe Flüchtigkeit verleiht der Verbindung eine natürliche Spitzennote. Aufgrund der Alkalienbeständigkeit kann Linalool in Seifen sowie Reinigungsmitteln verwendet werden. Das meiste des industriell hergestellten Linalools dient der Produktion des Vitamins E.

TOXIKOLOGIE: LD_{50} (Ratte, oral): 2,8 mg/kg KG.
Linalool besitzt ein allergenes Potential.

Linalooloxid

CHEMISCHE BEZEICHNUNG: 2-Methyl-2-vinyl-5-(-hydroxyisopropyl)-tetrahydrofuran
CAS-NR. *cis*-Linalooloxid: 5989-33-3,
trans-Linalooloxid: 34995-77-2,
cis- und *trans*-Linalooloxid: 60047-17-8
STRUKTURFORMEL:

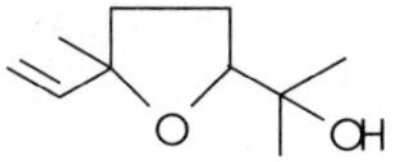

MOLEKULARGEWICHT: 170,25

Das Handelsprodukt ist eine aus dem Gemisch des *cis*- und *trans*-Isomers bestehende Flüssigkeit mit erdig-blumigen, schwach bergamottähnlichem Geruch.
Nachgewiesen wurde die Verbindung in → ätherischen Ölen und Fruchtaromen.

PHYSIKALISCH-CHEMISCHE DATEN:
$Sdp._{101,3\ kPa}$: 188 °C; d_4^{20}: 0,939 bis 0,944; n_D^{20}: 1,4510 bis 1,4550.

Linalooloxid wird aus Linalool durch Oxidation gewonnen.
Eingesetzt wird die Verbindung in der Parfümerie, z. B. für Lavendel-Noten.

TOXIKOLOGIE:
Gemäß der Gefahrstoffverordnung der Bundesrepublik Deutschland ist Linalooloxid gesundheitsschädlich beim Verschlucken (R 22), und es reizt die Haut (R 38).

Litsea-cubeba-Öl (Litsea Cubebaöl)

Das aus den reifen Früchten (aber auch Rinde und Blättern) der in Ost-Asien heimischen *Litsea*-Art *Litsea cubeba* PERS. (*Tetranthera polyantha* var. *citrata* NEES) [Lauraceae] durch → Wasserdampf-Destillation gewonnene → ätherische Öl (CAS-Nr.: 68991-38-8). Die Ausbeute beträgt ca. 2 %.
Die hellgelbe Flüssigkeit besitzt einen intensiv frischen süßfruchtigen zitronenartigen Geruch mit leicht blumigem Unterton. Ein Volumenteil löst sich bei Raumtemperatur in 3 Volumenteilen 70%igem Ethanol.

PHYSIKALISCH-CHEMISCHE DATEN:
d_{20}^{20}: 0,880 bis 0,892; n_D^{20}: 1,4800 bis 1,4870; $[\alpha]_D^{20}$: - 1° bis + 10°; Carbonylgehalt (berechnet als Citral): mind. 74 %.

Hauptinhaltsstoff ist mit einem Anteil von ca. 75 % Citral a und b (im Verhältnis von ca. 2 : 1). Daneben wurden u. a. Limonen, Sabinen und Methylheptenon nachgewiesen.
Das Öl wird in der Parfümerie in Citrus-Kompositionen sowie zur Parfümierung von Haushaltsprodukten und technischen Produkten genutzt. In der Riechstoffindustrie dient es ferner zur Gewinnung von Citral.

TOXIKOLOGIE:
Bei empfindlichen Personen kann das Öl zu allergenen Wirkungen führen.
Das als Inhaltsstoff beschriebene Sabinen kann in größeren Mengen bei empfindlichen Personen zu Hautreizungen, bei oraler Aufnahme zu Gastroenteritis, Nierenschäden, Menorrhagie und Abort führen. Citral und Limonen besitzen ein allergenes Potentaial.

Engl.: Litsea cubeba oil; franz.: essence de Litsea cubeba.

Lorbeeröl (Lorbeerblätteröl)

Das aus den Blättern des im Mittelmeerraum heimischen und kultivierten Lorbeerstrauches (*Laurus nobilis* L.) [Lauraceae] durch → Wasserdampf-Destillation gewonnene → ätherische Öl (CAS-Nr.: 8002-41-3). Die Ausbeute beträgt 1 bis 3 %.
Das hellgelbe bis gelbe Öl weist einen frischen süß-würzigen aromatischen, leicht campherartigen Geruch und einen mild-aromatischen, leicht bitteren Geschmack auf. Ein Volumenteil löst sich bei Raumtemperatur in 1 Volumenteil 80%igem Ethanol.

PHYSIKALISCH-CHEMISCHE DATEN:

d_{25}^{25}: 0,905 bis 0,929; n_D^{20}: 1,4650 bis 1,4700; $[\alpha]_D$: - 19° bis - 10°; SZ: max. 3; VZ: 15 bis 45; VZ (nach Acetylierung): 36 bis 85.

L

Hauptinhaltsstoffe sind 30 bis 80 % 1,8-Cineol (Eucalyptol), ca. 10 % Linalool, je nach Herkunft ca. 10 bis 20 % α-Terpineol, Eugenol und Methyleugenol (Eugenolmethylether). Daneben wurden u. a. α- und β-Pinen, Phellandren, Citral, Geraniol und Laurinsäure nachgewiesen, in geringen Mengen auch Sesquiterpenlactone (wie Costunolid und Dehydrocostuslacton).
Das Öl wird in der Parfümerie als Gewürz-Note in Phantasie-Kompositionen und Herren-Düften (Aldehyd- und Koniferen-Noten), in Kölnisch- und Lavendelwässern, als → Aromastoff für Liköre und Suppen sowie zur Herstellung pharmazeutischer Präparate (Mittel gegen Rheuma und Hauterkrankungen; Eutersalben in der Veterinärmedizin) genutzt.

TOXIKOLOGIE:

Das Öl wirkt bei empfindlichen Personen hautreizend und allergen.
Das enthaltene 1,8-Cineol (Eucalyptol) kann in größeren Mengen bei empfindlichen Personen Hautreizungen, bei oraler Aufnahme Gastroenteritis und Nierenreizungen bewirken, Pinene Hautreizungen und Ekzeme bzw. Nierenreizungen. Eugenol ist bei oraler Zufuhr mäßig giftig. Im Tierversuch wirkt es hautreizend, karzinogen und mutagen. Es besitzt ferner ein allergenes Potential. Auch Linalool, Citral und Geraniol sowie Costunolid und Dehydrocostuslacton besitzen ein allergenes Potential.

Engl.: laurel leaf oil; franz.: essence de laurier; ital.: olio essenziale d´alloro; span.: esencia de laurel.

Löslichkeit

Die meisten → Riechstoffe lösen sich in absolutem Ethanol, Ether, Benzol, Chloroform und Schwefelkohlenstoff. Aber nur ein Teil ist vollständig mit verdünntem Ethanol mischbar, so daß diese Eigenschaft zu einem schnellen Prüfmittel wird.
Zur Löslichkeitsbestimmung gibt man mit einer Pipette 1 ml der zu prüfenden Flüssigkeit in einen 10-ml-Meßzylinder und setzt in kleinen Mengen und unter Umschütteln so lange von dem jeweiligen Ethanol (40%ig, 50%ig, 60%ig usw.) zu, bis eine glasklare Flüssigkeit entsteht. Die Angabe der Löslichkeit ergibt sich als Differenz des abgelesenen Gesamtvolumens und dem Volumen der vorgelegten Flüssigkeit (1 ml). Um festzustellen, ob die Lösung klar bleibt, wird der Zylinder mit Ethanol bis auf 10 ml aufgefüllt.
Löst sich ein normalerweise lösliches Öl nicht, kann in bestimmten Fällen aus der Art der Opaleszens, Trübung bzw. Ausscheidung auf enthaltene (nicht lösliche) Verunreinigungen geschlossen werden.

Maccarblütenöl

Siehe → Ylang-Ylang-Öl und Canagaöl.

Macisöl

Siehe → Muskatnußöl.

Majal

SYNONYM: Hydroxycitronellal
CHEMISCHE BEZEICHNUNG: 7-Hydroxy-dihydrocitronellal, 3,7-Dimethyl-7-hydroxy-octan-1-al
CAS-NR.: 107-75-5

STRUKTURFORMEL:

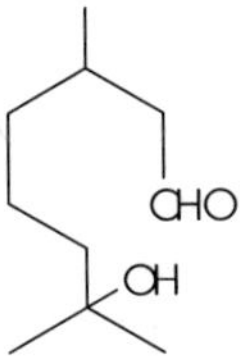

MOLEKULARGEWICHT: 172,27

Majal ist eine farblose, schwach viskose Flüssigkeit mit einem blumigen, an Lindenblüten und Maiglöckchen erinnernden Geruch.

In der Natur wurde die Verbindung nicht nachgewiesen. Das Handelsprodukt ist in Abhängigkeit vom eingesetzten Rohstoff entweder optisch aktiv oder racemisch. So hat z. B. der aus (+)-Citronellal hergestellte Riechstoff eine optische Drehung $[\alpha]_D^{20}$ von + 9° bis + 10°.

PHYSIKALISCH-CHEMISCHE DATEN:

Sdp.$_{0,13\ kPa}$: 85 bis 87 °C; d_4^{20}: 0,9220; n_D^{20}: 1,4488.

Die Verbindung löst sich leicht in Ethanol, schwer in Wasser.

Das gegenüber Säuren und Laugen relativ instabile Majal wird zum Teil in die gegenüber Laugen beständigen Acetale, insbesondere das Dimethylacetal, umgewandelt.

Für Majal sind viele Synthesemöglichkeiten bekannt, wobei die Herstellung aus Citronellal zu den ältesten Verfahren zählt. Hier wird das unterhalb von 10 °C gewonnene Bisulfitaddukt des Citronellals in 40 bis 60%iger Schwefelsäure bei - 5 bis 0 °C hydratisiert, durch Sodalösung oder Natronlauge gespalten und das freigesetzte Majal extrahiert sowie destilliert.

Bei der Gewinnung des Majals aus Citronellol wird dieses mit 60%iger Schwefelsäure zu 3,7-Dimethyl-octan-1,7-diol hydratisiert, aus dem durch katalytische Dehydrierung (Kupfer/Zink) in der Dampfphase unter Vakuum reines Endprodukt entsteht.

Ein weiteres Verfahren geht vom Dihydromyrcenol aus, dessen Epoxid durch Hydrierung mit Raney-Nickel eine Diolmischung mit dem Hauptprodukt 3,7-Dimethyl-octan-1,7-diol ergibt, aus der nach katalytischer Dehydrierung (Kupferchromit) ein Gemisch aus Hydroxydihydrocitronellal (Majal) und einem isomeren Hydroxyketon entsteht, das durch Destillation getrennt wird. Ferner läßt sich Majal aus dem durch Kondensation von Isobuten, Aceton und Formaldehyd erhältlichen 2-Methyl-1-hepten-6-on („α-Methyl-heptenon") darstellen, welches mit Methylmagnesiumchlorid zu 2,6-Dimethyl-hept-1-en-6-ol reagiert, aus dem durch Hydroformylierung das gewünschte Produkt hervorgeht. Auf Grund seines ausgeprägten blumigen Geruches wird Majal in großen Mengen in vielen → Parfüm-Kompositionen zur Kreierung von Lindenblüten- und Maiglöckchen-Noten eingesetzt. Darüber hinaus findet die Verbindung auch für andere Blütendüfte, z. B. Lilie und Cyclamen, Verwendung.

TOXIKOLOGIE:
Majal besitzt ein allergenes Potential.

M

Majoranöl (Süßes Majoranöl, Echtes Majoranöl)

Das aus dem bei Blühbeginn geernteten frischen oder getrockneten Majorankraut (*Majorana hortensis* MOENCH., *Origanum majorana* L.) [Lamiaceae, Labiatae] durch → Wasserdampf-Destillation gewonnene → ätherische Öl (CAS-Nr.: 8015-01-8). Die Ausbeute beträgt 0,5 bis 3,0 %. Die Hauptanbaugebiete liegen in Frankreich, Ungarn, Tunesien und Ägypten, aber auch in einigen asiatischen und amerikanischen Staaten.
Das gelbe bis grünlich-gelbe Öl weist einen charakteristischen aromatischen würzig-erdigen Geruch und einen leicht brennenden Geschmack auf. Es ist empfindlich gegen Alkalien und Säuren. Ein Volumenteil löst sich bei Raumtemperatur in 2 Volumenteilen 80%igem Ethanol.

PHYSIKALISCH-CHEMISCHE DATEN:
d_{25}^{25}: 0,890 bis 0,906; n_D^{20}: 1,4700 bis 1,4750; $[\alpha]_D$: + 14° bis + 24°; SZ: max. 2,5; VZ: 23 bis 40; VZ (nach Acetylierung): 68 bis 86.

Hauptinhaltsstoffe sind bis ca. 40 % α- und γ-Terpinen, ca. 20 % (und mehr) Terpinen-4-ol und 3 bis 40 % (+)-*cis*- und *trans*-Sabinenhydrat, das auch für den charakteristischen Geruch verantwortlich gemacht wird. Daneben werden u. a. α-Terpineol, Linalool, Terpinenylacetat, Linalylacetat, 1,8-Cineol (Eucalyptol), Myrcen, Sabinen, p-Cymol, Carvacrol sowie *cis*- und *trans*-Thujan-4-ol beschrieben.

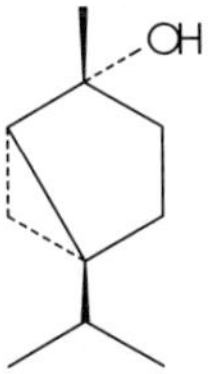

(+)-*cis*-Sabinenhydrat

In indischen Ölen wurden größere Anteile Eugenol, Methylchavicol (Estragol) und Geraniol gefunden, die in europäischen Ölen nur in geringen Mengen oder gar nicht enthalten sind.
Ein kleinerer Teil des Majoranöls wird in der Parfümerie als Nuanceur für würzig-krautige Noten und Herrenparfüms (Fougère- und Ambra-Noten), in Kölnisch- und Lavendelwässern sowie zur Parfümierung von Seifen eingesetzt, der größere Teil als → Aromastoff für Nahrungsmittel. Auch in pharmazeutischen Präparaten wird Majoranöl begrenzt verwendet (innerlich als Stomachicum und Carminativum, äußerlich in Einreibungen und Wundsalben).

TOXIKOLOGIE:
Das als Inhaltsstoff beschriebene 1,8-Cineol (Eucalyptol) kann in größeren Mengen bei empfindlichen Personen Hautreizungen, bei oraler Aufnahme Gastroenteritis und Nierenreizungen bewirken, Sabinen Hautreizungen bzw. Gastroenteritis, Nierenschäden, Menorrhagie und Abort. Auch Sabinenhydrat und das vom Sabinen abgeleitete Thujan-4-ol sind toxikologisch zu beachten. Methylchavicol (Estragol) zeigt im Tierversuch karzinogene Eigenschaften. Eugenol ist bei oraler Aufnahme mäßig giftig. Im Tierversuch wirkt es hautreizend, karzinogen und mutagen. Es besitzt ferner ein allergenes Potential. Auch Linalool, Geraniol, Linalylacetat und Carvacrol besitzen ein allergenes Potential.

Das campherartig riechende sogenannte **Spanische Majoranöl** wird durch → Wasserdampf-Destillation aus den blühenden Tei-

len einer in Spanien wild wachsenden Thymian-Art (Spanischer Majoran; *Thymus mastichina* L., *Majorana sylvestris* LAZARO) gewonnen.
Das gelbe Öl weist einen campherartigen Geruch auf. Ein Volumenteil löst sich bei Raumtemperatur in 1 Volumenteil 80%igem Ethanol.

PHYSIKALISCH-CHEMISCHE DATEN:
d_{25}^{25}: 0,904 bis 0,920; n_D^{20}: 1,4630 bis 1,4680, $[\alpha]_D$: - 5° bis + 10°; SZ: max. 2; VZ: 5 bis 20; Cineol-Gehalt: 49 bis 65 %.

Es enthält als Hauptkomponente bis zu 65 % 1,8 Cineol (Eucalyptol). Daneben wurden u. a. Linalool und Linalylacetat nachgewiesen.
Es wird hauptsächlich in Würzmischungen als → Aromastoff verwendet.

TOXIKOLOGIE:
Das enthaltene 1,8-Cineol (Eucalyptol) kann in größeren Mengen bei empfindlichen Personen Hautreizungen, bei oraler Aufnahme Gastroenteritis und Nierenreizungen bewirken. Linalool und Linalylacetat besitzen ein allergenes Potential.

Der mit dem Majoran eng verwandte Wilde Majoran (Origanum, Oregano) liefert das → **Origanumöl**.

Engl.: majoram oil; franz.: essence de marjolaine.

Makrolide

Makrocyclische Verbindungen, die eine Lacton-Gruppierung enthalten.
So zeichnen beispielsweise für den moschusartigen Geruch des → Ambrettesamenöls vor allem die → Makrolide Ambrettolid [(*Z*)-Hexadec-7-en-16-olid] und (*Z*)-Tetradec-5-en-14-olid verantwortlich. Die Makrolide 15-Pentadecanolid (Exaltolid) und 13-Tridecanolid geben dem → *Angelica*-Öl eine Moschus-Note. Auch im → Galbanumöl finden sich Spuren-Anteile verschiedener → Makrolide, wie z. B. das holzig wirkende 12-Tridecanolid und die moschusartig duftenden Verbindungen 14-Pentadecanolid, 15-Pentadecanolid (Exaltolid) und 15-Hexadecanolid.

Verschiedene Makrolide werden auch synthetisch hergestellt (z. B. 15-Pentadecanolid durch Ringerweiterung von Cyclodecanon oder durch Depolymerisation von 15-Hydroxy-pentadecansäure-Polyester [aus 1,12-Dodecandiol] und das in der Natur unbekannte 12-Oxa-16-hexadecanolid aus 11-Brom-undecansäuremethylester und dem Mono-Natriumsalz des Butan-1,4-diols mit anschließender Cyclisierung des gebildeten 16-Hydroxy-12-oxa-palmitinsäuremethylesters).

Mandarinenöl

Das aus den Fruchtschalen der Früchte des u. a. in Italien, Spanien, Brasilien, Argentinien und den USA angebauten Mandarinorangebaumes (*Citrus reticulata* BLANCO) [Rutaceae]) gewonnene, zu den → *Citrus*-Ölen zählende → ätherische Öl (CAS-Nr.: 8008-31-9). Gelegentlich wird die Mandarine nach Tanger, dem ursprünglichen Verschiffungshafen für die kleinste Mandarinensorte, auch als Tangerine bezeichnet. Als wichtigste Varietäten der Mandarine gelten heute die Satsuma (*Citrus reticulata* BLANCO var. *unshiu*) und die Tangerine (*Citrus reticulata* BLANCO var. *tangerina*).
Die Gewinnung erfolgt durch → Pressen der äußeren Fruchtschale. Die Ausbeute liegt bei 0,7 bis 0,8 %.
Die Jahresproduktion beträgt in Italien ca. 100 Tonnen, geringere Mengen werden in den anderen genannten Staaten produziert.
Das je nach Reifegrad der Mandarinen grünlich-gelbe bis rötlich-orangene, schwachblau fluoreszierende Öl besitzt einen frischen, leicht süßen mandarinentypischen Geruch.

PHYSIKALISCH-CHEMISCHE DATEN:

d_{20}^{20}: 0,850 bis 0,855; n_D^{20}: 1,4730 bis 1,4770; $[\alpha]_D^{20}$: + 64° bis + 75°; Verdampfungsrückstand: 2 bis 4 %; Aldehydgehalt (berechnet als Decanal): 0,4 bis 1,2 %.

Die Hauptinhaltsstoffe des italienischen Öls stellen mit ca. 70 bis 90 % das Limonen und mit ca. 10 bis 20 % das γ-Terpinen. Daneben sind u. a. ca. 0,4 bis 1,2 % Carbonylverbindungen sowie geringe Mengen aliphatische und terpenoide Alkohole und Ester enthalten. Charakteristisch für das Mandarinenöl ist sein Gehalt

M

an α- und β-Sinensal, langkettigen aliphatischen Aldehyden (Octanal bis Dodecanal), aber auch N-Methyl-anthranilsäuremethylester (das für die Fluoreszenz verantwortlich ist).
Zusammensetzung und Aroma des nordamerikanischen Tangerinenöls unterscheiden sich vom italienischen Mandarinenöl (z. B. fehlt der N-Methyl-anthranilsäuremethylester).
Das Mandarinenöl findet in → Parfüm-Kompositionen (frische Düfte, Amaryllis und Phantasie-Noten), Eau de Colognes, zur Parfümierung von → Kosmetika sowie zur Aromatisierung (vgl. → Aromastoffe) von Lebensmitteln und Likören Anwendung. Es bereichert das Bouquet von süßem → Orangenöl enthaltenden → Parfüm-Kompositionen.

TOXIKOLOGIE:
Das als Inhaltsstoff beschriebene Limonen besitzt ein allergenes Potential.

Engl.: mandarin oil, tangerine oil; franz.: essence de mandarine; ital.: olio del mandarino; span.: esencia de mandarina.

Mate-Resinoid

Das aus den Blättern des in Süd-Amerika heimischen Matetee-Strauches (Paraguaytee; *Ilex paraguarienis* ST. HIL.) [Aquifoliaceae] durch → Extraktion mit Lösungsmitteln über das konkrete Resinoid (Resinoid-Concret; vgl. → Resinoide) gewonnene absolute Resinoid (Resinoid-Absolue; vgl. → Resinoide).
Das absolute Öl besitzt einen voluminösen Teeduft mit einer feinen Heu-Note.
Es wird in der Parfümerie moderner Phantasie-Noten eingesetzt.
Die zerkleinerten Blätter werden wegen ihres Coffein- und Theobromin-Gehaltes (ca. 2 bzw. 0,4 %) zur Bereitung von stimulierenden Teeaufgüssen geschätzt.

Engl.: mate absolute; franz.: essence de maté.

Mazeration

Allgemeine Bezeichnung für die → Extraktion von pflanzlichen Drogen mit Wasser, seltener mit anderen Extraktionsmitteln bei Raumtemperatur.

In der Riechstoffgewinnung versteht man unter diesem Verfahren das Einhängen von mit Blüten gefüllten porösen Säckchen in fette Öle, denen z. T. noch tierische Fette zugesetzt sind. Die Blüten werden bis zur angestrebten Konzentration immer wieder erneuert. Wird der Vorgang bei 60 bis 70 °C durchgeführt, spricht man auch von einer **Infusion**. In der Vergangenheit dienten die erhaltenen konreten Blütenöle (vgl. → Concrets) direkt als → Pomaden. Später gewann man durch Behandlung mit warmem absolutem Ethanol die absoluten Blütenöle (vgl. → Absolues). Ein spezielles Verfahren der → Extraktion mit Fetten ist die → Enfleurage.

Die Mazerate duften infolge ihrer schonenden Gewinnung meist natürlicher als die entsprechenden → ätherischen Öle, haften länger und erweisen sich als nicht restlos flüchtig. Sie sind jedoch zumeist dunkler und müssen für viele Anwendungszwecke erst aufgehellt werden.

Diese früher vor allem in Süd-Frankreich angewandte Gewinnungsmethode für Blütenöle wird heute kaum noch praktiziert. Sie wurde von der → Extraktion mit Lösungsmitteln (vgl. auch → Concrets, → Absolues) und für besonders empfindliche Blütenöle von der → Destraktion mit überkritschen Gasen abgelöst.

M

Melissenöl

Das aus den Blättern und Zweigspitzen der in Europa, dem östlichen Mittelmeerraum, Nord-Amerika und den gemäßigten Zonen Asiens heimischen Zitronenmelisse (*Melissa officinalis* L.) [Lamiaceae, Labiatae] durch → Wasserdampf-Destillation gewonnene → ätherische Öl (CAS-Nr.: 8014-71-9). Die Ausbeute liegt bei mindestens 0,01 %.

Bei den im Handel befindlichen „Melissenölen“ handelt es sich jedoch zumeist nicht um echte und reine Öle von *Melissa officinalis*. Oft sind es nur über Melissenkraut destillierte → Citronenöle. Eine Klassifizierung ist meist problematisch.

Das gelbe bis gelblich-grüne Öl besitzt einen frischen zitronenartigen Duft mit einem blumigen Nachgeruch. Es ist in Ethanol löslich.

PHYSIKALISCH-CHEMISCHE DATEN:
d_{15}^{15}: 0,890 bis 0,925.

Hauptinhaltsstoffe sind Geranial, Neral, Citral, Citronellal, Citronellol, Geraniol, Linalool, β-Caryophyllen, Geranylacetat u. a. Der Anteil an Monoterpenen und -Derivaten beträgt ca. 61 %, der an Sesquiterpenen und -Derivaten ca. 37 %.
Melissenöl findet eine breite medizinisch-pharmazeutische Verwendung, beruhend auf seiner sedativen, spasmolytischen und antibakteriellen Wirkung.
Erst neuerdings wurden auch virostatische, immunstimulierende und antineoplastische Effekte gefunden. Beschränktere Anwendung findet das Öl auch in Badezusätzen und Hautpflegemitteln.

TOXIKOLOGIE:
Das Öl sollte nicht in konzentrierter Form angewendet werden, da es zu Hautreizungen und allergenen Wirkungen kommen kann.
Die als Inhaltsstoffe beschriebenen Verbindungen Citral, Citronellal, Geraniol, Citronellol und Linalool besitzen ein allergenes Potential.

Engl.: balm oil, melissa oil; franz.: essence de mélisse; ital.: essenza (olio) di melissa; span.: esencia de melisa.

Mentha-arvensis-Öl (Kornminzöl, Pfefferminzöl Arvensis-Typ, Japanisches Heilpflanzenöl)

Das zu den → Minzölen zählende → ätherische Öl (CAS-Nr.: 68917-18-0) wird durch → Wasserdampf-Destillation aus dem blühenden Kraut (frisch oder leicht getrocknet) der Kornminze (Japanische Minze; *Mentha arvensis* L. var. *piperascens* MALINV., *Mentha arvensis* L. ssp. *haplocalyx* (BRIQ.) BRIQ.) [Lamiaceae, Labiatae] gewonnen. Die → Wasserdampf-Destillation ergibt eine Ausbeute von 0, 1 bis 1 %.
Das rohe Öl enthält 70 bis 90 % (–)-Menthol, das durch Auskristallisieren bei niederer Temperatur teilweise abgetrennt wird (Dementholisierung auf ca. 50 %). Bis etwa Mitte der siebziger Jahre wurde Kornminzöl hauptsächlich in Brasilien produziert (ca. 3000 Tonnen Menthol und 3000 Tonnen entmentholisiertes Öl pro Jahr). Gegenwärtiger Hauptthersteller ist mit einigen tau-

send Jahrtestonnen China. Geringe Mengen kommen auch aus Japan, Brasilien und Paraguay.
Das entmentholisierte farblose bis gelbliche Öl weist einen charakteristischen Minzgeruch auf. Es schmeckt bitterer und strenger als das wertvollere → Pfefferminzöl. Ein Volumenteil löst sich bei Raumtemperatur in 2 bis 3 Volumenteilen 70%igem Ethanol. Das Öl ist luft- und wärmeempfindlich (leichte Oxidation und Polymerisation)

PHYSIKALISCH-CHEMISCHE DATEN:
d_{25}^{25}: 0,888 bis 0,904; n_D^{20}: 1,4585 bis 1,4650 $[\alpha]_D$: - 35° bis - 20°; Estergehalt (berechnet als Menthylacetat): 5 bis 20 %; Alkoholgehalt (berechnet als Menthol): 40 bis 60 %; Ketongehalt (berechnet als Menthon): 30 bis 50 %.

Hauptinhaltsstoffe des entmentholisierten Öls sind ca. 50 % (–)-Menthol, (–)-Menthon und (–)-Menthylacetat. Als weitere, in geringen Mengen vorkommende Inhaltsstoffe wurden u. a. (–)-α-Pinen, (–)-Limonen, Camphen, (+)-Ethylamylcarbinol, (+)-Neomenthol, Piperiton, (–)-Pulegon, (±)- und (+)-Isomenthon, β,γ-Hexenylphenylacetat, Caryophyllen, Ameisen-, Essig-, Isovalerian- und Capronsäure, Furfurol, Isovaleraldehyd, Thymol, Acetaldehyd, Aceton, Methylethyl- und Methylamylketon, 1-Methylcyclohexan-3-on sowie Methylheptenon nachgewiesen. Das im → Pfefferminzöl geruchlich unerwünschte Menthofuran ist in Kornminzölen nicht enthalten. Ebenso fehlen *trans*-Sabinenhydrat und Viridiflorol.
In der Parfümerie und Aromenindustrie wird das Öl als preiswerter Ersatzstoff für → Pfefferminzöl, in der Riechstoffindustrie auch als Ausgangsstoff zur Gewinnung von (–)-Menthol genutzt. Das Öl wirkt abweisend auf Insekten.
Das isolierte (–)-Menthol wird zur Parfümierung von → Kosmetika (z. B. Lippenstifte, Haarwässer, Rasierwässer und -cremes, Gesichtscremes) verwendet. In ethanolischer Lösung erweist sich (–)-Menthol als antiseptisch. Es wirkt ferner juckreizstillend und führt beim Einreiben auf die Haut (z. B. Stirn und Schläfen) infolge einer leichten Oberflächenanästhesierung und Reizung der kälteempfindlichen Nerven durch ein scheinbares Kältegefühl zu Linderung bei Kopfschmerzen.

TOXIKOLOGIE:
Das Öl ist leicht hautreizend. Bei empfindlichen Personen sind allergene Wirkungen möglich. Im Übermaß genossen, kann das als Inhaltsstoff beschriebene Menthol zu rauschartigen Zuständen und Kälteempfindungen führen. Bei regelmäßigem Verzehr größerer Mengen Pfefferminzbonbons ist Vorhofflimmern des Herzens möglich. Oral aufgenommen steigert es den Blutdruck, wirkt schwach krampflösend auf Magen, Darm sowie Gallenwege und regt die Gallentätigkeit an.
Das als Inhaltsstoff beschriebene α-Pinen kann in größeren Mengen bei empfindlichen Personen zu Hautreizungen und Ekzemen, bei oraler Zufuhr auch zu Nierenreizungen führen. Thymol kann bei der oralen Aufnahme Leberschäden nach sich ziehen. Es besitzt ferner ein allergenes Potential. Auch Menthol und Limonen besitzen ein allergenes Potential.

Engl.: cornmint oil, Mentha arvensis oil; franz.: essence de Mentha arvensis.

Mentha-citrata-Öl (Bergamottminzöl)

Das zu den → Minzölen zählende → ätherische Öl wird durch → Wasserdampf-Destillation des Krautes der nur kultiviert anzutreffenden Bergamottminze (*Mentha citrata* EHRH. = Hybrid aus *Mentha aquatica* L. und *Mentha spicata* L.) [Lamiaceae, Labiatae] gewonnen. Die Ausbeute beträgt bis zu 1 %. Die Haupterzeugungsgebiete liegen in Ost-Asien.
Das Öl weist einen frischen kräftigen Geruch auf, der an Lavendel, Bergamotte und Rosenholz erinnert, und enthält als Hauptinhaltsstoffe Linalool und Linalylacetat (zusammen ca. 70 %). In den USA gezüchtete Hybriden zeichnen sich durch einen Linalool-Gehalt von über 80 % aus.
Das Öl wird hauptsächlich in frischen Duft-Noten und zur Parfümierung von Seifen und Kosmetika angewandt.

TOXIKOLOGIE:
Die Inhaltsstoffe Linalool und Linalylacetat besitzen ein allergenes Potential.

Engl.: Mentha citrata oil; franz.: essence de Mentha citrata.

Menthanylacetat

CHEMISCHE BEZEICHNUNG: *cis-/trans*-Gemisch aus p-Menthan-1-yl-acetat und p-Menthan-8-yl-acetat
STRUKTURFORMEL:

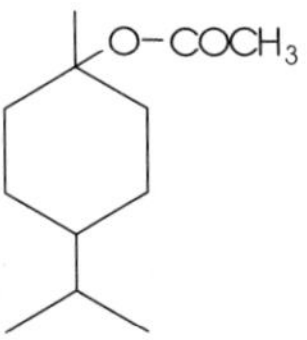

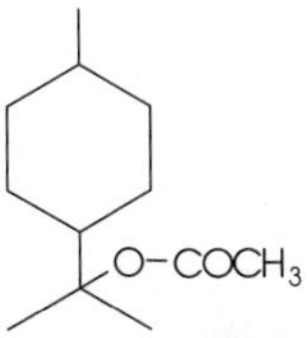

p-Menthan-1-yl-acetat p-Menthan-8-yl-acetat

MOLEKULARGEWICHT: 198,30

p-Menthanylacetat, ein *cis-/trans*-Gemisch aus p-Menthan-1-yl-acetat und p-Menthan-8-yl-acetat, ist eine farblose Flüssigkeit mit citrusfrischem Fichtennadel-Geruch und schwach krautigem Nebengeruch.

PHYSIKALISCH-CHEMISCHE DATEN:
$Sdp._{0,2\ kPa}$: 67 bis 70 °C; d^{25}_{25}: 0,931 bis 0,937; n^{20}_{D}: 1,4460 bis 1,4510.

Die Verbindung wird hergestellt durch Hydrierung eines Isomerengemisches von α-Terpinylacetat in Gegenwart von Raney-Nickel oder durch Veresterung eines Isomerengemisches von p-Menthanol.
Auf Grund seiner großen Stabilität findet der Ester Einsatz in der technischen Parfümerie, u. a. in Reinigungsmitteln und anderen Haushaltprodukten.

p-Menth-8-en-3-ol

Siehe → Isopulegol.

Menthofuran

CHEMISCHE BEZEICHNUNG: 3,6-Dimethyl-4,5,6,7- tetrahydrobenzofuran
CAS-NR.: 494-90-6

STRUKTURFORMEL:

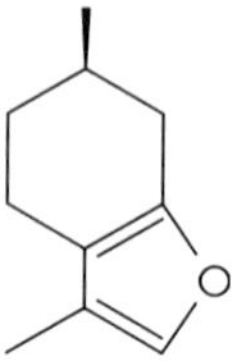

MOLEKULARGEWICHT: 150,22

Menthofuran ist eine farblose Flüssigkeit mit einem minzigen Geruch.
Es kommt vor allem als (+)-Isomer in zahlreichen → ätherischen Ölen, z. B. in den Ölen von *Mentha*-Arten, vor.

M

PHYSIKALISCH-CHEMISCHE DATEN:
Sdp.$_{1,3\ kPa}$: 78 bis 79 °C; d_4^{20}: 0,9676; n_D^{20}: 1,4855; $[\alpha]_D^{20}$ (+)-Menthofuran: + 94,6°.

Die Verbindung wird entweder aus → Minzölen isoliert oder synthetisch gewonnen, z. B. durch Behandlung von (+)-Pulegon mit Schwefeltrioxid in Essigsäureanhydrid und nachfolgende Pyrolyse.

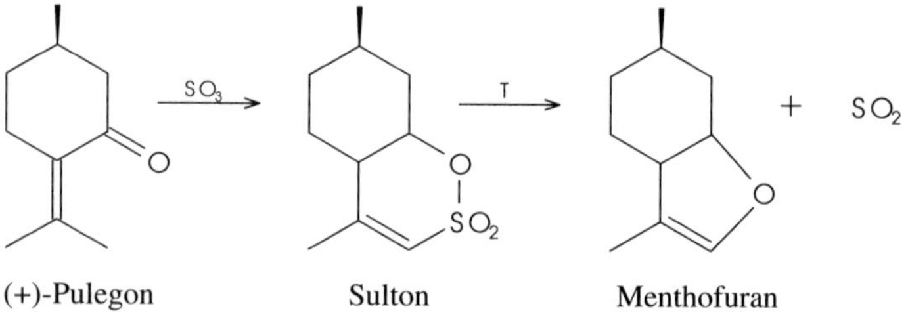

Menthofuran findet hauptsächlich in künstlichen Pfefferminzöl-Kompositionen Einsatz.

Menthol

CHEMISCHE BEZEICHNUNG: p-Menthan-3-ol
CAS-NR.: 89-78-1, (–)-Menthol: 2216-51-5, (+)-Menthol: 15356-60-2, (±)-Menthol: 15356-70-4

STRUKTURFORMEL:

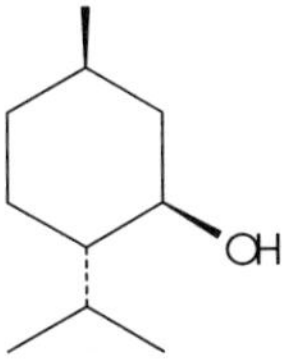

(–)-Menthol

MOLEKULARGEWICHT: 156,27

Menthol hat drei asymmetrische Kohlenstoffatome in seinem Cyclohexanring und kommt deshalb in vier Paaren von optischen Isomeren vor. Die Konfiguration von vier dieser Isomere ist im folgenden angegeben, die anderen vier sind deren Spiegelbilder.

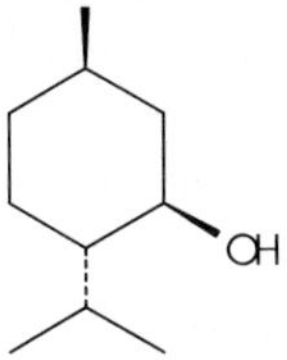

(–)-Menthol

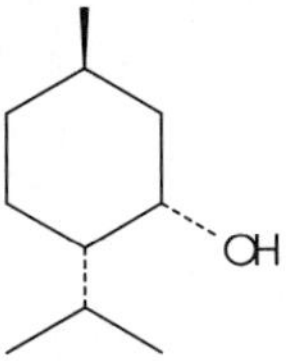

(+)-Neomenthol

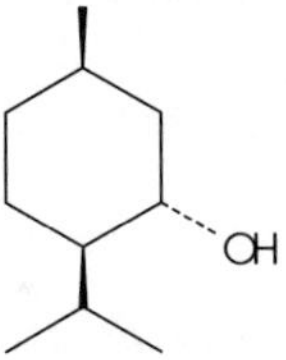

(+)-Isomenthol

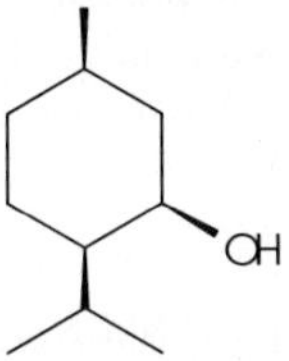

(+)-Neoisomenthol

Das am häufigsten in der Natur vorkommende (–)-Menthol ist der Hauptbestandteil der aus *Mentha piperita* sowie *Mentha arvensis* erhaltenen → Minzöle. Verestertes Menthol, z. B. als Acetat oder Isovalerianat, kommt ebensfalls in diesen Ölen vor.
Die acht optisch aktiven Menthole unterscheiden sich in ihren organoleptitschen Eigenschaften. So weist (–)-Menthol einen charakteristischen Pfefferminzgeruch auf und übt eine kühlende Wirkung aus. Die anderen Isomere besitzen nicht diesen kühlenden Effekt, weshalb sie für die „Erfrischung" nicht in Betracht kommen. (±)-Menthol nimmt hierbei eine Zwischenposition ein, wobei der kühlende Effekt von (–)-Menthol deutlich wahrnehmbar ist. Die enantiomeren Menthole haben, abgesehen von ihrer spezifischen Drehung, identische physikalische Eigenschaften, während sich die Racemate von den optisch aktiven Formen, z. B. in

ihren Schmelzpunkten, unterscheiden. Obwohl die Differenzen zwischen den Siedepunkten der Stereoisomere klein sind (Neomenthol: Sdp.$_{101,3\ kPa}$: 211,7 °C, Neoisomenthol: Sdp.$_{101,3\ kPa}$: 214,6 °C, Menthol: Sdp.$_{101,3\ kPa}$: 216,5 °C, Isomenthol: Sdp.$_{101,3\ kPa}$: 218,6 °C), kann man die Racemate durch fraktionierte Destillation trennen.

PHYSIKALISCH-CHEMISCHE DATEN [(–)-Menthol]:
Schmp.: 43 °C; n_D^{20}: 1,4600; $[\alpha]_D^{20}$: - 50° (alkoholische Lösung).

PHYSIKALISCH-CHEMISCHE DATEN [(±)-Menthol]:
Schmp.: 38 °C; d_4^{20}: 0,890; n_D^{20}: 1,4615.

Die Hydrierung der Menthole ergibt p-Menthan, die Oxidation mit Chromsäure oder katalytische Dehydrierung Menthone. Unter milden Bedingungen führt die Dehydration zu p-Menth-3-en als Hauptprodukt. Außerdem liefert die Reaktion mit Carbonsäuren oder ihren Derivaten Menthylester, die vor allem als → Aromastoffe sowie in pharmazeutischen Präparaten Anwendung finden. Es gibt viele industrielle Prozesse zur Produktion von Mentholen. Im folgenden werden einige Methoden umrissen:

M

(–)-Menthol aus *Mentha-arvensis*-Öl: Die 70 bis 90 % freies Menthol enthaltenden Öle werden gekühlt und die Kristalle durch Zentrifugieren getrennt. Da das kristalline Produkt Spuren von *Mentha-arvensis*-Öl enthält, weist dieses Menthol eine leicht krautig-minzige Note auf. Reines (–)-Menthol erhält man durch Rekristallisation mit niedrigsiedenden Lösungsmitteln.

(–)-Menthol aus dementholisiertem *Mentha-arvensis*-Öl: Das dementholisierte Öl, aus dem Menthol durch Kristallisation entfernt wurde, was aber noch 40 bis 50 % freies Menthol enthält, kann ebenfalls für die Produktion verwendet werden. Die Hydrierung des ziemlich große Mengen (–)-Menthon (30 bis 50 %) enthaltenden Öls ergibt ein Gemisch von hauptsächlich (–)-Menthol und (+)-Neomenthol, aus dem ersteres durch Kristallisation, Destillation oder über die Borsäureester abgetrennt wird. Die auftretenden Menthylester verseift man.

(–)-Menthol aus (+)-Citronellal: Der Prozeß beruht auf der leichten Cyclisierung des Citronellals zu Isopulegol, wobei

(+)-Citronellal in der Gegenwart von sauren Katalysatoren eine Mischung von optisch aktiven Isopulegol-Isomeren ergibt, die ca. 20 % der entsprechenden Racemate enthält.

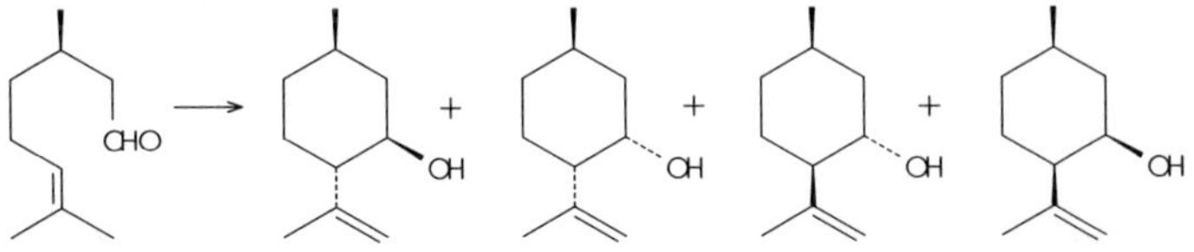

(+)-Citronellal (–)-Isopulegol (+)-Neoisopulegol (+)-Isoisopulegol (+)-Neoisoisopulegol

Man isoliert (–)-Isopulegol aus diesem Gemisch und hydriert es zu (–)-Menthol.

(–)-Menthol aus (–)-Piperiton: Die Hydrierung des (–)-Piperitons, dem Hauptbestandteil des Öls von *Eucalyptus dives* (vgl. → *Eukalyptus*-Öle), liefert mit Raney-Nickel ein Gemisch von Mentholen, aus denen (–)-Menthol durch Kristallisation und Verseifung seines Chloracetats abgetrennt werden kann.

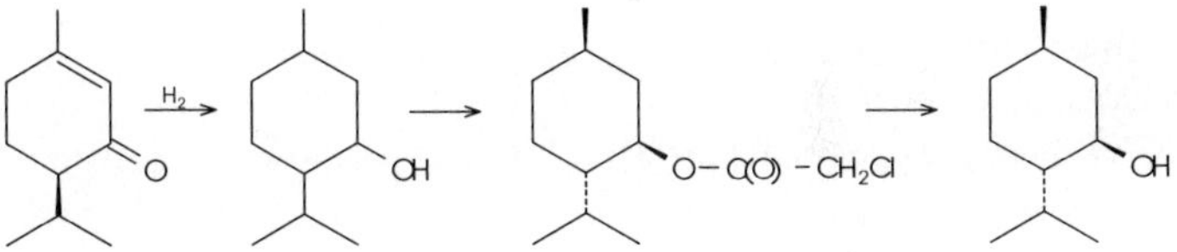

(–)-Piperiton Isomere Menthole (Gemisch) (–)-Menthylchloracetat (–)-Menthol

(–)-Menthol aus (+)-Car-3-en: Ein indischer Prozeß geht vom Car-3-en, dem Hauptbestandteil des indischen → Terpentinöls (55 bis 65 %), aus. (+)-Car-3-en isomerisiert zu (+)-Car-2-en, welches zu (+)-*trans*-p-Mentha-2,8-dien pyrolysieren kann. Die Isomerisierung des letzteren ergibt (+)-Isoterpinolen, das bei Hydrierung zu (+)-p-Menth-3-en führt. Über die Epoxidation und nachfolgende Umlagerung erhält man ein Menthon-Isomenthon-Gemisch, aus dem durch katalytische Hydrierung ein Menthol-Gemisch hervorgeht, das auf dem Weg der fraktionierten Destillation und Kristallisation das gewünschte Endprodukt liefert.

Aufgrund seiner kühlenden und erfrischenden Wirkung wird (–)-Menthol in großen Mengen in Zigaretten, Kosmetika, Zahnpasten, Kaugummi, Süßigkeiten und Heilmitteln eingesetzt, (±)-Menthol in Heil- sowie Einreibemitteln. Eine medizinische Anwendung des Menthols erfolgt vor allem bei Kopfschmerzen, Neuralgie, Hautjucken, Insektenstichen und Katarrhen der oberen Luftwege.

TOXIKOLOGIE: LD_{50} (Ratte, oral): 1,4 g/kg KG.
Die orale Aufnahme größerer Mengen Menthol kann rauschartige Zustände und Kälteempfindungen auslösen. Menthol steigert den Blutdruck und regt die Gallentätigkeit an. Die chronische Aufnahme kann zu Vorhofflimmern des Herzens führen. Menthol besitzt ein allergenes Potential.

o- und p-Methoxyacetophenon

Siehe → Crataegon.

Methylnonylacetaldehyd

CHEMISCHE BEZEICHNUNG: 2-Methyl-undecanal
CAS-NR.: 110-41-8
STRUKTURFORMEL: CH_3-$(CH_2)_8$-CH(CH_3)-CHO
MOLEKULARGEWICHT: 184,32

Der mit → Aldehyd C_{12} isomere Methylnonylacetaldehyd ist eine farblose Flüssigkeit mit zitronen-orangen-ähnlichem Geruch und einer Ambranote.
In der Natur kommt er nicht vor.

PHYSIKALISCH-CHEMISCHE DATEN:
Sdp.$_{1,3\ kPa}$: 114 °C; d_4^{15}: 0,830; n_D^{20}: 1,4321.

Ausgangsstoff für die Gewinnung von Methylnonylacetaldehyd ist Methylnonylketon (aus → Rautenöl), welches durch Kondensation mit Chloressigsäureethylester (siehe → Aldehyd C_{16}) in Methylnonylglycidester umgewandelt wird. Die durch die Verseifung des Esters entstehende Methylnonylglycidsäure wird in der Hitze zu Methylnonylacetaldehyd gespalten.

$$CH_3(CH_2)_8C(O)CH_3 + Cl\text{-}CH_2COOC_2H_5 \xrightarrow{(-HCl)} CH_3(CH_2)_8C(CH_3)\text{-}CHCOOC_2H_5$$

(epoxide O bridging C and CH)

Methylnonylketon — Chloressigsäure-ethylester — Methylnonylglycidester

$$\xrightarrow[\text{2. Decarboxylierung}]{\text{1. Hydrolyse}} CH_3\text{-}(CH_2)_8\text{-}CH(CH_3)\text{-}CHO$$

Methylnonylacetaldehyd

Im Vergleich zu den anderen Fettaldehyden wird Methylnonylacetaldehyd in der Parfümerie in beträchtlichen Mengen in Koniferennoten eingesetzt, insbesondere für „Tannen"-Nachbildungen, aber häufig auch in Phantasie-Kompositionen.

Methylphenylglycidsäureethylester

Siehe → Aldehyd C_{16}.

2-Methyl-undecanal

Siehe → Methylnonylacetaldehyd.

Mimosen-Absolue (Absolutes Mimosablütenöl)

Das aus den Blüten des Mimosenbaums (Französische Akazie; *Acacia dealbata* LINK, *Acacia decurrens* (J. C. WENDL.) WILLD. var. *dealbata* (LINK) F. v. MUELL.) [Fabaceae, Leguminosae], einer in Süd-Frankreich und Marokko gedeihenden Akazienart, durch → Extraktion mit Lösungsmitteln über das → Concret erhaltene → Absolue. Die Ausbeute des → Concrets beträgt bis zu 1 %. Daraus erhält man ca. 25 % → Absolue. Auch die → Enfleurage soll noch angewandt werden. Die Jahresproduktion beträgt in Frankreich 3 bis 6 Tonnen.

Das ziemlich viskose gelbe bis braune Öl weist einen starken (nahezu aufdringlichen), leicht grünen veilchenartig-blumigen Geruch mit einer strohig-bitteren Nuance auf.

Hauptinhaltsstoffe sind u. a. Acetate, Oenanthate, Aldehyd C_{16} (Ethyl-3-methyl-3-phenyl-glycidat), Anisaldehyd, Anissäure sowie 4′-Methyl-acetophenon.

Mimosen-Absolue wird in der Feinparfümerie als → Fixateur für blumige Duftnoten verwendet.

Engl.: mimosa absolute; franz.: essence absolue de mimosas.

Minzöle

Aus *Mentha*-Arten (Lamiaceae, Labiatae) gewonnene → ätherische Öle, wie → Krauseminzöl (Spearmintöl), → Pfefferminzöl, → *Mentha-arvensis*-Öl, → Poleiminzöl (Pennyroyalöl) und → *Mentha-citrata*-Öl.

Möhrensamenöl (Karottensamenöl)

M

Das aus den zerkleinerten Samen der Möhre (Mohrrübe, Gelbe Rübe, Karotte; *Daucus carota* L.) [Apiaceae, Umbelliferae] durch → Wasserdampf-Destillation gewonnene → ätherische Öl (CAS-Nr.: 8015-88-1). Die Ausbeute beträgt bis zu 1,5 %. Die Hauptproduktionsgebiete liegen in Frankreich, Ungarn, auf dem Balkan und in Rußland.
Das hellgelbe bis bernsteinfarbene Öl weist einen etwas fettigen angenehm-aromatischen erdig-waldigen Geruch und Geschmack auf. Ein Volumenteil löst sich bei Raumtemperatur in 0,5 Volumenteilen 90%igem Ethanol. Lösungen in 10 Volumenteilen Ethanol können klar oder getrübt sein.

PHYSIKALISCH-CHEMISCHE DATEN:
d_{25}^{25}: 0,900 bis 0,943; n_D^{20}: 1,4800 bis 1,4910; $[\alpha]_D$: - 30° bis - 4°; SZ: 1,5 bis 5; VZ: 9 bis 58.

Hauptinhaltsstoff ist mit Anteilen bis über 50 % das geruchsbestimmende Carotol. Weitere Inhaltsstoffe sind u. a. bis zu 48 % Geranylacetat, bis zu 20 % Epoxydihydrocaryophyllen, α- und β-Pinen, Limonen, Bergamotten, Caryophyllen, Bisabolen, Geraniol, Daucol, Aldehyde (wie Cuminaldehyd) und, je nach Herkunft, Asaron (bis zu 8 % in ägyptischen und chinesischen Ölen).

Das Öl wird in → Parfüm-Kompositionen (orientalische und Naturdüfte, Fougère-, Chypre-, Aldehyd-, Holz-, Rosen-, Mimosa-, Mohnblüten-, Veilchen- und Ambra-Düfte) und als → Aromastoff für Nahrungsmittel und Getränke verwendet.

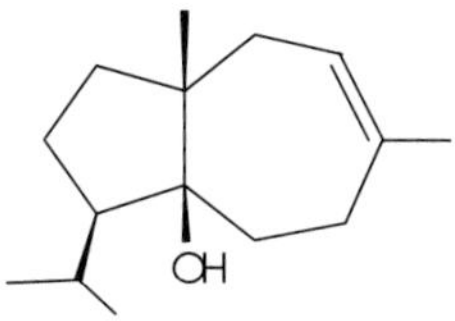

Carotol

TOXIKOLOGIE:
Toxikologisch bedenklich ist das in bestimmten Ölen enthaltene Asaron (vgl. dazu → Calmusöl). Pinene können in größeren Mengen bei empfindlichen Personen zu Hautreizungen und Ekzemen, bei oraler Aufnahme zu Nierenreizungen führen. Limonen und Geraniol besitzen ein allergenes Potential.

Engl.: carrot seed oil; franz.: essence des graines des carottes.

Molekular-Destillation (Kurzweg-Destillation)

Zur Trennung von Riechstoffgemischen, die sich mittels der konventionellen Methode nicht destillieren lassen oder bei der hohen Temperatur ihres Siedepunktes an Duftqualität verlieren, angewandtes (zumeist fälschlicherweise als Molekular-Destillation bezeichnetes) Kurzweg-Destillationsverfahren.
Dabei handelt es sich um eine sehr schonende Geradeaus-Destillation mit außerordentlich kurzen und geradlinig verlaufenden Wegen (nur wenige Zentimeter zwischen Verdampfer- und Kondensatorflächen), wobei die Verdampfung aus der Oberfläche eines möglichst dünnen Flüssigkeitsfilmes heraus erfolgt.

Monoterpene

Siehe → Terpene.

Moschus

Das Drüsensekret der im ostasiatischen Hochland heimischen männlichen Moschushirsche (*Moschus moschifera* L.). Während der Brunftzeit verstärkt sich der Geruch des Sekrets bedeutend.
Zur Gewinnung wird dem erlegten Tier die ca. 30 g Sekret enthal-

tende, am Bauch vor den Geschlechtsorganen liegende Drüse herausgeschnitten und getrocknet. Dabei verändert sich die enthaltene salbenartige rotbraune Paste in ein schwarzes körniges Pulver. Der animalische Geruch wird erst in Verdünnung (z. B. ethanolischer → Tinktur) fein-holzig und angenehm moschusartig.
Da es eine ganze Reihe von Moschushirsch-Arten gibt, sind auch die gehandelten Produkte unterschiedlich. Die wichtigsten Handels-Sorten sind der aus China und Tibet stammende, als beste Qualität geltende **Tonkin-Moschus**, der indische **Assam**- oder **Bengal-Moschus**, der **Russische Moschus** und der **Bucharische Moschus**.
Die für den charakteristischen Moschusduft verantwortlichen Inhaltsstoffe sind das in der getrockneten Drüse zu 0,5 bis 2 % enthaltene (–)-Muscon [(–)-(*R*)-3-Methyl-cyclopentadecan-1-on], das animalisch wirkende (+)-Muscopyridin (ca. 0,5 %), das 2,6-Nona-methylen-pyridin und das 2,6-Decamethylen-pyridin.

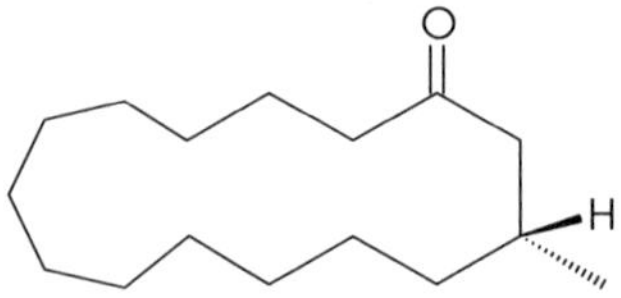

(–)-Muscon

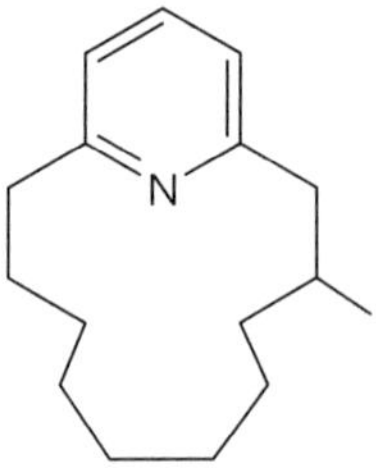

(+)- Muscopyridin

Das in der Parfümerie hauptsächlich als ethanolische → Tinktur angewendete Sekret besitzt die Fähigheit, → Parfüm-Kompositionen zu beleben, ihre „Ausstrahlung“ zu verstärken, zu harmonisieren und abzurunden. Dabei wird natürlicher Moschus aufgrund seines Preises und aus Tierschutzgründen nur noch in sehr wertvollen Phantasie-Parfüms eingesetzt.
Ansonsten finden in der Riechstoffindustrie synthetische makrocyclische Moschuskörper (wie Muscon, Exalton, Exaltolid) und andere Strukturen mit Moschusgeruch (hochsubstituierte Nitroaromaten [wie Baurmoschus, Moschusxylol, Moschusketon, Am-

brettemoschus, Tibeten], Dinitroindan- und -tetralin-Derivate, alkylsubstituierte Indan-, Tetralin-, Indacen- und Naphthacen-Derivate) breiteren Einsatz.
In der Vergangenheit fand Moschus auch medizinische Verwendung (Stimulans, Analepticum).

TOXIKOLOGIE:
Vom Moschus sind photoallergische Reaktionen bekannt.

Engl.: musk; franz.: musc; ital.: muschio; span.: amizcle, ambreta.

Moschuskörneröl

Siehe → Ambrettesamenöl.

Muscon

CHEMISCHE BEZEICHNUNG: (–)-(*R*)-3-Methyl-cyclopentadecanon
CAS-NR.: 541-91-3, *R*-(–)-Form: 10403-00-6
STRUKTURFORMEL:

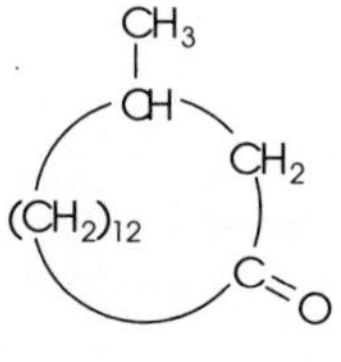

MOLEKULARGEWICHT: 238,40

Muscon ist ein dickflüssiges, farbloses, säure- und laugenbeständiges sowie optisch aktives Öl. Die (–)-Form ist der wichtigste Duftstoff des → Moschus.

PHYSIKALISCH-CHEMISCHE DATEN (–)-Form:
Sdp.$_{101,3\ kPa}$: 328 °C; d_4^{17}: 0,022; n_D^{17}: 1,4802; $[\alpha]_D^{17}$: - 13°.

Muscon ist sehr wenig löslich in Wasser, aber mischbar mit Ethanol.
Die besonders von Ruzicka, Stoll und Ohloff untersuchte Verbindung wurde nach dem Ruggli-Zieglerschen Verdünnungsprinzip aus dem entsprechenden langkettigen Dinitril in Gegenwart von Lithiumethylanilin als Kondensationsmittel synthetisiert. Die

hohe Verdünnung verhindert die intermolekulare Polymerisation und fördert die intramolekulare Cyclisierung.

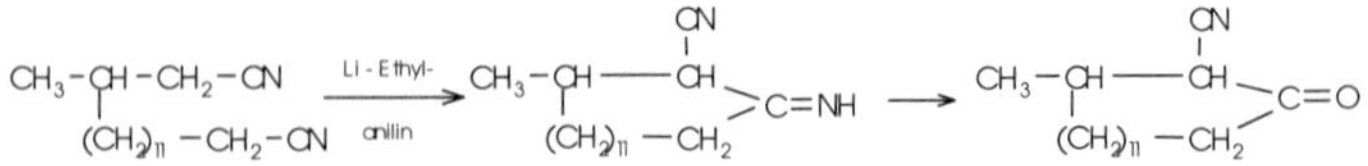

2-Methyl-tetradecan-1,14-dinitril Muscon

Heutige Darstellungen gehen von Cyclododecanon, Cyclopentadecanon oder anderen Makrocyclen aus.
Muscon hat sowohl aufgrund seiner Duftnuancen als auch seiner fixierenden Eigenschaften in der Parfümerie Bedeutung.

M

Muskateller Salbeiöl

Siehe → Salbeiöle.

Muskatnußöl und Macisöl

Das aus den Kernen der getrockneten Früchte (Muskatnüsse, Macisnüsse) des Muskatnußstrauches (*Myristica fragans* HOUTT., *Myristica officinalis* L. f.) [Myristicaceae] durch → Wasserdampf-Destillation gewonnene → ätherische Öl (CAS-Nr.: 8008-45-5). Die Ausbeute beträgt 8 bis 15 %. Aus den Samenmäntelchen (Muskatblüten, Macis) wird auf analoge Weise das in der Zusammensetzung annähernd gleiche **Macisöl** hergestellt.
Hauptanbaugebiete sind Indonesien, Süd-Amerika und die Westindischen Inseln. Allein in Indonesien werden jährlich ca. 100 Tonnen Muskatnußöl hergestellt.
Das farblose bis gelbe Öl weist einen charakteristischen angenehm-würzigen Geruch und Geschmack auf. Ein Volumenteil löst sich bei Raumtemperatur in 5 Volumenteilen 90%igem Ethanol, teilweise unter leichter Trübung. Ein Volumenteil frisch destilliertes Öl löst sich bei Raumtemperatur in 3 bis 4 Volumenteilen 90%igem Ethanol.
Die geruchlichen Eigenschaften und die Zusammensetzung des Öls schwanken je nach Herkunft.

PHYSIKALISCH-CHEMISCHE DATEN (indonesisches Öl):
d_{20}^{20}: 0,883 bis 0,917; n_D^{20}: 1,4750 bis 1,4880; $[\alpha]_D^{20}$: + 8° bis + 25°.

PHYSIKALISCH-CHEMISCHE DATEN (westindisches Öl, Grenada):
d_{20}^{20}: 0,862 bis 0,882; n_D^{20}: 1,4720 bis 1,4760; $[\alpha]_D^{20}$: + 25° bis + 40°.

Hauptbestandteil der Öle sind ca. 60 bis 90 % Terpenkohlenwasserstoffe, vor allem α-und β-Pinen, Sabinen und Limonen sowie Camphen, Phellandren, Terpinen und Myrcen. Auch p-Cymol wurde nachgewiesen. Von den sauerstoffhaltigen Verbindungen sind vor allem ca. 5 bis 15 % oxidierte Terpene, wie Terpinen-4-ol, Borneol, α-Terpineol, Linalool und Geraniol, ca. 2 bis 18 % Allylphenolether (bis 12 % Myristicin, Elemicin, Isomyristicin, Safrol sowie Eugenol, Methyleugenol [Eugenolmethylether] und Isoeugenol) zu nennen.
Muskatnußöl wird in der Parfümerie für → Parfüm-Kompositionen (Gewürz-, Aldehyd-, Chypre-, Nelkenblüten-, Lavendel- und Blumen-Düfte), in Herren-Düften und als → Aromastoff für Nahrungsmittel und Liköre verwendet. Es kommt ferner als Bestandteil von Arzneimitteln gegen Erkältung, Magenkrankheiten und in Rheuma-Einreibungen zum Einsatz. Muskatnuß und -blüte werden auch als Stomachicum, Nervinum sowie bei Dysmenorrhoe, Magen- und Darmkatarrhen angewandt. Die mißbräuchliche Verwendung der Droge und des Öls als Abortivum und Rauschmittel ist bekannt.
Das Öl wirkt abschreckend auf Insekten.

TOXIKOLOGIE: LD_{50} (Ratte, oral): 2620 mg/kg KG.
In höheren Dosen erweist sich das Öl als narkotisch und halluzinogen, jedoch nicht in dem Maß wie die pulverisierte Nuß selbst. Bei der Verwendung als Abortivum wurden häufig Vergiftungen beobachtet.
Toxikologisch bedenklich sind vor allem die als Inhaltsstoffe beschriebenen Allylphenolether. Myristicin und Elemicin sind strukturell dem Mescalin verwandt und werden im Organismus wahrscheinlich in die korrespondierenden Aminderivate umgewandelt, die eine halluzinogene und akut toxische Wirkung ent-

falten. Auch Leber- und Nierenschädigungen sind bekannt. Abortive Wirkungen werden beschrieben.
Safrol erzeugt im Tierversuch (Ratten) Leberzirrhosen und bösartige Lebergeschwülste. Die enthaltenen Pinene können in größeren Mengen bei empfindlichen Personen Hautreizungen und Ekzeme, bei oraler Zufuhr Nierenreizungen bewirken, Sabinen Hautreizungen bzw. Gastroenteritis, Nierenschäden, Menorrhagie und Abort. Eugenol ist bei oraler Aufnahme mäßig giftig. Im Tierversuch wirkt es hautreizend, karzinogen und mutagen. Es besitzt ferner ein allergenes Potential. Auch Limonen, Linalool, Geraniol und Isoeugenol besitzen ein allergenes Potential.

Engl.: nutmeg oil, mace oil; franz.: essence de muscade; ital.: olio di noce moscata; span.: esencia de nuez moscada.

M

Myrcenol

CHEMISCHE BEZEICHNUNG: 2-Methyl-6-methylen-7-octen-2-ol, 2-Methyl-6-methylen-oct-7-en-2-ol
CAS-NR.: 543-39-5
STRUKTURFORMEL:

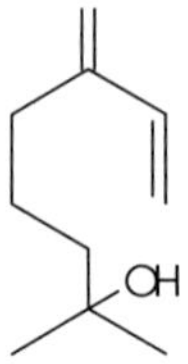

MOLEKULARGWICHT: 154,25

Myrcenol, ein Isomer des Geraniols und Linalools, ist eine farblose Flüssigkeit mit frisch-blumigem, etwas limonenähnlichem Geruch.
In geringen Mengen wurde die Verbindung in Zitronensaft nachgewiesen.

PHYSIKALISCH-CHEMISCHE DATEN:
Sdp.$_{6,7\ kPa}$: 78 °C; d_{20}^{20}: 0,8711; n_D^{20}: 1,4731.

Die Verbindung neigt zur Polymerisation.
Synthetisch kann Myrcenol durch Umsetzung von Myrcen mit

Diethylamin zu einem Geranyl-/Neryldiethylamin-Gemisch und anschließende Hydratisierung und Deaminierung hergestellt werden.

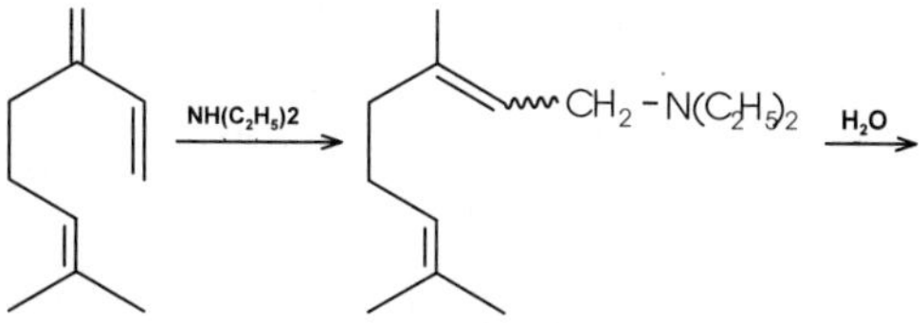

Myrcen Geranyl-/Neryldiethylamin

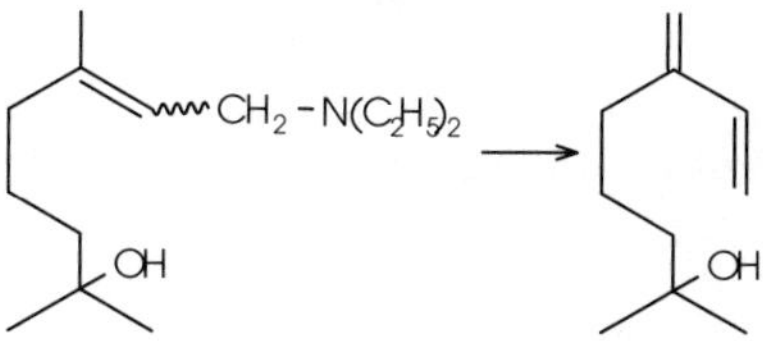

Myrcenol

Myrcenol wird in der Parfümerie eingesetzt, um gehobene Spitzennoten in Citrus- und Lavendelkompositionen zu erhalten.

Myrrhenöl, Echtes

Das aus dem Gummiharz der in Nordost-Afrika verbreiteten Myrrhen-Arten *Commiphora myrrha* (NEES) ENGL. var. *molmol* ENGL. (*Commiphora molmol* ENGL.) und *Commiphora playfairi* (HOOK.) ENGL. (Heerabol-Myrrhe, CAS-Nr.: 9000-45-7) sowie den in Süd-Arabien heimischen Arten *Commiphora abyssinica* (BERG) ENGL. und *Commiphora schimperi* (BERG) ENGL.) (Arabische Myrrhe, Fadhli-Myrrhe) [Burseraceae] durch → Wasserdampf-Destillation gewonnene → ätherische Öl. Die Ausbeute beträgt 2,5 bis 10 %.

Das gelb-grüne bis braune Öl weist den natürlich warmen würzig-süßen harzig-holzig-balsamischen Geruch des Harzes auf. Ein Volumenteil löst sich bei Raumtemperatur in 7 bis 10 Volumenteilen 90%igem Ethanol, teilweise unter opaleszenter Trübung.

PHYSIKALISCH-CHEMISCHE DATEN:
d_{25}^{25}: 0,995 bis 1,014; n_D^{20}: 1,5190 bis 1,5275; $[\alpha]_D$: - 83° bis - 60°; SZ: 2 bis 13; VZ: 9 bis 35.

Hauptinhaltsstoffe sind Sesquiterpen-Derivate, besonders ca. 70 bis 80 % Furonosesquiterpene. Der charakteristische Geruch stammt von Furanoeudesma-1,3-dien, Lindestren und Dihydropyrocurzerenon, die zusammen 19 % aller Inhaltsstoffe ausmachen.

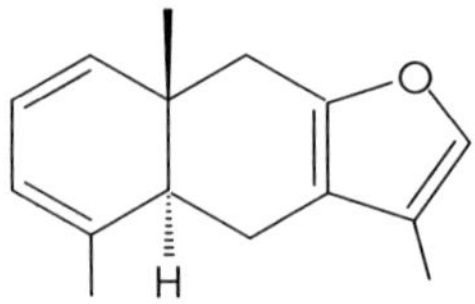

Furanoeudesma-1,3-dien

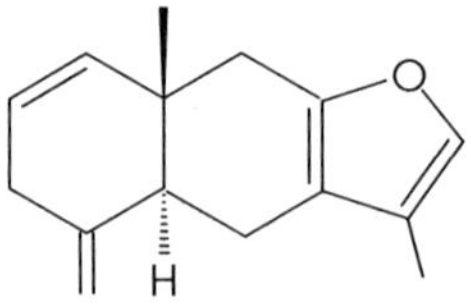

Lindestren

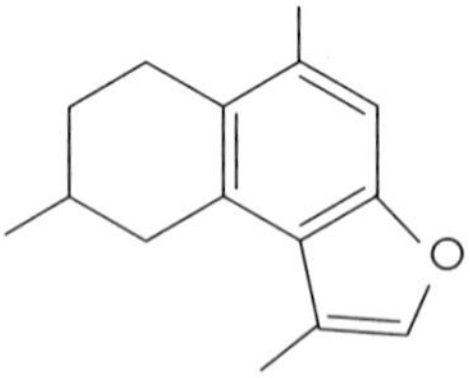

Dihydropyrocurzerenon

Geruchlich wirksam dürften auch der Sesquiterpenalkohol (–)-(*E*)-α-Santalal und die Sesquiterpenketone β-Elemenon und Germacron sein. Daneben werden u. a. α-Pinen, Limonen, Eugenol, m-Cresol sowie α-, β- und γ-Commiphoräuren beschrieben
In der Parfümerie wird echtes Myrrhenöl für holzige, ambraartige, orientalische und grüne → Duftnoten eingesetzt. Die Einbindung in orientalische Kompositionen verleiht diesen Kraft und Volumen. Myrrhe verbindet sich ausgezeichnet mit → Olibanumöl, → Labdanumöl und → Castoreum zur Entfaltung ledriger Noten, paßt aber auch zu → Vetiveröl und → Cedernöl. Mit → Galbanumöl kann Myrrhe für grüne Noten eingesetzt werden.
In pharmazeutischen Präparaten wird Myrrhenöl aufgrund seiner adstringierenden und desinfizierenden Wirkung bei Zahnfleisch-

entzündungen genutzt, von der Naturheilkunde auch bei Bronchitis und als blähungstreibendes Mittel.

TOXIKOLOGIE:
Das als Inhaltsstoff beschriebene α-Pinen kann in größeren Mengen bei empfindlichen Personen zu Hautreizungen und Ekzemen, bei oraler Zufuhr zu Nierenreizungen führen. Eugenol ist bei oraler Aufnahme mäßig giftig. Im Tierversuch wirkt es hautreizend, karzinogen und mutagen. Es besitzt ferner ein allergenes Potential. Auch Limonen besitzt ein allergenes Potential.

Engl.: myrrh oil; franz.: essence de myrrhe; ital.: olio di mirra; span.: esencia de mirra.

Zum **Bisabol-Myrrhenöl (Süßes Myrrhenöl)**, das aus dem Harz verwandter *Commiphora*-Arten gewonnen wird vgl. → Opopanaxöl.

Das konkrete **Myrrhen-Resinoid** (Resinoid-Concret; vgl. → Resinoide) wird in Ausbeuten von 20 bis 45 % durch → Extraktion des Gummi-Harzes mit Lösungsmitteln (besonders Hexan, Aceton oder Toluol) erhalten. Die wachsähnliche gelb- bis rotbraune Masse weist einen balsamischen Geruch und einen aromatisch-bitteren Geschmack auf.
Das → Resinoid dient in der Parfümerie vor allem als → Fixateur und findet vorzugsweise in Seifen und Reinigungsmitteln Verwendung. In Kombination mit → Eichenmoos-Resinoid, → Tolubalsam-Resinoid, → Benzoe-Resinoid und → Perubalsamöl trägt es zur synergistischen Verstärkung dieser Gerüche bei.

Engl.: myrrh resinoid; franz.: extrait de myrrhe.

Myrtenöl

Das aus den Blüten, Blättern und Zweigspitzen der Braut-Myrte (*Myrtus communis* L.) [Myrtaceae] durch → Wasserdampf-Destillation gewonnene → ätherische Öl (CAS-Nr.: 8008-46-6). Die Ausbeute beträgt 0,5 bis 1,0 %. Hauptproduzent ist Süd-Frankreich.
Das gelbe bis grünlich-gelbe Öl weist einen charakteristisch-würzigen terpenartigen Geruch mit einer Campher- und Eucalyptol-Note auf. Es ist in Ethanol löslich.

PHYSIKALISCH-CHEMISCHE DATEN:
D: 0,890 bis 0,915.

Als Inhaltsstoffe werden u. a. 23 % Limonen, 20 % Linalool, 14 % α-Pinen, 12 % 1,8-Cineol (Eucalyptol), 2 % p-Cymol, Camphen, β-Pinen, Myrtenol, Geraniol, Nerol und Myrtenylacetat beschrieben.
Das Öl wird in der Parfümerie vor allem als krautig-würzige Note in Naturdüften eingesetzt. Es harmoniert besonders mit → Bergamott-, → Lavendel- und → Rosmarinöl. Es kommt ferner als → Aromastoff und in pharmazeutischen Präparaten (gegen Seborrhoe) zur Anwendung.

TOXIKOLOGIE:
Die enthaltenen Pinene können in größeren Mengen bei empfindlichen Personen Hautreizungen und Ekzeme, bei oraler Zufuhr auch Nierenreizungen nach sich ziehen, 1,8-Cineol (Eucalyptol) Hautreizungen bzw. Gastroenteritis und Nierenreizungen. Limonen, Linalool und Geraniol besitzen ein allergenes Potential.

Engl.: myrtle oil; franz.: essence de myrte; ital.: olio di mirto; span.: esencia de mirto.

Nachthyazinthen-Absolue

Siehe → Tuberosen-Absolue.

Narkotisierende Riechstoffe

Nur wenige → ätherische Öle bzw. Inhaltsstoffe können in hohen Konzentrationen bei Resorption in den Organismus zu narkoseähnlichen zentralen Lähmungszuständen führen, wobei es zu einer unspezifischen irreversiblen Schädigung der Gewebe kommen kann. Dazu gehören vor allem α- und β-Thujon, thujonreiche → ätherische Öle (z. B. Thujaöl, vgl. → Cedernöle), nicht rektifiziertes → Terpentinöl, mentholreiche → Pfefferminz- und → *Mentha-arvensis*-Öle, das in → Muskatnußöl, Petersilienfruchtöl (vgl. → Petersilienöle) und Dillkrautöl (vgl. → Dillsamenöl) wirksame Myristicin und das z. B. in Petersilienfrüchten enthaltene Apiol (vgl. → Petersilienöle). Auch → Rosenöl entfaltet eine leichte narkotische Wirkung.

Thujon kommt auch in → Rainfarnöl, → Salbeiöl und → Wermutöl vor. Die chronische Aufnahme von → Wermutöl führt durch Degenerationserscheinungen am Zentralnervensystem zu psychischen und motorischen Störungen.

Bei der Besprechung der einzelnen → Riechstoffe, → ätherischen Öle, → Absolues und → Resinoide wird auf bekannte narkotische Wirkungen bzw. Inhaltsstoffe hingewiesen.

Narzissen-Absolue

Das aus den Blüten der Weißen oder Dichter-Narzisse (*Narcissus poeticus* L.) [Amaryllidaceae] durch → Extraktion mit Lösungsmitteln über das → Concret erhaltene → Absolue. Die Ausbeute des → Concrets beträgt 0,2 bis 0,3 %. Daraus erhält man ca. 30 % → Absolue.

Das absolute Öl weist einen erdigen heuartig-würzigen Geruch auf und entfaltet in verdünnter Lösung den typischen Narzissenduft. In der Parfümerie wird es in blumigen Phantasie-Noten eingesetzt.

Engl.: Narcissus absolute; franz.: essence absolue de Narcissus.

Naturidentische synthetische Riechstoffe

Siehe → Riechstoffe.

Natürliche Riechstoffe

Siehe → Riechstoffe.

Nelkenblütenöl (Nelkenknospenöl)

Siehe → Gewürznelkenöle.

Nelkenöle

Siehe → Gewürznelkenöle.

Nephrotoxische Riech- und Aromastoffe

Einige wenige → ätherische Öle bzw. Inhaltsstoffe besitzen bei der oralen Aufnahme in den Organismus eine nephrotoxische

(nierenreizende oder -schädigende) Wirkung. Dazu gehören das → Wacholderbeerenöl (besonders, wenn dieses reich an Monoterpenkohlenwasserstoffen, wie α- und β-Pinen, ist), das → Terpentin- und das → Sandelholzöl. Terpentinöl kann auch inhalativ und dermal resorbiert werden.
Ein nierenschädigendes Potential besitzen ferner das in → Cardamomöl, → *Curcuma*-Öl, → Kümmelöl, → Lavendelöl, → Limettenöl, → *Litsea-cubeba*-Öl, → Majoranöl, → Muskatnußöl, → Pfefferöl und → Wacholderbeerenöl beschriebene Sabinen, das in → Cypressenöl nachgewiesene Sabinol, das in einer Reihe von Ölen gefundene 1,8-Cineol (Eucalyptol), das in → Muskatnußöl, → Dillöl und Petersilienfruchtöl (vgl. → Petersilienöle) enthaltene Myristicin und das in Petersilienfrüchten (vgl. → Petersilienöle) vorkommende Apiol. Verwandte Phenylallyl- und Phenylpropenyl-Derivate kommen in kleinen Mengen in → Anisöl und → Citronenöl vor. Auch die in verschiedenen → ätherischen Ölen (z. B. kaltgepreßten → *Citrus*-Ölen, → Lavendelöl, → Spiköl, → Cassiaöl [vgl. → Zimtöle], → Rautenöl, → Estragonöl, → Tonkabohnen-Resinoid) in geringen Mengen enthaltenen Cumarine können zu Erkrankungen der Nieren führen.

Bei der Besprechung der einzelnen → Riechstoffe, → ätherischen Öle, → Absolues und → Resinoide wird auf bekannte nephrotoxische Wirkungen bzw. Inhaltsstoffe hingewiesen.

Nerol

CHEMISCHE BEZEICHNUNG: 3,7-Dimethyl-*cis*-2,6-octadien-1-ol, 3,7-Dimethyl-*cis*-octa-2,6-dien-1-ol
CAS-NR.: 106-25-2
STRUKTURFORMEL:

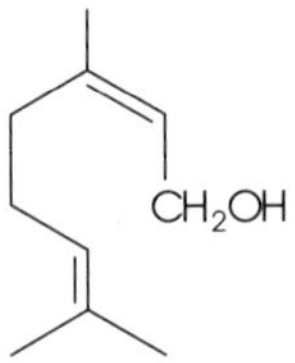

MOLEKULARGEWICHT: 154,25

Nerol ist eine farblose Flüssigkeit mit einem angenehmen rosenähnlichen Geruch, der sich von dem des Geraniols durch eine frische grüne Note unterscheidet.
Die Verbindung ist in kleinen Mengen in vielen → ätherischen Ölen zu finden und hat ihren Namen vom Vorkommen im → Neroliöl. Sie wird in den natürlichen Ölen immer vom Geraniol begleitet.

PHYSIKALISCH-CHEMISCHE DATEN:
Sdp.$_{99,3 \text{ kPa}}$: 224 bis 225 °C; d_4^{20}: 0,8796; n_D^{20}: 1,4744.

Nerol geht die gleichen Reaktionen wie Geraniol ein, im sauren Medium cyclisiert es jedoch leichter zu α-Terpineol.
Nerol wird synthetisch aus Myrcen zusammen mit Geraniol gewonnen und anschließend destillativ abgetrennt.
Die Verbindung findet parfümistisch u. a. Anwendung in Rosenkompositionen, welchen sie eine besondere Frische verleiht. Das oft im Gemisch mit Geraniol technischen Anforderungen genügende Nerol dient als Zwischenprodukt für die Herstellung von Citronellol und Citral. Ferner wird Nerol in der Geschmackstoffbranche für Citrus-Aromen (vgl. → Aromastoffe) eingesetzt.

TOXIKOLOGIE: LD_{50} (Ratte, oral): 3,6 g/kg KG.

Nerolidol

CHEMISCHE BEZEICHNUNG: 3,7,11-Trimethyl-1,6,10-dodecatrien-3-ol, 3,7,11-Trimethyl-dodeca-1,6,10-trien-3-ol
CAS-NR.: 7212-44-4, *cis*-Nerolidol: 142-50-7, *trans*-Nerolidol: 119-38-6
STRUKTURFORMEL:

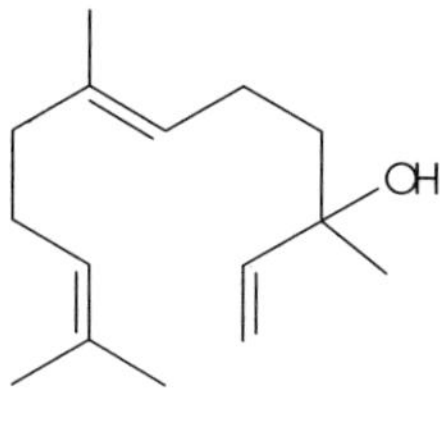

MOLEKULARGEWICHT: 222,37

Das analog dem Linalool zu den acyclischen Sesquiterpenen zählende und aus dem (±)-*cis*- und (±)-*trans*-Gemisch bestehende synthetische Nerolidol ist eine farblose Flüssigkeit mit einem langanhaltenden mildblumigen Geruch.
Natürlich kommt die Verbindung in vielen Ölen vor, das (+)-*trans*-Isomer z. B. im → Cabreuvaöl, → Perubalsamöl sowie → Niaouliöl. Ein (–)-Nerolidol wurde im *Dalbergia-parviflora*-Holzöl nachgewiesen.

PHYSIKALISCH-CHEMISCHE DATEN:

Sdp.$_{1,6\,kPa}$: 145 °C; d_4^{20}: 0,8778; n_D^{20}: 1,4898.

Die Verbindung ist löslich in den gebräuchlichen organischen Lösungsmitteln, jedoch nicht in Wasser. Die *cis-/trans*-Form löst sich in 3 Volumenteilen 70%igem Ethanol.
Bei der Synthese von Nerolidol erhält man zunächst nach der Carollschen Reaktion durch Erhitzen von Linalool und Acetessigester in Gegenwart von Aluminiumisopropylat Geranylaceton, das nach der Addition von Acetylen Dehydronerolidol ergibt, aus dem durch partielle Hydrierung *cis*- und *trans*-Nerolidol zugänglich sind.

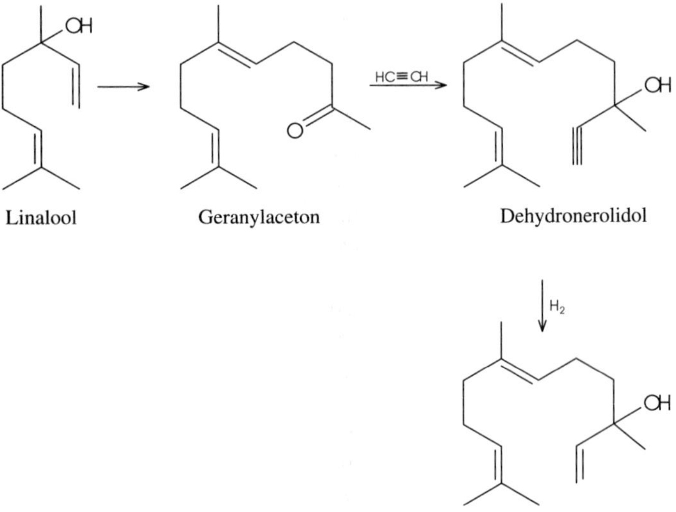

Linalool Geranylaceton Dehydronerolidol

Nerolidol

Nerolidol dient als Base für viele zarte Blüten-Geruchskomplexe. Weiterhin wird es als Zwischenprodukt bei der Herstellung von Vitamin E und K_1 verwendet.

TOXIKOLOGIE: LD_{50} (Ratte, oral): > 5 g/kg/KG.

Neroliöl (Pomeranzenblütenöl, Orangenblütenöl, Neroli Bigarade Öl)

Das aus den Blüten des u. a. in den Mittelmeerstaaten, Guinea, Brasilien und auf den Westindischen Inseln heimischen Pomeranzen- oder Bitterorangenbaumes (*Citrus aurantium* L. ssp. *aurantium, Citrus aurantium* L. ssp. *amara* [*Citrus bigaradia* RISSO]) [Rutaceae] durch → Wasserdampf-Destillation gewonnene → ätherische Öl (CAS-Nr.: 8016-38-4). Die Ausbeute beträgt 0,07 bis 0,15 %. Haupterzeugungssgebiete sind Frankreich, Italien und die nordafrikanischen Mittelmeerstaaten, daneben auch Guinea und Haiti. Die Welt-Jahresproduktion liegt bei einigen Tonnen.

Aus 1 kg Blüten werden ca. 1 g Öl sowie 1 kg wäßrige Anteile (**Orangenblütenwasser**) gewonnen.

Das gelbliche, sich unter Lichteinwirkung braunrot verfärbende und schwach blau fluoreszierende Neroliöl besitzt einen starken angenehm-blumigen, etwas würzig-bitteren, aber auch süßen Geruch nach Orangenblüten und einen aromatisch-bitteren Geschmack. Ein Volumenteil des französischen und italienischen Öls löst sich bei Raumtemperatur in 2 Volumenteilen 80%igem Ethanol; 1 Volumenteil des nordafrikanischen Öls in 3,5 Volumenteilen 85%igem Ethanol.

PHYSIKALISCH-CHEMISCHE DATEN (französisches Öl):
d_{20}^{20}: 0,866 bis 0,871; n_D^{20}: 1,4690 bis 1,4740; $[\alpha]_D^{20}$: + 1,5° bis + 7°; SZ: max. 2; EZ: 25 bis 44.

PHYSIKALISCH-CHEMISCHE DATEN (italienisches Öl):
d_{20}^{20}: 0,866 bis 0,879; n_D^{20}: 1,4690 bis 1,4740; $[\alpha]_D^{20}$: + 2,5° bis + 11,5°; SZ: max. 2; EZ: 20 bis 44.

PHYSIKALISCH-CHEMISCHE DATEN (nordafrikanisches Öl):
d_{20}^{20}: 0,866 bis 0,876; n_D^{20}: 1,4700 bis 1,4740; $[\alpha]_D^{20}$: + 6° bis + 11°; SZ: max. 2; EZ: 28 bis 50.

N

Hauptinhaltsstoffe sind sind ca. 35 % Terpenkohlenwasserstoffe (wie Ocimen, Dipenten, α-Pinen, Camphen), ca. 30 % (–)-Linalool), ca. 2 % (+)-α-Terpineol, ca. 4 % Geraniol und Nerol, ca. 6 % (+)-Nerolidol, Farnesol, ca. 7 % (–)-Linalylacetat, ca. 4 % Geranyl- und Nerylacetat, Jasmon, ca. 0,6 % Anthranilsäuremethylester, ca. 0,1 % Indol, Decanal, ca. 0,1 % Essigsäure und Palmitinsäure, Benzoate und Phenylacetate.
Die enthaltenen Stickstoffverbindungen (wie Indol und Anthranilsäure-Derivate) tragen wesentlich zu dem blumigen Duft bei. Geruchlich wirksam sind ferner Spuren von Phenylacetonitril (Benzylcyanid), 1-Nitro-2-phenyl-ethan und 2-Methoxy-3-isobutyl-pyrazin.
Das durch → Wasserdampf-Destillation gewonnene → ätherische Öl enthält infolge der guten Wasserlöslichkeit nur ca. 1 % Phenylethylalkohol, während das durch → Extraktion gewonnene konkrete Öl (vgl. unten) einen Gehalt von 35 bis 40 % aufweist.

N

Das **Orangenblütenwasser** enthält neben Phenylethylalkohol hauptsächlich Terpenalkohole sowie Anthranilsäuremethylester, jedoch nur Spuren von Terpenkohlenwasserstoffen. Häufig schließt sich zur Gewinnung der wertvollen Inhaltsstoffe eine weitere Aufarbeitung an. Durch → Extraktion erhält man ca. 0,1 % des sogenanntem **Eau-de-Brouts-Absolues**, das in Phantasie-Noten sowie Eau de Colognes angewandt wird.

In der Parfümerie wird Neroliöl vorwiegend für vielfältige → Parfüm-Kompositionen, Kölnischwässer (z. B. das klassische 4711) und → Kosmetika eingesetzt. Es verbindet sich ausgezeichnet mit fast allen → Riechstoffen.
Erstmalige Erwähnung fand das Pomeranzenblütenöl bereits um die Mitte des 16. Jahrhunderts. Um 1650 soll es durch Prinz Neroli di Orsini als Modeduft eingeführt worden sein.
Das Öl wirkt abweisend auf Insekten.

TOXIKOLOGIE:
Das Öl kann phototoxische Reaktionen bewirken (Furocumarine?). Das als Inhaltsstoff beschriebene α-Pinen kann in größeren Mengen bei empfindlichen Personen Hautreizungen und Ekzeme, bei

oraler Zufuhr Nierenreizungen nach sich ziehen. Linalool, Geraniol und Linalylacetat besitzen ein allergenes Potential.

Als **Neroliöl Portugal** wird ein aus den Blüten süßer Orangen gewonnenes Öl gehandelt.

Engl.: neroli oil; franz.: essence de néroli; ital.: olio neroli; span.: esencia de neroli.

Vom Neroliöl zu unterscheiden ist das durch → Extraktion mit organischen Lösungsmitteln aus den Blüten in Ausbeuten von ca. 0,2 bis 0,4 % erhaltene **konkrete Orangenblütenöl** (vgl. → Concrets, → Orangenblüten-Absolue), in dem sich ca. 22 bis 36 % wasserflüchtige Anteile befinden.

Aus den Blättern des Pomeranzenbaumes wird ferner das → **Petitgrainöl**, aus den Fruchtschalen das → **Pomeranzenöl** gewonnen.

N

Niaouliöl (Niauliöl)

Das aus den frischen Blättern des in Neukaledonien heimischen Niaoulibaumes (Niaulibaum; *Melaleuca viridiflora* SOLAND ex GAERTN. [Myrtaceae] durch → Wasserdampf-Destillation gewonnene → ätherische Öl (CAS-Nr.: 8014-68-4). Die Ausbeute liegt bei ca. 2,5 %.
Das farblose bis gelbliche Öl besitzt den typischen Cineol-Geruch. Ein Volumenteil löst sich bei Raumtemperatur in 1 Volumenteil 80%igem Ethanol.

PHYSIKALISCH-CHEMISCHE DATEN:
d_{15}^{15}: 0,910 bis 0,929; n_D^{20}: 1,4650 bis 1,4720; $[\alpha]_D^{20}$: + 0,42° bis + 3,34°.

Hauptinhaltsstoffe sind ca. 35 bis 65 % 1,8-Cineol (Eucalyptol) und ca. 20 % α-Terpineol, neben α-Pinen, Terpenylvalerianat, Nerolidol, Benzylaldehyd, Valeraldehyd u. a.
Es wird zur Aromatisierung (vgl. → Aromastoffe) von Mundpflegemitteln und sehr selten in der Parfümerie genutzt. Ferner wird es pharmazeutisch angewandt, bei Bronchialkatarrh in Form von Ölkapseln, bei Schnupfen inhalativ. Für *Niauli aetheroleum* ist

eine Monographie der Kommission E beim Bundesinstitut für Arzneimittel und Medizinprodukte (BfArM) verfügbar.

TOXIKOLOGIE:
Das in großen Mengen enthaltene 1,8-Cineol (Eucalyptol) kann bei empfindlichen Personen Hautreizungen, bei oraler Aufnahme Gastroenteritis und Nierenreizungen bewirken, α-Pinen Hautreizungen und Ekzeme bzw. Nierenreizungen.

(Weitere → ätherische Öle aus *Melaleuca*-Arten siehe → Cajeputöl, → Teebaumöl.)

Engl.: niaouli oil.

γ-Nonalacton

Siehe → Aldehyd C_{18}.

N

n-Nonanal

Siehe → Aldehyd C_9.

Nootkaton

CHEMISCHE BEZEICHNUNG: 5,6-Dimethyl-8-isopropenyl-bicyclo-[4.4.0]dec-1-en-3-on
CAS-NR.: 4674-50-4
STRUKTURFORMEL:

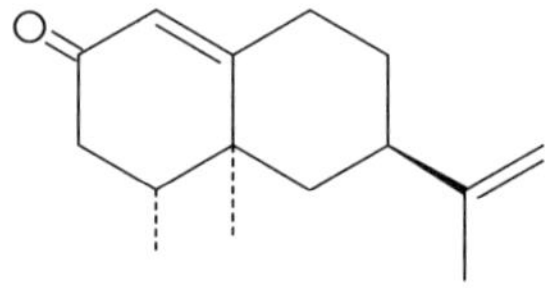

MOLEKULARGEWICHT: 218,33

Das Handelsprodukt ist eine farblose bis gelbliche Flüssigkeit mit einem typischen Grapefruit-Geruch.
Es wurde aus den Grapefruitschalen sowie dem Juice isoliert und auch in anderen → *Citrus*-Ölen nachgewiesen.

PHYSIKALISCH-CHEMISCHE DATEN:
Schmp.: 35 bis 37 °C; $[\alpha]_D^{20}$: + 195,5° (c = 1,5, Chloroform).

Nootkaton wird aus Valencen (aus → Orangenöl) durch Oxidation (z. B. mit tert.-Butylchromat) hergestellt.

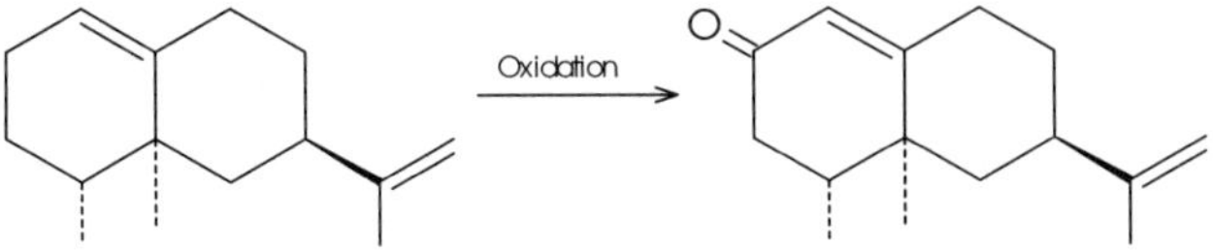

(+)-Valencen (+)-Nootkaton

Nootkaton findet Einsatz in der Getränkearomatisierung, in der Parfümerie für Citrus-Noten.

Nopylacetat

CHEMISCHE BEZEICHNUNG: (–)-2-(2-Acetoxy-ethyl)-6,6-dimethylnorpin-2-en
CAS-NR.: 35836-72-7
STRUKTURFORMEL:

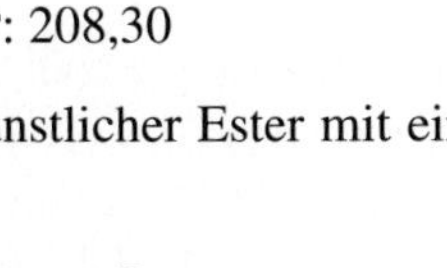

MOLEKULARGEWICHT: 208,30

Nopylacetat ist ein künstlicher Ester mit einem frisch-fruchtigen holzigen Geruch.

PHYSIKALISCH-CHEMISCHE DATEN:
Sdp.$_{1,5\ kPa}$: 122 °C; d_4^{20}: 0,9811; n_D^{20}: 1,4733; $[\alpha]_D$: - 30,9°.

Gewonnen wird die Verbindung durch Acetylierung des aus (–)-β-Pinen und Paraformaldehyd nach der Prins-Reaktion erhältlichen (–)-Nopols mit Essigsäureanhydrid.
Nopylacetat findet Einsatz in → Parfüms für Seifen und Haushalterzeugnisse.

Ocotea-Öl

Siehe → Sassafrasöl.

n-Octanal

Siehe → Aldehyd C_8.

Oenanthether

Siehe → Weinhefeöl.

Oleoresine

In der Aromastoff- und Riechstoffindustrie für die durch → Extraktion mit Lösungsmitteln aus pflanzlichen und tierischen Drogen erhaltenen → Resinoide verwendete Bezeichnung. Im engeren Sinn wird der Begriff Oleoresine im Riech- und Aromastoffbereich häufig auf die aus Gewürzen und/oder Harzen sowie Balsamen erhaltenen Extrakte begrenzt.
Andererseits werden mitunter auch die unbehandelten Harze und Balsame als Oleoresine bezeichnet.

Olibanumöl (Weihrauchöl)

Das aus dem Weihrauch-Gummi-Harz (Olibanum-Harz, CAS-Nr.: 8050-07-5) der südarabischen *Boswellia*-Art *Boswellia sacra* FLUECK., den nordostafrikanischen Spezies *Boswellia carteri* BIRDW. und *Boswellia papyrifera* HOCHST. sowie den indischen Arten *Boswellia serrata* ROXB. und *Boswellia glabra* ROXB. durch → Wasserdampf-Destillation gewonnene → ätherische Öl (CAS-Nr.: 68952-41-0). Die Ausbeute beträgt 5 bis 10 %.
Das leicht viskose gelbliche Öl besitzt einen trockenen harzig-holzig-balsamischen Geruch mit einer schwachen Zitronen-Note im frisch destillierten Produkt. Das indische Olibanumöl entfaltet einen vergleichbaren Duft, besitzt aber eine leichte Campher-Note. Ein Volumenteil löst sich bei Raumtemperatur in 6 Volumenteilen 90%igem Ethanol, teilweise unter opaleszenter Trübung.

PHYSIKALISCH-CHEMISCHE DATEN:
d^{25}_{25}: 0,862 bis 0,889; n^{20}_{D}: 1,4650 bis 1,4820; $[\alpha]_D$: - 15° bis + 35°; SZ: max. 4; EZ: 4 bis 40.

Die Zusammensetzung der Öle variiert je nach Herkunft. Die terpenartige Grundnote wird durch einen hohen Gehalt an α-Pinen (ca. 43 %), neben Dipenten und Phellandren, bestimmt. Den Hauptanteil der enthaltenen Sesquiterpen-Derivate stellt das Viridiflorol. Charakteristisch sind auch *trans*-Verbenol und *trans*-Pinocarveol. Zu dem harzigen Duft soll vor allem eine Reihe in Spuren vorkommender Monoterpensäuren beitragen. Die im Öl nachgewiesenen Diterpene mit Cembran-Gerüst und pentacyclischen Triterpene sind hingegen geruchlos. Jedoch sollen ihre Pyrolyseprodukte im Raucharoma des verräucherten Olibanums wirksam werden.
In → Parfüm-Kompositionen orientiert Olibanumöl die Kopfnote zu grünen und holzigen Düften, was besonders in alkoholischen Kompositionen mit orientalischen Gerüchen wesentlich ist. Es rundet diese einerseits ab, verleiht ihnen anderseits reizvolle Nuancen. Ferner wird es in Chypre-, Ambra-, Juchten- und Phantasie-Düften sowie als → Fixateur in Seifen angewendet.
Olibanum wurde in der Vergangenheit vielfältig medizinisch angewendet. Heute untersucht man vor allem die entzündungshemmenden und Hirnödem-reduzierenden Eigenschaften der im Harz enthaltenen triterpenoiden Boswellinsäure-Derivate.

TOXIKOLOGIE:
Das in großen Mengen enthaltene α-Pinen kann in größeren Mengen bei empfindlichen Personen Hautreizungen und Ekzeme, bei oraler Zufuhr Nierenreizungen nach sich ziehen.

Engl.: olibanum (frankincense) oil; franz.: huile d´oliban.

Das aus dem Gummi-Harz durch → Extraktion mit Lösungsmitteln in einer Ausbeute von ca. 50 % erhaltene konkrete **Olibanum-Resinoid** (Resinoid-Concret; vgl. → Resinoide) ist geruchlich dem Öl sehr ähnlich, wirkt jedoch wärmer, balsamischer und holziger. In → Parfüm-Kombinationen, Seifen und Reinigungsmitteln ist es ein ausgezeichneter → Fixateur.

Engl.: olibanum resinoid; franz.: extrait d´oliban.

Opopanaxöl (Burseraceen-Opopanaxöl, Bisabol-Myrrhenöl, Süßes Myrrhenöl)

Das mit dem echten → Myrrhenöl verwandte → ätherische Öl (CAS-Nr.: 8021-36-1) wird durch → Wasserdampf-Destillation aus dem Gummi-Harz (Bisabol-Myrrhe, Süße Myrrhe, Burseraceen-Opopanax, CAS-Nr.: 9000-78-6) der arabischen Myrrhen-Art *Commiphora kataf* (FORSSK.) ENGL. und den nordostafrikanischen Arten *Commiphora erythraea* (EHRENB.) ENGL. var. *glabrescens* ENGL. sowie *Commiphora guidotti* CHIOV. [Burseraceae] gewonnen. Die Ausbeute beträgt 5 bis 10 %. Das Harz ist nicht identisch mit dem im Mittelmeerraum, Arabien und Nordost-Afrika aus *Opopanax chironium* (L.) W. D. J. KOCH gewonnenen, in der Vergangenheit als Heilmittel gegen Katarrh gehandelten Umbelliferen-Opopanax, das heute kaum noch im Handel ist.

Das gelbe bis grünlich-gelbe Öl weist einen warmen süßen holzig-balsamischen Geruch mit leichter Humus- und Waldpilznote auf. Ein Volumenteil löst sich bei Raumtemperatur in 10 Volumenteilen 90%igem Ethanol, manchmal unter Trübung.

PHYSIKALISCH-CHEMISCHE DATEN:

d_{25}^{25}: 0,865 bis 0,932; n_D^{20}: 1,4880 bis 1,5040; $[\alpha]_D$: - 32° bis - 9°; SZ: max. 4; VZ: 4 bis 20.

Das Öl enthält hauptsächlich Sesquiterpenkohlenwasserstoffe (besonders Bisabolen und Santalen) und Sesquiterpenalkohole. Auch das Furanosesquiterpen Furanodien wurde nachgewiesen. Den Hauptanteil an der Monoterpen-Fraktion stellt das Ocimen. Ferner wird Santol als Inhaltsstoff beschrieben.

In der Parfümerie wird das Öl für orientalische und holzige → Parfüm-Kompositionen sowie in Chypre- und Phantasie-Düften eingesetzt. Durch seinen relativ hohen Ocimen-Gehalt bringt es dabei mehr Frische als echtes → Myrrhenöl.

Engl.: opopanax oil; franz.: huile d´opopanax.

Das aus dem Gummi-Harz durch → Extraktion mit Lösungsmitteln in einer Ausbeute von ca. 20 % gewonnene konkrete **Opopanax-Resinoid** (Resinoid-Concret; vgl. → Resinoide) unterscheidet sich deutlich von dem der echten Myrrhe (vgl. → Myrrhenöl). Es duftet sehr süß, etwas zuckerartig, aber auch warm und kräftig. Anwendung findet es in → Parfüm-Kompositionen frischer holziger Noten mit einem zarten Hintergrund von Leder und Tabak sowie als → Fixateur. In Seifen und Reinigungsmitteln ist es in Kombination mit Olibanum-Resinoid (vgl. → Olibanumöl) unersetzlich.

Engl.: opopanax resinoid; franz.: extrait d´opopanax.

Optisches Drehungsvermögen ($[\alpha]_D$)

Wichtiger Parameter zur qualitativen Beurteilung von → ätherischen Ölen und → Riechstoffen.
Eine charakteristische Eigenschaft → ätherischer Öle ist ihr durch die enthaltenen optisch aktiven Verbindungen bedingtes optisches Drehungsvermögen.
Diese optisch aktiven Verbindungen sind aufgrund ihrer stereochemischen Struktur in der Lage, die Schwingungsebene von linear polarisiertem Licht zu drehen. Dasselbe gilt auch für monochromatische Strahlung, wie z. B. die Standardwellenlänge der gelben D-Linie des Natriums (589 nm). Zur Bestimmung des optischen Drehungsvermögens am häufigsten verwendet wird das Halbschattenpolarimeter nach Lippich.
Das Ausmaß der Drehung ist eine charakteristische Stoffkonstante. Je nach Art der Verbindung kann eine Rechtsdrehung (+) oder eine Linksdrehung (–) erfolgen. Es sind aber auch quantitative Aussagen möglich. Mit steigender Konzentration eines gelösten oder flüssigen Stoffes wird die Drehung stärker. Da die Größe der Drehung auch von der Wellenlänge und bis zu einem gewissen Grad von der Temperatur abhängig ist, sind beide Daten stets mit anzugeben.
Der direkt abgelesene Drehwinkel wird mit α_D^{20} bezeichnet. Die Angabe erfolgt in ° (Grad).
Die sogenannte spezifische Drehung [α] wird auf eine Schichtdicke von 10 cm und auf eine Konzentration von 1 g Substanz in 1 ml Lösung bezogen. Das heißt, es wird der Drehwinkel angegeben, den 1 g Substanz in 1 ml Lösung in einem Rohr von 10 cm Länge bewirkt.
$[\alpha]_D^{20}$ heißt spezifische Drehung bei einer Wellenlänge von

O

589 nm und 20 °C. Die Angabe erfolgt in ° (Grad). Exakter wäre Grad · $cm^2/10$ g (Konzentrationsangabe in g/ml). Die SI-Einheit ist Grad · m^2 · kg^{-1}.

Orangenblätteröl

Siehe → Petitgrainöl.

Orangenblüten-Absolue

Das durch → Extraktion mit Lösungsmittel aus den Blüten des u. a. in den Mittelmeerstaaten, Guinea, Brasilien und auf den Westindischen Inseln heimischen Pomeranzen- oder Bitterorangenbaumes (*Citrus aurantium* L. ssp. *aurantium*, *Citrus aurantium* L. ssp. *amara* [*Citrus bigaradia* RISSO]) [Rutaceae] über das → Concret erhaltene dunkelbraune, warm und würzig-bitter riechende → Absolue. Die Ausbeute des → Concrets beträgt ca. 0,2 bis 0,4 %. Daraus erhält man ca. 50 % → Absolue.

O

Dieses findet Anwendung in der Feinparfümerie, vor allem für blumige Düfte.

Engl.: orange flower absolue; franz.: extrait de fleur d´orange.

Durch → Wasserdampf-Destillation der Blüten erhält man das → **Neroliöl**.

Orangenblütenöl

Siehe → Neroliöl.

Orangenöl, Bitteres

Siehe → Pomeranzenöl.

Orangenöl, Süßes (Orangenschalenöl, Portugalöl)

Das aus den Fruchtschalen der Früchte des u. a. in Italien (Süd-Italien, Sizilien), Spanien, Zypern, Israel, Nord-Afrika, Guinea, Rhodesien, Südafrika, den USA (Kalifornien, Florida, Texas), Brasilien und auf den Westindischen Inseln heimischen Orangen- oder Apfelsinenbaumes (*Citrus sinensis* (L.) OSBECK, *Citrus aurantium* L. var. *sinensis* L., *Citrus aurantium* L. var. *dulcis*) [Rutaceae] gewonnene, zu den → *Citrus*-Ölen zählende → ätherische Öl (CAS-Nr.: 8008-57-9). Die Gewinnung erfolgt durch → Pressen der äußeren Fruchtschale. Die Ausbeute liegt bei 0,4 bis 0,5 %. Ein geringer Teil dieses → ätherischen Öls wird auch durch → Wasserdampf-Destillation gewonnen. Die Haupterzeugungsgebiete liegen in den USA, Brasilien, Israel, Italien, Spanien, Algerien, Zypern, Südafrika und auf den Westindischen Inseln (maschinengepreßt). In Guinea wird aus den Varietäten *limoviridis* A. CHEV. und *djalonis* A. CHEV. auch noch handgepreßtes Öl hergestellt. Die Welt-Jahresproduktion liegt bei ca. 10 000 Tonnen.

Das gepreßte gelbe bis gelbbraune oder rötlichgelbe Öl hat einen frisch-fruchtigen apfelsinenartigen Geruch und einen milden aromatischen Geschmack. Ein Volumenteil löst sich bei Raumtemperatur, zumeist unter Trübung, in 7 bis 8 Volumenteilen 90%igem Ethanol.
Die durch → Wasserdampf-Destillation gewonnenen farblosen bis hellgelben Öle riechen frisch, jedoch weniger voll und anhaltend. Da sie an der Luft rascher oxidieren, müssen sie durch Zusatz von Antioxidantien geschützt werden.

PHYSIKALISCH-CHEMISCHE DATEN (gepreßtes italienisches Öl):
d_{20}^{20}: 0,844 bis 0,847; n_D^{20}: 1,4730 bis 1,4750; $[\alpha]_D^{20}$: + 97° bis + 99°; Verdampfungsrückstand: 1,6 bis 3,5%; Aldehydgehalt (berechnet als Decanal): mind. 0,9 bis 2,2 %.

PHYSIKALISCH-CHEMISCHE DATEN (gepreßtes brasilianisches Öl):
d_{20}^{20}: 0,842 bis 0,847; n_D^{20}: 1,4720 bis 1,4740; $[\alpha]_D^{20}$: + 97° bis + 99°; Verdampfungsrückstand: 1,6 bis 3,5%; Aldehydgehalt (berechnet als Decanal): mind. 1,4 bis 3,1 %.
Die physikalisch-chemischen Daten schwanken je nach Herkunft.

Den Hauptinhaltsstoff stellt mit ca. 90 % (und mehr) das (+)-Limonen. Daneben sind u. a. Myrcen, Valencen, ca. 3 % Aldehyde (wie Octanal, Decanal, Dodecanal, Dec-2-en-1-al, Citral, Citronellal und α- und β-Sinensal), Alkohole (wie 0,3 % (+)-Linalool, (+)-α-Terpineol, Octanol, Nonanol), Ketone (wie Nootkaton), Fettsäuren (wie Ameisen-, Essig-, Capryl-, Caprinsäure), aliphatische und terpenoide Ester sowie Anthranilsäuremethylester ent-

O

halten. Der Gehalt an Sauerstoffverbindungen schwankt je nach Herkunft des Öls. Wesentlich für Geruch und Aroma sind vor allem die Aldehyde Decanal und Citral, die Sesquiterpenaldehyde α- und β-Sinensal sowie die aliphatischen und terpenoiden Ester (wie Octyl-, Citronellyl-, Linalyl-, Geranyl- und Nerylacetat). Auch geringe Mengen Furocumarine (wie Aurapten) wurden nachgewiesen.
In der Parfümerie findet süßes Orangenöl in Citrus-Noten, Fougère- und Chypre-Düften sowie zur Parfümierung von Kölnischwässern, Haarwässern, Seifen und Haushaltsprodukten Anwendung. Als → Aromastoff wird es in der Nahrungs- und Genußmittelindustrie genutzt, z. B. für alkoholfreie Erfrischungsgetränke und Süßwaren. In der Riechstoffindustrie dient es ferner zur Gewinnung von (+)-Limonen und Valencen.
Orangenöl ist auch in terpenfreier Form (vgl. → terpenfreie ätherische Öle) im Handel.

O

TOXIKOLOGIE:
Das destillierte Öl ist phototoxisch, wahrscheinlich auch das gepreßte.
Auf der Haut von Mäusen entfaltet Orangenschalenöl eine kokarzinogene (krebsfördernde) Wirkung. Bei der oralen Verabreichung können gelegentlich Geschwülste des Vormagens und der Harnröhre beobachtet werden.
Die als Inhaltsstoffe beschriebenen Furocumarine entfalten photosensibilisierende und phototoxische Wirkungen; d. h., unter gleichzeitigem Einfluß von Sonnenlicht kann es zu Dermatitiden (Photo-Dermatitis, Berloque-Dermatitis) kommen. Furocumarine zeigen des weiteren mutagene und karzinogene Wirkungen. Limonen, Citral, Citronellal, Linalool und Linalylacetat besitzen ein allergenes Potential.

Engl.: sweet orange oil; franz.: extrait d´écorce d´orange, essence d´orange Portugal; ital.: essenza d´arancia; span.: aceite de corteza de naranja.

Orchideenöl

Siehe → Ylang-Ylang-Öl und Canangaöl.

Origanum-Öle (Origanumöle, Dostenöle)

Die aus dem blühenden frischen oder getrockneten Kraut von Dost-Arten (*Origanum heracleoticum* L., *Origanum maru* L., *Origanum onites* L., *Origanum vulgare* L. und andere Arten) [Lamiaceae, Labiatae] durch → Wasserdampf-Destillation gewonnenen → ätherischen Öle (CAS-Nr.: 8007-11-2).
So enthält der in Spanien, Süd-Frankreich und den Balkan-Staaten kultivierte Braune Dost (Wilder Majoran; *Origanum vulgare* L.) 0,25 bis 4 % Origanumöl.
Die leicht gelbliche Flüssigkeit besitzt einen aromatischen phenolisch-holzigen Geruch und ist leicht löslich in Ethanol.

PHYSIKALISCH-CHEMISCHE DATEN:
d_{15}^{15}: 0,870 bis 0,010; $[\alpha]_D$: ca. - 34°.

Hauptinhaltsstoffe sind u. a. Limonen, Linalool, Terpinen-4-ol, Borneol, α- und β-Pinen, Terpinen, Ocymen, Caryophyllen, β-Bisabolen, p-Cymol sowie geringe Mengen Carvacrol und Thymol. Nach anderen Angaben werden (je nach Herkunft) auch bis zu 68 % Thymol und Carvacrol beschrieben.

Die im Mittelmeerraum gedeihenden Arten *Origanum floribundum* MUNBY und *Origanum heracleoticum* L. liefern ein Origanum- oder Dostenöl, das 35 bis 70 % Phenole (besonders Carvacrol, neben Thymol) enthält und als → Aromastoff, Carminativum, Antipasmodicum und in Gurgelwässern angewandt wird.

TOXIKOLOGIE:
Origanumöle können haut- und schleimhautreizend wirken.
Die als Inhaltsstoffe beschriebenen Pinene können in größeren Mengen bei empfindlichen Personen zu Hautreizungen und Ekzemen, bei oraler Aufnahme zu Nierenreizungen führen. Die orale Aufnahme von Thymol kann Leberschädigungen bewirken. Limonen, Linalool, Carvacrol und Thymol besitzen ein allergenes Potential.

Größere Bedeutung in der Riech- und Aromastoffindustrie hat das, häufig auch als weißes → Thymianöl bezeichnete, sogenannte **Spanische Origanumöl**. Dieses wird aus *Coridothymus capi-*

tatus RCHB. (*Thymus capitatus* HOFFM. et LINK) gewonnen. Das rötlich-gelbe bis dunkelbraune Öl weist einen herb-bitteren würzig-krautigen, an Thymian und Majoran erinnernden phenolischen Geruch und einen würzig-brennenden, leicht bitteren Geschmack auf. Ein Volumenteil löst sich bei Raumtemperatur in 2 Volumenteilen 70%igem Ethanol. Bei weiterer Verdünnung kann sich die Lösung trüben. Bei Kontakt mit Eisen kommt es rasch zu einer Schwarzfärbung.

PHYSIKALISCH-CHEMISCHE DATEN (Spanisches Origanumöl mit hohem Carvacrol-Gehalt):
d_{25}^{25}: 0,935 bis 0,960; n_D^{20}: 1,5020 bis 1,5080; $[\alpha]_D$: - 2° bis + 3°; Phenolgehalt: 60 bis 75 %.

Die Zusammensetzung der Öle ist stark von der Sorte sowie den Anbau- und Erntebedingungen abhängig.
Hauptinhaltsstoffe sind (je nach Ölsorte) 25 bis 75 % Carvacrol und 20 bis 50 % Linalool.
Das Öl wird in würzigen naturhaften → Parfüm-Kompositionen, als → Aromastoff für Nahrungsmittel, in pharmazeutischen Präparaten (Expectorantien) und aufgrund seines Phenolgehaltes in Desinfektionsmitteln angewandt.

TOXIKOLOGIE:
Origanumöle können haut- und schleimhautreizend wirken.
Die als Inhaltsstoffe beschriebenen Verbindungen Linalool und Carvacrol besitzen ein allergenes Potential.

Bekannt ist des weiteren **Mexikanisches Origanumöl** aus *Lippia graveolens* H. B. K.
Mit dem *Origanum-Öl* eng verwandt ist das → Majoranöl.

Engl.: origanum oils; franz.: essences d´origan; ital.: essenze d´origano; span.: esencia de orégano.

***Osmanthus*-Absolue**

Das aus den Blüten der in Ost-Asien beheimateten Duftblüten-Art *Osmanthus fragrans* (THUNB.) LOUR. [Oleaceae] durch → Extraktion mit Lösungsmitteln über das → Concret erhaltene → Absolue. Die Ausbeute des → Concrets beträgt 0,1 bis 0,2 %.

Daraus erhält man ca. 70 % → Absolue.
Das fruchtig (an Pfirsich und Aprikose erinnernd), blumig und holzig riechende → Absolue, das auch ledrige und animalische Nuancen entfaltet, wird in der Parfümerie in modernen Phantasie-Noten und als → Aromastoff angewandt. Die Blüten selbst dienen in China zur Parfümierung des Tees.
Im → Absolue wurden zahlreiche Jonon-Derivate unterschiedlichster Struktur gefunden. Für den Gesamt-Geruch spielen u. a. aber auch die in Spuren enthaltenen Verbindungen Citronellol, Geraniol, Nerol, (–)-Linalool und deren Oxide, (+)-Nerolidol, Sesquiterpenether, Nonanal, γ-Decalacton sowie Hex-2-en-1-ol eine Rolle.

TOXIKOLOGIE:
Die als Inhaltsstoffe beschriebenen Verbindungen Geraniol, Citronellol und Linalool besitzen ein allergenes Potential, ebenso α-Jonon.

Engl.: Osmanthus absolute; franz.: essence absolue d´Osmanthus.

P

Palmarosaöl (Ostindisches Geraniumöl)

Das zu den → Cymbopogonölen zählende → ätherische Öl (CAS-Nr.: 68917-55-5) wird durch → Wasserdampf-Destillation aus dem kurz vor der Blüte geernteten Gras der in Indien, Süd-Amerika, auf Java, den Seychellen und Madagaskar heimischen Art *Cymbopogon martinii* (ROXB.) J. F. WATS. var. *motia* (*Andropogon martinii* ROXB.) [Poaceae] gewonnen. Die Ausbeute liegt bei ca. 1,5 %. Die Welt-Jahresproduktion beträgt ca. 60 bis 70 Tonnen. Die qualitativ beste Ware stammt aus Java.
Das hellgelbe Öl besitzt einen charakteristischen, leicht fruchtigen süß-blumigen rosenähnlichen Geruch mit einer trockenen Grasnote, der nach zwei- bis dreitägigem Stehenlassen eine maiglöckchenähnliche Note entfaltet. Ein Volumenteil löst sich bei Raumtemperatur in 2 Volumenteilen 70%igem Ethanol.

PHYSIKALISCH-CHEMISCHE DATEN:
d_{20}^{20}: 0,880 bis 0,894; n_D^{20}: 1,4710 bis 1,4780; $[\alpha]_D^{20}$: - 1,4° bis + 3°; EZ (nach Acetylierung): 265 bis 280, entsprechend einem

Gesamt-Alkoholgehalt von 88 bis 95 %; Gehalt an freiem Alkohol (berechnet als Geraniol) von 77 bis 86 %.

Die Hauptinhaltsstoffe sind 75 bis 95 % Geraniol, davon 3 bis 15 % Geranylester (Geranylacetat und -capronat), und 5 bis 10 % Citronellal. Daneben sind u. a. Ocimen, Nerol, Linalool, α-Terpineol, Farnesol, Citral, Methylheptenon, Ocimen sowie Form- und Isovaleraldehyd enthalten.
Palmarosaöl wird in der Parfümerie für → Parfüm-Kompositionen (besonders Rosen-Noten), zur Parfümierung von Seifen und → Kosmetika sowie zur Gewinnung von Geraniol und Geranylestern eingesetzt.

TOXIKOLOGIE:
Die in größeren Mengen enthaltenen Verbindungen Geraniol und Citronellal sowie Linalool und Citral besitzen ein allergenes Potential.

P

Engl.: palmarosa oil, Indian grass oil, rusa oil, (East-)Indian geranium oil; franz.: essence de palmarosa; ital.: olio di palmarosa, olio di geranio dell´ India orientale; span.: esencia de palmarosa.

Zu den Palmarosaölen zählt auch das durch → Wasserdampf-Destillation aus dem frischen Gras der indischen Varietät *Cymbopogon martinii* (ROXB.) J. F. WATS. var. *sofia* erhältliche, weniger bedeutsame **Gingergrasöl** (**Ingwergrasöl**, CAS-Nr.: 8023-92-5). Die Ausbeute beträgt 0,2 %.
Das Öl besitzt einen rosigen krautig-würzigen Geruch mit leicht süßem brotartigem Unterton. Ein Volumenteil löst sich bei Raumtemperatur in 2 bis 3 Volumenteilen 70%igem Ethanol

PHYSIKALISCH-CHEMISCHE DATEN:
d_{15}^{15}: 0,900 bis 0,953; n_D^{20}: 1,4780 bis 1,4930.

Das Öl enthält nur ca. 45 % (+)-Geraniol, neben (+)-α-Phellandren, (±)- und (+)-Limonen, Dipenten, Perillaalkohol, Dihydrocuminalkohol und (±)-Carvon. Nach anderen Angaben sollen ca. 45 % Perillaalkohol enthalten sein.
Das Öl wird in der Parfümerie für orientalische Noten, vorzugsweise zur Parfümierung von Seifen und Detergentien eingesetzt.

TOXIKOLOGIE:
Die Inhalsstoffe Geraniol, Limonen und Carvon besitzen ein allergenes Potential.

Engl.: gingergrass oil.

Pappelknospenöl

Das aus den Knospen der in Europa heimischen Schwarzpappel (*Populus nigra* L.) und der in Nord-Amerika verbreiteten Balsampappel (*Popolus balsamifera* L.) [Salicaceae] durch → Wasserdampf-Destillation gewonnene → ätherische Öl (CAS-Nr.: 68917-02-2). Die Ausbeute liegt bei 0,5 bis 0,7 %.
Das viskose hellgelbe bis hellbraune Öl besitzt einen angenehmen kamillenartigen Geruch. Ein Volumenteil löst sich bei Raumtemperatur in 0,5 Volumenteilen 95%igem Ethanol.

PHYSIKALISCH-CHEMISCHE DATEN:
d_{20}^{20}: 0,890 bis 0,905; n_D^{20}: 1,4980 bis 1,5000; $[\alpha]_D^{20}$: + 1,94° bis + 6°.

Hauptinhaltsstoffe sind α-Caryophyllen (Humulen) und β-Caryophyllen. Daneben kommen ca. 0,5 % Paraffine vor.
Im Ether-Extrakt der Pappelknospen fand man u. a. Phenylethylalkohol, Methanol, einen Sesquiterpenalkohol, Acetophenon, 2,6-Dihydroxy-4-methoxy-β-phenylpropiophenon, Zimtsäureester, ein Methyltrihydroxyanthrachinon, ein Phenol, Propion-, Butter- und Zimtsäure, 4-Hydroxy-benzoesäure, 2,3-Dihydroxy-benzoesäure, 2,4-Dihydroxy-zimtsäure, Pentacosan, Heptacosan und Nonacosan.
Das Öl findet Anwendung für Hautkosmetika, Haaröle und Haarwässer (Antischuppenmittel).

Engl.: poplar buds oil.

Parfüm

Lösungen von → Riechstoffen in speziell gereinigtem Ethanol., ggf. mit Wasser bis auf 70 % verdünnt. Der Name stammt von der lateinischen Bezeichnung „par fumo“ (gleich Rauch). In der Antike wurden wohlriechende Harze, Hölzer und Pflanzen als Opfergabe für die Götter verräuchert.

Je nach der Konzentration an → Parfümöl unterscheidet man in:

- **Parfüm** (Extrait), mit einem Gehalt von 10 bis 25 %,
- **Eau de Parfüm**, mit einem Gehalt von 8 bis 10 %,
- **Eau de Toilette**, mit einem Gehalt von 5 bis 8 % sowie
- **Eau de Cologne** (Kölnisch Wasser), mit einem Gehalt von 2 bis 5 %.

Parfümierung

Siehe → Riechstoff-Anwendungen.

Parfüm-Komposition

In der Praxis der Riechstoff-Anwendung werden zumeist nicht → einheitliche Riechstoffe, sondern Riechstoff-Mischungen (Kompositionen) genutzt, die sich aus → ätherischen Ölen, → Absolues, → Resinoiden, aus Naturprodukten isolierten Einzel-riechstoffen, halbsynthetischen und vollsynthetischen → Riechstoffen sowie sogenannten Basen, deren Struktur Betriebsgeheimnis der Hersteller ist, zusammensetzen. Riechstoff-Kompositionen sind das Ergebnis der Kombination verschiedener Duftstoffe zu einem typischen und unverwechselbaren Eigengeruch. Ihre Entwicklung ist Aufgabe der Parfümeure und setzt nicht nur ein ausgezeichnetes „Geruchsgedächtnis", sondern auch umfangreiche Kenntnisse auf chemischem und physikalisch-chemischem Gebiet, aber auch in Fragen der Psychologie und Soziologie voraus. So müssen u. a. eventuelle chemische Reaktionen abgeschätzt, Hitze-, Luft- und Lichtbeständigkeit, Stabilität im jeweiligen Medium, Löslichkeits- und Adsorptionseigenschaften, pH-Wert, Anwesenheit oxidierender, reduzierender oder katalytisch wirkender Stoffe sowie dermatologische und toxische Eigenschaften berücksichtigt werden, ebenso die durch den jeweiligen Zeitgeist und die Zielgruppe eines Parfüms bestimmten Erwartungen.

Geruchlich setzt sich die Komposition eines → Parfüms zusammen aus:

- der durch leicht flüchtige → Riechstoffe (meist frischen Charakters) erzeugten **Kopfnote** (Angeruch),
- der durch mäßig flüchtige → Riechstoffe (meist blumigen Charakters) erzeugten **Herznote** (Mittelnote, Körper) und
- der durch wenig flüchtige, den Grundcharakter (Leitgeruch) bestimmende → Riechstoffe erzeugten **Basisnote** (Nachgeruch).

Beim Öffnen eines Flakons strömt einem zunächst die leicht flüchtige Kopfnote entgegen. Nach ca. 5 bis 20 Minuten ist die 2 bis 4 Stunden anhaltende Herznote wahrnehmbar. Danach ist nur noch die Basisnote wirksam.
Der Basisnote zugeordnet sind auch die → **Fixateure**, durch die Bindung und Haftfestigkeit der flüchtigen → Riechstoffe erhöht werden und die Duftkombination insgesamt eine höhere Beständigkeit erhält. Die Kopfnote wird gemäßigt, die Herznote intensiviert sowie zeitlich verlängert und die Basisnote gestärkt.
Durch den Zusatz von → **Adjuvantien** können Kopf-, Herz- und Basisnote enger miteinander verbunden und der „Duftablauf" fließender gestaltet werden.

Parfümöle

Grundstoffe für die zur Komposition von → Parfüms genutzen Riechstoff-Mischungen sind → ätherische Öle, absolute Blütenöle (vgl. → Absolues), → Extrakte aus pflanzlichen und tierischen (animalischen) Drogen (vgl. → Resinoide), aus Naturprodukten isolierte Komponeneten sowie halbsynthetische und vollsynthetische → Riechstoffe.

Pastinaköl

Das aus den Früchten, Dolden und Wurzeln des in Ost-Europa, Mittel-Amerika und Ost-Asien kultivierten Pastinaks (Hammelmöhre; *Pastinaca sativa* L.) [Apiaceae, Umbelliferae] durch → Wasserdampf-Destillation gewonnene → ätherische Öl. Die Ausbeute beträgt 2 bis 3 %.
Das Öl besitzt einen an Vetiver erinnernden aromatischen würzig-krautigen Geruch.
In der Parfümerie wird es gelegentlich in Natur-Noten eingesetzt.

Die Wurzel selbst wird als Gemüse sowie als volksmedizinisches Hausmittel bei Magen-, Stein- und Blasenleiden verwendet.

TOXIKOLOGIE:
Die als Inhaltsstoffe der Wurzel beschriebenen Furocumarine (Xanthotoxin), die sich auch im Öl finden können, entfalten photosensibilisierende und phototoxische Wirkungen; d. h., unter gleichzeitigem Einfluß von Sonnenlicht kann es zu Dermatitiden (Photo-Dermatitis, Berloque-Dermatitis) kommen. Furocumarine (Xanthotoxin) zeigen des weiteren mutagene und karzinogene Wirkungen.

Engl.: parsnip oil; franz.: essence de panais.

Patchouliöl

Siehe → Patschuliöl.

Patschuliöl (Patchouliöl)

P

Das aus den getrockneten, nicht fermentierten Blättern des Patchouli-Strauches (*Pogostemon cablin* (BLANCO) BENTH., *Pogostemon patchouli* PELLET.) [Lamiaceae, Labiatae] durch → Wasserdampf-Destillation erhaltene → ätherische Öl (CAS-Nr.: 8014-09-3). Die Ausbeute liegt zwischen 1 und 4 %.
Die Pflanze ist auf den Philippinen heimisch und wird in Indonesien, Malaysia, China, Nord-Amerika, Brasilien und Europa (Rußland) kultiviert. Hautlieferant des Öls ist Indonesien. Die Welt-Jahresproduktion liegt bei mehr als 500 Tonnen.
Das ziemlich viskose gelbliche, grünlich-gelbe, orangegelbe oder braune Öl weist einen aufdringlichen (bis betäubenden) und sehr stark anhaftenden blattähnlich-holzigen balsamisch-süßen, leicht campherartigen Geruch auf. Qualitativ minderwertigere Öle riechen erdig und wurzelartig, die von Java stammenden Öle calmusartig. Ein Volumenteil löst sich bei Raumtemperatur in 10 Volumenteilen 90%igem Ethanol. Mitunter scheiden sich Kristalle (Patschulialkohol) ab.

PHYSIKALISCH-CHEMISCHE DATEN:
d_{20}^{20}: 0,955 bis 0,983; n_D^{20}: 1,5050 bis 1,5120; $[\alpha]_D^{20}$: - 66° bis - 40° (teilweise bis - 32°); SZ: max. 4; EZ: max. 10.

Den Hauptinhaltsstoff stellt mit 30 bis 60 % der Sesquiterpenalkohol (–)-Patchoulol (Patschulialkohol). Für den Geruch bedeutsamer ist jedoch das nur in Konzentrationen von 0,3 bis 0,5 % enthaltene (+)-Norpatchoulenol.

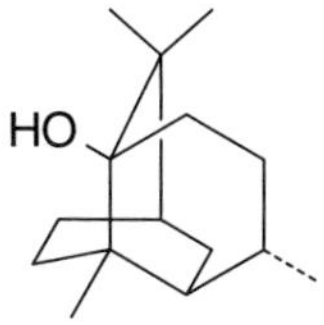

(–)-Patchoulol

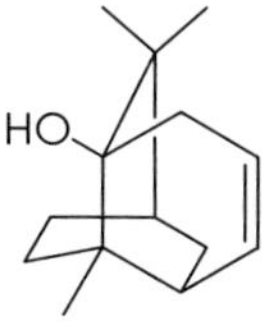

(+)- Norpatchoulenol

Weitere Inhaltsstoffe sind u. a. Patchoulipyridin, Epiguajpyridin, Patchoulenol, Patchoulan-1,12-diol, Patchoulion, α- und β-Patchoulen, Guajen, Bulnesen, α-Caryophyllen (Humulen), Seychellen, Eugenol, Benzaldehyd, Ketone und Epoxide.
Die aufdringliche betäubende Note wird auf die Sesquiterpenoide mit einem Pyridin-Ring zurückgeführt.
In der Parfümerie wird Patschuliöl als frische belebende Komponente und → Fixateur in → Parfüm-Kompositionen (Herren-Parfüms, orientalische Duftnoten, Fougère-, Holz-, Juchten-, Opopanax-, Heu-, Chypre-, Klee und Rosen-Noten) sowie zur Parfümierung von → Kosmetika und Seifen eingesetzt.

TOXIKOLOGIE:
Das als Inhaltsstoff beschriebene Eugenol ist bei oraler Zufuhr mäßig giftig. Im Tierversuch wirkt es hautreizend, karzinogen und mutagen. Es besitzt ferner ein allergenes Potential.

Engl.: patchouli oil; franz.: essence (huile) de patchouli; ital.: essenza di patsciuli; span.: aceite de patchouli.

Durch → Extraktion mit Lösungsmitteln wird aus den getrockneten Blättern des Patchouli-Strauches auch ein konkretes **Patschuli-Resinoid (Patchouli-Resinoid)** (Resinoid-Concret; vgl. → Resinoide) und daraus das absolute Resinoid (Resinoid-Absolue; vgl. → Resinoide) gewonnen. Es ist für die Parfümerie qualitativ noch wertvoller als das durch → Wasserdampf-Destillation gewonnene Patschuliöl.

Engl.: patchouli resinoid; franz.: extrait de patchouli.

Pelargonaldehyd

Siehe → Aldehyd C_9.

Pennyroyalöl

Siehe → Poleiminzöl.

15-Pentadecanolid

SYNONYME: Cyclopentadecanolid, Exaltolid, Pentalide
CHEMISCHE BEZEICHNUNG: 15-Hydroxy-pentadecansäurelacton
CAS-NR.: 106-02-5
STRUKTURFORMEL:

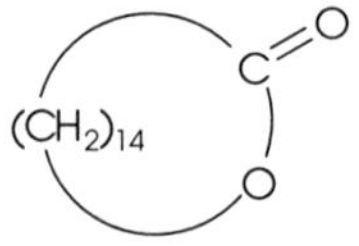

P

MOLEKULARGEWICHT: 240,39

15-Pentadecanolid bildet farblose Kristalle mit einem zarten moschusähnlichen Geruch.
Es kommt in kleinen Mengen im → *Angelica*-Öl, → Galbanumöl und im Orient-Tabak vor.

PHYSIKALISCH-CHEMISCHE DATEN:
Schmp.: 37 - 38 °C; Sdp.$_{1,3\text{ - }1,4\text{ kPa}}$: 169 °C; d_4^{40}: 0,940.

Die Gewinnung des Pentadecanolids kann entweder durch Ringerweiterung des Cyclododecanons oder durch Depolymerisation des Polyesters der 15-Hydroxy-pentadecansäure erfolgen.

Herstellung durch Ringerweiterung von Cyclododecanon: Die radikalische Addition von Allylalkohol an Cyclododecanon, z. B. mit Di-tert.-butylperoxid als Radikalinitiator, ergibt 2-(γ-Hydroxypropyl)-cyclododecanon. Dieses wird umgewandelt in 13-Oxabicyclo[10.4.0]hexadec-1(12)-en durch säurekatalysierte Dehy-dration. Addition von Wasserstoffperoxid in Gegenwart von Schwefelsäure führt zu 12-Hydroperoxy-13-oxabicyclo-

[10.4.0]-hexadecan. Schließlich erhält man durch Spaltung des Peroxides beim Erhitzen in Xylol 15-Pentadecanolid und kleine Mengen von 15-Pentadec-11(und12)-enolid sowie 12-Hydroxy-15-pentadecanolid.

Herstellung aus Polyestern der 15-Hydroxy-pentadecansäure: In einem japanischen Prozeß wird die benötigte ω-Hydroxysäure in verschiedenen Stufen aus Dodecan-1,12-diol gewonnen, das in einer Radikalreaktion unter Verwendung von Di-tert.-butylperoxid als Katalysator an Methylacrylat addiert wird. Die freie Hydroxylgruppe des gebildeten ω-Hydroxy-γ-pentadecalactons wird mit Essigsäureanhydrid acetyliert und das erhaltene ω-Acetoxy-γ-pentadecalacton durch Hydrierung sowie Hydrolyse zu 15-Hydroxy-pentadecansäure umgesetzt.

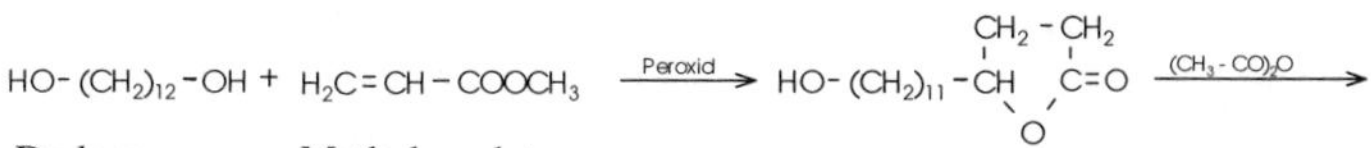

Dodecan 1,12-diol   Methylacrylat

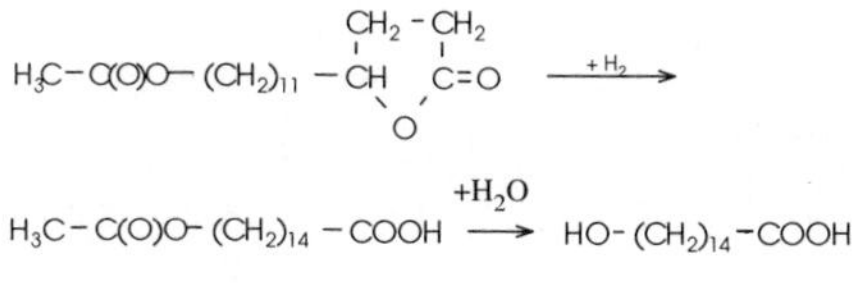

15-Hydroxy-pentadecansäure

Ein weiteres Verfahren zur Herstellung von 15-Hydroxy-pentadecansäure geht von 13-Oxabicyclo[10.4.0]hexadec-1,12-en aus, dessen Nitrosierung zum 12-Oximino-15-pentadecanolid führt. Die sich anschließende Wolff-Kishner-Reduktion liefert schließlich das gewünschte Endprodukt. Der Polyester der 15-Hydroxy-pentadecansäure wird nach herkömmlichen Methoden hergestellt und unter hohem Vakuum in der Gegenwart von Umesterungs-Katalysatoren gespalten.

15-Pentadecanolid ist ein höchst wertvoller Ausgangsstoff, der in ziemlich großen Mengen in feinen Duftstoffen sowie als → Fixateur mit einem zarten Moschusgeruch verwendet wird.

Perilla-Öl (Perillaöl)

Das aus den Blüten und Blättern der in Japan, Korea, China und Indien heimischen Schwarznessel-Art *Perilla frutescens* (L.) BRITT. (*Perilla ocymoides* L., *Ocimum frutescens* L.) und anderen Arten [Lamiaceae, Labiatae] durch → Wasserdampf-Destillation gewonnene → ätherische Öl. Die Ausbeute beträgt ca. 0,15 %. Es darf nicht mit dem aus den *Perilla*-Samen gewonnenen fetten Öl verwechselt werden.
Das Öl besitzt einen stark öligen würzig-grünen cuminartigen Geruch.
Wichtige Inhaltsstoffe sind Perillaaldehyd (p-Mentha-1,8-dien-7-al), dessen Oxim und Perillaketon [1-(3-Furyl)-4-methyl-pentan-1-on].
In der Parfümerie ist es nur im Spurenbereich verwendbar und hat nur noch geringe Bedeutung.

TOXIKOLOGIE:
Das als Inhaltsstoff beschriebene Perillaketon ist bei oraler Zufuhr toxikologisch bedenklich. Bei Weidetieren, die *Perilla* fressen, kann es zu schweren Lungenödemen sowie Emphysemen kommen.

Engl.: perilla oil; franz.: huile deperilla.

Perubalsamöl

Das aus dem Balsam (Perubalsam, CAS-Nr.: 8007-00-9) der in Mittel-Amerika, Sri Lanka und Indonesien kultivierten Balsambaum-Art *Myroxylon balsamum* (L.) HARMS var. *pereirae* (ROYLE) HARMS (*Myroxylon pereira* (ROYLE) KLOTZSCH, *Toluifera pereirae* (ROYLE) BAILL.) [Fabaceae, Leguminosae] durch → Wasserdampf-Destillation gewonnene → ätherische Öl (CAS-Nr.: 8014-71-9). Die Ausbeute beträgt ca. 50 %. Hauptproduzent des Öls ist El Salvador.
Das leicht viskose gelbe bis hellbraune Öl, in dem sich Kristalle bilden können, weist einen balsamisch-süßen vanilleartigen, leicht rauchigen Geruch auf. Der Geschmack ist anfangs mild, dann kratzend und würzig-bitter. Ein Volumenteil löst sich bei Raumtemperatur in 0,5 Volumenteilen 90%igem Ethanol.

PHYSIKALISCH-CHEMISCHE DATEN:
d_{25}^{25}: 1,095 bis 1,110; n_D^{20}: 1,5670 bis 1,5790; $[\alpha]_D$: - 1° bis + 2°; SZ: 30 bis 60; EZ: 200 bis 225.

Hauptinhaltsstoffe sind Benzylbenzoat (Benzoesäurebenzylester) und -cinnamat (Zimtsäurebenzylester, Cinnamein). Zum typischen Geruch tragen vor allem Nerolidol, Farnesol, Vanillin, Benzoe- und Zimtsäure bei.
Das Öl wird in der Parfümerie in → Parfüm-Kompositionen (balsamische, holzige und blumige Düfte, Heliotrop-, Goldlack-, Magnolia-, Jasmin-, Ambra- und Phantasie-Noten) als ausgezeichneter → Fixateur geschätzt, vor allem in Parfüms für Seifen und → Kosmetika.
In pharmazeutischen Präparaten wirkt Perubalsamöl als juckreizstillendes mildes Antisepticum, Stomachicum, Expectorans und Harnantisepticum.

TOXIKOLOGIE:
Die Anwendung des Perubalsams ist toxikologisch problematisch, da er zu allergischen, photoallergischen und phototoxischen Hautreaktionen führt. Nach innerlichem und äußerlichem Gebrauch wurden auch Nierenschäden beobachtet. Bei der Anwendung größerer Dosen ist Vorsicht geboten. Auch das Perubalsamöl soll im Hauttest allergene Wirkungen entfalten.
Das im Öl als Inhaltsstoff beschriebene Vanillin besitzt ein allergenes Potential.

Eng verwandt mit dem Perubalsam ist der Tolubalsam (vgl. → Tolubalsam-Resinoid).

Engl.: Peru balsam oil; franz.: huile de baume du Pérou.

Petersilienöle

Das **Petersiliensamenöl** (CAS-Nr.: 8000-68-8) ist ein aus den reifen Früchten der Petersilie (*Petroselinum crispum* (MILL.) NYM. ex A. W. HILL, *Petroselinum sativum* HOFFM., *Apium petroselinum* L.) [Apiaceae, Umbelliferae] durch → Wasserdampf-Destillation gewonnenes → ätherisches Öl. Die Ausbeute beträgt 2 bis 7 %. Hauptproduzenten sind Frankreich, Deutschland und die Balkanstaaten.

Das farblose, gelbe oder bernsteinfarbene Öl weist einen warmen herb-trockenen Geruch nach zerquetschten Petersiliensamen auf, der sich von dem Geruch des Krautes unterscheidet. Ein Volumenteil löst sich bei Raumtemperatur in 5 Volumenteilen 80%igem Ethanol, teilweise unter leichter Trübung.

PHYSIKALISCH-CHEMISCHE DATEN:
d_{20}^{20}: 1,043 bis 1,083; n_D^{20}: 1,5110 bis 1,5220, $[\alpha]_D$: - 11° bis - 4°; SZ: max. 6; EZ: max. 11.

Charakteristische Hauptinhaltsstoffe sind die Allyl-Phenolether Apiol (Petersiliencampher), Myristicin und 2,3,4,5-Tetramethoxy-allylbenzol. Weiterhin werden u. a. Pinen, Selinen, Apiin und geringe Mengen Safrol beschrieben. Auch Furocumarine sind nicht auszuschließen.

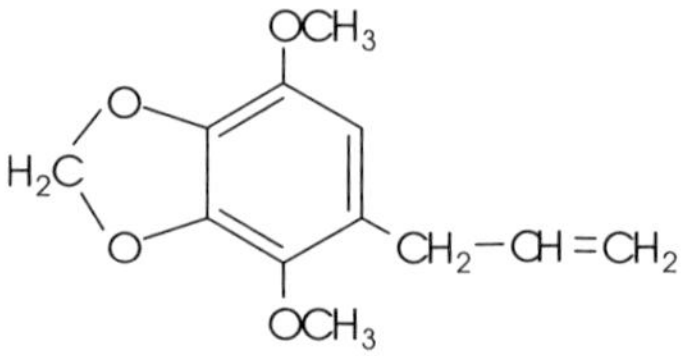

Apiol

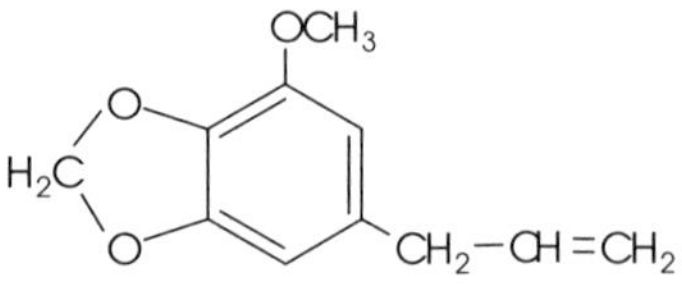

Myristicin

In der Parfümerie wird das Samenöl für besondere Effekte in → Parfüm-Kompositionen (besonders in orientalischen, Jasmin-, Rosen-, Orangen- und Phantasie-Düften) sowie in Toilettenwässern verwendet.
In pharmazeutischen Zubereitungen kommt es als Emmenagogum zum Einsatz. In der Vergangenheit wurde es als Abortivum mißbraucht. Wäßrige Auszüge dienen volksmedizinisch als Diureticum.

TOXIKOLOGIE:
Petersiliensamenöl gilt als schwach wirksames Kontaktallergen. Oral, in größeren Mengen aufgenommen, wirkt es kontrahierend auf den Uterus. Nach dem Mißbrauch des Öls zu Abtreibungszwecken beobachtete man Nervenschädigungen und ausgedehnte Lähmungen. Auch durch Extrakte der Früchte ist es schon zu aku-

ten Vergiftungen gekommen.
Toxikologisch bedenklich sind vor allem die Allyl-Phenolether. Myristicin ist strukturell dem Mescalin verwandt und wird im Organismus wahrscheinlich in die korrespondierenden Aminderivate umgewandelt, die eine halluzinogene und akut toxische Wirkung entfalten. Auch Leber- und Nierenschädigungen sowie abortive Wirkungen sind bekannt. Das in großen Mengen enthaltene Apiol unterscheidet sich vom Myristicin nur durch eine zusätzliche Methoxygruppe und kann wie dieses zu Leber- und Nierenschäden sowie zur Fruchtaustreibung führen. Bei Aufnahme hoher Dosen kann es ferner zu narkotischen Erscheinungen kommen. Apiol besitzt ferner ein allergenes Potential. Das in geringen Mengen enthaltene Safrol verursacht im Tierversuch (Ratte) Leberzirrhosen und bösartige Lebergeschwülste. Die in den Ölen aus Petersilienfrüchten und -wurzeln enthaltenen Furocumarine können phototoxische Reaktionen auslösen; d. h., unter gleichzeitigem Einfluß von Sonnenlicht kann es zu Dermatitiden (Photo-Dermatitis, Berloque-Dermatitis) kommen. Furocumarine zeigen des weiteren mutagene und karzinogene Wirkungen. Das ebenfalls enthaltene Pinen kann in größeren Mengen bei empfindlichen Personen Hautreizungen und Ekzeme, bei oraler Zufuhr Nierenreizungen nach sich ziehen.

P

Das **Petersilienblätteröl** (**Petersilienkrautöl**, CAS-Nr.: 8000-68-8) wird aus den oberirdischen Pflanzenteilen, einschließlich der unreifen Samen, gewonnen. Die Ausbeute beträgt 0,02 bis 3,0 %. Das gelbe bis hellbraune Öl weist den chrakteristischen kräuterartigen Geruch des Petersilienkrautes auf. Es löst sich bei Raumtemperatur in 95 %igem Ethanol in jedem Verhältnis, wobei opaleszente Trübung auftreten kann.

PHYSIKALISCH-CHEMISCHE DATEN:
d_{25}^{25}: 0,908 bis 0,940; n_D^{20}: 1,5030 bis 1,5300, $[\alpha]_D$: - 9° bis + 1°; SZ: max. 2.

Hauptinhaltsstoffe sind Monoterpenkohlenwasserstoffe, besonders das geruchstypische Mentha-1,3,8-trien, β-Phellandren, α-Terpinolen und Myrcen, sowie 1-Methyl-4-isopropenyl-benzol. Da bei der → Wasserdampf-Destillation mit dem Kraut auch die

unreifen Samen verarbeitet werden, können auch die dort beschriebenen Inhaltsstoffe enthalten sein.
Beide Petersilienöle werden in der Parfümerie als Nuanceure in Kräuter-Noten sowie als → Aromastoffe für Nahrungsmittel genutzt.

TOXIKOLOGIE:
Da mit dem Kraut auch die Samen verarbeitet werden, ist mit geringen Mengen der oben beschriebenen Verbindungen bzw. Wirkungen zu rechnen.
Durch größere Mengen der enthaltenen Terpenkohlenwasserstoffe (z. B. Pinen) kann es bei empfindlichen Personen zu Hautreizungen und Ekzemen, bei oraler Aufnahme zu Nierenreizungen kommen. Oral aufgenommene Phenylpropenyl-Derivate können in größeren Mengen pychosomimetisch, nieren- und leberschädigend wirken.

Engl.: parsley oil; franz.: huile de persil; ital.: oli di prezzemolo; span.: aceite de perejil.

P

Petitgrainöl (Pomeranzenblätteröl, Orangenblätteröl, Petitgrain Bigaradeöl, Petitgrain Paraguayöl)

Das aus den Blättern und Zweigspitzen des u. a. in den Mittelmeerstaaten, Guinea, Brasilien und auf den Westindischen Inseln heimischen Pomeranzen- oder Bitterorangenbaumes (*Citrus aurantium* L. ssp. *aurantium*, *Citrus aurantium* L. ssp. *amara* L. [*Citrus bigaradia* RISSO]) [Rutaceae] durch → Wasserdampf-Destillation gewonnene, als **Petitgrain Bigaradeöl** bezeichnete → ätherische Öl (CAS-Nr.: 8014-17-3). Die Ausbeute liegt bei ca. 0,25 %. Haupterzeugungsgebiete sind Süd-Frankreich, Italien, Spanien, Algerien, Marokko, Tunesien und Guinea. Die Welt-Jahresproduktion beträgt ca. 250 Tonnen.
Daneben werden in Paraguay jährlich ca. 150 bis 300 Tonnen eines als **Petitgrain Paraguayöl** bezeichneten, weniger wertvollen Petitgrainöls (CAS-Nr.: 8014-17-3) produziert. Die Ausbeute liegt hier bei 0,5 bis 1,0 %.

Das hellgelbe Petitgrain Bigaradeöl entfaltet einen robusten krautigen Orangegeruch und einen etwas bitteren aromatischen Geschmack. Das Paraguyöl riecht schwach süß, waldig-blumig, an → Neroliöl erinnernd, mit einer würzig-bitteren Nunace. Die geruchliche Qualität ist im allgemeinen schlechter als beim Bigaradeöl. Ein Volumenteil löst sich bei Raumtemperatur in 4 Volumenteilen 70%igem Ethanol.

PHYSIKALISCH-CHEMISCHE DATEN (Paraguayöl):
d_{20}^{20}: 0,884 bis 0,892; n_D^{20}: 1,4570 bis 1,4650; $[\alpha]_D^{20}$: - 3,5° bis 0°; SZ: max. 2; EZ: 110 bis 170 (entsprechend einem Estergehalt von 39 bis 60 %, berechnet als Linalylacetat).

Die Hauptinhaltsstoffe der Petitgrainöle stellen mit 35 bis 55 % das (–)-Linalool [neben (±)- Linalool] und mit 45 bis 80 % in Bigaradeöl sowie 40 bis 60 % in Paraguayöl das geruchsbestimmende (–)-Linalylacetat. Daneben sind u. a. Ocimen, Myrcen, Camphen, β-Pinen, Limonen, Nerol, Geraniol, (±)- und (+)-α-Terpineol, (+)-Nerolidol, Farnesol, (+)-Spathulenol, Geranylacetat, Geranyl- und Neryloxid enthalten, teilweise in sehr geringen Mengen. Zum Geruch tragen des weiteren die ebenfalls in Spuren enthaltenen Carbonylverbindungen (insgesamt ca. 0,4 %), wie z. B. β-Damascenon, β-Jonon und ungesättigte aliphatische Aldehyde, sowie terpenoide Ester bei. Wesentlich scheint ferner das auch in → Galbanumöl und → Neroliöl vorkommende 2-Methoxy-3-isopropyl-pyrazin zu sein.
Petitgrainöl wird in der Parfümerie als Komponente in frischen und blumigen Düften sowie zur Parfümierung von Kölnischwässern, Feinseifen und → Kosmetika eingesetzt.

TOXIKOLOGIE:
Phototoxische Wirkungen sind nicht auszuschließen (Furocumarine?).
Das als Inhaltsstoff beschriebene β-Pinen kann in größeren Mengen bei empfindlichen Personen Hautreizungen und Ekzeme, bei oraler Zufuhr Nierenreizungen bewirken. Linalool, Linalylacetat, Limonen und Geraniol besitzen ein allergenes Potential.

Aus dem bei der → Wasserdampf-Destillation anfallenden Destillationswasser wird durch → Extraktion das sogenannte **Eau-de-Brouts-Absolue** gewonnen, das in Phantasie-Noten sowie Eau de Colognes angewandt wird.

Neben den Ölen aus den Blättern und Zweigspitzen der Pomeranze (Bitterorange) werden auch „Petitgrainöle" aus dem Bergamott-, dem Zitronen- und dem Mandarinenbaum gewonnen. Letzteres dient vor allem als Ausgangsmaterial zur Gewinnung von N-Methyl-anthranilsäuremethylester, der in Konzentrationen von mehr als 50 % enthalten ist.

Engl.: petitgrain oils; franz.: essences de petit-grain; ital.: olio petitgrain; span.: esencia de petit-grain.

Aus den Blüten des Pomeranzenbaumes wird ferner das → **Neroliöl**, aus den Fruchtschalen das → **Pomeranzenöl** gewonnen.

Pfefferminzöl (*Mentha-piperita*-Öl)

P

Das zu den → Minzölen zählende → ätherische Öl (CAS-Nr.: 8006-90-4) wird durch → Wasserdampf-Destillation aus dem blühenden Kraut (frisch oder leicht getrocknet) von *Mentha piperita* L. (*Mentha aquatica* L. × *Mentha spicata* L.) und deren Varietäten [Lamiaceae, Labiatae] gewonnen. Die Ausbeute beträgt 0,1 bis 1 %. Die Aufarbeitung sollte kurz vor der Blütezeit bis kurz nach dem Aufblühen erfolgen, da mit fortschreitender Blüte der Anteil des geruchlich unerwünschten Menthofurans zunimmt. Als beste Öle gelten die „Mitcham peppermint oils", die ihren Ursprung in Großbritannien haben, und bei denen die *Mentha-aquatica*-Merkmale vorherrschen.
Hauptproduzent sind heute die USA, die vor allem im Mittelwesten, Idaho, Oregon und Washington jährlich ca. 2000 bis 3000 Tonnen aus *Mentha* × *piperita* L. var. *vulgaris* SOLE gewinnen. Ungeachtet ihrer höheren Qualität ist die Produktion der europäischen Pfefferminzöle zurückgegangen.
Das zumeist farblose bis gelblich-grüne Öl weist einen charakteristischen „kühlenden" grasartigen minzig-frischen Geruch mit balsamisch-süßer Note und einen entsprechenden, ziemlich lang anhaltenden Geschmack auf. Ein Volumenteil französisches und amerikanisches Öl löst sich bei Raumtemperatur in 5 Volumenteilen 70%igem Ethanol, 1 Volumenteil italienisches Öl in 3,5 Volumenteilen. Beim Verdünnen kommt es meist zu zunehmender Trübung. Das Öl ist luft- und wärmeempfindlich (leichte Oxidati-

on und Polymerisation).
Die physikalisch-chemischen Daten differieren je nach Herkunft.

PHYSIKALISCH-CHEMISCHE DATEN (französisches Öl):
d_{20}^{20}: 0,901 bis 0,916; n_D^{20}: 1,4600 bis 1,4670; $[\alpha]_D^{20}$: - 29° bis - 10°; EZ: 14 bis 19; EZ (nach Acetylierung): 135 bis 200; Carbonylgehalt (berechnet als Menthon): 15 bis 30 %.

PHYSIKALISCH-CHEMISCHE DATEN (italienisches Öl):
d_{20}^{20}: 0,900 bis 0,910; n_D^{20}: 1,4620 bis 1,4640; $[\alpha]_D^{20}$: - 23° bis - 16°; EZ: 14 bis 34; EZ (nach Acetylierung): 135 bis 174; Carbonylgehalt (berechnet als Menthon): 19 bis 30 %.

PHYSIKALISCH-CHEMISCHE DATEN (amerikanisches Öl):
d_{20}^{20}: 0,903 bis 0,912; n_D^{20}: 1,4600 bis 1,4640; $[\alpha]_D^{20}$: - 28° bis - 17°; EZ: 14 bis 29; EZ (nach Acetylierung): 157 bis 193; Carbonylzahl: 68 bis 115, entsprechend einem Carbonylgehalt (berechnet als Menthon) von 19 bis 32 %.

Den Hauptinhaltsstoff stellt mit durchschnittlich 40 bis 55 % das (–)-Menthol. Daneben sind ca. 10 bis 30 % (–)-Methon, 5 bis 15 % (–)-Menthylacetat (u. a. Ester), bis zu 10 % Isomethon sowie, im Gegensatz zum → *Mentha-arvensis*-Öl (Kornminzöl), 2 bis 3 % (mitunter sogar bedeutend mehr) (+)-Menthofuran enthalten. Letzteres muß aus geruchlichen Gründen weitgehend abdestilliert werden. Weitere in den amerikanischen Ölen in geringen Mengen vorkommende Inhaltsstoffe sind u. a. (+)-Neo-menthol, α-Pinen, Limonen, Terpinen, Phellandren, Amyl- und Isoamylalkohol, Ethyl-n-amylcarbinol, *trans*-Sabinenhydrat, Hexenol, Octan-3-ol, Acet- und Isovaleraldehyd, Aceton, Pulegon, Piperiton, Jasmon, 3-Methyl-cyclohexan-1-on, Thymol, Carvacrol, 1,8-Cineol (Eucalyptol), Essig- und Isovaleriansäure, Cadinen, β-Farnesen, Caryophyllen, β-Caryophyllenalkohol, Viridiflorol, Clovandiol, β-Betulenol und Dimethylsulfid.
Pfefferminzöl wird hauptsächlich zur Parfümierung und Aromatisierung (vgl. → Aromastoffe) von Zahnpasten, Seifen, Hygieneartikeln, Kaugummi und Süßwaren genutzt.
Pfefferminzöl ist als Monographie im DAB 10 enthalten. Für *Menthae piperitae aetheroleum* ist eine Monographie der Kom-

mission E beim Bundesinstitut für Arzneimittel und Medizinprodukte (BfArM) verfügbar.

Wegen seines relativ hohen Preises wird es nicht zur Gewinnung von (–)-Menthol herangezogen. Hierzu dient das preiswertere → *Mentha-arvensis*-Öl (Kornminzöl).
Pfefferminzöl wirkt abweisend auf Insekten.

TOXIKOLOGIE:
Das Öl ist leicht hautreizend und kann bei empfindlichen Personen Kontaktallergien auslösen. Im Übermaß aufgenommen führt Pfefferminzöl (bzw. das enthaltene Menthol) zu rauschartigen Zuständen und Kälteempfindungen. Bei regelmäßigem Genuß größerer Mengen Pfefferminzbonbons ist Vorhofflimmern des Herzens möglich.
Zur toxikologischen Bedeutung des Inhaltsstoffes (–)-Menthol vgl. → *Mentha-arvensis*-Öl (Kornminzöl). α-Pinen kann in größeren Mengen bei empfindlichen Personen Hautreizungen und Ekzeme, bei oraler Zufuhr Nierenreizungen nach sich ziehen, 1,8-Cineol (Eucalyptol) Hautreizungen bzw. Gastroenteritis und Nierenreizungen. Thymol wirkt bei oraler Aufnahme größerer Mengen leberschädigend. Auch Sabinenhydrat ist toxikologisch zu beachten. Limonen, Thymol und Carvacrol besitzen ein allergenes Potential.

Engl.: peppermint oils; franz.: essences de menthe poivrée; ital.: olio essenziale di menta peperina; span.: esencias de mentia piperita.

Pfefferöl

Das aus den ganzen oder zerkleinerten Früchten des in nahezu allen tropischen Ländern kultivierten Schwarzen Pfeffers (*Piper nigrum* L.) [Piperaceae] durch → Wasserdampf-Destillation erhaltene → ätherische Öl (CAS-Nr.: 8002-56-0). Die Ausbeute beträgt 1,0 bis 2,6 %. Hauptanbaugebiete sind Sumatra, Thailand, Malakka und die Malabarküste.
Das farblose oder gelbgrüne bis bläulich-grüne Öl weist einen charakteristischen warm-würzigen, leicht krautigen Pfeffer-Geruch auf, jedoch ohne die Schärfe des Gewürzes. Ein Volumenteil

löst sich bei Raumtemperatur in 3 Volumenteilen (nach anderen Angaben 10 bis 15 Volumenteilen) 95%igem Ethanol.

PHYSIKALISCH-CHEMISCHE DATEN:
d_{20}^{20}: 0,870 bis 0,890; $[\alpha]_D^{20}$: - 16° bis + 4°; EZ: max. 11.

Das Öl enthält ca. 70 bis 80 % Monoterpene und 20 bis 30 % Sesquiterpene, so u. a. 10 bis 25 % α-Pinen, β-Pinen, ca. 20 bis 25 % Sabinen, 15 bis 20 % (+)-Limonen, 10 bis 15 % Car-3-en, ca. 15 % β-Caryophyllen. Weiterhin werden u. a. α- und γ-Terpinen, Phellandren, Myrcen, α-Caryophyllen (Humulen), β-Bisabolen, Borneol, Linalool, α-Terpineol, Terpinen-4-ol, Sabinenhydrat, 1,8-Cineol (Eucalyptol), Piperonal (Heliotropin), Nerolidol, Carvon, Caryophyllenoxid und Caryophyllenketon beschrieben. Ferner sind Phenole und Phenolether (wie Carvacrol, Eugenol, Methyleugenol [Eugenolmethylether], Myristicin, Safrol), Aldehyde und organische Säuren sowie stickstoffhaltiger Verbindungen (wie Piperidin) enthalten.
Geringe Mengen des Öls werden in der Parfümerie in → Parfüm-Kompositionen (Herren-Düfte, Gewürz-, Nelkenblüten-, Chypre- und Phantasie-Noten) genutzt, die Hauptmenge als → Aromastoff für Nahrungsmittel.
In der asiatischen Volksmedizin wird gemahlener Pfeffer als verdauungsförderndes, den Kreislauf entlastendes Mittel geschätzt, gemischt mit Milch und Honig auch als Medizin bei Erkältung, Halsschmerzen und Bronchitis. Die entzündungshemmende, fiebersenkende und schweißtreibende Wirkung dürfte dabei vor allem dem (im Öl nicht enthaltenen) Piperin zukommen.

TOXIKOLOGIE:
Pfefferöl kann zu Rötungen der Haut führen.
Die als Inhaltsstoffe beschriebenen Pinene und Car-3-en können in größeren Mengen bei empfindlichen Personen Hautreizungen und Ekzeme nach sich ziehen, Pinene bei oraler Zufuhr Nierenreizungen. 1,8-Cineol (Eucalyptol) kann bei empfindlichen Personen Hautreizungen, bei oraler Aufnahme Gastroenteritis und Nierenreizungen bewirken, Sabinen Hautreizungen bzw. Gastroenteritis, Nierenschäden, Menorrhagie und Abort. Toxikologisch zu beachten ist auch das Sabinenhydrat. Safrol verursacht

im Tierversuch (Ratte) Leberzirrhosen und bösartige Lebergeschwülste. Limonen, Linalool, Carvacrol und Eugenol besitzten ein allergenes Potential. Zur toxikologischen Bedeutung von Myristicin siehe → Petersilienöle.
(Weitere → ätherische Öle aus *Piper*-Arten vgl. → Cubebenöl.)

Engl.: pepper oil; franz.: essence de poivre; ital.: olio essenziale del pepe; span.. esencia de pimienta.

Aus den Früchten des Schwarzen Pfeffers wird durch → Extraktion mit Lösungsmitteln ferner ein konkretes **Pfeffer-Resinoid** (Resinoid-Concret; vgl. → Resinoide) gewonnen, das neben dem → ätherischen Öl auch den Scharfstoff Piperin (1-Piperoyl-piperidin) enthält. Weitere Scharfstoffe sind Piperanin, Piperettin, Piperettylin und Piperylin.

Engl.: pepper oleoresin (resinoid); franz.: extrait de poivre.

Pfirsichaldehyd

P

Siehe → Aldehyd C_{14}.

Pflanzliche Duftstoffe

Siehe → ätherische Öle, → Concrets, → Absolues, → Resinoide.

Phantolid

CHEMISCHE BEZEICHNUNG: 6-Acetyl-1,1,2,3,3,5-hexamethyl-indan
CAS-NR.: 15323-35-0.
STRUKTURFORMEL:

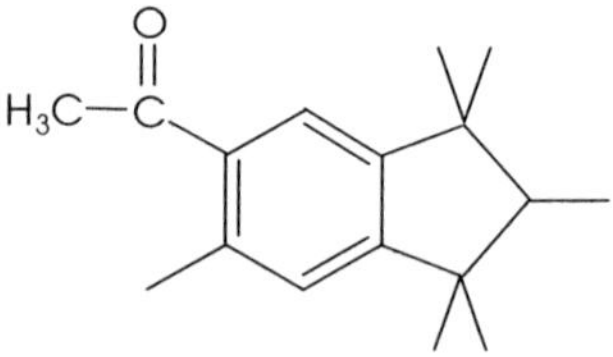

MOLEKULARGEWICHT: 244,38

Phantolid ist ein synthetischer Moschusriechstoff mit einem Schmelzpunkt von 35 °C, der durch Friedel-Crafts-Acetylierung von 1,1,2,3,3,5-Hexamethyl-indan gewonnen wird, welches erhältlich ist als 70 : 30 Gemisch mit 1,1,3,5 Tetramethyl-3-ethyl-indan durch Reaktion von α,p-Dimethylstyrol mit Amylenen oder 2-Methyl-butan-2-ol in einer Mischung von Essigsäure und konzentrierter Schwefelsäure.

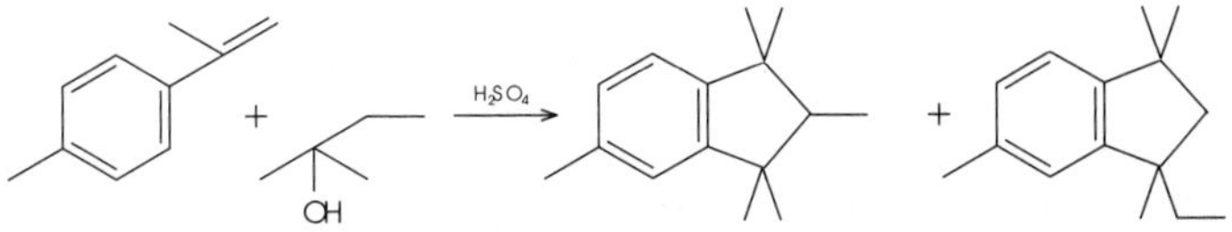

a, p-Dimethylstyrol

1,1,2,3,3,5-Hexamethyl-indan

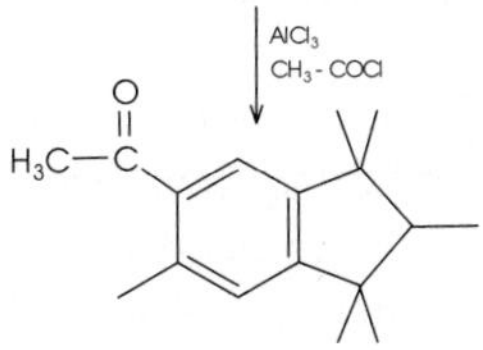

6-Acetyl-1,1,2,3,3,5-hexamethyl-indan

Phantolid ist stabil gegen Licht sowie Seifen und wird wegen seiner fixativen Eigenschaften und seines Duftes in → Parfüms und → Kosmetika eingesetzt.

Pharmakologische Wirkungen ätherischer Öle

→ Ätherische Öle enthaltende pharmazeutische Zubereitungen gehören zu den ältesten Arzneimitteln aller Kulturkreise. Dabei ist zwischen der äußeren und der inneren Anwendung zu unterscheiden. Die moderne → Aromatherapie befaßt sich mit der inhalativen Anwendung (vgl. dort).

Bei der **äußeren Anwendung**, z. B. in Form von Einreibungen oder Bädern, nutzt man vor allem die hyperämisierende (durchblutungsfördernde), antiphlogistische (entzündungshemmende), antiseptische und desinfizierende sowie granulationsfördernde Wirkung verschiedener Öle bzw. Inhaltsstoffe. Aufgrund der hohen Lipoidlöslichkeit der → ätherischen Öle ist auch eine gute perkutane Resorption zu verzeichnen. Der hyperämisierende Effekt führt dabei nicht nur zu einer Verbesserung der lokalen Durchblutung (Wärmegefühl, Hautrötung), sondern wirkt im Sinne einer unspezifischen Reiztherapie auch auf innere Organe (z. B. Herzsalben, schmerzlinderne und entzündungshemmende Salben, sekretolytisch-expectorierende Einreibungen). Als **hyperämisierend** gelten vor allem → *Eucalyptus*-Öl, → Rosmarinöl, → Terpentinöl (gereinigt), → Wacholderbeerenöl und → Wintergrünöl, als wirksame Einzelverbindungen vor allem Campher, Methylsalicylat und Menthol. Recht wirksam erweist sich die perkutane Anwendung von → *Eucalyptus*-Öl, → Kiefernnadelöl und → Terpentinöl (gereinigt) sowie der Einzelverbindungen Campher und Menthol als **sekretolytisch-expectorierende** Mittel bei Atemwegserkrankungen.

Als **antiphlogistisch** wirksam sind besonders das → Kamillenöl (bzw. dessen Inhaltsstoffe Chamazulen und (–)-α-Bisabolol) und das → Schafgarbenöl zu nennen. **Antiseptisch** und **desinfizierend** wirken → Fenchelöl, → Kamillenöl, → Gewürznelkenöl, → Pfefferminzöl, → Thymianöl, → Zimtöl und → Schafgarbenöl bzw. die Einzelverbindungen (–)-α-Bisabolol, Chamazulen, Citral, Matricin, Menthol und Thymol. **Granulationsfördernd** sind → Kamillenblütenöl und → Pfefferminzöl (gereinigt).

Bei der **inneren Anwendung** → ätherischer Öle spielt die bronchosekretolytisch-expectorierende Wirkung ein besondere Rolle. Diese ist bei der inhalativen Anwendung (siehe → Aromatherapie) besonders ausgeprägt. Einige Vertreter sind aber auch oral wirksam, wie beispielsweise das in Hustensäften angewandte → Thymianöl oder das in Hustenbonbons genutzte → Anisöl.

Eine Störungen der Magensaftsekretion und Magenmotorik behebende, **appetitanregende** Wirkung besitzen vor allem oral aufgenommenes → Anis-, → Calmus-, → *Angelica*-, → Fenchel-, → Orangen-, → Pfefferminz- und → Zimtöl. **Cholagoge** (galletreibende) Effekte entfalten → *Curcuma*-, → Pfefferminz-, → Calmus-, → Kümmel- und → Lavendelöl. **Carminative** (blähungstreibende) Wirkungen haben → Anis-, → Fenchel-, → Kamillen-, → Coriander-, → Kümmel- und → Pfefferminzöl. **Spasmolytisch** wirken → Fenchel-, → Kamillen-, → Orangen-, → Pfefferminz- und → Schafgarbenöl, **antiphlogistisch** besonders

das → Kamillenöl (bzw. dessen Inhaltsstoffe Chamazulen und (–) α-Bisabolol), **antiseptisch** und **desinfizierend** → *Eucalyptus*-, → Salbei-, → Thymian- und → Zimtöl, **diuretisch** (harntreibend) → Petersilien- und → Wacholderbeerenöl.
Eine **sedierende** (beruhigende) Wirkung entfalten → Baldrian-, → Hopfen-, Johanniskraut- und → Melissenöl. → Rosmarinöl wirkt anregend auf **Herz und Kreislauf**.

Wenngleich der größte Teil der → ätherischen Öle relativ ungiftig ist, muß bei einigen Vertretern vor Überdosierung und Mißbrauch gewarnt werden. Auf entsprechende gesundheitliche Gefahren bzw. Nebenwirkungen (vgl. → allergene, → phototoxische, → hepatotoxische, → nephrotoxische, → narkotisierende, → abortive Riech- und Aromastoffe) wird bei der Besprechung der einzelnen → ätherischen Öle hingewiesen. Im Fall der medizinischen Verwendung von ätherischen Ölen ist darauf zu achten, daß es sich um pharmazeutische Qualitäten (vgl. auch → Analytik) handelt.

P

(–)-α-Phellandren

CHEMISCHE BEZEICHNUNG: 1,5-p-Menthadien, p-Mentha-1,5-dien
CAS-NR.: 4221-98-1
STRUKTURFORMEL:

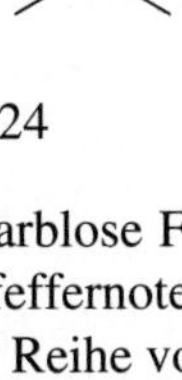

MOLEKULARGEWICHT: 136,24

(–)-α-Phellandren ist eine farblose Flüssigkeit mit einem Citrusgeruch und einer leichten Pfeffernote.
Es kommt natürlich in einer Reihe von → ätherischen Ölen, z. B. → *Citrus*-Ölen und → *Eucalyptus*-Ölen, vor.

PHYSIKALISCH-CHEMISCHE DATEN:
$Sdp._{99\,kPa}$: 172 °C; d_4^{20}: 0,8410; n_D^{20}: 1,4708; $[\alpha]_D^{20}$: - 183°.

Die Verbindung wird u . a. aus *Eucalyptus-dives*-Öl (vgl. → *Eucalyptus*-Öle) isoliert und dient als Ausgangsstoff für die Herstellung von (–)-Menthol.

Phenylacetaldehyd

SYNONYM: α-Tolylaldehyd, Benzolacetaldehyd, Hyazinthin
CAS-NR.: 122-78-1
STRUKTURFORMEL:

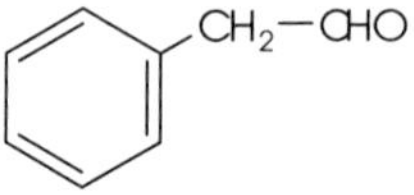

MOLEKULARGEWICHT: 120,15

Phenylacetaldehyd ist eine farblose Flüssigkeit mit süß-grünem, an Hyazinthe erinnernden Geruch.
Die Verbindung wurde in vielen → ätherischen Ölen und auch als flüchtiger Bestandteil in Nahrungs- und Genußmitteln (z. B. in schwarzem Tee) nachgewiesen.

PHYSIKALISCH-CHEMISCHE DATEN:
Sdp.$_{101,3\ kPa}$: 195 °C; d_4^{20}: 1,0272; n_D^{20}: 1,5255.

Phenylacetaldehyd löst sich in 80%igem Ethanol (1 : 2) und Ether, nur wenig in Wasser.
Da der Aldehyd leicht oxidiert (Phenylessigsäure, Benzoesäure) und polymerisiert, muß er vor dem Einsatz in → Parfüm-Kompositionen durch Antioxidantien und Verdünnen (z. B. Diethylphthalat) stabilisiert werden.

Phenylacetaldehyd wird durch Isomerisation von Styroloxid in der Dampfphase in Gegenwart von alkalibehandelter Kiesel-Tonerde erhalten. Ein anderes Verfahren geht von Phenylethan-1,2-diol aus, welches sich in der Dampfphase und in Gegenwart von saurer Kiesel-Tonerde zu Phenylacetaldehyd umwandelt.
Die Verbindung wird in → Parfüm-Kompositionen, besonders für Hyazinthen- und Rosennoten, eingesetzt.

TOXIKOLOGIE: LD_{50} (Ratte, oral): 1,6 g/kg KG.
Die Verbindung besitzt reizende Eigenschaften.
Gemäß der Gefahrstoffverordnung der Bundesrepublik Deutsch-

land ist Phenylacetaldehyd gesundheitsschädlich beim Verschlukken (R 22), er reizt die Atmungsorgane und die Haut (R 37/38).

Phenylessigsäure

SYNONYM: α-Tolylsäure, Benzolessigsäure
CAS-NR.: 103-82-2
STRUKTURFORMEL:

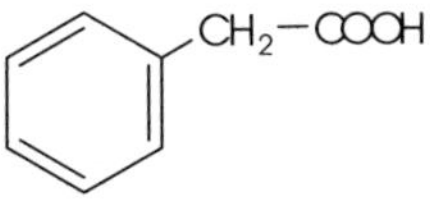

MOLEKULARGEWICHT: 136,14

Phenylessigsäure bildet farblose Kristalle mit einem Honiggeruch. Das Handelsprodukt hat einen durchdringenden Geruch nach Pferdestall, in starker Verdünnung nach Wachs und Honig. Die Säure kommt verestert im → *Mentha-arvensis*-Öl, → Neroliöl und spurenweise im → Rosenöl vor. Die Verbindung ist auch ein flüchtiger Aromabestandteil in vielen Nahrungsmitteln (z. B. Honig).

PHYSIKALISCH-CHEMISCHE DATEN:
Sdp.$_{101,3\ kPa}$: 265,5 °C; Schmp.: 78 °C; d_4^{77}: 1,091;

Phenylessigsäure ist wenig löslich in kaltem, gut löslich in heißem Wasser, löslich in Ethanol, Ether, Chloroform und Tetrachlorkohlenstoff.
Bisher wurde Phenylessigsäure auf dem herkömmlichen Weg durch Umwandlung von Benzylchlorid zu Benzylcyanid mit Natriumcyanid und nachfolgende Hydrolyse hergestellt.

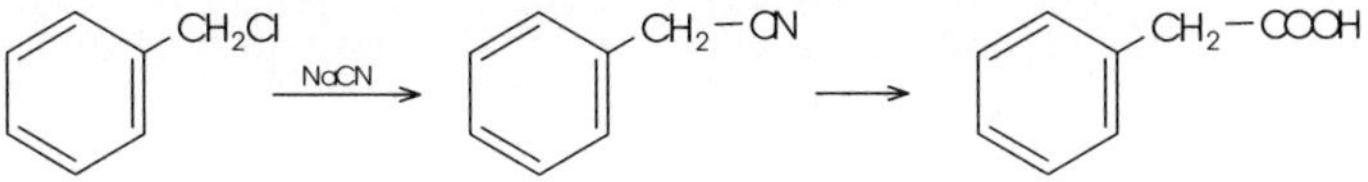

Benzylchlorid Benzylcyanid Phenylessigsäure

Bei einem neuen technischen Verfahren setzt man Benzylchlorid mit Kohlenstoffmonoxid und Alkoholen im Beisein von Alkalialkoholaten zu Phenylessigsäureestern um und unterwirft den entstehenden Ester der alkalischen Hydrolyse.

Aufgrund des intensiven Geruches wird Phenylessigsäure den → Parfüms nur in geringen Mengen zur Abrundung von Blütendüften zugesetzt. Fruchtaromen verleiht die Verbindung eine süße Honignote. Ferner findet das Kaliumsalz der Phenylessigsäure als Zwischenprodukt bei der Synthese von Penicillin G Einsatz.

TOXIKOLOGIE: LD_{50} (Ratte, oral): 2,2 g/kg KG.

β-Phenylethylacetat

SYNONYM: Phenethylacetat
CHEMISCHE BEZEICHNUNGEN: 2-Phenyl-ethylacetat, Essigsäure-2-phenylethylester
CAS-NR.: 103-45-7
STRUKTURFORMEL: C_6H_5-CH_2-CH_2-O-C(O)-CH_3
MOLEKULARGEWICHT: 164,20

β-Phenylethylacetat ist eine farblose Flüssigkeit mit einem zarten Rosengeruch und einer süßen Honig-Nebennote.
Natürlich kommt die Verbindung in zahlreichen → ätherischen Ölen sowie als flüchtiger Aromabestandteil in vielen Früchten und alkoholischen Getränken vor.

PHYSIKALISCH-CHEMISCHE DATEN:
$Sdp._{101,3\ kPa}$: 232,6 °C; d_4^{20}: 1,0883; n_D^{20}: 1,5171 (nach anderen Angaben 1,4988).

Hergestellt wird β-Phenylethylacetat durch Veresterung von Phenylethylalkohol mit Essigsäure.
Den Ester setzt man in der Parfümerie zur Modifizierung von Phenylethylalkohol u. a. in Rosen- und Fliederkompositionen ein. Darüber hinaus findet er in einer großen Anzahl von → Aroma-Kompositionen Anwendung.

Phenylethylalkohol

SYNONYME: β-Phenylethylalkohol, 2-Phenyl-ethylalkohol, Benzylcarbinol, Phenethylalkohol, Phenethanol
CHEMISCHE BEZEICHNUNG: 2-Phenyl-ethanol
CAS-NR.: 60-12-8

STRUKTURFORMEL:

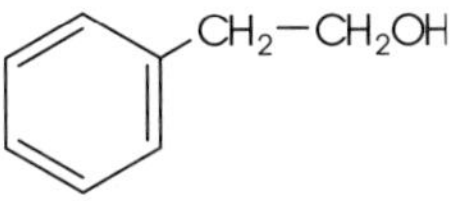

MOLEKULARGEWICHT: 122,17

Phenylethylalkohol ist eine farblose Flüssigkeit mit einem milden Rosengeruch.

Die Verbindung tritt als Hauptbestandteil der durch → Extraktion der Rosenblüten gewonnenen → Absolues (vgl. → Rosenöle) auf. In kleineren Mengen kommt der Alkohol auch im → Neroliöl, → Ylang-Ylangöl, Carnationöl sowie in → Geraniumölen vor.

PHYSIKALISCH-CHEMISCHE DATEN:

Sdp.$_{101,3\ kPa}$: 219,8 °C; Schmp.: - 27 °C; d_4^{20}: 1,0202; n_D^{20}: 1,5325.

Phenylethylalkohol ist löslich in 50%igem wäßrigem Ethanol (1 : 1), Ether, fetten Ölen und wenig löslich in Mineralölen.
Da sich die Verbindung etwas in Wasser löst, geht meistens ein Teil des Alkohols bei der Gewinnung der → ätherischen Öle durch → Wasserdampf-Destillation verloren.
Phenylethylalkohol kann katalytisch zu Phenylacetaldehyd dehydriert und zu Phenylessigsäure oxidiert werden. Die aus dem Alkohol resultierenden niedermolekularen Fettsäureester sowie auch einige Alkylether zählen zu den wertvollen → Riech- und → Aromastoffen.
Synthetisch kann Phenylethylalkohol auf verschiedenen Wegen gewonnen werden. So ist er nach Friedel-Crafts durch Reaktion von Benzol und Ethylenoxid zugänglich. Geht man von molaren Mengen Aluminiumchlorid aus, reagiert Ethylenoxid mit Benzol zu einem Additionsprodukt, das zu Phenylethylalkohol hydrolysiert wird.

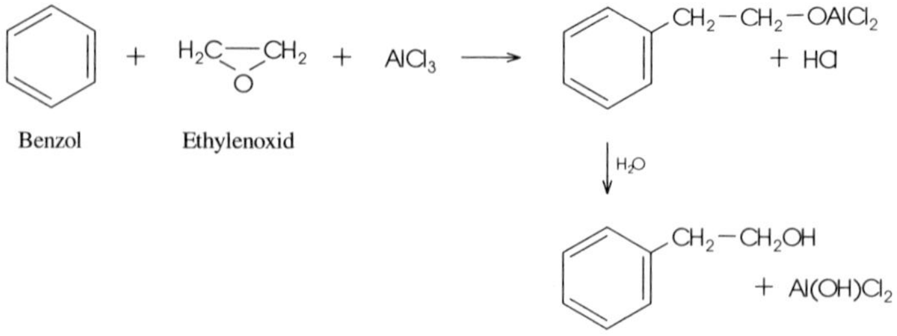

Benzol Ethylenoxid

Phenylethylalkohol

Außerdem kann die Verbindung durch Hydrierung von Styroloxid an Raney-Nickel unter Zusatz kleiner Mengen Natriumhydroxid bei niedrigen Temperaturen hergestellt werden.

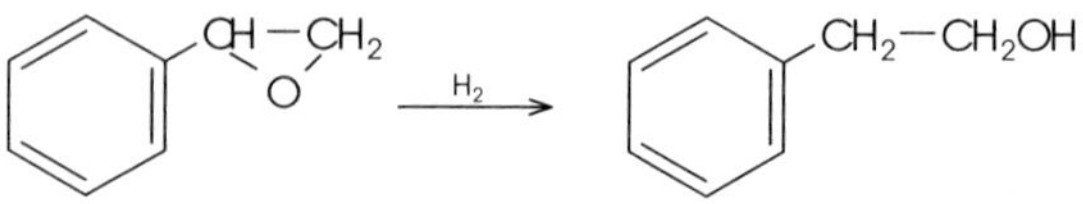

Styroloxid Phenylethylalkohol

Die Hydrierung des durch Oxidation von Styrol erhältlichen Phenylglycols führt in Gegenwart eines Palladium-Katalysators ebenfalls zu Phenylethylalkohol.
Phenylethylakohol ist ein häufig und in großen Mengen eingesetzter → Riechstoff, der parfümistisch vor allem in Rosen-, aber auch in anderen Blütennoten Anwendung findet. Aufgrund seiner Alkalienbeständigkeit ist er gut für Seifenparfüms geeignet.

TOXIKOLOGIE: LD_{50} (Ratte, oral): 1,8 g/kg KG.
Die verdampfte Verbindung besitzt reizende Eigenschaften.
Gemäß der Gefahrstoffverbindung der Bundesrepublik Deutschland ist Phenylethylalkohol gesundheitsschädlich beim Verschlucken (R 22), und er reizt die Augen (R 36).

2-Phenyl-propanal

Siehe → Hydratropaldehyd.

Phototoxische Riech- und Aromastoffe

Verschiedene → Riechstoffe können bereits nach einmaliger Exposition bei gleichzeitiger Lichteinwirkung zu Hautschädigungen führen. Zu den wichtigsten photosensibilisierend wirkenden → ätherischen Ölen gehören → Bergamott-, → Cedernholz-, → Citronen-, → Lavendel, → Limetten-, → Neroli-, → Orangen-, → Pomeranzen-, → Grapefruit-, → Petitgrain-, → Verbena-, → Rauten- und Umbelliferenöle (Apiaceenöle; wie → *Angelica*-Öl, Petersilienfrüchte- und -wurzelöl [vgl. → Petersilienöle]), → Liebstöckelöl, → Pastinaköl, → Cuminöl), aber auch Produkte wie Colophonium, Perubalsam (vgl. → Perubalsamöl) und Zimtaldehyd.
Eine besondere Rolle bei der Auslösung phototoxischer Reaktionen spielen die Furocumarine, wie z. B. das in → Bergamottöl enthaltene 5-Methoxy-psoralen (5-MOP), das, ist es in Parfüms, Kölnisch- oder Rasierwässern enthalten, zu einer als Berloque-Dermatitis bekannten hartnäckigen Pigmentierung der betroffenen Hautbezirke führen kann.

Aus diesem Grund wurde 1978 von der „International Fragrance Association (IFRA)" für Produkte, die auf der Sonne ausgesetzte Hautflächen aufgebracht werden, ein maximaler Gehalt von 75 ppm empfohlen. Bei einem Gehalt von 0,35 % 5-MOP in gepreßtem → Bergamottöl bedeutet dies höchstens 2 % des Öls in der Duftkomposition.

Neben der direkten phototoxischen Wirkung sind von einigen → Riechstoffen (wie → Moschus, Ambrette-Moschus, Sandelholz (vgl. → Sandelholzöl), Perubalsam (vgl. → Perubalsamöl) und 6-Methyl-cumarin, seltener Eichenmoos) auch **photoallergische Reaktionen** bekannt, die zu Kontaktekzemen führen können. Das die allergischen Symptome verursachende Antigen wird in diesem Fall erst unter Lichteinwirkung gebildet. Auch hier wurden von der IFRA entsprechende Empfehlungen gegeben. So sollen Ambrette-Moschus und 6-Methyl-cumarin nicht mehr in auf die Haut aufzutragenden → Kosmetika verwendet werden,

→ Eichenmoos-Resinoid darf in Duftkompositionen einen Anteil von 3 % nicht überschreiten.

Personen, die von derartigen Unverträglichkeitsreaktionen betroffen sind, sollten die verursachenden Stoffe meiden.

Bei der Besprechung der einzelnen → Riechstoffe, → ätherischen Öle, → Absolues und → Resinoide wird auf bekannte phototoxische Wirkungen bzw. Inhaltsstoffe hingewiesen.

Phthalsäurediethylester

SYNONYM: Diethylphthalat
CAS-NR.: 84-66-2
STRUKTURFORMEL:

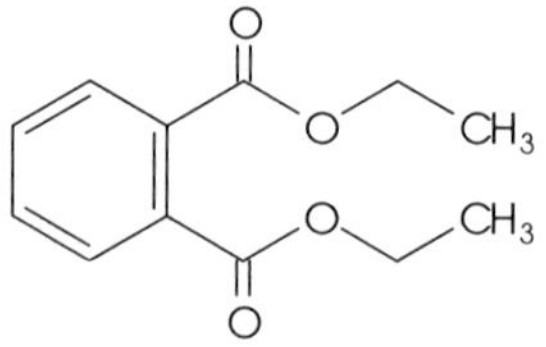

MOLEKULARGEWICHT: 222,23

Phthalsäurediethylester ist eine farblose Flüssigkeit mit geringem Eigengeruch.

PHYSIKALISCH-CHEMISCHE DATEN:
Sdp.$_{101,3\ kPa}$: 219 °C; d_4^{20}: 1,117 bis 1,119; n_D^{20}: 1,5022.

Phthalsäurediethylester ist unlöslich in Wasser, löslich in vielen organischen Lösungsmitteln
Die Verbindung wird durch Veresterung von Phthalsäureanhydrid mit Ethanol hergestellt und wird als Lösungsmittel sowie → Fixateur in der Parfümerie eingesetzt.

TOXIKOLOGIE: LD_{50} (Ratte, oral): 8,5 g/kg KG.
Das verwandte Di-(2-ethyl-hexylphthalat) erwies sich in hohen Konzentrationen bei Ratten und Mäusen als karzinogen (krebserzeugend) und teratogen.

Pimentöle

Das aus den unreifen getrockneten beerenartigen Früchten oder Blättern des in Mittel-Amerika, auf den Antillen (besonders Jamaika), in Indien und Réunion wildwachsenden oder kultivierten Pimentbaumes (Nelkenpfeffer, Gewürzkörner; *Pimenta dioica* (L.) MERR., *Pimenta officinalis* LINDL.) [Myrtaceae] durch → Wasserdampf-Destillation gewonnene → ätherische Öl (CAS-Nr.: 8006-77-7). Die Ausbeute beträgt bei den Beeren 3,3 bis 4,5 %, bei den Blättern 0,3 bis 2,9 %.
Die Produktion des Blätteröls liegt bei ca. 50 Tonnen pro Jahr, die des Beerenöls darunter.
Das **Pimentbeerenöl** ist eine hellgelbe bis braune Flüssigkeit von balsamisch-würzigem pfeffrigem, an → Gewürznelkenöl erinnerndem Geruch mit fruchtig-süßer Note und scharf-würzigem gewürznelkenähnlichem Geschmack. Ein Volumenteil löst sich bei Raumtemperatur in 2 Volumenteilen 70%igem Ethanol.

PHYSIKALISCH-CHEMISCHE DATEN:
d_{20}^{20}: 1,027 bis 1,048; n_D^{20}: 1,5250 bis 1,5400; $[\alpha]_D^{20}$: - 5° bis 0°; Phenolgehalt: mind. 65 %.

Hauptkomponente des Beerenöls ist mit einem Anteil von bis zu 80 % das Eugenol. Daneben sind u. a. ca. die Phenylallyl-Derivate Methyleugenol (Eugenolmethylether, ca. 10 %) und Chavicol, 1,8-Cineol (Eucalyptol), α-Caryophyllen (Humulen), β-Caryophyllen, α- und β-Phellandren, Camphen, Linalool, Terpinen-4-ol, α-Terpineol und Guanin enthalten.

Das **Pimentblätteröl** enthält mit einem Anteil von 80 bis 90 % deutlich mehr Eugenol.

Pimentöle werden in der Parfümerie für → Parfüm-Kompositionen (gewürznelkenähnliche Duftnoten, Gewürz-, Fougère- und Chypre-Noten), überwiegend in Herren-Parfüms, verwendet. Als → Aromastoff haben sie es vor allem für Liköre, Magenbitter, Suppen, Soßen und Backwaren Bedeutung.
Volksmedizinisch gilt Piment als magenstärkend und verdauungsfördernd.

TOXIKOLOGIE:
Pimentöl kann zu Haut- und Schleimhautreizungen führen.
Bei oraler Zufuhr ist das als Hauptinhaltsstoff beschriebene Eugenol mäßig giftig. Im Tierversuch wirkt es hautreizend, karzinogen und mutagen. Es besitzt ferner ein allergenes Potential. 1,8-Cineol (Eucalyptol) kann in größeren Mengen bei empfindlichen Personen Hautreizungen, bei oraler Aufnahme Gastroenteritis und Nierenreizungen bewirken. Oral aufgenommene Phenylallyl-Derivate können in größeren Mengen pychosomimetisch, nieren- und leberschädigend wirken. Linalool besitzt ein allergenes Potential.

Engl.: pimento oil, allspice oil; franz.: essence de piment; ital.: olio di pimento; span.: esencia di pimienta (inglesa).

Aus den Blättern und Zweigspitzen einer anderen, in Westindien und dem nördlichen Süd-Amerika heimischen *Pimenta*-Art, dem Bayrum-Baum (*Pimenta racemosa* (MILL.) J. W. MOORE, *Pimenta acris* (SW.) KOSTEL) [Myrtaceae], wird durch → Wasserdampf-Destillation das → **Bayöl** gewonnen.

P

α-Pinen

CHEMISCHE BEZEICHNUNG: 2-Pinen, Pin-2-en
CAS-NR.: 80-56-8, (+)-α-Pinen: 7785-70-8,
(–)-α-Pinen: 7785-26-4
STRUKTURFORMEL:

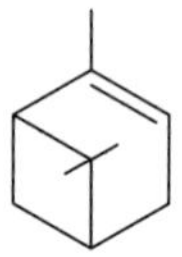

MOLEKULARGEWICHT: 136,24

α-Pinen ist eine Flüssigkeit mit charakteristischem Terpentingeruch.
Das verbreitetste Isomer ist das (+)-α-Pinen, das z. B. im griechischen → Terpentinöl bis zu ca. 95 % vorkommt, während das (–)-Isomer in spanischen und australischen → Terpentinölen zu 90 % bzw. 96 % enthalten ist. Mischungen der Enantiomere kom-

men zu 60 bis 80 % im schwefelsauren amerikanischen → Terpentinöl sowie in Gummi- und Holzterpentinölen vor.

PHYSIKALISCH-CHEMISCHE DATEN:
Sdp.$_{101,3kPa}$: 156 °C; d_4^{20}: 0,8553; n_D^{20}: 1,4662; $[\alpha]_D^{20}$: + bzw. - 51,9°.

α-Pinen ist entzündlich (Flammpunkt: 31 °C).
Die Verbindung ist unlöslich in Wasser, löslich in Ethanol, Ether, Chloroform und Eisessig.
Zu den für die Riechstoffindustrie wichtigen Reaktionen des α-Pinens zählt die Hydrierung zu Pinan, die Isomerisierung zu β-Pinen, die Hydratisierung zu Terpineol und *cis*-Terpinhydrat bei gleichzeitiger Ringaufspaltung sowie die Pyrolyse zu einem Gemisch von Ocimen und Alloocimen.
α-Pinen wird durch Destillation von → Terpentinölen gewonnen. Als → Riechstoff dient es zur Geruchsverbesserung von technischen Produkten. Weitaus wichtiger ist seine Verwendung als Ausgangsstoff für die Synthese von Terpineol, Borneol und Campher.

TOXIKOLOGIE: LD_{50} (Ratte, oral): 3,7 g/kg KG.
α-Pinen reizt die Haut und Schleimhäute und kann in größeren Mengen zu Ekzemen, bei chronischer Einwirkung zu gutartigen Hauttumoren führen. Die Inhalation größerer Mengen kann Übelkeit, Erregungszustände, Brustschmerzen, Herzklopfen, Bronchitis und Nierenreizungen hervorrufen, die orale Aufnahme größerer Mengen Reizungen oder Entzündungen des Gastrointestinaltraktes und der Nieren.
Gemäß der Gefahrstoffverordnung der Bundesrepublik Deutschland reizt α-Pinen die Augen, die Atmungsorgane und die Haut (R 36/37/38).
Die Toxitität und ekzemauslösende Eigenschaft von → Terpentinöl wird auf den Gehalt an (+)-α-Pinen und 3-Caren zurückgeführt.

β-Pinen

SYNONYME: Nopinen, Pseudopinen
CHEMISCHE BEZEICHNUNGEN: 2(10)-Pinen, Pin-2(10)-en

CAS-NR.: 127-91-3, (+)-β-Pinen: 19902-08-8,
(–)-β-Pinen: 18172-67-3

STRUKTURFORMEL:

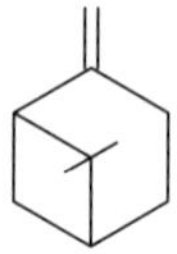

MOLEKULARGEWICHT: 136,24

β-Pinen ist eine terpentinartig riechende Flüssigkeit.
Das in vielen → ätherischen Ölen enthaltene β-Pinen ist, wie das α-Pinen, Bestandteil von → Terpentinölen, aber in kleineren Mengen.

PHYSIKALISCH-CHEMISCHE DATEN:
Sdp.$_{101,3kPa}$: 164 °C; d_4^{20}: 0,8712; n_D^{20}: 1,4763; $[\alpha]_D^{20}$: + bzw. - 22,6°.

P

β-Pinen ist entzündlich (Flammpunkt: 32 °C).
Die Verbindung ist unlöslich in Wasser, löslich in Ethanol, Ether, Chloroform und Eisessig.
Sie zeigt ein ähnliches Reaktionsverhalten wie α-Pinen.
Destillativ wird β-Pinen in großen Mengen aus → Terpentinölen, insbesondere in den USA aus schwefelsaurem Terpentinöl, gewonnen.
β-Pinen findet Einsatz als → Riechstoff in der technischen Parfümerie und vor allem bei der Herstellung von Myrcen.

TOXIKOLOGIE: LD_{50} (Ratte, oral): 4,7 g/kg KG.
Die Inhalation größerer Mengen kann Übelkeit, Erregungszustände, Brustschmerzen, Herzklopfen, Bronchitis und Nierenreizungen hervorrufen, die orale Aufnahme größerer Mengen Reizungen oder Entzündungen des Gastrointestinaltraktes und der Nieren.
Gemäß der Gefahrstoffverordnung der Bundesrepublik Deutschland reizt β-Pinen die Augen, die Atmungsorgane und die Haut (R 36/37/38).

Pinusöl (Pinöl)

Siehe → Terpentinöle.

Piperonal

Siehe → Heliotropin.

Poleiminzöl (Poleiöl, Poleyöl, Pennyroyalöl)

Das zu den → Minzölen zählende → ätherische Öl (CAS-Nr.: 8007-44-1) wird durch → Wasserdampf-Destillation aus dem blühenden Kraut (frisch oder leicht getrocknet) des mit der Pfefferminze verwandten Flohkrautes (Poleiminze; *Mentha pulegium* L.) [Lamiaceae, Labiatae] gewonnen. Die Ausbeute beträgt 1,5 bis 2,0 %. Haupterzeugungsgebiete des Öls sind Süd-Spanien und Tunesien, woher rund 50 % der ca. 50 Tonnen betragenden Jahres-Weltproduktion stammen. Daneben sind als Produzenten noch Brasilien und die USA zu nennen.
Das leicht gelbliche bis bernsteinfarbene Öl weist einen aromatisch-warmen minzig-krautigen Geruch und Geschmack auf. Ein Volumenteil löst sich bei Raumtemperatur in 2 bis 3 Volumenteilen 70%igem Ethanol.

PHYSIKALISCH-CHEMISCHE DATEN:
d_{20}^{20}: 0,930 bis 0,944; n_D^{20}: 1,4800 bis 1,4900; $[\alpha]_D^{20}$: + 16° bis + 24°; Carbonylgehalt (berechnet als Pulegon): mind. 80 %.

Den Hauptinhaltsstoff stellt mit 80 bis 94 % das (+)-Pulegon. Daneben sind vor allem (–)-Menthon und p-Menth-4(8)-en-3-on bedeutsam.
Das Poleiminzöl wird in Naturdüften, Industrieparfüms, zur Parfümierung von Seifen und als → Aromastoff für Mundpflegemittel genutzt. In der Vergangenheit diente es zur destillativen Gewinnung von (+)-Pulegon sowie als Ausgangsmaterial zur Herstellung von (–)-Menthol, hat jedoch seine Bedeutung auf diesem Sektor verloren. Volksmedizinisch schätzt man wäßrige Auszüge als Carminativum.
Poleiminzöl wirkt insektenabweisend.

Ein ähnlich zusammengesetztes Pennyroyalöl wird in Nord-Amerika aus *Hedeoma pulegioides* (L.) PERS. [Lamiaceae, Labiatae] gewonnen.

Engl.: pennyroyal oil; franz.: essence de menthe Pouliot; ital.: olio di puleggio; span.: esencia de poleo.

P

Pomaden

Die bei der → Mazeration oder → Enfleurage erhaltenen, mit Duftstoffen beladenen Fette.
(Auch die wasserfreien Frisierhilfsmittel auf Basis von Vaseline und Paraffin werden umgangssprachlich häufig als Pomaden [Brillantinen] bezeichnet.)

Pomeranzenblätteröl

Siehe → Petitgrainöl.

Pomeranzenblütenöl

Siehe → Neroliöl.

Pomeranzenöl (Orangenöl, Bitteres)

Das aus den Fruchtschalen der Früchte des u. a. in den Mittelmeerstaaten, Guinea, Brasilien und auf den Westindischen Inseln heimischen Pomeranzen- oder Bitterorangenbaumes (*Citrus aurantium* L. ssp. *aurantium*, *Citrus aurantium* L. ssp. *amara* [*Citrus bigaradia* RISSO]) [Rutaceae] gewonnene, zu den → *Citrus*-Ölen zählende → ätherische Öl (CAS-Nr.: 8008-57-9).
Die Gewinnung erfolgt durch → Pressen der äußeren Fruchtschale. Die Ausbeute liegt zwischen 0,2 und 2,5 %. Aus den ausgepreßten Schalen gewinnt man das Restöl häufig durch → Wasserdampf-Destillation. Die Haupterzeugungsgebiete des Öls befinden sich in den Mittelmeerstaaten. Die Welt-Jahresproduktion liegt zwischen 10 und 30 Tonnen.
Das gelbe bis gelblich-braune Öl ist von leicht mandarinenartigem Geruch und bitterem Geschmack. Ein Volumenteil löst sich bei Raumtemperatur unter Trübung in 7 bis 8 Volumenteilen 90%igem Ethanol.

PHYSIKALISCH-CHEMISCHE DATEN:

d^{25}_{25}: 0,845 bis 0,851; n^{20}_{D}: 1,4725 bis 1,4755; $[\alpha]^{25}_{D}$: + 88° bis + 98°; Verdampfungsrückstand: 2 bis 5 %; Aldehydgehalt (berechnet als Decanal): 0,5 bis 1,0 %.

Die Hauptinhaltsstoffe stellen mit ca. 90 % die Terpenkohlenwasserstoffe, besonders das (+)-Limonen, aber auch β-Pinen, γ-Terpinen und Camphen. Daneben sind u. a. ca. 1 % Aldehyde (wie Nonanal, Decanal, Dodecanal, Citral), 0,4 % Linalool und α-Terpineol, 2,1 % Ester (wie 1 % Linalylacetat, Decylpelargonat, Neryl-, Geranyl- und Citronellylacetat), 0,8 % Phenole (wie das Flavanon Hesperetin), geringe Mengen Anthranilsäuremethyl-ester, α- und β-Sinensal sowie p-Cymol enthalten. Bei dem in der Schale enthaltenen Haupt-Bitterstoff handelt es sich um das Flavanonglycosid Neohesperidin. Ferner sind in der Pomeranzenschale Cumarine (wie Limettin [5,7-Dimethoxy-cumarin] und 7-Methoy-8-hydroxy-3-methyl-but-3-enyl-cumarin) sowie Furocumarine (wie Bergapten [5-Methoxy-psoralen]) enthalten.
Pomeranzenöl wird vorwiegend in Kölnischwässern und als → Aromastoff für Liköre, alkoholfreie Erfrischungsgetränke, Back- und Süßwaren verwendet. Es ist eine Quelle für natürliches (+)-Limonen. In pharmazeutischen Präparaten dient es als Stomachicum.

TOXIKOLOGIE:
Phototoxische Wirkungen sind möglich.
Die als Inhaltsstoffe beschriebenen Cumarin-Derivate können bei der oralen Zufuhr größerer Mengen zu Schädigungen von Leber und Nieren führen. Die zu den Furocumarinen zählenden Psoralen-Derivate entfalten photosensibilisierende und phototoxische Wirkungen; d. h., unter gleichzeitigem Einfluß von Sonnenlicht kann es zu Dermatitiden (Photo-Dermatitis, Berloque-Dermatitis) kommen. Furocumarine (wie Psoralene) zeigen des weiteren mutagene und karzinogene Wirkungen. β-Pinen kann bei empfindlichen Personen Hautreizungen und Ekzeme bewirken, bei oraler Aufnahme auch Nierenreizungen. Limonen, Citral, Linalool und Linalylacetat besitzen ein allergenes Potential.

Engl.: bitter orange peel oil; franz.: essence d´écorce d´orange, essence d´orange Bigarade; ital.: nerola, neroli, essenza d´arancio, essenza di melarancia; span.: esencia de piel de naranja.

Aus den Blüten des Pomeranzenbaumes wird ferner das → **Neroliöl**, aus den Blättern das → **Petitgrainöl** gewonnen, die nicht mit dem Pomeranzenöl zu verwechseln sind.

Pressen

Die Gewinnung von → *Citrus*-Ölen (Agrumenölen) erfolgt durch Pressen (Auspressen, Expression) der Fruchtschalen. In diesen Fällen befinden sich die „Ölreservoirs“ in den äußeren schwammigen Schichten. Sie können mechanisch leicht geöffnet und entleert werden. Dabei sollten die Früchte nicht zu reif sein, da der Ölgehalt mit zunehmender Reife abnimmt. In der Vergangenheit erfolgte das Auspressen teilweise mit der Hand (handgepreßte Öle). Heute werden die Fruchtschalen per Hand oder maschinell abgetrennt oder mittels Raspelmaschinen abgerieben und nachfolgend maschinell gepreßt. Die Ausbeute liegt bei ca. 85 %. Der erhaltene Preßsaft besteht aus dem → ätherischen Öl und Wasser, die unter Mitwirkung enthaltener Verunreinigungen und Pektine Emulsionen bilden. Diese müssen zur Gewinnung der reinen Öle unter Anwendung physikalischer oder chemischer Methoden gespalten werden.
Da die gepreßten Öle praktisch die gleiche Zusammensetzung haben wie in den Schalen, entspricht ihr Geruch auch weitestgehend dem der Früchte.
Eine Gewinnung dieser Öle durch → Wasserdampf-Destillation führt infolge der Hitzeeinwirkung und der damit verbundenen chemischen Reaktionen meist zu geruchlich schlechteren Produkten.

Quendelöl

Das aus dem Kraut des Quendels oder Feldthymians (*Thymus serpyllum* L. emend. MILL.) [Lamiaceae, Labiatae] durch → Wasserdampf-Destillation gewonnene → ätherische Öl. Die Pflanze ist in zahlreichen Unterarten in Europa, Nord-Afrika, Asien und Nord-Amerika verbreitet. Die Ausbeute liegt bei 0,1 bis 1,0 %.
Das gelbe Öl ist von frischem terpenartigem würzig-phenolischem krautig-holzigem Geruch.
Hauptinhaltsstoffe sind ca. 35 % Thymol, p-Cymol, α-Pinen, Linalool u. a.
In der Parfümerie wird das Öl in kleinen Mengen für Wässer (Quendelwasser, Kölnischwasser) und Fougère-Noten verwendet.
Die Volksmedizin nutzt Quendel vor allem bei Rheuma und Neuralgien sowie als Stomachicum, Carminativum und Expectorans.

TOXIKOLOGIE:
Die orale Zufuhr größerer Mengen des als Inhaltsstoff beschriebenen Thymols kann Leberschäden nach sich ziehen. α-Pinen kann in größeren Mengen bei empfindlichen Personen zu Hautreizungen und Ekzemen, bei oraler Aufnahme zu Nierenreizungen führen. Thymol und Linolool besitzen ein allergenes Potential.

(Weitere → ätherische Öle aus *Thymus*-Arten vgl. → Thyme Linaloeöl, → Thymianöl.)

Engl.: wild thyme oil; franz.: essence de serpolet.

Rainfarnöl

Das aus dem in Mitteleuropa, Nord-Amerika und dem nördlichen Asien verbreiteten Rainfarn (Wurmkraut; *Tanacetum vulgare* L., *Chrysanthemum vulgare* (L.) BERNH.) [Asteraceae, Compositae] durch → Wasserdampf-Destillation gewonnene → ätherische Öl (CAS-Nr.: 8016-87-3). Die Ausbeute liegt bei 0,5 bis 1,5 %.
Als Inhaltstoffe werden Thujon und Isothujon-Derivate, Verbindungen vom Campher-Typ, Monoterpenkohlenwasserstoffe und -ester, Sesquiterpene, Artemisiaketon und Umbellulon beschrieben. Dabei unterscheidet man verschiedene genetisch fixierte Öltypen: α-Thujon-Typ, β-Thujon-Typ, Campher-Typ, Monoterpenkohlenwasserstoff-Typ, Monoterpenester-Typ und Sesquiterpen-Typ. Die dominierenden Verbindungen liegen in den einzelnen Öltypen in Mengen von 70 bis 98 % vor.
Rainfarnöl kommt in der Parfümerie gelegentlich in → Parfüm-Kompositionen (Fougère-, Chypre- und Phantasie-Düfte) zum Einsatz. In der Vergangenheit wurde es als → Aromastoff für Bitterspirituosen (Klosterbitter, Kartäuser) verwendet. Es besitzt eine antibakterielle und fungizide Wirkung. Volksmedizinisch werden Rainfarnpräparate als Anthelmintica angewandt (in der Vergangenheit auch als Abortiva), von der Homöopathie bei Migräne und Neuralgien.

TOXIKOLOGIE:
Eine medizinische Verwendung von Rainfarn und Rainfarnöl sollte wegen des Gehaltes an Thujonen unterbleiben. Nach Anwendung als Wurmmittel oder Abortivum sind Todesfälle be-

kannt geworden.
Die Verwendung als → Aromastoff ist heute in der Bundesrepublik Deutschland gemäß Aromenverordnung verboten.
Rainfarnöl besitzt ein allergenes Potential, das vermutlich auf dem Gehalt an verschiedenen Sesquiterpenlactonen (wie Tanacetin und Reynosin) beruht.
Die als Inhaltsstoffe beschriebenen Thujone können in größeren Mengen Hautreizungen, bei oraler Aufnahme zentrale Lähmungserscheinungen, Krämpfe und Leberschädigungen auslösen. Auch abortive Wirkungen sind bekannt. Vertreter der Monoterpenkohlenwasserstoffe (wie Pinene) können äußerlich zu Hautreizungen und Ekzemen, innerlich zu Nierenreizungen führen.

Engl.: tansy oil; franz.: essence de tanaise vulgaire.

Rautenöl

Das aus dem blühenden Kraut der Edelraute (*Ruta graveolens* L.) und verwandten Arten (wie *Ruta montana* L. und *Ruta bracteosa* L.) [Rutaceae] durch → Wasserdampf-Destillation erhaltene → ätherische Öl (CAS-Nr.: 8014-29-7). Die Ausbeute liegt bei ca. 0,2 %. Die im Mittelmeerraum und Indien heimischen Rautenarten werden vor allem in Amerika und Afrika kultiviert.
Das gelbe Öl weist einen charakteristisch fettigen aromatischen Geruch auf. Ein Volumenteil löst sich bei Raumtemperatur in 2 bis 4 Volumenteilen 70%igem Ethanol, teilweise unter opaleszenter Trübung oder Bildung eines Niederschlages.

PHYSIKALISCH-CHEMISCHE DATEN:
d_{25}^{25}: 0,826 bis 0,838; n_D^{20}: 1,4300 bis 1,4400; $[\alpha]_D$: - 1° bis + 3°; Ketongehalt (berechnet als Methylnonylketon): mind. 90 %.

Hauptinhaltsstoff ist mit einem Anteil von ca. 80 bis 90 % das rautenähnlich riechende Undecan-2-on (Methylnonylketon), neben ca. 10 % Nonan-2-on, Anthranilsäuremethylester und sekundären (den Ketonen entsprechenden) Alkoholen, aliphatischen Estern u. a.
Die Blätter der Raute enthalten Rutin-, Cumarin- und Furocumarin-Derivate, so daß geringe Mengen im Öl nicht auszuschließen sind.

Rautenöl kommt in der Parfümerie nur selten zum Einsatz. Es wird vorwiegend als → Aromastoff für Backwaren und andere Nahrungsmittel sowie zur Herstellung pharmazeutischer Präparate (Hautreizmittel, Mittel gegen Rheuma, Gicht und Neuralgien, krampfstillende Mittel) verwendet. Bis ins 18. Jahrhundert wurden Rauten-Produkte als Mittel bei Vergiftungen, Kopf- und Nervenleiden, Gonorrhoe, Blasen- und Frauenleiden sowie als Diureticum und Abortivum angewandt.
Die früher praktizierte Isolierung von Undecan-2-on als Ausgangsprodukt für 2-Methyl-undecanal (Methylnonylacetaldehyd) hat heute keine Bedeutung mehr.

TOXIKOLOGIE:
Rautenöl hat eine haut- und schleimhautreizende sowie phototoxische und bei bei oraler Aufnahme eine abortive Wirkung.
Die als Inhaltsstoffe beschriebenen Cumarine können bei der oralen Aufnahme größerer Mengen Leber- und Nierenschädigungen bewirken. Furocumarine entfalten photosensibilisierende und phototoxische Wirkungen; d. h., unter gleichzeitigem Einfluß von Sonnenlicht kann es zu Dermatitiden (Photo-Dermatitis, Berloque-Dermatitis) kommen. Furocumarine zeigen des weiteren mutagene und karzinogene Wirkungen.
Von der „International Fragrance Association (IFRA)“ wurde empfohlen, in → Parfüms und → Kosmetika nicht mehr als 3,9 % Rautenöl zu verwenden.

Engl.: rue oil; franz.: essence de rue; ital.: olio essenziale di ruta; span.: esencia de ruda.

Resinoide

Durch → Extraktion mit flüchtigen Lösungsmitteln (wie Aceton, Petrolether, Hexan, Benzol) aus pflanzlichen und tierischen Drogen gewonnene Produkte. Als Pflanzen, Pflanzenteile und -ausscheidungen kommen Moose, Flechten, Knospen, Blätter, Zweige, Rinden, Wurzeln, Samen, Zwiebeln, Knollen, Harze und Balsame zum Einsatz. Die Blüten werden durch → Extraktion mit Lösungsmitteln (vgl. → Concrets), → Mazeration, → Enfleurage und → Destraktion gesondert aufgearbeitet.

Die erhaltenen Resinoide (**konkrete Resinoide, Resinoid-Concrets),** die neben dem → ätherischen Öl vor allem noch Harze, Wachse, Lipide und Farbstoffe enthalten, werden wegen ihrer viskosen Konsistenz mitunter auch als → **Oleoresine** bezeichnet. Durch Behandlung mit warmem absolutem Ethanol kann man unter Verlust die **absoluten Resinoide (Resinoid-Absolues)** erhalten (mitunter werden diese in der Literatur auch, analog den absoluten Blütenölen, als → Absolues bezeichnet), aus denen durch → Wasserdampf-Destillation, wiederum unter beträchtlichem Verlust, die reinen → ätherischen Öle gewonnen werden können.
Die Resinoide duften infolge ihrer schonenden Gewinnung meist natürlicher als die entsprechenden → ätherischen Öle, haften länger und sind nicht restlos flüchtig. Sie sind jedoch zumeist dunkler und müssen für viele Anwendungszwecke erst aufgehellt werden. Die konkreten und absoluten Resinoide kommen entweder direkt oder in Form verschieden konzentrierter Lösungen (→ Tinkturen) zur Komposition von → Parfümölen (häufig parallel zu den entsprechenden → ätherischen Ölen) zur Anwendung. Für einen direkten Einsatz in der Parfümerie (z. B. als → Fixateur und als Parfümbasen in Seifen) werden die zumeist viskosen konkreten Resinoide zur besseren Handhabung gegebenenfalls mit Phthalaten oder Benzylbenzoat verdünnt.

R

Zu den wichtigsten als → Riechstoffe angewandten Resinoiden gehören: → Asa-foetida-Resinoid, Baummoos-Resinoid (siehe → Eichenmoos-Resinoid), → Benzoe-Resinoide, → Bruyère-Resinoid, Castoreum-Resinoid (siehe → Castoreum), *Cistus*-Resinoid (siehe → Labdanumöl), → Eichenmoos-Resinoid, Elemi-Resinoid (siehe → Elemiöl), → Foenum-Graecum-Resinoid, Labdanum-Resinoid (siehe → Labdanumöl), → Mate-Resinoid, Muskateller-Salbei-Resinoid (siehe → Salbeiöle), Myrrhen-Resinoid (siehe → Myrrhenöl), Olibanum-Resinoid (siehe → Olibanumöl), Opopanax-Resinoid (siehe → Opopanaxöl), Patschuli-Resinoid (siehe → Patschuliöl), Pfeffer-Resinoid (siehe → Pfefferöl), → Schwarze-Johannisbeeren-Resinoid, Styrax-Resinoid (siehe → Styraxöl), → Tabakblätter-Resinoid, → Tolubalsam-Resinoid, → Tonkabohnen-Resinoid, → Vanille-Resinoid, → Veilchenblätter-Resinoid und Zibet-Resinoid (vgl. → Zibet).

Angaben zu den einzelnen Resinoiden siehe unter den jeweiligen Stichworten.

Riechen

Siehe → Geruch.

Riechsalze

In der Vergangenheit als Analeptica (die Aktivität des Zentralnervensystems steigernde Mittel) angewandte Mischungen aus stark riechenden Ammoniumchlorid- Calciumhydroxid-Gemischen sowie intensiven → Riechstoffen, wie Menthol, → Bergamottöl oder → Lavendelöl. Das beim Öffnen des Riechfläschchens ausströmende Ammoniakgas sollte in Verbindung mit den → Riechstoffen besonders bei Ohnmachtsanfällen wirksam werden.

Riechstoff-Anwendungen

Hauptanwendungsgebiet für → Riechstoffe ist die Herstellung von → Parfüms. Größere Mengen dienen auch der Parfümierung von Seifen, Deodorantien, Haarbehandlungsmitteln, Körperpflegemitteln, Wasch- und Reinigungsmitteln (vgl. → Kosmetika) und Raumlufterfrischern. In der Nahrungs- und Genußmittelindustrie werden → Riechstoffe als Aromen, Essenzen und Gewürzbestandteile (vgl. → Aromastoffe) eingesetzt, in der pharmazeu-tischen Industrie zur Aromatisierung von Arzneimitteln. Verschiedene → ätherische Öle finden auch in pharmazeutischen Zubereitungen, als Naturheilmittel oder in der Volksmedizin Anwendung. Weitere Einsatzgebiete sind die → Aromatherapie und die sakrale Verwendung als Räuchermittel.

Riechstoffe

Stoffe oder Stoffgemische, die durch ihren → Geruch wahrnehmbar sind, wobei zwischen angenehm riechenden Duftstoffen und unangenehm bis ekelerregend riechenden Stinkstoffen zu unterscheiden ist.

Da der Geruch auch bei der Empfindung eines Geschmackseindrucks eine Rolle spielt, werden zumeist auch die → Aromastoffe

den Riechstoffen zugeordnet.
Voraussetzungen für die geruchliche Wahrnehmung eines bestimmten Stoffes sind:

- eine niedrige Molmasse (bis ca. 300) und ein hoher Dampfdruck,
- eine minimale Wasser- und hohe Lipoid-(Fett-)Löslichkeit,
- eine ausreichende Oberflächenaktivität sowie
- eine schwache Polarität.

Wesentlich für die Riechstoffeigenschaften einer organischen Verbindung sind die in ihr enthaltenen funktionellen Gruppen (osmophore Gruppen). Zu angenehmen Gerüchen führen im allgemeinen -OH, -OR, -CHO, -COR und -COOR (Euosmophore); zu unangenehmen Gerüchen -SH, -SR, -CHS, -CSR, $-NH_2$ (Kakosophore).
Auch die räumliche Konfiguration (Stereochemie) eines Moleküls spielt für dessen geruchliche Eigenschaften eine wesentliche Rolle.

R

Als Riechstoffe werden heute vor allem → ätherische Öle, Blütenöle (vgl. → Concrets, → Absolues), → Extrakte aus pflanzlichen und tierischen (animalischen) Drogen (vgl. → Resinoide), aus Naturprodukten isolierte Komponenten sowie halbsynthetische und vollsynthetische → einheitliche Riechstoffe verwendet.

Wesentliche Beispiele für **pflanzliche Rohstoffe** sind Lavendel-, Jasmin-, Rosen- und Neroliblüten (Pomeranzenblüten); Anis-, Coriander-, Wacholder- und Kümmel-Früchte; Blätter und Stengel von Geranium, Patschuli (Patchouli) und Petitgrain (Pomeranze); Schalen von Bergamotte, Orange, Grapefruit, Zitrone und Mandarine; Samen von Muskat (Macis), Sellerie, Angelica, Coriander und Cardamom; Wurzeln von Angelica, Iris, Calmus, Ingwer und Iris; Sandel-, Cedern-, Guajak- und Rosenholz; Kräuter bzw. Gräser von Estragon, Salbei, Thymian, Majoran, Origanum, Petersilie, Citronell- und Lemongras; Nadeln und Zweige von Tannen, Fichten, Latschen und Kiefern; Harze und Balsame, wie Olibanum, Myrrhe, Opopanax, Galbanum, Labdanum, Benzoe, Styrax und Elemi.

Seltener verwendet werden **tierische Rohstoffe**, wie → Ambra, → Castoreum, → Moschus und → Zibet.

Aus → ätherischen Ölen abgetrennte → einheitliche Riechstoffe (wie z. B. Geraniol und Citronellal aus Ceylon- bzw. Java-Citronellöl) werden als **Isolate** bezeichnet.

Halbsynthetische Stoffe gewinnt man durch chemische Veränderung von Isolaten, so z. B. Isoeugenol aus Eugenol und Vanillin aus Isoeugenol, Hydroxycitronellal aus Citronellal, Citronellol aus Geraniol oder Citronellal, Geranylacetat aus Geraniol, Linalylacetat aus Linalool, Jonone und Methyljonone aus Citral.

Bei den **vollsynthetischen Riechstoffen** ist in naturidentische Stoffe und solche, die keinerlei Vorbild in der Natur haben (wie z. B. die Moschusriechstoffe Ambrettemoschus, Xylolmoschus und 12-Oxa-16-hexadecanolid), zu unterscheiden. Letztere können entweder Duftnoten anderer natürlicher Stoffe oder einen völlig neuartigen Geruch besitzen, der dann meist zur Komposition sogenannter Phantasie-Noten genutzt wird.

In der Bundesrepublik Deutschland (alte Bundesländer) wurden 1989 ca. 39 900 Tonnen → Riech- und → Aromastoffe produziert. Davon stammten 64 % aus der synthetischen Produktion.

Nach H. W. Rassmann [Dragoco Report 1989 (Nr. 4)] befinden sich in der Riech- und Aromastoffindustrie ca. 2500 → einheitliche Riech- und Aromastoffe, Intermediate und Chemikalien, ca. 200 → ätherische Öle (von ca. 3000 bekannten), ca. 80 Extrakte in der Riechstoffindustrie, ca. 100 Extrakte in der Aromastoffindustrie und 4 tierische Produkte im Einsatz.

Die Systematisierung der Riechstoffe erfolgt im allgemeinen nicht nach ihren chemischen Strukturmerkmalen, sondern nach ihren geruchlichen Eigenschaften, den **Duftnoten** (vgl. → Gerüche).

Wichtige technische Anforderungen an Riechstoffe sind neben einem ausgeprägten Geruch und einer ausreichenden Flüchtigkeit

- die Haftfestigkeit (die bei zu flüchtigen Verbindungen durch den Zusatz von → Fixateuren erhöht werden muß),
- die physiologische Veträglichkeit (dermatologische und toxikologische Wirkungen),

- die Beständigkeit gegen Hitze, Luft und Licht und das umgebende Medium (in gewissen Grenzen kann man oxidable Verbindungen durch den Zusatz von Antioxidantien schützen),
- die Löslichkeit bzw. Homogenisierbarkeit mit anderen Komponenten von Riechstoffmischungen,
- die Ergiebigkeit, d. h. gute geruchliche Wirkung bei möglichst geringer Konzentration,
- die Fähigkeit zur Kombination mit anderen Gerüchen sowie
- eine wirtschaftlich vertretbare technische Zugänglichkeit.

Riechstoff-Mischungen

Siehe → Parfüm-Kompositionen.

Riechstoff-Zubereitungen

Siehe → Parfüm.

R

Ringelblumen-Absolue

Das aus den Blüten der in Europa und Nord-Amerika kultivierten Ringelblume (*Calendula officinalis* L.) [Asteraceae, Compositae] durch → Extraktion mit Lösungsmitteln über das → Concret erhaltene → Absolue. Die Ausbeute des → Concrets beträgt 0,3 bis 0,4 %. Daraus erhält man ca. 30 % → Absolue.
Das absolute Öl besitzt einen typischen kräuterartig-bitteren Geruch.
Als Inhaltsstoffe der Ringelblume wurden u. a. 0,02 % → ätherisches Öl, Triterpensaponine, Flavonoide (Isorhamnetin-Derivate), Bitterstoffe, pentacyclische Triterpenalkohole (wie Arnidiol und Faradiol), Salicylsäure, Carotinoide und Spuren eines Sesquiterpenlactons (Calendin) nachgewiesen.

Das absolute Öl wird in der Parfümerie und kosmetischen Präparaten heute nur noch gelegentlich angewendet.

Der fette Ölauszug der Blüten wird in Hautcremes zur Förderung der Epithelbildung und zur Therapie entzündlicher Prozesse genutzt, alkoholische Auszüge bei schlecht heilenden Wunden und in der Homöopathie.

Engl.: Calendula absolute.

Römisches Kümmelöl

Siehe → Cuminöl.

Rose-de-Mai-Absolue

Siehe → Rosenöl.

Rosenholzöl, Brasilianisches (Bois-de-rose-Öl, Brasilianisches Linaloeöl)

Das aus dem zerkleinerten Holz des im Amazonasgebiet heimischen Rosenholzbaumes (*Aniba rosaeodora* A. DUCKE var. *amazonica* A. DUCKE und/oder *Aniba parviflora* (MEISSN.) MEZ.) [Lauraceae] durch → Wasserdampf-Destillation gewonnene → ätherische Öl. Die Ausbeute beträgt 0,7 bis 1,6 %.
Das farblose bis gelbliche Öl besitzt einen blumigen, leicht rosigen bis maiglöckchenartigen Geruch mit einer süß-würzigen Note. Qualitativ minderwertigere Sorten riechen hingegen kümmelartig. Ein Volumenteil löst sich bei Raumtemperatur in 5 Volumenteilen 60%igem Ethanol.

PHYSIKALISCH-CHEMISCHE DATEN:
d_{20}^{20}: 0,872 bis 0,887; n_D^{20}: 1,4620 bis 1,4680; $[\alpha]_D^{20}$: - 4° bis + 5°; EZ (nach Acetylierung): 250 bis 270, entsprechend einem Alkoholgehalt (berechnet als Linalool) von 84 bis 93 %.

Hauptinhaltsstoffe sind 84 bis 93 % Alkohole, hauptsächlich (–)-Linalool, daneben u. a. Terpineol, Geraniol und Nerol. Als Inhaltsstoff wird ferner 1,8-Cineol (Eucalyptol) beschrieben.
Geringe Mengen des Öls werden in → Parfüm-Kompositionen und zur Parfümierung von Seifen angewandt.
In der Vergangenheit diente es in der Riechstoffindustrie als Ausgangsstoff zur Gewinnnung von (–)-Linalool. Heute ist synthetisches Linalool weitaus kostengünstiger über die Vitamin-A-Produktion zugänglich.

R

TOXIKOLOGIE:
Das als Inhaltsstoff beschriebene 1,8-Cineol (Eucalyptol) kann bei empfindlichen Personen zu Hautreizungen, bei oraler Aufnahme zu Gastroenteritis und Nierenreizungen führen. Linalool und Geraniol besitzen ein allergenes Potential.

Eng mit dem Brasilianischen Rosenholzöl verwandt ist das vor allem aus *Ocotea caudata* MEZ. (Bois de Rose mâle) gewonnene **Cayenne-Linaloeöl**.

Engl.: rosewood oil; franz.: essence de bois de rose; ital.: olio essenziale del legno di rosa; span.: esencia de palo de rosa.

Rosenöl

Das vor allem aus den frischen Blüten der in Bulgarien, der Türkei, Rußland, Syrien, Marokko, China und Indien kultivierten, hellrot-rosa blühenden Damaszener Rose (*Rosa × damascena* MILL.), aber auch der in der Türkei und Bulgarien angebauten Weißen Rose (*Rosa × alba* L.) und der in Marokko, Süd-Frankreich und Italien gezogenen Centifolienrose (Kohl-, Mai- oder Provencerose; *Rosa centifolia* L.) durch → Wasserdampf-Destillation gewonnene, sehr wertvolle → ätherische Öl (CAS-Nr.: 8007-01-0).
Aus 3 bis 5 Tonnen Rosenblüten-Knospen wird 1 kg Öl erhalten, was einer Ausbeute von 0,02 bis 0,03 % entspricht und den hohen Preis (1996 ca. 11 000,- DM/kg) erklärt. Beim Abkühlen scheiden sich 16 bis 22 % eines Gemisches höherer Paraffine (Stearoptene) ab. Die Jahres-Weltproduktion liegt nur bei ca. 2 bis 3 Tonnen.
Da die wäßrige Phase der → Wasserdampf-Destillation, das **Rosenwasser**, noch ansehliche Mengen Rosenöl (besonders den wasserlöslichen Phenylethylalkohol) enthält, wird es redestilliert oder extrahiert. Man erhält dabei das **Rosenwasseröl**, das wiederum zur Herstellung des handelsüblichen Rosenwassers dient.

Das Bulgarische Rosenöl („Otto of Rose") aus der Damaszener Rose ist von gelber bis grünlich-gelber Farbe und charakteristischem Rosengeruch, wobei Tee- und Honignoten unterschieden werden.

PHYSIKALISCH-CHEMISCHE DATEN:

D^{30}: 0,848 bis 0,861; n_D^{25}: 1,4530 bis 1,4640; $[\alpha]_D$: - 4,8° bis - 2,2°; Erstarrungspunkt.: 16,5 bis 23,5 °C; SZ: 0,92 bis 3,75; EZ: 7,2 bis 17,1; EZ (nach Acetylierung): 197,0 bis 233,3; VZ: 8 bis 21;

Hauptinhaltsstoffe sind 35 bis 55 % (–)-Citronellol (Rhodinol) sowie 30 bis 40 % Geraniol und 5 bis 10 % Nerol. Daneben wurden u. a. Linalool, Farnesol, Hexenol, Eugenol, Methyleugenol (Eugenolmethylether), Nonylaldehyd, Citral, Zimt-, Phenylacet- und Salicylaldehyd, Carvon, Ester der genannten Alkohole sowie für den charakteristischen Duft sehr wesentliche Spuren von Rosenoxid, Rosenfuran, Damascenon und β-Damascon nachgewiesen. Im Gegensatz zum Rosen-Absolue (siehe unten), Rosenwasser und Rosenwasseröl enthält das Öl nur sehr geringe Mengen Phenylethylalkohol, da sich die Verbindung sehr gut in Wasser löst. Insgesamt wurden im Öl ca. 230 Inhaltsstoffe gefunden.
Rosenöl wird für → Parfüm-Kompositionen, als Zusatz zu wertvolleren Seifenparfümölen sowie als → Aromastoff für Zuckerwaren, Liköre und Tabak verwendet.
Rosenwasser wurde in der Vergangenheit für Heil- und Genußzwecke verwendet. Heute dient es noch der Aromatisierung von Konditoreiwaren und Likören sowie als Geruchs- und Geschmackskorrigens für Arzneimittel.

TOXIKOLOGIE:

Rosenöl entfaltet eine leichte narkotische Wirkung.
Das als Inhaltsstoff beschriebene Eugenol ist bei oraler Zufuhr mäßig giftig. Im Tierversuch wirkt es hautreizend, karzinogen und mutagen. Es besitzt ferner eine allergenes Potential. Auch Citronellol, Geraniol, Linalool, Citral und Carvon besitzen ein allergenes Potential.

Engl.: rose oil; franz.: huile (essence) de rose; ital.: olio essenziale di rosa; span.: esencia de rosas.

Durch → Extraktion der Knospen der Damaszener Rose (*Rosa* × *damascena* MILL.) sowie der Centifolienrose (*Rosa centifolia* L.) mit Lösungsmitteln (meist Petrolether) wird über das → Concret auch ein abolutes Rosenblütenöl (vgl. → Absolues), das **Rosen-**

R

Absolue bzw. **Rose-de-Mai-Absolue**, gewonnen. Die Ausbeute des → Concrets beträgt ca. 0,25 %. Daraus erhält man ca. 50 % Rosen-Absolue bzw. 67 % Rose-de-Mai-Absolue.
Diese absoluten Öle sind von rötlicher Farbe und besitzen einen ausgeprägten Rosengeruch mit würzig-honigartigen Nuancen. Der Phenylethylalkohol-Gehalt der flüchtigen Fraktion liegt bei 60 bis 75 %. Daneben sind ca. 22 % Citronellol und ca. 15 % Geraniol und Nerol enthalten. Der Preis liegt bei ca. 20 000,- DM pro kg.

Es ist eine wichtige Komponente für → Parfüm-Kompositionen.

Eng.: rose absolue; franz.: essence absolue de rose.

Rosenoxid

CHEMISCHE BEZEICHNUNG: 4-Methyl-2-(2-methyl-1-propenyl)-tetrahydropyran, 4-Methyl-2-(2-methyl-prop-1-enyl)-tetrahdropyran

CAS-NR.: 16409-43-1, *cis*-Rosenoxid: 876-17-5, *trans*-Rosenoxid: 876-18-6

STRUKTURFORMEL:

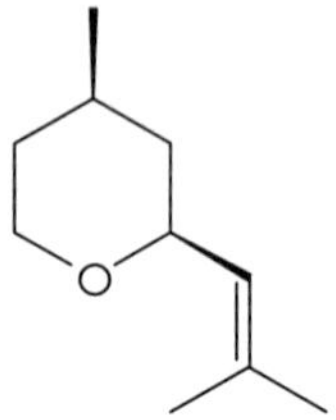

MOLEKULARGEWICHT: 154,25

Rosenoxid ist eine farblose Flüssigkeit mit starkem, an → Geraniumöl erinnerndem Geruch.
Kleine Mengen der vorwiegend linksdrehenden *cis*-Form kommen in → ätherischen Ölen, z. B. im bulgarischen → Rosenöl und im → Geraniumöl vor. Die handelsüblichen Syntheseprodukte sind entweder optisch aktive oder inaktive Mischungen der *cis*- und *trans*-Isomere. Ihre physikalischen Konstanten, insbesondere die optische Drehung, hängen vom Ausgangsstoff und den Syntheseverfahren ab.

PHYSIKALISCH-CHEMISCHE DATEN:

$Sdp._{1,6\,kPa}$: 70 °C; d_4^{20}: 0,875; n_D^{20}: 1,4570; $[\alpha]_D^{20}$ (–)-*cis*-Form: - 58,1°.

Bei der Herstellung von Rosenoxid geht man meistens von Citronellol aus, das in Methanol unter Zusatz von Rose bengale und unter Einleiten von Sauerstoff mit UV-Licht belichtet wird. Das gebildete tertiäre Allylhydroperoxid wird mit Natriumsulfit zum Diol reduziert und dieses mit verdünnter Schwefelsäure cyclisiert. Im Ergebnis davon entstehen *cis*- und *trans*-Rosenoxid zu gleichen Anteilen in ca. 50%iger Ausbeute. Das neben dem tertiären Allylhydroperoxid gebildete Hydroperoxid bleibt bei gleichem Verfahrensweg beim Diol stehen, von dem Rosenoxid durch Destillation leicht abzutrennen ist.

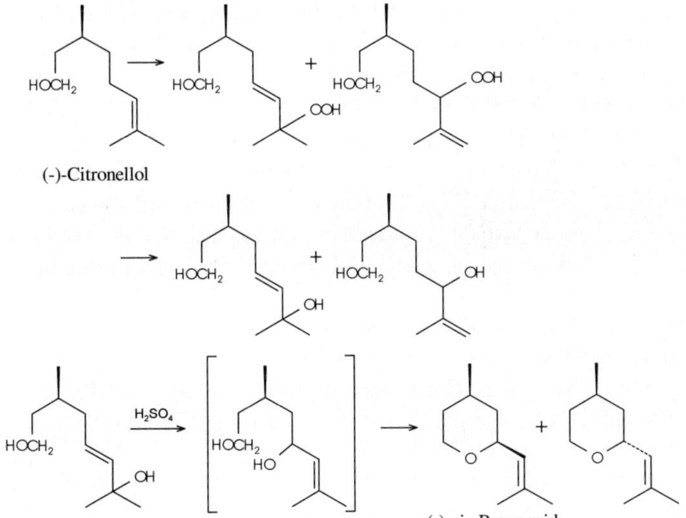

(-)-cis-Rosenoxid

(-)-trans-Rosenoxid

Rosenoxid ist relativ stabil und verfärbt nicht. Wegen seiner starken Geraniumspitzennote wird es deshalb in Rosen- und Geraniumtypen für Seifenparfüms und zur Parfümierung von → Kosmetika und Haushaltsprodukten verwendet. Rosenoxid erhöht durch seine natürliche Kopfnote die Qualität vieler Kompositionen.

TOXIKOLOGIE: LD_{50} (Ratte, oral): 4,4 g/kg KG.

Rosmarinöl

Das aus den Blütenständen und Blättern von Rosmarin (*Rosmarinus officinalis* L.) verschiedener Varietäten [Lamiaceae, Labiatae] durch → Wasserdampf-Destillation erhaltene → ätherische Öl (CAS-Nr.: 8000-25-7). Die Ausbeute der Blätter beträgt 1 bis 3 %. Produzenten sind Algerien, Marokko, Tunesien, Frankreich, Spanien, Griechenland, Dalmatien, Rußland und die USA. Die jährliche Gesamtproduktion liegt bei ca. 100 Tonnen. Hauptproduzent ist Spanien, jedoch ist die Qualität wegen gelegentlicher Mitdestillation von Zweigen unterschiedlich. Die besten Qualitäten stammen aus Frankreich und Tunesien.
Das farblose, hellgelbe oder gelbgrüne Öl weist einen charakteristischen, angenehm erfrischenden herb-krautigen (mitunter auch lavendelartigen) Geruch mit einer leichten Campher-Note auf. Auch der Geschmack ist campherartig. Geruch und Zusammensetzung hängen von der Herkunft des Öls ab. Ein Volumenteil löst sich bei Raumtemperatur in 1 Volumenteil 90%igem Ethanol.

PHYSIKALISCH-CHEMISCHE DATEN:
d_{25}^{25}: 0,894 bis 0,912; n_D^{20}: 1,4640 bis 1,4760; $[\alpha]_D$: - 5° bis + 10°; Estergehalt (berechnet als Bornylacetat): mind. 1,5 %; Gesamt-Alkoholgehalt (berechnet als Borneol): mind. 8 %.

Hauptinhaltstoffe sind 15 bis 50 % 1,8-Cineol (Eucalyptol), bis zu 30 % α-Pinen, 5 bis 25 % Campher und bis zu 20 % Borneol. Daneben sind u. a. 2 bis 7 % Bornylacetat, β-Pinen, Phellandren, Myrcen, Limonen, Camphen, α-Caryophyllen (Humulen), β-Caryophyllen, α-Terpineol, Terpinen-4-ol, p-Cymol, Verbenon, Octan-3-on und Carnolsäure enthalten. Verbenon ist für den Geruch sehr bedeutsam und kann, abhängig von der Herkunft, in Spuren, aber auch größeren Mengen enthalten sein.

R

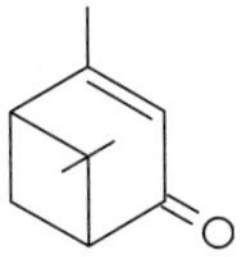

Verbenon

Die aus Nord-Afrika, z. B. Tunesien, stammenden Öle zeichnen sich durch einen hohen Cineol-Gehalt aus, während die spanischen Öle einen niedrigeren Cineol-Gehalt und einen höheren Campher- und Monoterpenkohlenwasserstoff-Anteil (ca. 20 % bzw. ca. 30 bis 40 %) aufweisen.
Für die stark antioxidative Wirkung von Rosmarin macht man die Carnosolsäure (tricyclisches Diterpendiphenol), die Rosmarinsäure und den als Artefakt aus Carnosolsäure gebildeten Bitterstoff Carnosol (Pikrosalvin) verantwortlich.
Rosmarinöl wird in der Parfümerie für → Parfüm-Kompositionen (Kräuter-, Farn- und Ambra-Noten), Eau de Colognes, Lavendelwässer und zur Parfümierung von Seifen, Deodorantien, Shampoos, Badezusätzen, Haarpflegemitteln und Lufterfrischern eingesetzt, ferner zur Herstellung pharmazeutischer Präparate (Salben und Bäder gegen Durchblutungsstörungen, Muskelschmerzen und Hypotonie). Das Öl wirkt ferner appetitanregend und verdauungsfördernd. Die Volksmedizin schätzt Rosmarin-Präparate zur Behandlung von Rheuma und Herz-Kreislauf-Störungen, die Homöopathie bei Menstruationsstörungen und als Nervenmittel im Klimakterium. Eine Studie zur Verwendung von Rosmarienöl (zwei- bis dreimal täglich) an 308 Patienten mit rheumatischen Gelenkerkrankungen ergab eine gute bis sehr gute Bewertung durch 82 % der Patienten und 77 % der Ärzte. Im Tierversuch bewirkten bereits geringe Mengen des Öls eine rasche Absenkung des arteriellen Blutdruckes. Rosmarinöl ist als Monographie im DAB 10 enthalten.

TOXIKOLOGIE:
Die Einnahme des puren Rosmarinöls ist zu vermeiden, da es zu Vergiftungserscheinungen kommen kann.

Das als Hauptinhaltsstoff beschriebene 1,8-Cineol (Eucalyptol) kann in größeren Mengen bei empfindlichen Personen Hautreizungen, bei oraler Aufnahme Gastroenteritis und Nierenreizungen bewirken, α-Pinen Hautreizungen und Ekzeme, bzw. Nierenreizungen. Limonen besitzt ein allergenes Potential.

Engl.: rosemary oil; franz.: essence (huile) de rosemarin; ital.: olio di rosmarino; span.: aceite de romero.

Salbeiöle

Aus den getrockneten Blättern des im Mittelmeerraum, in Europa und den USA heimischen Echten Salbeis (*Salvia officinalis* L.) [Lamiaceae, Labiatae] wird durch → Wasserdampf-Destillation das **Dalmatinische Salbeiöl** (CAS-Nr.: 8022-56-8) gewonnen. Die Ausbeute beträgt 0,7 bis 2,5 %. Eines der wichtigsten Produktionsgebiete ist Dalmatien.
Das gelbliche bis gelblich-grüne Öl weist einen warmen frischwürzigen kräuterartigen Geruch mit campherartigen Nuancen und einen würzig-bitteren Geschmack auf. Ein Volumenteil löst sich bei Raumtemperatur in 1 Volumenteil 80%igem Ethanol.

S

PHYSIKALISCH-CHEMISCHE DATEN:
d_{25}^{25}: 0,903 bis 0,925; n_D^{20}: 1,4570 bis 1,4690; $[\alpha]_D$: + 2° bis + 29°; VZ: 6 bis 20; EZ (nach Acetylierung): 25 bis 60; Ketongehalt (berechnet als Thujon): mind. 50 %.

Hauptinhaltsstoffe des Dalmatinischen Öls sind 40 bis 60 % α-Thujon, ca. 18 % Campher, ca. 14 % 1,8-Cineol (Eucalyptol) und 5 bis 16 % Borneol. Daneben sind u. a. ca. 5 % β-Thujon, Bornylester sowie α-Pinen und Salven enthalten.

Das aus der in Spanien, Süd-Frankreich und Nord-Afrika kultivierten Salbei-Art *Salvia lavandulifolia* VAHL in einer Ausbeute von 0,8 bis 1,0 % gewonnene **Spanische Salbeiöl** weist den charakteristischen campherartigen Geruch des Krautes auf. Ein Volumenteil löst sich bei Raumtemperatur in 2 Volumenteilen 80%igem Ethanol.

PHYSIKALISCH-CHEMISCHE DATEN:
d_{20}^{20}: 0,913 bis 0,933; n_D^{20}: 1,4670 bis 1,4730; $[\alpha]_D^{20}$: - 12° bis 0°

(bei Ölen aus der spanischen Provinz Jaén, bei anderen Ölen + 16 ° bis + 24 °); EZ: 14 bis 57.

Das Öl enthält ca. 29 % 1,8-Cineol (Eucalyptol), ca. 34 % Campher (die auch geruchsbestimmend wirken), Linalylacetat und andere Linalylester sowie Linalool, aber kaum α- und β-Thujon.

Das **Griechisches Salbeiöl** aus *Salvia triloba* L. f. (*Salvia fructiosa* MILL.) zeichnet sich durch einen Cineol-Gehalt von 40 bis 65 %, einen Campher-Anteil von ca. 8 % und einen Thujon-Anteil von ca. 5 % aus. Es wird mitunter zum Verfälschen des Dalmatinischen Salbeiöls verwendet.

Das **Südafrikanisches Salbeiöl** aus *Salvia stenophylla* enthält u. a. ca. 30 % α-Bisabolol und 20 % Car-3-en.

Für die stark antioxidative Wirkung von Salbei macht man die Carnosolsäure (tricyclisches Diterpendiphenol) und die Rosmarinsäure verantwortlich, im griechischen Salbei auch den als Artefakt (aus Carnosolsäure) gebildeten Bitterstoff Carnosol (Pikrosalvin).

Dalmatinisches Salbeiöl wird in der Parfümerie für trockene würzig-krautige Duftnoten, Gewürz-, Chypre-, Fougère- und Lavendel-Düfte sowie Eau de Colognes verwendet, ferner als Zusatzstoff für → Kosmetika, → Aromastoff (Zahnpasten, Mundwässer) und Wirkstoff in pharmazeutischen Präparaten (Spül- und Gurgelmittel gegen Katarrhe, Schweißverhütungsmittel). Spanisches Salbeiöl wird vorwiegend zur Seifenparfümierung eingesetzt.
Die Volksmedizin nutzt Salbei-Präparate als Gurgelmittel bei Erkältungskrankheiten, Halsschmerzen und Zahnfleischentzündungen sowie als Mittel bei übermäßiger Schweißbildung, Magen- und Lebererkrankungen.

TOXIKOLOGIE:
Salbeiöl gilt als schwach wirksames Kontaktallergen.
Die als Inhaltsstoffe beschriebenen Thujone können in größeren Mengen Hautreizungen, bei oraler Aufnahme zentrale Lähmungserscheinungen, Krämpfe und Leberschädigungen auslösen. Auch abortive Wirkungen sind bekannt. 1,8-Cineol (Eucalyptol) kann

in größeren Mengen bei empfindlichen Personen Hautreizungen, bei oraler Aufnahme Gastroenteritis und Nierenreizungen bewirken. α-Pinen und Car-3-en können bei empfindlichen Personen zu Hautreizungen und Ekzemen führen, α-Pinen bei oraler Zufuhr zu Nierenreizungen. Linalool und Linalylacetat besitzen ein allergenes Potential.

Engl.: sage oil; franz.: huile de sauge; ital.: olio essenziale di salvia; span.: esencia de salvia.

Das **Muskateller-Salbeiöl** (CAS-Nr.: 8016-63-5) wird besonders in Frankreich, Spanien, Ungarn, Rußland, den Balkanstaaten und den USA durch → Wasserdampf-Destillation aus den Blättern und den blühenden Spitzen des Muskatellersalbeis (*Salvia sclarea* L.) gewonnen. Die Ausbeute beträgt nur 0,1 %.
Das hellgelbe bis gelbe Öl weist einen würzig-krautigen lavendelartigen Weinbouquet-Duft mit einem an → Ambra erinnernden Nachgeruch auf. Ein Volumenteil löst sich bei Raumtemperatur in 3 Volumenteilen 90%igem Ethanol. Bei weiterer Verdünnung trübt sich die Lösung.

PHYSIKALISCH-CHEMISCHE DATEN:
d_{25}^{25}: 0,886 bis 0,929; n_D^{20}: 1,4580 bis 1,4730; $[\alpha]_D$: - 20° bis - 6°; SZ: max. 2,5; Estergehalt (berechnet als Linalylacetat). 48 bis 75 %.

Außer dem Hauptinhaltsstoff Linalylacetat (60 bis 70 %) enthält das Öl u. a. (±)- und (–)-Linalool, Geraniol, Nerol, (+)-α-Terpineol, Citronellol und andere Terpenalkohole sowie deren Acetate, aber auch α- und β-Pinen, Myrcen, Ocimen, Alloocimen, Limonen, Camphen, p-Cymol, Hexanol, Octan-3-ol, *cis*-Hex-3-en-1-ol, Oct-1-en-3-ol, Hexanal bis Nonanal, Benzaldehyd, 1,8-Cineol (Eucalyptol) sowie Sesquiterpene (wie Cadinen).
Der Ambra-Nachgeruch ist auf den Gehalt an dem Diterpenalkohol Sclareol zurückzuführen.

Engl.: muscatel sage oil, clary sage oil; franz.: essence de sauge; ital.: olio di moscatella; span.: esencia de salvia moscatel

Durch → Extraktion der Blätter mit Lösungsmitteln wird ferner ein stark nach → Ambra riechendes konkretes Resinoid (Resino-

id-Concret; vgl. → Resinoide) und daraus ein absolutes **Muskateller-Salbei-Resinoid** (Resinoid-Absolue; vgl. → Resinoide) hergestellt.
Den Hauptinhaltsstoff stellt mit einem Anteil von ca. 42 % das Sclareol.

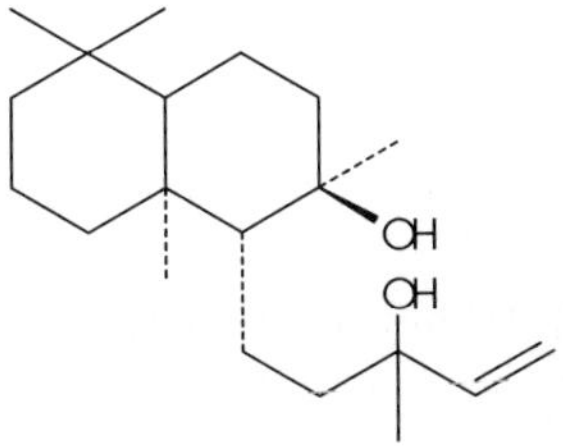

Sclareol

Daneben sind u. a. ca. 28 % Sesquiterpenalkohole, ca. 17 % Linalylacetat und ca. 5 % Linalool enthalten.

Das Muskateller Salbeiöl und das absolute Resinoid werden in der Feinparfümerie vor allem für Phantasie-Noten, aber auch Ambra-, Origanum-, Chypre-, Fougère-, Klee- und Tabaknoten verwendet. Das aus dem Extrakt gewonnenen Sclareol wird als Rohstoff für verschiedene Ambra-Riechstoffe genutzt.

TOXIKOLOGIE:
Die als Inhaltsstoffe beschriebenen Pinene können in größeren Mengen bei empfindlichen Personen Hautreizungen und Ekzeme, bei oraler Aufnahme Nierenreizungen bewirken, 1,8-Cineol (Eucalyptol) Hautreizungen bzw. Gastroenteritis und Nierenreizungen. Geraniol, Limonen, Citronellol, Linalool und Linalylacetat besitzen ein allergenes Potential.

Engl.: muscatel sage resinoid, clary sage resinoid; franz.: essence de sauge sclarée.

Salicylaldehyd

CHEMISCHE BEZEICHNUNG: 2-Hydroxy-benzaldehyd
CAS-NR.: 90-02-8

STRUKTURFORMEL:

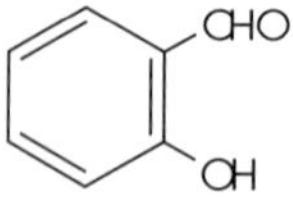

MOLEKULARGEWICHT: 122,12

Salicylaldehyd ist eine helle, angenehm bittermandelartig riechende Flüssigkeit.
Die Verbindung kommt in einigen → ätherischen Ölen (z. B. von *Spiraea*-Arten) vor.

PHYSIKALISCH-CHEMISCHE DATEN:
$Sdp._{101,3\ kPa}$: 196 bis 197 °C; Schmp.: - 7 °C; d_4^{20}: 1,165 bis 12,167; n_D^{20}: 1,5719.

Salicyladehyd ist in Wasser wenig löslich (14 g/l, 20 °C), in Ethanol und Ether löslich.
Die Verbindung wird durch Verseifen von o-Tricresylphosphathexachlorid mit alkoholischer Natronlauge, durch Erhitzen von Phenol und Chloroform in wäßrigen Alkalien (Reimer-Tiemann-Reaktion) oder durch elektrolytische Reduktion von Salicylsäure hergestellt.
Sie findet vor allem als Zwischenprodukt für → Riechstoffe (Cumarinsynthese) Einsatz.

TOXIKOLOGIE: LD_{50} (Ratte, oral): 520 mg/kg KG, (Kaninchen, dermal): 3 g/kg KG.
Salicylaldehyd besitzt eine reizende Wirkung.

Salicylsäureamylester

SYNONYME: Amylsalicylat
CHEMISCHE BEZEICHNUNG: 2-Hydroxy-benzoesäureamylester, 2-Hydroxy-benzoesäurepentylester
CAS-NR.: 2050-08-0

STRUKTURFORMEL:

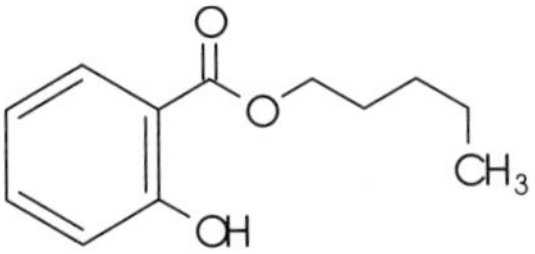

MOLEKULARGEWICHT: 208,26

Salicylsäureamylester ist eine farblose, angenehm riechende Flüssigkeit.

PHYSIKALISCH-CHEMISCHE EIGENSCHAFTEN:
Sdp.$_{101,3\ kPa}$: 265 °C; D^{15}: 1,065; n_D^{20}: 1,505 bis 1,508.

Salicylsäureamylester ist unlöslich in Wasser, löslich in Ethanol und Ether.
Hergestellt wird diese in der Riechstoffindustrie eingesetzte Verbindung durch Verestern von Salicylsäure mit Amylalkohol.

Sandelholzöl, Ostindisches

Das aus dem zerkleinerten Kernholz von mindestens 30jährigen Sandelholzbäumen (*Santalum album* L.) [Santalaceae] durch → Wasserdampf-Destillation gewonnene → ätherische Öl (CAS-Nr.: 8006-87-9). Die Ausbeute beträgt 4 bis 6,5 %. Hauptroduzent ist mit ca. 100 bis 200 Tonnen pro Jahr Indien. Kleinere Mengen werden in den Nachbarstaaten erzeugt.
Das leicht viskose farblose bis gelbe Öl weist einen lang haftenden balsamisch-süßen samtig-warmen holzigen Geruch sowie einen strengen harzig-kratzenden Geschmack auf. Ein Volumenteil löst sich bei Raumtemperatur in 5 Volumenteilen 70%igem Ethanol.

PHYSIKALISCH-CHEMISCHE DATEN:
d_{20}^{20}: 0,968 bis 0,983; n_D^{20}: 1,5030 bis 1,5080; $[\alpha]_D^{20}$: - 21° bis - 15°, EZ: max. 10; Alkoholgehalt (berechnet als Santalol): mind. 90 %.

Hauptinhaltsstoffe sind bis zu mehr als 90 % die Sesquiterpenalkohole (+)-(*Z*)-α- und (–)-(*Z*)-β-Santalol. Sie sind auch die Hauptträger des Geruches. Weitere geruchlich bedeutsame Inhaltsstoffe sind (+)-(*Z*)-epi-β-Santalol, Teresantalol, (–)-(*Z*)-α-

trans-Bergamotol, Santalylacetat, (*E*)-α-Santalal, (*E*)-β-Santalal, Nortricy-cloekasantalan und -santalal, nor-Santalenone, Santen, Santenol, Geraniol, Linalool, p-Cresol, Eugenol, Isoeugenol, 6-Methoxy-eugenol, Guajacol-Derivate, Teresantalsäure, 1-Furfuryl-pyrrol und das Furan-Derivat Dendrolasin. Erst Mitte der neunziger Jahre wurden Cyclosantalal, epi-Cyclosantalal und nor-α-*trans*-Bergamotenon als sensorisch bedeutsame Spurenkomponenten nachgewiesen.
Die Sesquiterpenkohlenwasserstoffe α- und β-Santalen tragen hingegen nur unwesentlich zum Geruch bei.
Sandelholzöl wird in der Parfümerie umfangreich für holzige Duftnoten in orientalischen-, Chypre-, Fougère- und Phantasie-Parfüms, als → Fixateur sowie zur Parfümierung von Seifen und → Kosmetika eingesetzt. Es dient in der Riechstoffindustrie ferner zur Gewinnung von Santalol.
In pharmazeutischen Präparaten kommt es als Mittel gegen bakterielle Harnwegsentzündungen zur Anwendung.

TOXIKOLOGIE:
Bei der Aufnahme größerer Mengen des Öls in den Organismus kann es zu Hautausschlägen, Magen- und Darmstörungen sowie nephrotoxischen (nierenreizenden bzw. -schädigenden) Wirkungen kommen. Ursache dürften die enthaltenen Santalen-Derivate sein. Des weiteren sind photoallergische Reaktionen bekannt.
Das als Inhaltsstoff beschriebene Eugenol ist bei oraler Zufuhr mäßig giftig. Im Tierversuch wirkt es hautreizend, karzinogen und mutagen. Es besitzt ferner eine allergenes Potential. Auch Geraniol, Linalool, Isoeugenol und Methoxyeugenol besitzen ein allergenes Potential.

Aus einer anderen Spezies, dem Holz der australischen Art *Eucarya spicata* (R. BROWN) SPRAGUE et SUMMERH. (*Santalum spicatum* (R. BROWN) DC.) wird durch → Extraktion mit Lösungsmitteln (meist Petrolether) und anschließende Vakuumdestillation das **Australische Sandelholzöl** gewonnen. Die produzierten Mengen liegen jedoch bedeutend niedriger.
Die farblose bis gelbe Flüssigkeit weist einen ähnlichen holzigen Geruch auf. Ein Volumenteil löst sich bei Raumtemperatur in 5 Volumenteilen 70%igem Ethanol.

PHYSIKALISCH-CHEMISCHE DATEN:
d_{20}^{20}: 0,968 bis 0,978; n_D^{20}: 1,5040 bis 1,5100; $[\alpha]_D^{20}$: - 8° bis - 3°; SZ: max. 5; EZ: 4,5 bis 18; EZ (nach Acetylierung). mind. 199.

Die Zusammensetzung ähnelt der des Ostindischen Sandelholzöls. Es wird in der Parfümerie angewandt.

Engl.: sandalwood oil; franz.: essence de santal; ital.: olio essenziale del legno di sandalo; span.: esencia de sándalo.

Bei der mitunter als **Westindisches Sandelholzöl** angebotenen Ware handelt es sich zwar um ähnliche, in der Zusammensetzung jedoch vom echten Ostindischen Sandelholzöl verschiedene → *Amyris*-Öle.

Santolina-Öl (Santolinaöl)

Das aus der ganzen Pflanze des im westlichen Mittelmeerraum heimischen Heiligenkrautes (*Santolina chamaecyparissus* L.) [Asteraceae, Compositae] durch → Wasserdampf-Destillation gewonnene → ätherische Öl.
Die gelbe Flüssigkeit besitzt einen würzigen krautig-frischen campherartigen Geruch.
Hauptinhaltsstoffe (von über 170) sind Pinen, Sabinen, Myrcen, Phellandren, Terpinolen, Artemisiaketon (10 bis 40 %), Artemisiaalkohol, Yomogialalkohol, Santalinatren, Sesquiterpenkohlenwasserstoffe (wie Longipinen) u. a.
Das Öl kommt nur begrenzt als Duftstoff zum Einsatz.
Santolina-Präparate werden volksmedizinisch als Stomachica und Spasmolytica genutzt. In der Vergangenheit fanden sie auch als Mottenmittel Anwendung.

TOXIKOLOGIE:
Das als Inhaltsstoff beschriebene Pinen kann in größeren Mengen bei empfindlichen Personen Hautreizungen und Ekzeme nach sich ziehen, bei oraler Zufuhr Nierenreizungen, Sabinen Hautreizungen bzw. Gastroenteritis, Nierenschäden, Menorrhagie und Abort.

Engl.: santolina oil.

Sassafrasöle

Durch → Wasserdampf-Destillation bestimmter Hölzer gewonnene → ätherische Öle (CAS-Nr.: 8006-87-9).
Zu unterscheiden sind dabei das aus den Wurzeln des in Nord-Amerika heimischen Sassafras- oder Fenchelholzes (*Sassafras albidum* (NUTT.) NEES, *Sassafras variifolium* O. KUNTZE var. *albidum* (NUTT.) FERN.) [Lauraceae] stammende **Echte Sassafrasöl** und das aus Wurzeln, Stamm und Zweigen von *Ocotea pretiosa* (NEES) MEZ. (*Ocotea cymbarum* H. B. K.) [Lauraceae] hergestellte **Brasilianische Sassafrasöl** (früher auch als ***Ocotea*-Öl** oder ***Ocotea-cymbarum*-Öl** bezeichnet). Die Ausbeute des Echten Sassafrasöls beträgt 1 bis 2 %.
Hauptproduzent des brasilianischen Öls ist mit ca. 400 Tonnen pro Jahr Brasilien. Weitere Lieferanten sind Paraguay und Kolumbien. Die Produktionszahlen des Echten Sassafrasöls in Nord-Amerika liegen niedriger.
Beide Öle sind gelb bis braun und von charakteristischem Safrol-Geruch. Ein Volumenteil des nordamerikanischen Öls löst sich bei Raumtemperatur in 1 bis 2 Volumenteilen 70%igem Ethanol, ein Volumenteil des brasilianischen Öls in 2 Volumenteilen 90%igem Ethanol.

S

PHYSIKALISCH-CHEMISCHE DATEN (Echtes Sassafrasöl):
d_{25}^{25}: 1,061 bis 1,076; n_D^{20}: 1,5270 bis 1,5310; $[\alpha]_D$: + 2° bis + 4°; Safrol-Gehalt: mind. 80 %.

PHYSIKALISCH-CHEMISCHE DATEN (Brasilianisches Sassafrasöl):
d_{20}^{20}: 1,079 bis 1,098; n_D^{20}: 1,5330 bis 1,5370; $[\alpha]_D^{20}$: - 2,2 ° bis - 0,8°; Erstarrungspunkt: 7,5 bis 9,3 °C.

Hauptbestandteil der Sassafrasöle ist mit einem Anteil von 80 bis über 90 % das Safrol. Daneben sind u. a. Pinen, Phellandren, Eugenol und Campher enthalten.
In der Riechstoffindustrie werden Sassafrasöle hauptsächlich zur Gewinnung von Safrol genutzt, das weiter zu Isosafrol und Piperonal umgesetzt wird. In der Vergangenheit wurde es auch in Seifenparfüms verarbeitet.
In pharmazeutischen Präparaten diente das Öl als Diureticum sowie Aromaticum. Die Volksmedizin schätzt Sassafras-Präparate als „Blutreinigungsmittel“.

TOXIKOLOGIE:
Die Öle sind aufgrund ihres hohen Safrol-Gehaltes toxikologisch nicht unbedenklich und werden daher nicht mehr in → Parfüms, → Kosmetika sowie Mund- und Zahnpflegemitteln verarbeitet.
Der Inhaltsstoff Safrol steht im starken Verdacht einer karzinogenen Wirkung. Die Verwendung als → Aromastoff für Nahrungs- und Genußmittel ist untersagt, seit im Tierversuch (Ratte) Leberzirrhosen und bösartige Lebergeschwülste gefunden wurden. Eugenol ist bei oraler Zufuhr mäßig giftig. Im Tierversuch wirkt es hautreizend, karzinogen und mutagen. Es besitzt ferner ein allergenes Potential. Pinen kann in größeren Mengen bei empfindlichen Personen zu Hautreizungen und Ekzemen, bei oraler Zufuhr zu Nierenreizungen führen.

Engl.: sassafras oil (ocotea oil); franz.: essence de sassafras (ocotea); ital.: olio essenziale di sassofrasso; span.: esencia de sasafrás.

Unter **Chinesischem Sassafrasöl** versteht man safrolreiche Fraktionen des → Campheröls.

Säurezahl (SZ)

S

Der Gehalt an freier Säure bzw. freien Säuren wird zur qualitativen Berurteilung von → ätherischen Ölen herangezogen.
Die Säurezahl (SZ) gibt die Menge Kalilauge in Milligramm an, die notwendig ist, um die in 1 g Öl enthaltene Menge an freier Säure zu neutralisieren.
Zur Bestimmung der Säurezahl wiegt man 1 g des zu untersuchenden Öls in ein Kölbchen ein, versetzt mit Phenolphthalein als Indikator und titriert vorsichtig mit 0,5 N Kalilauge bis zur Rotfärbung.

Schafgarbenöle

Aus den oberirdischen Pflanzenteilen der in Europa, Nord-Amerika und Nord-Asien verbreiteten Gemeinen Schafgarbe (*Achillea millefolium* L.) und der in den Alpen und Apenninen verbreiteten Moschusschafgarbe (*Achillea erba-rotta* ALL. ssp. *moschata* (WULF.) I. B. K. RICHARDS, *Achillea moschata* WULF.)

[Asteraceae, Compositae] durch → Wasserdampf-Destillation gewonnene → ätherische Öle (CAS-Nr.: 8022-07-9). Die Ausbeute beträgt bei *Achillea millefolium* ca. 0,3 %.
Hauptinhaltsstoffe des *Achillea-millefolium*-Öls sind bis 40 % Chamazulen, Matricin, die Proazulene Deacetylmatricin und Millefolin, ca. 18 % Campher, ca. 12 % Sabinen, ca. 10 % 1,8-Cineol (Eucalyptol), Bitterstoffe u. a.
Das *Achillea-erba-rotta*-Öl soll eine ähnliche Zusammensetzung haben. Es werden werden u. a. Campher, 1,8-Cineol (Eucalyptol), Azulen und Palmitinsäure beschrieben. Möglicherweise sind auch Valeraldehyd und Thujon enthalten.
Schafgarbenöl wird begrenzt in kosmetischen Hautpflegemitteln eingesetzt.
Volksmedizinisch sind Schafgarben-Präparate als verdauungsfördernde (die Magen- und Gallensaft-Sekretion stimulierende), schweiß- und harntreibende sowie „blutreinigende" Mittel geschätzt. Sie werden ferner zur Verbesserung der Wundheilung und bei entzündlichen Hauterkrankungen angewandt.
Moschusschafgarbenöl kommt als → Aromastoff in Kartäuser-Likör zum Einsatz.

TOXIKOLOGIE:
Schafgarbenöl und Moschusschafgarbenöl können bei empfindlichen Personen zu allergenen Wirkungen führen.
Das als Inhaltsstoff beschriebene 1,8-Cineol (Eucalyptol) kann bei empfindlichen Personen Hautreizungen, bei oraler Aufnahme Gastroenteritis und Nierenreizungen bewirken, Sabinen Hautreizungen bzw. Gastroenteritis, Nierenschäden, Menorrhagie und Abort.
Das möglicherweise enthaltene Thujon kann in größeren Mengen Hautreizungen, bei oraler Aufnahme zentrale Lähmungserscheinungen, Krämpfe und Leberschädigungen auslösen. Auch abortive Wirkungen sind bekannt.

Engl.: milfoil oil, yarrow oil; franz.: essence (huile) de millefeuille; ital.: olio essenziale di millefoglie; span.: esencia de milenrama.

Schlangenwurzelöl, Kanadisches

Das aus den getrockneten Wurzeln der in Nord-Amerika heimischen Kanadischen Haselwurz (*Asarum canadense* L.) [Aristolochiaceae] durch → Wasserdampf-Destillation gewonnene → ätherische Öl (CAS-Nr.: 8016-69-1).
Die gelbe bis gelb-braune Flüssigkeit besitzt einen aromatischen krautig-minzigen würzig-holzigen (an Ingwer erinnernden) Geruch.

PHYSIKALISCH-CHEMISCHE DATEN:
d_{15}^{15}: 0,952 bis 0,959; $[\alpha]_D^{20}$: - 1,42° bis - 3,24°.

Hauptinhaltsstoffe sind ca. 37 % Methyleugenol (Eugenolmethylether), Geraniol, Linalool, α-Terpineol, Pinen, Borneol u. a.
Das Öl wird in der Parfümerie für Chypre-, Fougère-, Gewürznelken- und würzige Noten sowie Kölnischwässer verwendet. In pharmazeutischen Zubereitungen bzw. der Volksmedizin werden Schlangenwurzel-Präparate als würzige Magenmittel geschätzt.

TOXIKOLOGIE:
Das als Inhaltsstoff beschriebene Pinen kann in größeren Mengen bei empfindlichen Personen zu Hautreizungen und Ekzemen führen, bei oraler Aufnahme zu Nierenreizungen. Geraniol und Linalool besitzen ein allergenes Potential.

S

Engl.: snakeroot oil; franz.: essence de serpentaire du Canada; ital.: essenza di serpentaria.

Schwarze-Johannisbeeren-Resinoid

Das aus den Blattknospen der Schwarzen Johannisbeere (*Ribes nigrum* L.) [Saxifragaceae] durch → Extraktion mit Lösungsmitteln über das konkrete Resinoid (Resinoid-Concret; vgl. → Resinoide) erhaltene absolute Resinoid (Resinoid-Absolue; vgl. → Resinoide). Die Ausbeute beträgt ca. 3 %.
Die dunkelgrüne pastöse Substanz weist einen kräftigen charakteristischen Geruch nach Schwarzen Johannisbeeren auf.
Hauptinhaltsstoffe sind p-Cymol und → Terpenoide. Als für den Geruch bedeutsam wurden Spuren von 4-Methoxy-2-methyl-but-2-enthiol erkannt.

Das absolute Resinoid wird in der Feinparfümerie (besonders Herrenparfüms), für exotische Fruchtnoten, → Kosmetika und Shampoos verwendet.
Die Volksmedizin nutzt Auszüge aus den Blättern als Diureticum und Diaphoreticum.

Engl.: black currant absolute (resinoid); franz.: essence absolue (extrait) de cassis.

Selleriesamenöl

Das aus den zerquetschten reifen Samen des wildwachsenden Selleries (*Apium graveolens* L.) [Apiaceae, Umbelliferae] durch → Wasserdampf-Destillation gewonnene → ätherische Öl (CAS-Nr.: 8015-90-5). Die Ausbeute beträgt 2 bis 3 %. Hauptproduzenten sind Süd-Frankreich, Indien und die USA (Kalifornien).
Das farblose bis bräunlich-gelbe Öl weist einen charakteristischen durchdringenden und lang anhaftenden warmen würzig-süßen Geruch auf. Ein Volumenteil löst sich bei Raumtemperatur in 10 Volumenteilen 90%igem Ethanol.

PHYSIKALISCH-CHEMISCHE DATEN:
d_{20}^{20}: 0,875 bis 0,908; n_D^{20}: 1,4780 bis 1,4900; $[\alpha]_D^{20}$: + 48° bis + 78°; VZ: 30 bis 70.

S

Hauptinhaltsstoffe sind 50 bis 60 % (+)-Limonen sowie 15 bis 20 % α- und β-Selinen. Daneben wurden u. a. α-Terpineol, Terpinen-4-ol, α-Santalol, p-Cymol, *cis*-Hex-3-enyl-pyruvat, Butan-2,3-dion und die Haupt-Geruchsträger Sedanenolid (3-Butyl-4,5-dihydrophthalid; 2,5 bis 3 %), dessen Doppelbindungsisomere und 3-Butyl-phthalid (ca. 1 %) sowie Isobutylidenphthalide nachgewiesen.

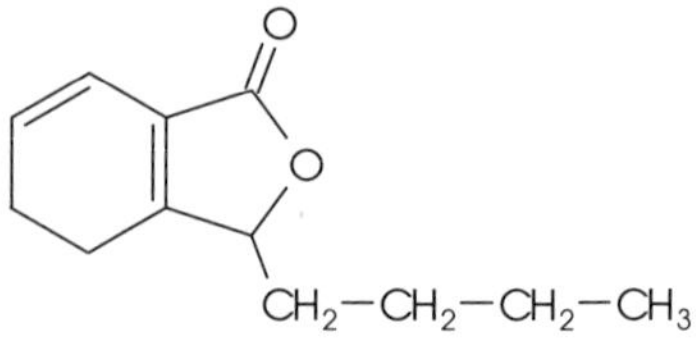

Sedanenolid

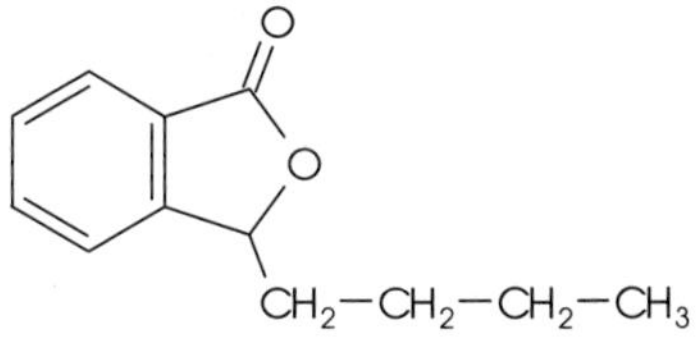

3-Butyl-phthalid

Auch geringe Mengen des Furocumarins Bergapten (5-Methoxy-psoralen) wurden gefunden.
Ein Teil des Öls kommt in der Parfümerie in → Parfüm-Kompositionen (Herren-Parfüms, Naturdüfte, Chypre-, Holz-, Citrus-, Lavendel-, Jasmin-, Tuberosen- und Phantasie-Düfte) zur Anwendung (wegen des intensiven Geruchs nur sehr geringe Mengen), der größere Teil als → Aromastoff für Nahrungsmittel. Ein weiterer Teil wird in pharmazeutischen Präparaten (Stomachica, Carminativa, Diuretica, Zusatzstoff zu unangenehm schmeckenden Arzneimitteln) verarbeitet.

TOXIKOLOGIE:
Das als Inhaltsstoff beschriebene, zu den Furocumarinen zählende Bergapten entfaltet photosensibilisierende und phototoxische Wirkungen; d. h., unter gleichzeitigem Einfluß von Sonnenlicht kann es zu Dermatitiden (Photo-Dermatitis, Berloque-Dermatitis) kommen. Furocumarine (wie Bergapten) zeigen des weiteren mutagene und karzinogene Wirkungen. Bei der oralen Aufnahme von größeren Mengen Santalol sind Nierenreizungen nicht auszuschließen. Limonen besitzt ein allergenes Potential.

Engl.: celery (seed) oil; franz.: essence de céleri; ital.: olio essenziale di sedano; span.: esencia de apio.

Senföl

Das aus den gemahlenen, vom fetten Öl befreiten und eine Zeitlang in Wasser fermentierten Samen (Spaltung der enthaltenen Glucosinolate durch Thioglucosidasen) des in Mitteleuropa kultivierten Schwarzen Senfs (*Brassica nigra* (L.) W. D. J. KOCH)

[Brassicaceae, Cruciferae] durch → Wasserdampf-Destillation gewonnene → ätherische Öl (CAS-Nr.: 57-06-7). Die Ausbeute liegt bei 0,5 bis 1,0 %.
Das stark lichtbrechende farblose bis gelbe Öl besitzt einen stechenden tränenreizenden Geruch. Ein Volumenteil löst sich bei Raumtemperatur in 7 Volumenteilen 70%igem Ethanol.

PHYSIKALISCH-CHEMISCHE DATEN:
d_{20}^{20}: 1,014 bis 1,022; n_D^{20}: 1,5268 bis 1,5280.

Hauptinhaltsstoffe sind Allylisothiocyanat, Allylcyanid und Schwefelkohlenstoff.
Das Öl wird zur Herstellung pharmazeutischer Präparate verwendet, die in Form von Bädern und Pflastern als Hautreizmittel (bei Rheuma, Gelenkerkrankungen) angewandt werden. Das Öl hat ferner antimikrobielle und fungistatische Wirkung.

TOXIKOLOGIE:
Senföl wirkt haut- und schleimhautreizend und kann bei empfindlichen Personen zu allergischen Hautreaktionen führen, was vor allem auf das enthaltene Allylisothiocyanat zurückgeführt wird. Oral aufgenommenen Senfölen wird ferner eine kropferzeugende Wirkung zugeschrieben.

S

Das Senföl darf nicht mit dem aus den Samen gewonnenen fetten Senföl (Senfkörneröl) verwechselt werden. Meist wird auch das reine Allylisothiocyanat als Senföl bezeichnet, ebenso andere Isothiocyanate, wie Benzylisothiocyanat aus Gartenkresse, Butylcrotonylisothiocyanat aus Rettich, Crotonylisothiocyanat aus Raps, Phenylethylisothiocyanat aus Brunnenkresse sowie Meerrettich, Phenylpropylisothiocyanat aus Meerrettich und Methylisothiocyanat aus Kapern.

Engl.: mustard oil; franz.. essence de moutarde; ital.: essenza di senape.

Sensorische Beurteilung von Riechstoffen

Neben den physikalisch-chemischen und chemischen Daten spielt für die qualitative Beurteilung von → Riechstoffen bis heute die Geruchsprüfung eine wichtige Rolle. Bei dieser vorwiegend subjektiven, auf langer Erfahrung beruhenden Methode taucht man einen Filterpapierstreifen in die zu prüfende Flüssigkeit und riecht mehrmals am Papier. Oft können bei einer schnell verdampfenden Probe die einzelnen Bestandteile bzw. störende Verunreinigungen der Reihe nach geruchlich wahrgenommen werden. Eine gewisse Sicherheit bringt der geruchliche Vergleich mit sorgfältig destillierten und geprüften Standardmustern.

Sesquiterpene

Siehe → Terpene.

Sibirisches Fichtennadelöl

Siehe → Tannennadelöle.

Spearmintöl

Siehe → Krauseminzöl.

Spiköl (Spikeöl, Spiklavendelöl)

Das aus den sonnengetrockneten Blütenständen des Spiklavendels oder Großen Speiks (*Lavandula latifolia* MEDIK., *Lavandula spica* auct. non L.) [Lamiaceae, Labiatae] durch → Wasserdampf-Destillation gewonnene → ätherische Öl (CAS-Nr.: 8016-79-5). Die Ausbeute liegt bei 0,5 bis 1,0 %.

S

Die Pflanze ist wildwachsend in den Mittelmeerländern anzutreffen. Kultiviert wird sie vor allem in Spanien und Süd-Frankreich. Die Welt-Jahresproduktion beträgt ca. 200 Tonnen.
Das farblose, gelbliche oder grünlich-gelbe Öl ist von rauhem campherartigem (an Lavendel, aber auch Rosmarin sowie Eucalyptus erinnerndem) Geruch. Ein Volumenteil löst sich bei Raumtemperatur in 3 Volumenteilen 70%igem Ethanol. Beim Verdünnen kann sich die Lösung trüben.

PHYSIKALISCH-CHEMISCHE DATEN:
d_{20}^{20}: 0,895 bis 0,919; n_D^{20}: 1,4620 bis 1, 4680; $[\alpha]_D^{20}$: - 7° bis + 7°; SZ: max. 3; EZ: 3 bis 15; EZ (nach Acetylierung): 130 bis 200; Estergehalt (berechnet als Linalylacetat): 1,5 bis 3,0 %; Alkoholgehalt (berechnet als Linalool): 40 bis 50 %.

Hauptinhaltsstoffe des spanischen Spiköls sind 40 bis 50 % Linalool, 20 bis 35 % 1,8-Cineol (Eucalyptol) und 10 bis 25 % Campher.
Weitere in Spikölen gefundene Inhaltsstoffe sind u. a. Borneol (bis 30 %), Geraniol, n-Hexan-1-ol, Linalylacetat (bis 15 %), Camphen, Cumarin und Ameisensäure.
Spiköl wird in der Parfümerie vor allem in Lavendel- und Fougère-Noten, Herren-Parfüms, Eau de Colognes, Lavendelwässern, Rasierwässern sowie zur Parfümierung von Seifen und Badezusätzen angewandt.

TOXIKOLOGIE:
Das als Inhaltsstoff beschriebene 1,8-Cineol (Eucalyptol) kann in größeren Mengen bei empfindlichen Personen Hautreizungen, bei oraler Aufnahme Gastroenteritis und Nierenreizungen bewirken. Die orale Zufuhr größerer Mengen Cumarin kann zu Leber- und Nierenschäden führen. (Nach der Essenzen-Verordnung der Bundesrepublik Deutschland dürfen Lebens- und Genußmittel nicht mit Cumarin oder cumarinhaltigen Produkten aromatisiert werden.) Linalool, Geraniol und Linalylacetat besitzen ein allergenes Potential.

S

Nicht verwechselt werden darf das Spiköl mit dem aus einer Baldrianart gewonnenen Speiköl (Keltisches Nardenöl).

Engl.: spike lavender oil; franz.: huile de grande lavende; ital.: olio essenziale di spiga; span.: esencia de aspig (espliego).

Spruceöl

Siehe → Fichtennadelöle.

Sternanisöl

Das aus den Früchten des in China, Japan und Vietnam heimischen Sternanis-Baumes (*Illicium verum* HOOK. f.) [Illiciaceae] durch → Wasserdampf-Destillation gewonnene → ätherische Öl (CAS-Nr.: 68952-43-2). Die Ausbeute beträgt, bezogen auf frische Früchte, ca. 3,5 %, bezogen auf getrocknete Früchte, 8 bis 10 %.

Das stark lichtbrechende farblose bis gelbe Öl weist einen anisähnlichen, jedoch schärferen Geruch und einen brennenden süßlich-würzigen Geschmack auf. Ein Volumenteil löst sich bei Raumtemperatur in 1,5 bis 3 Volumenteilen 90%igem Ethanol. Beim Abkühlen verfestigt sich das Öl.

PHYSIKALISCH-CHEMISCHE DATEN:

d_{25}^{25}: 0,984 bis 0,988; D^{15}: 0,980 bis 0,990; n_D^{20}: 1,5530 bis 1,5570; $[\alpha]_D^{20}$: - 2° bis + 0,36° (nach anderen - 0,5° bis + 0,7°); Erstarrungspunkt: 15 bis 18 °C.

Den Hauptinhaltsstoff stellt mit einem Anteil von 80 bis 90 % das *trans*-Anethol. Daneben sind u. a. α-Pinen, β-Phellandren, Limonen, Dipenten, Car-3-en, Bisabolen, Cadinen, Linalool, α-Terpineol, 1,4-Cineol, p-Cymol, Anisketon, Hydrochinon, Methyl-chavicol (Estragol), Eugenol, Safrol, Foeniculin und Anissäure enthalten.
Durch den Gehalt an dem recht seltenen 1,4-Cineol unterscheidet sich das Öl vom → Anisöl.
Sternanisöl wird in der Riech- und Aromastoffindustrie zur Parfümierung von Seifen, zur Gewinnung von Anethol und zur Aromatisierung (vgl. → Aromastoffe) von Anislikören, Backwaren und Zahnpasten genutzt. Es dient als Quelle für natürliches (+)-β-Phellandren. Aufgrund seiner bronchosekretolytischen Wirkung wird es ferner als Expectorans in Hustensäften und -tropfen verarbeitet. Bei Verdauungsstörungen wirkt es spasmolytisch.

TOXIKOLOGIE:

Toxikologisch bedenklich sind die Inhaltsstoffe Safrol, Methylchavicol (Estragol) und Eugenol. Safrol erzeugt im Rattenversuch Leberkrebs und Leberzirrhosen. Auch Methylchavicol (Estragol) zeigt im Tierversuch karzinogene Eigenschaften. Eugenol ist bei oraler Zufuhr mäßig giftig. Im Tierversuch wirkt es hautreizend, karzinogen und mutagen. Es besitzt ferner eine allergenes Potential. α-Pinen und Car-3-en können bei empfindlichen Personen zu Hautreizungen und Ekzemen führen, Pinen bei oraler Zufuhr zu Nierenreizungen. Limonen und Linalool besitzen ein allergenes Potential.

Engl.: star anise oil; franz.: essence (huile) de badiane (d´anis étoilé).

Storaxöl

Siehe → Styraxöl.

Styraxöl (Storaxöl)

Das aus dem Balsam (Styrax, Strorax, CAS-Nr.: 8046-19-3) des in Kleinasien heimischen Amber-Baumes (*Liquidambar orientalis* MILL.) und der in Mittel-Amerika gedeihenden Art *Liqidambar styraciflua* L. [Hamamelidaceae] durch → Wasserdampf-Destillation gewonnene → ätherische Öl. Die Ausbeute beträgt durchschnittlich 4 bis 5 %.
Das hellgelbe Öl, das teilweise kristallisieren kann (Zimtsäure), besitzt einen süßen balsamischen, leicht grasartigen Geruch mit einer an Styrol erinnernden Kopfnote.

PHYSIKALISCH-CHEMISCHE DATEN:
D: 0,890 bis 1,010.

S

Hauptinhaltsstoffe sind Styrol, Vanillin, Phenylpropylalkohol, Zimtalkohol, Benzylalkohol, Zimtsäureester des Zimtalkohols (Zimtsäurecinnamylester, Cinnamylcinnamat, Styracin) und der anderen Alkohole sowie Zimtsäure.
Es wird in der Parfümerie für blumige Kompositionen und als → Fixateur in Phantasie-Noten verwendet. In pharmazeutischen Präparaten kommen Styrax und Styraxöl zur Wundbehandlung, bei parasitären Hauterkrankungen (Skabies) sowie innerlich als desinfizierende Expectorantien zur Anwendung.

TOXIKOLOGIE:
Die Inhaltsstoffe Zimtalkohol und Vanillin besitzen ein allergenes Potential.

Engl.: styrax (storax) oil; franz.: huile de styrax (storax).

Das aus dem Balsam durch → Extraktion mit Lösungsmitteln gewonnene konkrete **Styrax-Resinoid** (Resinoid-Concret; vgl. → Resinoide) ist eine viskose hellgraue bis grau-braune Flüssigkeit von süßem balsamischem grasähnlichem Geruch. Es wird in

der Parfümerie vor allem als → Fixateur eingesetzt.
In pharmazeutischen Präparaten werden Öl bzw. Extrakt zur Wundbehandlung, bei parasitären Hauterkrankungen (Skabies) sowie innerlich als desinfizierende Expectorantien angewandt.

Engl.: styrax (storax) resinoid; franz.: extrait de styrax (storax).

Styrax-Öl und -Resinoid dürfen wegen der Namensgleichheit nicht mit dem aus *Styrax*-Arten gewonnenen → Benzoe-Resinoid verwechselt werden!

Synthetische Riechstoffe

Siehe → Riechstoffe.

Tabakblätter-Resinoid

Das aus den Blättern von Tabak, hauptsächlich dem rotblühenden Tabak (*Nicotiana tabacum* L.) [Solanaceae] durch → Extraktion mit Lösungsmitteln über das konkrete Resinoid (Resinoid-Concret; vgl. → Resinoide) gewonnene absolute Resinoid (Resinoid-Absolue; vgl. → Resinoide). Die Ausbeute ist stark vom verwendeten Pflanzenmaterial abhängig.
Bei *Nicotiana tabacum* ist zu unterscheiden in Typ und Sorte. Die wichtigsten Tabak-Typen sind zumeist nach ihrem Hauptanbaugebiet benannt, z. B. Virginia-Tabak, Orient-Tabak, Burley-Tabak (nach dem Namen eines Pflanzers aus Ohio).
Das absolute Öl besitzt einen starken und warmen aromatisch süßlichen tabakartigen Geruch.
Der Tabak-Duft setzt sich aus zahlreichen → Riechstoffen zusammen. Als für den charakteristischen Geruch verantwortlich wird eine Reihe von Verbindungen beschrieben, im Burley-Tabak u. a. Damascenon, β-Damascon, 1-Ethyl-1*H*-pyrrol-2-aldehyd, 1,3,6,6-Tetramethyl-5,6,7,8-tetrahydroisochinolin-8-on und die tabakartig riechenden Megastigmatrienone. Im Virginia-Tabak fand man auch Spuren des fruchtig, blumig und holzig duftenden Megastigma-5(8*E*)-dien-4-ons, im Orient-Tabak Exaltolid (15-Pentadecanolid) und (*Z*)-Octadec-9-en-18-olid, die diesem eine leichte Moschus-Note verleihen sowie das leicht ambraartige (–)-γ-Bicyclohomofarnesal.

Das absolute Tabak-Resinoid wird in der Parfümerie besonders für Herren-Parfüms und -Kosmetika genutzt. Bis Anfang des 19. Jahrhunderts wurden Tabakblätter bzw. deren Auszüge als Krampf-, Schmerz- und Brechmittel angewandt.

Engl.: tabacco leaf resinoid (absolute).

Tagetes-Öl

Das aus den blühenden Pflanzen der Studentenblume (Sammetblume, Tagetes; *Tagetes minuta* L. [*Tagetes glandulifera* SCHRANK] sowie *Tagetes erecta* L.) [Asteraceae, Compositae] durch → Wasserdampf-Destillation gewonnene → ätherische Öl. Die Ausbeute beträgt 0,1 bis 0,5 %. Hauptproduzenten sind Frankreich, Indien und Südafrika.
Das gelbe bis dunkel-orangefarbene Öl weist einen starken aromatisch-fruchtigen kräuterartigen Geruch auf.
Das Öl aus *Tagetes erecta* enthält u. a. ca. 32 % (–)-Limonen, ca. 25 % Ocimen, ca. 13 % Linalylacetat, ca. 10 % (–)-Linalool, ca. 6 % Tageton und ca. 2,5 % Nonanal.

Das Öl wird in der Parfümerie in blumigen → Parfüm-Kompositionen und zur Parfümierung von → Kosmetika verwendet, aber auch als → Aromastoff zur Erzielung fruchtiger Nuancen.

T

TOXIKOLOGIE:
Die als Inhaltsstoffe beschriebenen Verbindungen Limonen, Linalool und Linalylacetat besitzen ein allergenes Potential.
Bestimmte *Tagetes*-Arten enthalten phototoxische Thiophen-Derivate, wie α-Terthienyl. Über ein Vorkommen dieser Verbindungen in *Tagetes*-Ölen ist nichts bekannt.

Engl.: tagetes (marigold) oil; franz.: essence (huile) de tagète (d´oeillit d´Inde).

Tannennadelöle

Die aus den frischen Nadeln und Zweigspitzen verschiedener Tannen-Arten, besonders der Sibirischen Edeltanne (*Abies sibirica* LEDEB.), der Europäischen Silbertanne (*Abies alba* MILL.), der Kanadischen Balsamtanne (*Abies balsamea* (L.) MILL., *Abies*

balsamifera MICH.; deren Rindenharz auch den Kanadabalsam liefert) und der ostasiatischen Tannen-Art *Abies sachalinensis* (FR. SCHMIDT) MAST. [Pinaceaea] durch → Wasserdampf-Destillation gewonnenen → ätherischen Öle.
Im Handel wird das Öl der Sibirischen Edeltanne (botanisch falsch) als Sibirisches → Fichtennadelöl bezeichnet, das der ostasiatischen Tanne (botanisch ebenso falsch) als Japanisches → Fichtennadelöl, das der Kanadischen Balsamtanne als Balsamtannenöl.

Sibirisches Tannennadelöl von *Abies sibirica* (im Handel als **Sibirisches Fichtennadelöl):**
Die farblose bis gelbe Flüssigkeit besitzt einen charakteristischen Geruch nach Fichtennadeln. Ein Volumenteil löst sich bei Raumtemperatur in 1 Volumenteil 90%igem Ethanol. Bei weiterer Verdünnung erfolgt Trübung.

PHYSIKALISCH-CHEMISCHE DATEN:
D^{25}: 0,898 bis 0,912; n_D^{20}: 1,4685 bis 1,4730; $[\alpha]_D$: - 45° bis - 33°; Estergehalt (berechnet als Bornylacetat): 32 bis 44 %.

Inhaltsstoffe sind neben ca. 30 bis 40 % (–)-Bornylacetat vor allem Monoterpenkohlenwasserstoffe (wie α- und β-Pinen, bis 10 % (–)-Camphen, Limonen, α- und β-Phellandren, Dipenten, Car-3-en, Myrcen und Santen), Sesquiterpenkohlenwasserstoffe (wie Cadinen und Bisabolen) sowie Laurinaldehyd (Dodecanal).
Das Sibirische Tannenöl (Sibirische Fichtennadelöl) weist unter den Tannennadelölen den größten Anteil an (–)-Bornylacetat auf und ähnelt damit den echten → Fichtennadelölen. Es ist Quelle für natürliches (–)-Bornylacetat und Camphen.

Tannennadelöl von *Abies alba* (Edeltannenöl, Edeltannennadelöl; CAS-Nr.: 8021-27-0):
Das in einer Ausbeute von 0,2 bis 0,6 % gewonnene farblose bis gelbliche Öl weist einen balsamisch-süßen Geruch nach frischen Tannennadeln, jedoch etwas herber und trockener, auf. Ein Volumenteil löst sich bei Raumtemperatur in 7 Volumenteilen 90%igem Ethanol.

PHYSIKALISCH-CHEMISCHE DATEN:
d_{25}^{25}: 0,867 bis 0,878; n_D^{20}: 1,4700 bis 1,4750; $[\alpha]_D$: - 67° bis

- 34°; Estergehalt (berechnet als Bornylacetat): 4 bis 10 %.

Hauptinhaltsstoffe sind neben ca. 4 bis 10 % Bornylacetat u. a. α- und β-Pinen, α- und β-Phellandren, Limonen, Car-3-en, Santen, Laurinaldehyd (Dodecanal) und Decylalkohol.

Kanadisches Balsamtannenöl von *Abies balsamea*:
Die farblose bis gelbe Flüssigkeit weist einen angenehm balsamischen Geruch auf. Ein Volumenteil löst sich bei Raumtemperatur in 4 Volumenteilen 90%igem Ethanol. Dabei kann Trübung erfolgen.

PHYSIKALISCH-CHEMISCHE DATEN:
d_{25}^{25}: 0,872 bis 0,878; n_D^{20}: 1,4730 bis 1,4760; $[\alpha]_D$: - 24° bis - 19°; Estergehalt (berechnet als Bornylacetat): 8 bis 16 %.

Das Öl ist Quelle für natürliches (–)-β-Phellandren.

Das **Japanische Tannennadelöl von *Abies sachalinensis*** (im Handel als **Japanisches Fichtennadelöl**) enthält als Hauptkomponenten ca. 25 % (–)-Bornylacetat, ca. 30 % Pinen, ca. 15 % (–)-Camphen, ca. 15 % Phellandren und ca. 3 % Dipenten.
Es ist Quelle für natürliches (–)-Camphen.

T

Die verschiedenen Tannennadelöle sind licht-, luft- und wärmeempfindlich. Sie hydrolysieren in alkalischen Medien.
Die stark antiseptischen Öle werden hauptsächlich zur Parfümierung von Badezusätzen, Desinfektionsmitteln, Sprays, Seifen und Lufterfrischern sowie als Hautöle, Inhalationsmittel und Bestandteil von Einreibungen genutzt. Ferner dienen sie zur Gewinnung von Einzelriechstoffen, wie Bornylacetat, Phellandren und Camphen.

TOXIKOLOGIE:
Die als Inhaltsstoffe beschriebenen Pinene und Car-3-en können in größeren Mengen bei empfindlichen Personen zu Hautreizungen und Ekzemen führen, Pinene bei oraler Zufuhr zu Nierenreizungen. Limonen besitzt eine allergenes Potential.

Engl.: fir needle oils; franz.: essence de sapin; ital.: oli essenziali degli aghi di abete; span.: aceite de pinocha.

Die aus den Zapfen abgetrennten, häufig zur Limonen-Gewinnung genutzten **Edeltannenzapfenöle (Templinöle)** weisen ähnliche geruchliche Eigenschaften auf.
Sie sind Quelle für natürliches (–)-Limonen.

Das **Hemlocköl** der zur Gattung *Tsuga* [Pinaceae] zählenden kanadischen Hemlock-Tanne (*Tsuga canadensis* (L.) CARR.) ist den echten → Fichtennadelölen sehr ähnlich.

Tarragonöl

Siehe → Estragonöl.

Teebaumöl

Das aus den Blättern und Zweigspitzen des in Australien heimischen Teebaumes (*Melaleuca alternifolia* L.) [Myrtaceae] durch → Wasserdampf-Destillation gewonnene → ätherische Öl (CAS-Nr.: 68647-73-4). Die Ausbeute (frische Blätter) liegt bei knapp 6 %. Andere aus *Melaleuca*-Arten (wie *M. viridiflora* SOLAND. ex GAERTN.) gewonnene Öle sind als Verfälschungen des „echten“ Teebaumöls anzusehen.
Die jährliche Produktion wuchs aufgrund des in den letzen Jahren gestiegenen Interesses an Teebaumöl als Naturheilmittel in Australien von ca. 8 Tonnen auf gegenwärtig mehr als 150 Tonnen.
Das hellgelbe Öl weist einen würzig-erdigen Geruch auf. Ein Volumenteil löst sich bei Raumtemperatur in 1 Volumenteil 90%igem Ethanol.

PHYSIKALISCH-CHEMISCHE DATEN:
d_{25}^{25}: 0,888 bis 0,900; n_D^{20}: 1,4765 bis 1,4800; $[\alpha]_D$: + 6° bis + 10°; Cineol-Gehalt: max. 15 %.

Die Hauptinhaltsstoffe stellen mit ca. 35 bis 40 % (teilweise sogar mehr) das Terpinen-4-ol, mit ca. 10 bis 15 % das α-Terpinen, mit ca. 20 % das γ-Terpinen und mit bis zu 15 % das 1,8-Cineol (Eucalyptol), neben Terpinolen, α-Terpineol, Linalool, α- und β-Pinen, Limonen, Myrcen, Sabinen, Cadinen, Aromadendren, β-Caryophyllen, Viridifloren, p-Cymol u. a.
Nach G. Buchbauer (1997) sind mindestens zwei pflanzliche Chemoptypen zu unterscheiden, der Cineol-Typ (Hauptinhalts-

T

stoff 45 bis 60 % 1,8-Cineol, aber auch Anteile bis zu 80 %) und der Terpinenol-Typ (ca. 35 bis 40 % Terpinen-4-ol, aber auch höher); mitunter wird auch noch ein Pinen-Typ beschrieben.
Ein hoher Terpinenol-Gehalt bedingt einen geringeren Cineol-Gehalt und umgekehrt. Ein gutes und für therapeutische Zwecke geeignetes Teebaumöl sollte mindestens 30 % Terpinen-4-ol und höchstens 15 % 1,8-Cineol enthalten.
Das Öl wird in der Parfümerie für erdige Duftnoten und spezielle → Parfüm-Kompositionen, als parfümierender und entzündungswidriger Zusatz in Shampoos, Cremes, Lotionen, Seifen und Badezusätzen, als entzündungehemmender → Aromastoff in Zahnpasten und Mundwässern sowie in pharmazeutischen Präparaten (bei Akne, Hautkrankheiten, Verbrennungen, Entzündungen, bakteriell bedingten Vaginosen) verwendet. Es besitzt eine hohe antimikrobielle Aktivität.

TOXIKOLOGIE: LD_{50} (Kaninchen, dermal) 5 g/kg KG, LD_{50} (Ratte, oral): 1,4 bis 2,7 g/kg KG.
Eine orale Einnahme des Öls ist aufgrund des Gehaltes an verschiedenen toxikologisch nicht unbedenklichen Inhaltsstoffen abzulehnen. Bei Kleinkindern können weniger als 10 ml zu Benommenheit und schwerer Ataxie führen. Auch bei der dermalen Applikation zu hoher Dosen des Öls wurden bei Haustieren Vergiftungserscheinungen beobachtet. Das Auftreten von Kontaktallergien wird beschrieben (nicht bei destillativ gewonnenen „terpenarmen" Teebaumölen).
Das als Inhaltsstoff beschriebene 1,8-Cineol (Eucalyptol) kann in größeren Mengen bei empfindlichen Personen Hautreizungen, bei oraler Aufnahme Gastroenteritis und Nierenreizungen bewirken, Pinene Hautreizungen und Ekzeme bzw. Nierenreizungen. Sabinen kann bei empfindlichen Personen zu Hautreizungen, bei oraler Aufnahme zu Gastroenteritis, Nierenschäden, Menorrhagie und Abort führen. Linalool und Limonen besitzen ein allergenes Potential.

(Weitere → ätherische Öle aus *Melaleuca*-Arten siehe → Cajeputöl, → Niaouliöl.)

Engl.: tea tree oil.

Templinöle (Edeltannenzapfenöle)

Siehe → Tannennadelöle.

Terpene

In der Natur weitverbreitete Gruppe von ungesättigten acyclischen, isocyclischen und heterocyclischen Kohlenwasserstoffen, die sich **formal** aus Isopreneinheiten (C_5H_8) aufbauen und daher gelegentlich auch als Polyprene (Polyisoprene) bezeichnet werden. Sie stellen die Hauptinhaltsstoffe der → ätherischen Öle, → Absolues sowie → Resinoide und zeichnen zumeist in wesentlichem Maße für deren geruchliche Qualität verantwortlich.
Je nach Anzahl der vorhandenen Isoprenbausteine unterscheidet man in Monoterpene ($C_{10}H_{16}$), Sesquiterpene ($C_{15}H_{24}$), Diterpene ($C_{20}H_{32}$), Triterpene ($C_{30}H_{48}$), Tetraterpene ($C_{40}H_{64}$) und Polyterpene. Natürlich vorkommende Terpene, deren Aufbau nicht ganz der Isoprenregel entspricht, werden als → irreguläre Terpene bezeichnet.
Neben den ungesättigten Kohlenwasserstoffen kommen in der Natur auch deren Hydrierungs- und Dehydrierungsprodukte sowie sauerstoffhaltige Derivate (Alkohole, Aldehyde, Ketone, Säuren, Ester, Ether, Oxide, Epoxide) vor.
Bei den ringförmigen Verbindungen treten unterschiedlichste Cyclisierungsgrade auf. Als höchste Grade wurden in der Natur bislang tricyclische Sesquiterpene, tetracyclische Di- und penta-cyclische Triterpene gefunden.

Monoterpene sind Bestandteil vieler → ätherischer Öle und bilden häufig deren Hauptinhaltsstoffe. Man unterscheidet:

- **acyclische Monoterpene** (Monoterpenkohlenwasserstoffe: wie Myrcen und Ocimen; Monoterpenalkohole: wie Myrcenol, Citronellol, Geraniol, Nerol und Linalool; Monoterpenaldehyde: wie Citronellal, Geranial und Neral [Citral a und b]); Monoterpenketone: wie Tageton und Geranylaceton; Monoterpenoxide: wie Linalooloxid und Rosenoxid [aus β-Citronellol]; Monoterpensäureester: wie Geranyl-, Neryl-, Linalyl-, Citronellylacetate, -formiate, -propionate, -butyrate, -isovalerianate, -tiglinate und -oenanthate; Monoterpennitrile: wie Geraniumsäurenitril [Geranonitril] und Citronellsäurenitril);

– **monocyclische Monoterpene** (Monoterpenkohlenwasserstoffe: Menthadiene, wie Limonen, Isolimonen, α-, β- und γ-Terpinen, α- und β-Phellandren, Terpinolen; sauerstoffhaltige Monoterpene: Menthon-Gruppe: wie Menthol, Isopulegol, Menthon, Pulegon, Piperidon, Menthylacetat, Mercaptomenthon [8-Mercapto-p-methan-3-on]; Carvomenthon-Gruppe: wie Carvomenthol, Carvomenthon, Carvon; 1,8-Cineol-Gruppe: wie 1,8-Terpin, 1,8-Cineol (Eucalyptol), α- und β-Terpineol, α-Terpinylacetat, p-Menthanylacetat); 1,4-Cineol-Gruppe: wie 1,4-Terpin, 1,4-Cineol, Ascaridol, Terpinen-1-ol, Terpinen-4-ol; C_{13}-Ketone: wie Jonone, Irone, Damascon, ß-Damascenon); Monoterpenthiole: wie 8-Mercapto-p-methan-3-on, p-Menth-1-en-8-thiol);

– **bicyclische Monoterpene** (Monoterpenkohlenwasserstoffe und sauerstoffhaltige Monoterpene: Thujan-Gruppe: wie α-Thujen, Sabinen, Thujylalkohol, Sabinol, Thujon, Umbellulon; Caran-Gruppe: wie Car-3-en, Car-4-en, Sylvestren; Pinan-Gruppe: wie α- und β-Pinen, Verbenol, Pinocarveol, Myrtenol, Myrtenal, Nopinon, Verbenon, Pinocarvon, Nopinsäure, Nopylacetat; Camphan-Gruppe: wie Bornylen, Borneol, Isoborneol, Campher, Bornylacetat, Isobornylacetat; Isocamphan-Gruppe: wie Camphen; Fenchan- und Isobornylan-Gruppe: wie β-Fenchen, α-Fenchol, Fenchon, Fenchylacetat bzw. α-Fenchen);

T

– **tricyclische Monoterpene** (wie der Monoterpenkohlenwasserstoff Tricyclen).

Auch **Sesquiterpene** sind wichtige Inhaltsstoffe → ätherischer Öle. Man unterscheidet:

– **acyclische Sesquiterpene** (wie die Sesquiterpenalkohole Nerolidol, Farnesol);

– **monocyclische Sesquiterpene** (Sesquiterpenkohlenwasserstoffe: wie γ-Bisabolen, Zingiberen, α- und β-Curcumen, α- und β-Elemen, Humulen [α-Caryophyllen]; sauerstoffhaltige Sesquiterpene: wie Elemol, α-Bisabolol, Germacron);

– **bicyclische Sesquiterpene** (Sesquiterpenkohlenwasserstoffe: wie β-Cadinen, α- und β-Selinen, Calamenen, Nootkaten, Ber-

gamoten, β-Caryophyllen; sauerstoffhaltige Sesquiterpene: wie α- und δ-Cadinol, Khusol, α-, β- und γ-Eudesmol, Junenol, Guajol, Carotol, β-Santalol, α-Vetivon, Nootkaton).
Die bicyclischen Sesquiterpene werden in Cadalinbildner (wie Cadinene, Calamenen, Cadinole), Eudalinbildner (wie Eudesman, Selinen, Eudesmole und Junenol) und Azulenbildner (wie Guajol) eingeteilt, die sich zu den korrespondierenden Aromaten hydrieren lassen. Daneben gibt es noch eine ganze Reihe bicyclischer Sesquiterpene, die nicht zu Aromaten dehydrierbar sind (wie Caryophyllen und Bergamoten).

- **tricyclischen Sesquiterpene** (Sesquiterpenkohlenwasserstoffe: wie α-Gurjunen, β-Gurjunen [Calaren], Aromadendren, α- und β-Cedren, Longifolen, α- und β-Bourbonen; sauerstoffhaltige Sesquiterpene: wie Cubebenkampfer, Maaliol, α-Santalol, Cedrol, Patchoulol [Patschulialkohol], Cedrylmethylketon, Hinokisäure, Cedrylacetat, Khusimylacetat).

Infolge ihrer geringen Flüchtigkeit sind **Diterpene** in → ätherischen Ölen seltener. Ein Beispiel ist der im Muskateller Salbeiöl (siehe → Salbeiöl) vorkommende bicyclische Alkohol Sclareol. Von Bedeutung sind die in Harzen enthaltenen tricyclischen diterpenoiden Harzsäuren (wie Abietinsäure, Neoabietinsäure und Lävopimarsäure).
Triterpene kommen vor allem in Extrakten, Harzen und Balsamen vor. Wesentliche Vertreter sind der acyclische Triterpenkohlenwasserstoff Squalen, der in → Ambra nachgewiesene tricyclische Triterpenolkohol Ambrein und die pentacyclischen Triterpenalkohole α- und β-Amyrin sowie Lupeol.

Nähere Angaben zu Einzelverbindungen sind unter den jeweiligen Stichworten zu finden.

T

Terpene (Mono- und Sesquiterpene) aus natürlichen, nachwachsenden Rohstoffen

Eine Reihe von Terpenen, die als Komponenten für → Parfüm-Kompostionen oder Ausgangsprodukte für halbsynthetische → Riechstoffe verwendet werden, wird aus natürlichen, nachwachsenden pflanzlichen Produkten gewonnen. Die nachfolgenden Tabellen 1 und 2 geben dazu eine Übersicht.

Tabelle 1: Mono- und Sesquiterpenkohlenwasserstoffe (nach Ohloff, 1990; leicht verändert)

Terpen	Rohstoffquelle	Gehalt
(+)-Limonen	Orangenöl *Citrus aurantium* L.	< 97 %
(–)-Limonen	Edeltannenzapfenöl *Abies alba* MILL.	< 90 %
(–)-α-Phellandren	Eucalyptusöle *Eucalyptus-* Arten	< 80 %
(+)-β-Phellandren	Sternanisöl *Illicium verum* HOOK. f.	< 10 % *)
	Wasserfenchelöl *Phellandrium aquaticum* L.	< 80 %
(–)-β-Phellandren	Canadabalsamöl (Balsamtannenöl) *Abies balsamea* (L.) MILL.	< 20 %
	Nadelöl von *Pinus contorta* DOUGL. ex LOUD.	< 96 %
(+)-α-Pinen	Griechisches Terpentinöl *Pinus halepensis* MILL.	< 90 %
(–)-α-Pinen	Französisches Terpentinöl *Pinus pinaster* SOLAND	< 75 %
(–)-β-Pinen	Französisches Terpentinöl *Pinus pinaster* SOLAND	< 20 %
	Nadelöl von *Pinus ponderosa* DOUGL. ex P. et C. LAWS	< 75 %
(+)-Car-3-en	Terpentinöl von *Pinus sylvestris* L.	< 40 %
(–)-Camphen	Nadelöle verschiedener *Picea-* und *Abies-*Arten oder mexikanisches Terpentinöl	< 25 %
(–)-Caryophyllen	Harzöl von *Hardwickia pinnata*	< 80 %
	Nelkenöl *Eugenia caryophyllata* THUNB.	< 12 % **)
(+)-Longifolen	Indisches Terpentinöl *Pinus longifolia* ROXB.	< 10 %

*) Fällt bei der Gewinnung von Anethol (< 90 %) in großen Mengen an.
**) Fällt bei der Gewinnung von Eugenol (< 90 %) in großen Mengen an.

T

Tabelle 2: Sauerstoffhaltige Mono- und Sesquiterpenkohlenwasserstoffe (nach Ohloff, 1990; leicht verändert)

Terpen	Rohstoffquelle	Gehalt
(–)-α-Terpineol	Amerikanisches Holzterpentinöl *Pinus palustris* MILL.	< 60 %
1,8-Cineol (Eucalyptol)	Eucalyptusöl von *Eucalyptus globulus* LABILL.	< 50 %
(–)-Menthol	Kornminzöl *Mentha arvensis* L. var. *piperascens* MALINV.	< 90 %
(+)-Pulegon	Poleiminzöl *Mentha pulegium* L.	< 90 %
(–)-Piperiton	Eucalyptusöl von *Eucalyptus-dives*-Typen	< 50 %
(+)-Carvon	Kümmelöl *Carum carvi* L.	< 60 %
(–)-Carvon	Krauseminzöl *Mentha spicata* L.	< 70 %
(–)-Thujon und (+)-Isothujon	Rainfarnöl *Tanecetum vulgare* L.	< 70 %
(+)-Borneol	Borneocampheröl *Dryobalanops aromatica* GAERTN. f.	
(–)-Borneol	Ngaicampheröl *Blumea balsamifera* (L.) DC.	
(–)-Bornylacetat	Sibirisches Fichtennadelöl *Abies sibirica* LEDEB.	< 40 %
	Hemlock-Tannenöl *Tsuga canadensis* (L.) CARR.	< 53 %
(+)-Campher	Campheröl *Cinnamomum camphora* (L.) J. S. PRESL.	< 50 %
(+)-Nerolidol	Cabreuvaöl *Myrocarpus frondosus* ALLEM. und *M. fastigiatus* ALLEM.	< 80 %
(–)-Elemol	Citronellöl, Java *Cymbopogon winterianus* JOWITT	< 10 %
	Elemiöl, Manila, aus dem Harz von *Canarium luzonicum* (MIQ.) A. GRAY	

Fortsetzung Tabelle 2:

Terpen	Rohstoffquelle	Gehalt
(–)-Guajol	Guajakholzöl *Bulnesia sarmienti* LORENTZ	< 50 %
(+)-α-Eudesmol	Eucalyptusöl von *Eucalyptus macarthuri* L.	< 25 %
(+)-Cedrol	Texas-Cedernholzöl *Juniperus mexicana* SCHIEDE	
(*R*)-(+)-Citronellol	Öl von *Boronia citriodora* GUM	< 80 %
(*R*)-(+)-Citronellal	Citronellöl, Java *Cymbopogon winterianus* JOWITT	< 55 % *)
(*S*)-(–)-Citronellal	Öl von *Backhousia citriodora* F. v. MUELL.	< 80 %
racem. Citronellal (1 : 1)	Eucalyptusöl von *Eucalyptus citriodora* HOOK	< 80 %
(*S*)-(+)-Linalool	Campheröl (Ho-Öl) *Cinnamomum camphora* (L.) SIEB. (Unterarten)	< 90 %
	Corianderöl *Coriandrum sativum* L.	< 70 %
(*R*)-(–)-Linalool	Brasilianisches Rosenholzöl (Linaloeöl) *Aniba rosaeodora* A. DUCKE var. *amazonica* A. DUCKE	< 85 %
Geraniol/Nerol	Palmarosaöl *Cymbopogon martini* (ROXB.) J. F. WATS. var. *motia*	< 95 % **)
	Citronellöl, Ceylon *Cymbopogon nardus* (L.) RENDLE	< 40 %
Citral (Geranial/Neral)	Lemongrasöl *Cymbopogon citratus* (DC.) STAPF	< 85 % **)
	Öl von *Litsea cubeba* PERS.	< 75 %

*) Neben 45 % Geraniol/Nerol.

**) 4 : 1

Terpenfreie ätherische Öle

Nahezu alle → ätherischen Öle enthalten Terpen- und/oder Sesquiterpenkohlenwasserstoffe (vgl. → Terpene). Diese vermindern deren für die Anwendung in der Parfümerie wichtige Löslichkeit in absolutem Ethanol (in analoger Weise wie die Wachse und Paraffine in den → Concrets und → Resinoiden) oder beeinträchtigen den Geschmack bei der Verwendung als → Aromastoff.
Aus diesem Grunde werden durch Destillation, Chromatographie oder Gegenstromextraktion terpen- und sesquiterpenfreie bzw. -arme Öle hergestellt (vgl. z. B. für die Fruchtsaft-Aromatisierung genutztes süßes → Orangenöl und → Citronenöl), die dann natürlich preislich höher liegen.

Terpenoide

Für Monoterpene, Sesquiterpene, Di-, Tri- und höhere → Terpene, ihre sauerstoffhaltigen Derivate sowie terpenähnlich aufgebaute Verbindungen (isoprenoides Grundgerüst) benutzte Sammelbezeichnung.

Terpentinöle

Bei den unter der Bezeichnung Terpentinöl (CAS-Nr.: 8006-64-2) gehandelten Produkten sind folgende wichtige Vertreter zu unterscheiden:

- das aus dem Terpentin (d. h. dem zähflüssigen Harz) von Kiefern-Arten (besonders *Pinus sylvestris* L. / Mittel-Europa, Rußland [deutsches und russisches Terpentinöl], *Pinus palustris* MILL. / USA [amerikanisches Terpentinöl], *Pinus maritima* LAM. (*Pinus pinaster* SOLAND) / Frankreich, Spanien [französisches und spanisches Terpentinöl]) [Pinaceae] durch Vakuum- oder Normaldruck-Destillation gewonnene **Balsamterpentinöl** (Engl.: gum turpentine); als Rückstand verbleibt Kolophonium;

- das aus dem zerkleinerten toten Holz von *Pinus*-Arten oder dem aus diesem mit Lösungsmitteln extrahierten Harz durch → Wasserdampf-Destillation gewonnene **Holzterpentinöl**;

– das bei der Cellulose-Herstellung nach dem Sulfatverfahren aus dem lebenden Holz von *Pinus*-Arten (neben Tallöl) als Nebenprodukt gewonnene **Sulfatterpentinöl** (aus dem rohen Öl müssen die enthaltenen übelriechenden Thiole [Mercaptane] durch Oxidation und Fraktionierung entfernt werden);

Weitere Holzterpentinöle werden durch trockene Destillation aus den zerkleinerten Stubben und Wurzeln von *Pinus*-Arten gewonnenen und als → **Pinusöle (Pinöle), Kienöle** oder **DDW-Terpentin** (**d**estructively **d**istilled **w**ood turpentin) bezeichnet. (Die Zuordnung ist nicht immer einheitlich. Mitunter wird unter Pinöl auch das durch → Extraktion mit Benzin oder Kohlenwasserstoffen hergestellte Öl verstanden, aus dem durch fraktionierte Destillation Holzterpentinöl abgetrennt wird.)

Die Welt-Jahresproduktion an Terpentinölen liegt bei ca. 300 000 Tonnen. Ein Drittel davon macht das in den USA und Kanada produzierte Sulfatterpentinöl aus. Weitere bedeutende Produzenten sind die skandinavischen Staaten, Rußland und China, aber auch Griechenland und Portugal.

Balsam- und Holzerpentinöle sind farblose bis hellgelbe Flüssigkeiten von einem charakteristischen angenehm-milden Terpen-Geruch. (Die durch trockene Destillation erhaltenen Kienöle weisen zumeist eine phenolische Duftnote auf.)

T

PHYSIKALISCH-CHEMISCHE DATEN (Balsam-, Holz- und Sulfatterpentinöl):
d_4^{20}: 0,855 bis 0,870; n_D^{20}: 1,4650 bis 1,4780; SZ: 1; Verdampfungsrückstand: 2,5 %.

PHYSIKALISCH-CHEMISCHE DATEN (Kienöl):
d_4^{20}: 0,850 bis 0,865; n_D^{20}: 1,4630 bis 1,4830; SZ: 1; Verdampfungsrückstand: 2,5 %.

Hauptinhaltsstoffe der Terpentinöle sind Terpenkohlenwasserstoffe (vgl. auch Tabelle). Daneben werden u. a. p-Menthadien, sauerstoffhaltige Terpen-Derivate und der Phenolether Anethol beschrieben.

– Deutsches **Balsamterpentinöl** enthält ca. 39 % α-Pinen, ca. 17 % β-Pinen und ca. 30 % Car-3-en. Auch skandinavisches und russisches Terpentinöl enthalten im Gegensatz zum amerikanischen, griechischen und portugisischen Öl bis zu 24 % Car-3-en (vgl. dazu auch Tabelle).

Tabelle: Hauptinhaltsstoffe verschiedener **Balsamterpentinöle** in Prozent (%)

Inhaltsstoff	USA	Griechenland	Portugal	Rußland
α-Pinen	65,6	96,5	77,9	59,8
β-Pinen	28,1	0,6	16,5	4,1
Car-3-en	–	–	–	24,1
Camphen	1,7	0,9	1,2	1,4
Dipenten	3,2	1,0	3,1	3,7
p-Cymol	–	0,3	–	2,8
andere Terpene	1,4	0,7	1,3	4,1

- **Holzterpentinöl** enthält im allgemeinen ca. 80 % α-Pinen, 5 bis 15 % Camphen, ca. 2 % β-Pinen und ca. 1 % Dipenten. Auch Car-3-en und Cadinen werden beschrieben.
- **Sulfatterpentinöl** enthält je nach Holzart 60 bis 77 % α-Pinen, 2 bis 20 % β-Pinen, 2 bis 8 % Dipenten, 1 bis 4 % Camphen, 2 bis 41 % Car-3-en, 0,4 bis 4 % p-Cymol sowie 1 bis 9 % mit den Terpenen verwandte Verbindungen.

Terpentinöle werden in größerem Umfang als Lösungsmittel für Lacke, Farben, Bohnerwachse und Schuhcremes verwendet. In der Riechstoffindustrie dienen sie zur Gewinnung von (–)-α-und (–)-β-Pinen (besonders *Pinus maritima*), (–)-α-Terpineol (besonders *Pinus palustris*), (+)-Car-3-en (besonders *Pinus sylvestris*) und (–)-Camphen (besonders mexikanisches Terpentinöl), die als Rohstoffe für weitere Synthesen genutzt werden.
In der Vergangenheit wurde das gereinigte Öl (Medizinal-Terpentinöl) auch medizinisch in hautreizenden Einreibungen, zur allgemeinen Stimulierung der Abwehrkräfte sowie als Cholagogum

T

und Diureticum angewandt. Für *Therebinthinae aetheroleum rectificatum* ist eine Monographie der Kommission E beim Bundesinstitut für Arzneimittel und Medizinprodukte (BfArM) verfügbar.

TOXIKOLOGIE:
Terpentinöle sind toxikologisch nicht unbedenklich. Sie wirken nicht nur hautreizend, sondern nach inhalativer oder dermaler Resorption in den Organismus auch nephrotoxisch (nierenreizend bzw. -schädigend) und narkotisch, in höheren Konzentrationen hepatotoxisch. Eine orale Aufnahme sollte vermieden werden.
Die Öle können ferner zu allergischen Hautenzündungen und Ekzemen führen, was man auf den Gehalt an α-Pinen und Car-3-en zurückführt. Die orale Aufnahme von α-Pinen kann die Nieren reizen.
Der MAK-Wert (Maximale Arbeitsplatz-Konzentration) liegt in der Bundesrepublik Deutschland bei 560 mg/m^3 (100 ppm). Eine Sensibilisierung durch Hautkontakt ist möglich. Nach der Gefahrstoffverordnung der Bundesrepublik Deutschland ist Terpentinöl entzündlich (R 10) sowie gesundheitsschädlich beim Einatmen, Verschlucken und bei Berührung mit der Haut (R 20/21/22).

Balsamterpentinöl
Engl.: turpentine oil, spirits of turpentine; franz.: essence (huile) de térébenthine; ital.: essenza di trementina; span.: esencia de trementina.

T

Holzterpentinöl
Engl.: wood turpentine, steam-distilled turpentine; franz.: essence de térébenthine; ital.: acqua ragia di legano; span.: esencia de trementina de madera.

Sulfatterpentinöl
Engl.: sulfate turpentine; franz.: essence de térébenthine suédoise; ital.: trementina solfatata; span.: aguarrás sulfático.

γ-Terpinen

CHEMISCHE BEZEICHNUNG: 1,4-p-Menthadien, p-Mentha-1,4-dien
CAS-NR.: 99-85-4

STRUKTURFORMEL:

MOLEKULARGEWICHT: 136,24

γ-Terpinen ist eine farblose Flüssigkeit mit einem krautigen Citrusgeruch.
Es kommt (wie auch α- und β-Terpinen) in → ätherischen Ölen vor.

PHYSIKALISCH-CHEMISCHE DATEN:
Sdp.$_{101,3\ kPa}$: 183 °C; d_4^{15}: 0,853; n_D^{20}: 1,4740.

Die Verbindung ist entzündlich (Flammpunkt: 51 °C).
Die Verbindung kann durch Isomerisierung von Limonen oder Reduktion von p-Cymol gewonnen werden.
Sie wird in der Parfümerie in krautigen Duftnoten eingesetzt.

TOXIKOLOGIE: LD_{50} (Ratte, oral): 3,6 g/kg KG.
Die Verbindung besitzt eine reizende Wirkung.
Gemäß der Gefahrstoffverordnung der Bundesrepublik Deutschland reizt γ-Terpinen die Augen, die Atmungsorgane und die Haut (R 36/37/38).

1-Terpinen-4-ol

SYNONYM: Terpin-1-en-4-ol, Carvomenthenol
CHEMISCHE BEZEICHNUNG: 1-p-Menthen-4-ol, p-Menth-1-en-4-ol
CAS-NR.: 562-74-3, (*R*)-Terpin-1-en-4-ol: 20126-76-5,
(*S*)-Terpin-1-en-4-ol: 2438-10-0

STRUKTURFORMEL:

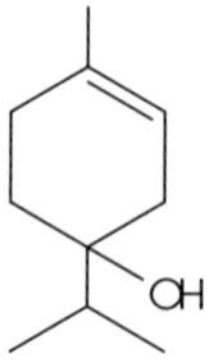

MOLEKULARGEWICHT: 154,25

1-Terpinen-4-ol ist eine farblose Flüssigkeit mit würzigem, muskatnußähnlichem, holzig-erdigem und auch fliederähnlichem Geruch.
Natürlich kommt die Verbindung in vielen → ätherischen Ölen vor, z. B. in → Kiefernnadel-, → *Eucalyptus*- und → Lavendelölen.

PHYSIKALISCH-CHEMISCHE DATEN:
$Sdp._{101,3kPa}$: 212 °C; D^{20}: 0,9315; n_D^{20}: 1,4775.

Das im Handelsterpineol enthaltene 1-Terpinen-4-ol ist ein Nebenprodukt der Terpineolsynthese aus Terpinhydrat.
Die reine Verbindung kann aus Terpinolen durch Photooxidation, anschließende Reduktion des Hydroperoxids und selektive Hydrierung der außerhalb des Ringes befindlichen Doppelbindung gewonnen werden.

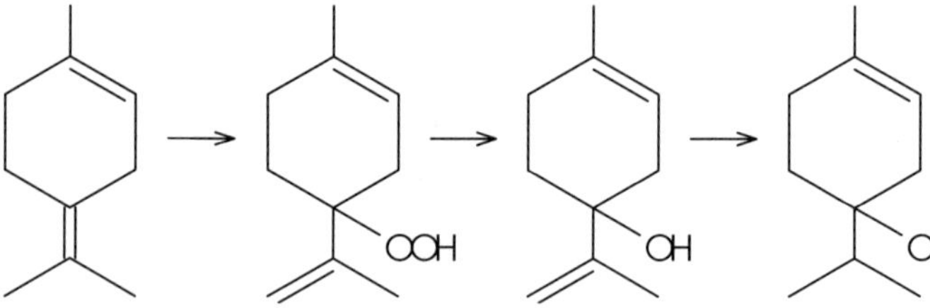

Terpinolen

1-Methyl-4-isopropenyl-
cyclohex-1-en-4-hydroperoxid

1-Methyl-4-isopropenyl-
cyclohex-1-en-4-ol

1-Terpinen-4-ol

1-Terpinen-4-ol wird u. a. für künstliche Geranium- und Pfefferöle eingesetzt, mitunter auch zur Kreierung von Kräuter- und Lavendelnoten.

TOXIKOLOGIE: LD_{50} (Ratte, oral): 1,3 g/kg KG.
Gemäß der Gefahrstoffverordnung der Bundesrepublik Deutschland ist 1-Terpinen-4-ol gesundheitsschädlich beim Verschlucken (R 22).

α-Terpineol

CHEMISCHE BEZEICHNUNG: 1-p-Menthen-8-ol, p-Menth-1-en-8-ol-
CAS-NR.: 98-55-5, (+)-α-Terpineol: 7785-53-7,
(–)-α-Terpineol: 10482-56-1
STRUKTURFORMEL:

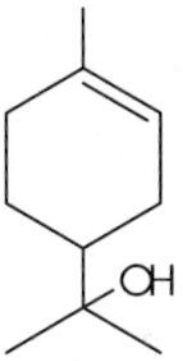

MOLEKULARGEWICHT: 154,25

α-Terpineol ist eine in vielen → ätherischen Ölen (z. B. → Kiefernnadelöle, → Petitgrainöl, → Lavandinöl) vorkommende farblose kristalline Masse mit Fliedergeruch. Das Handelsprodukt Terpineol besteht aus einer flüssigen Mischung von Isomeren, die neben β-, γ- und δ-Terpineol, p-Menth-1(7)-en-8-ol sowie p-Menth-1(7)-en-4-ol hauptsächlich α-Terpineol und kleine Mengen 1-Terpinen-4-ol enthält. Der Fliedergeruch ist hier stärker als beim reinen, kristallinen α-Terpineol.

PHYSIKALISCH-CHEMISCHE DATEN:

$Sdp._{101,3\,kPa}$: 218 bis 219 °C; Schmp. (+)- und (–)-Form: 40 bis 41 °C; Schmp. (±)-Form: 35 °C; d_4^{20}: 0,9357; n_D^{20}: 1,4790; $[\alpha]_D^{20}$ (+)-Form: + 106,4° (Ether, c = 4).

Die Verbindung ist unlöslich in Wasser, löslich in Ethanol, Ether, Dioxan, Chloroform, Cyclohexan und Eisessig.

Die Hydrierung von α-Terpineol liefert p-Menthan-8-ol, während die Dehydrierung mit Säuren zu einer Mischung von ungesättigten cyclischen Terpenkohlenwasserstoffen führt. Unter schwach sauren Bedingungen bildet sich Terpinhydrat. Zur wichtigsten Reaktion für die Riechstoffindustrie zählt die Veresterung, insbesondere die Acetylierung zu dem in der Parfümerie sehr häufig verwendeten Terpinylacetat.
Obwohl α-Terpineol in zahlreichen → ätherischen Ölen anzutreffen ist, werden nur kleine Mengen z. B. durch fraktionierte Destillation von → Kiefernnadelölen isoliert. Vorwiegend wird die Verbindung durch Hydratisierung von Pinenen oder → Terpentinöl hergestellt, wobei aus dem zunächst gebildeten *cis*-Terpinhydrat durch Dehydratisierung α-Terpineol entsteht. Als geeignete Katalysatoren dienen u. a. schwache Säuren oder säureaktiviertes Kieselgel.

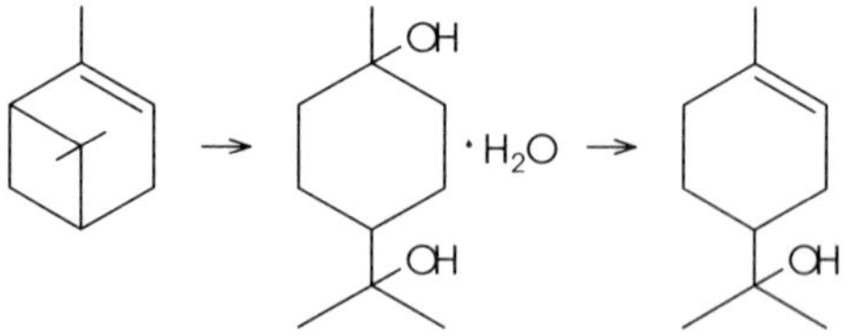

α-Pinen Terpinhydrat α-Terpineol

T

Die selektive Umwandlung von Pinen, Car-3-en, Limonen oder Dipenten kann aber auch auf direktem Weg erfolgen. Das geschieht beim Pinen z. B. durch die Zugabe eines Gemisches aus 1,2 Teilen 70%iger Ameisensäure und 0,4 Teilen 70%iger Phosphorsäure bei 45 °C.
α-Terpineol ist mit seinem typischen Fliedergeruch einer der am häufigsten eingesetzten → Riechstoffe. Er ist sowohl stabil als auch preiswert und findet in Seifen sowie einer Reihe von → Kosmetika Anwendung.

TOXIKOLOGIE: LD_{50} (Ratte, oral): 4,3 g/kg KG.

α-Terpinylacetat

SYNONYME: Essigsäureterpinylester, α-Terpineolacetat
CHEMISCHE BEZEICHNUNG: 1-p-Menthen-8-yl-acetat, p-Menth-1-en-8-yl-acetat
CAS-NR.: 80-26-2
STRUKTURFORMEL:

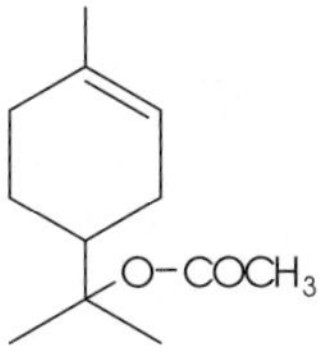

MOLEKULARGEWICHT: 196,29

α-Terpinylacetat ist eine farblose, lavendel- und bergamottähnlich riechende Flüssigkeit.
Die Verbindung kommt in der (+)-, (–)- und (±)-Form in vielen → ätherischen Ölen, u. a. im sibirischen Fichtennadel- (vgl. → Tannennadelöle) sowie im → Cypressenöl, vor. Das Handelsprodukt enthält vor allem α-Terpinylacetat und außerdem eine Reihe isomerer Komponenten.

PHYSIKALISCH-CHEMISCHE DATEN:
Sdp.$_{5,3\,kPa}$: 140 °C; d_4^{20}: 0,9659; n_D^{20}: 1,4689; $[\alpha]_D^{20}$: + bzw. - 79° (nach anderen Angaben 52,5°).

Die Gewinnung des → Riechstoffes erfolgt durch Acetylierung des Terpineols.
Aufgrund seines Geruchs, seiner Stabilität und seines niedrigen Preises werden große Mengen von Terpinylacetat in der Parfümerie für Lavendel- und Bergamottnoten (hauptsächlich in Seifenparfüms) eingesetzt.

TOXIKOLOGIE: LD_{50} (Ratte, oral): 5,1 g/kg KG.

Thujaöl

Siehe → Cedernöle.

Thyme Linaloeöl

Das aus dem Kraut der in China heimischen Thymian-Art *Thymus quinquecostatus* [Lamiaceae, Labiatae] durch → Wasserdampf-Destillation gewonnene → ätherische Öl.
Das Öl riecht ähnlich dem → Rosenholzöl, jedoch würziger und krautiger.
Es wird in der Parfümerie in frischen Citrus-Noten eingesetzt.

(Weitere → ätherische Öle aus *Thymus*-Arten vgl. → Quendelöl, → Thymianöl.)

Engl.: thyme linaloe oil.

Thymianöl

Das aus dem getrockneten blühenden Kraut des Echten Thymians (*Thymus vulgaris* L.), des Spanischen Thymians (*Thymus zygis* L. var. *gracilis* BOISS.) [Lamiaceae, Labiatae] und anderen Thymian-Arten durch → Wasserdampf-Destillation gewonnene → ätherische Öl (CAS-Nr.: 8007-46-3). Die Ausbeute beträgt je nach Sorte 0,4 bis 5,4 %.
Die Hauptanbaugebiete liegen in Frankreich, Spanien, Marokko und Algerien. Hauptproduzent von Thymianöl ist Spanien.
T
Das rötliche bis rote Thymianöl weist einen starken kräuterartig-würzig-süßen phenolischen Geruch sowie einen lang anhaltenden scharfen Geschmack auf. Ein Volumenteil löst sich bei Raumtemperatur in 2 Volumenteilen 80%igem Ethanol.

PHYSIKALISCH-CHEMISCHE DATEN:
d_{25}^{25}: 0,910 bis 0,935; n_D^{20}: 1,4950 bis 1,5050; $[\alpha]_D$: - 3° bis 0°; Gesamt-Phenolgehalt: mind. 40 %.

Hauptinhaltsstoffe sind mit einem Anteil bis zu ca. 80 % die Phenole Thymol und Carvacrol (wobei Thymol bei weitem überwiegt). Durchschnittlich sind jedoch nur ca. 40 % enthalten. Ihr Verhältnis schwankt je nach Herkunft der Öle. Daneben wurden in Thymianölen, die aus unterschiedlichen Chemotypen von *Thymus vulgaris* stammen, u. a. p-Cymol, Thymolmethylether (1,4 bis 2,5 %), Carvacrolmethylether, α-Pinen, Myrcen, 1,8-Cineol (Eucalyptol, 2 bis 13 %), Terpinen-4-ol, α-Terpineol, *trans*-Thu-

jan-4-ol, Borneol, Geraniol, Linalool, Bornyl- und Linalylacetat nachgewiesen.
Thymianöl, das als Rotes Thymianöl im Handel ist, wird in der Parfümerie für Kräuter- und würzige Leder-Noten verwendet, ferner in Deckparfüms, Eau de Colognes sowie Lavendelseifen. Es dient ferner als → Aromastoff für Mundhygiene-Artikel (Mundwässer, Gurgelmittel) und Nahrungsmittel.
Aufgrund seines hohen Phenolgehaltes weist das Öl eine keimtötende antiseptische Potenz auf. In pharmazeutischen Präparaten (Mund- und Gurgelwässer, Wundheilmittel, Darmmittel) dient Thymianöl daher als Desinfiziens. In Salbenform kommt es als Hautreizmittel und juckreizstillendes Mittel zur Anwendung. Extrakte der Droge werden als Expectorantien genutzt. Das Öl wirkt abschreckend auf Insekten.

TOXIKOLOGIE:
Das Öl kann zu Haut- und Schleimhautreizungen sowie allergenen Hautwirkungen, bei oraler Aufnahme größerer Mengen zu Magen- und Darmstörungen (Gastroenteritis, Erbrechen), im Extremfall auch zu zentralen Lähmungserscheinungen führen.
Das als Inhaltsstoff beschriebene 1,8-Cineol (Eucalyptol) kann in größeren Mengen bei empfindlichen Personen Hautreizungen, bei oraler Aufnahme Gastroenteritis und Nierenreizungen bewirken, α-Pinen Hautreizungen und Ekzeme bzw. Nierenreizungen. Thymol kann bei oraler Aufnahme größerer Mengen zu Leberschäden führen. Auch das vom Sabinen abgeleitete Thujan-4-ol ist toxikologisch nicht unbedenklich. Thymol, Carvacrol, Geraniol, Linalool und Linalylacetat besitzen ein allergenes Potential.

Aus der in Spanien wildwachsenden Thymian-Art *Thymus mastichina* L. wird durch → Wasserdampf-Destillation das campherartig riechende sogenannte **Spanische Majoranöl** (vgl. → Majoranöl) gewonnen. Es enthält als Hauptkomponente bis zu 65 % 1,8-Cineol (Eucalyptol).

Mitunter wird auch das → *Origanum*-Öl (fälschlicherweise) als weißes Thymianöl bezeichnet.

(Weitere → ätherische Öle aus *Thymus*-Arten vgl. → Quendelöl, → Thyme Linaloeöl.)

Engl.: thyme oil; franz.: essence de thym; ital.: olio di thymo; span.: esencia de tomillo.

Thymol

SYNONYME: 3-Hydroxy-p-cymol, Thymiamcampher, p-Cymen-3-ol
CHEMISCHE BEZEICHNUNG: 2-Isopropyl-5-methyl-phenol
CAS-NR.: 89-83-8
STRUKTURFORMEL:

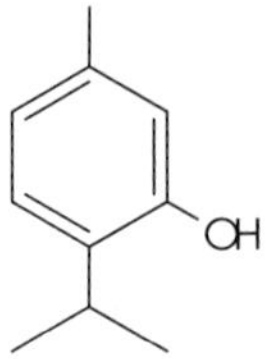

MOLEKULARGEWICHT: 150,22

Thymol ist eine Verbindung, die aus farblosen Kristallen mit einem stark-würzigen, leicht „medizinischen“, an Thymian erinnernden Geruch besteht.

T

Der → Riechstoff kommt u. a. als Hauptbestandteil des → Thymianöles und in → *Origanum*-Ölen vor.

PHYSIKALISCH-CHEMISCHE DATEN:
Schmp.: 51,5 °C; $Sdp._{101,3\ kPa}$: 232,5 °C; D^{24}: 0,969; n_D^{20}: 1,5227.

Die Verbindung ist wenig löslich in Wasser und Glycerin, leicht löslich in Ethanol, Ether, Chloroform, fetten Ölen und Schwefelkohlenstoff.
Thymol wird durch eine unter hohen Temperaturen, hohem Druck, in flüssiger Phase stufenweise ablaufenden ortho-Alkylierung von m-Cresol mit Propylen in Gegenwart von aktiviertem Aluminiumoxidhydrat hergestellt.
Die Trennung der Reaktionsmischung, die aus ca. 60 % Thymol, 25 % nicht umgesetztem m-Cresol und anderen (iso)propylsubstituierten Produkten besteht, erfolgt durch fraktionierte Destillation.

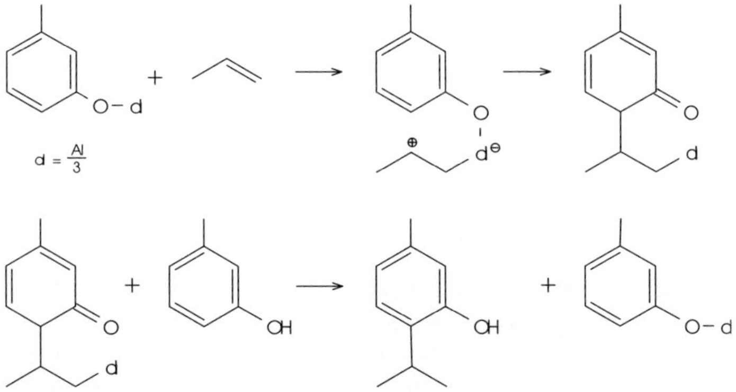

Thymol wird als herbe Spitzennote in Lavendelkompositionen, in Herrendüften und als Desinfektionsmittel in Mundpflegemitteln eingesetzt. Darüber hinaus dient die Verbindung auch als Ausgangsstoff für die Produktion von racemischem Menthol. Es wird ferner gegen Schimmelpilze und Herbarienschädlinge verwendet.

TOXIKOLOGIE: LD_{50} (Ratte, oral): 980 mg/kg KG.
In den Organismus resorbiertes Thymol kann zu schweren Leberschäden (fettiger Leberdegeneration), Hämoglobinurie und Albuminurie führen. Bei chronischer Aufnahme sind Veränderungen der Schildrüsenfunktion möglich. Besonders empfindlich reagieren geschwächte, vor allem anämische Personen. Thymol besitzt ein allergenes Potential.
Nach der Gefahrstoffverordnung der Bundesrepublik Deutschland ist Thymol gesundheitsschädlich beim Verschlucken (R 22) und verursacht Verätzungen (R 34).

Tierische Duftstoffe

Siehe → Animalische Duftstoffe.

Tinkturen

Aus pflanzlichen oder tierischen Drogen durch Digerieren, → Mazeration oder Perkolation mit Ethanol oder einem Ethanol-Wasser-Gemisch hergestellte Extrakte.

T

Auch Auflösungen von Extrakten in Ethanol oder Ethanol-Wasser-Gemischen werden als Tinkturen bezeichnet.
Vor allem die in konzentrierter Form meist unangenehm duftenden → animalischen Riechstoffe, wie → Ambra, → Castoreum, → Moschus und → Zibet, werden zumeist in Form von verdünnten alkoholischen Tinkturen angewandt.

Tolubalsam-Resinoid

Das aus dem Balsam (Tolubalsam, CAS-Nr.: 9000-64-0) der in Süd-Amerika beheimateten Balsambaum-Art *Myroxylon balsamum* (L.) HARMS var. *balsamum* (*Myroxylon toluifera* H. B. K.) [Fabaceae, Leguminosae] durch → Extraktion mit Lösungsmitteln gewonnene konkrete Resinoid (Resinoid-Concret; vgl. → Resinoide). Die Ausbeute beträgt ca. 90 %.
Die dunkle orange-braune Masse weist einen anhaftenden warmen süß-harzigen balsamischen (an Hyazinthen erinnernden) Geruch auf.
Das Resinoid enthält größere Mengen Benzyl- und Cinnamylester der Benzoe- und Zimtsäure sowie Vanillin.
Es wird in der Parfümerie hauptsächlich als → Fixateur in blumigen Duftnoten genutzt, denen es eine warme Süße verleiht, in geringen Mengen auch als → Aromastoff für Süßwaren.
In medizinischen Präparaten wird Tolubalsam zur Wundbehandlung und als Expectorans angewandt.

TOXIKOLOGIE:
Das als Inhaltsstoff beschriebene Vanillin besitzt ein allergenes Potential.

Engl.: tolubalsam (Thomasbalsam) resinoid; franz.: extrait de baume de Tolu.

Durch → Wasserdampf-Destillation wird aus dem Balsam ferner das **Tolubalsamöl** gewonnen. Die Ausbeute beträgt 1,5 bis 7 %.
Das gelbe bis hell orangenfarbene Öl weist ebenfalls einen lang anhaftenden balsamisch-süßen harzigen Geruch (an Hyazinthen erinnernd) auf. Ein Volumenteil löst sich bei Raumtemperatur in 1 Volumenteil 80%igem Ethanol.

PHYSIKALISCH-CHEMISCHE DATEN:
d_{25}^{25}: 0,900 bis 1,010; n_D^{20}: 1,5020 bis 1,5340; $[\alpha]_D$: - 4° bis + 1°; SZ: 20 bis 80; VZ: 80 bis 175.

Das → ätherische Öl wird in der Parfümerie ebenfalls als → Fixateur angewendet.

Engl.: tolubalsam (Thomasbalsam) oil; franz.: huile de baume de Tolu.

Tonalid

SYNONYM: Fixolid
CHEMISCHE BEZEICHNUNG: 6-Acetyl-1,1,2,4,4,7-hexamethyl-tetralin
CAS-NR.: 1506-02-1
STRUKTURFORMEL:

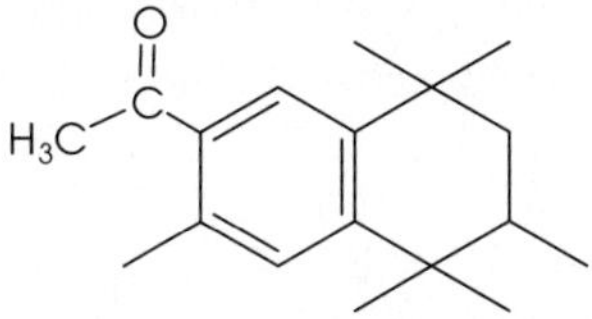

MOLEKULARGEWICHT: 258,40

Tonalid ist ein synthetischer Moschusriechstoff.

PHYSIKALISCH-CHEMISCHE DATEN:
Schmp.: 55,5 °C; $Sdp._{0,25\ kPa}$: 119 °C.

Die Verbindung wird u. a. durch Acetylierung von 1,1,2,4,4,7-Hexamethyl-tetralin mit Acetyl- und Aluminiumchlorid hergestellt.

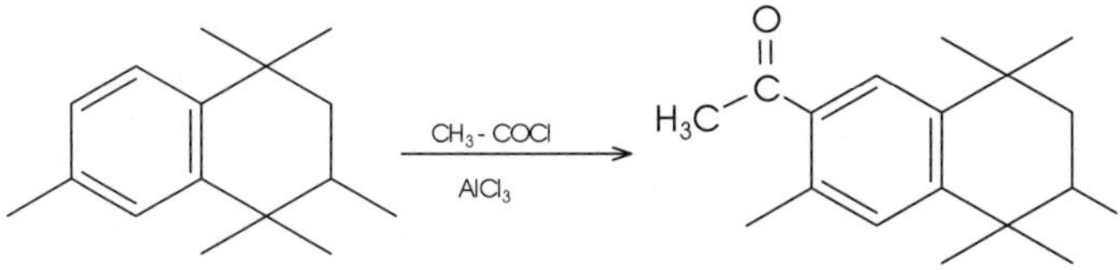

1,1,2,4,4,7-Hexamethyl-tetralin

6-Acetyl-1,1,2,4,4,7-hexamethyl-tetralin

T

Tonalid ist ein lichtbeständiger, in Seifen und → Kosmetika Einsatz findender → Riechstoff.

Tonkabohnen-Resinoid

Das aus den im nördlichen Süd-Amerika, aber auch Afrika geernteten Tonka-Bohnen (Elbo), d. h. den Fruchtsamen von *Dipteryx odorata* (AUBL.) WILLD. [Fabaceae, Leguminosae], durch → Extraktion mit Lösungsmitteln über das konkrete Resinoid (Resinoid-Concret; vgl. → Resinoide) erhaltene absolute Resinoid (Resinoid-Absolue; vgl. → Resinoide).
Die feste oder kristalline Masse weist einen warmen süßen waldmeister-, aber auch karamelähnlichen Geruch und einen würzig-bitteren Geschmack auf.
Als Duft- und → Aromastoff enthält es Cumarin (Tonkabohnencampher).
Das absolute Resinoid wird in der Parfümerie zur Erzeugung blumiger Düfte und trocken-süßer Duftnoten in Herrenparfüms sowie als süßer balsamischer → Fixateur in Phantasie-Noten verwendet. In der Vergangenheit diente es auch als → Aromastoff (Waldmeister-Ersatz und Aromatisierung von Tabaken), was in der Bundesrepublik Deutschland aufgrund des Cumarin-Gehaltes heute jedoch verboten ist.

T

TOXIKOLOGIE:
Die orale Zufuhr größerer Mengen des als Inhaltsstoff beschriebenen Cumarins kann zu Leber- und Nierenschäden führen.

Engl.: tonka bean absolute; franz.: essence absolues de fèves de tonka.

Triterpene

Siehe → Terpene.

Tuberosen-Absolue

Das aus den Blüten der Nachthyazinthe oder Tuberose (*Polianthes tuberosa L.*) [Agavaceae] durch → Extraktion mit einem Lösungsmittel über das → Concret gewonnene → Absolue. In der Vergangenheit wurde es in Süd-Frankreich durch → Enfleurage

hergestellt. Teilweise soll diese Methode auch heute noch praktiziert werden. Die Ausbeute des → Concrets beträgt ca. 0,1 %. Daraus erhält man ca. 30 % absolutes Öl. Die in Mittel-Amerika heimische Pflanze wird in Frankreich, Marokko, Ägypten, Indien und auf den Komoren kultiviert.
Das → Absolue ist eine orangefarbene bis braune Flüssigkeit mit einem schweren betäubend-süßen honigartigen Blüten-Geruch.
Charakteristisch ist der Gehalt des Öls an verschiedenen Lactonen, aber auch Anthranilsäuremethylester.
Absolutes Tuberosenöl ist einer der wertvollsten und teuersten Parfümrohstoffe und wird vor allem in modernen blumigen → Parfüm-Kompositionen verwendet.

Engl.: tuberose absolute; franz.: essence absolue de tubéreuse.

γ-Undecalacton

Siehe → Aldehyd C_{14}.

n-Undecanal

Siehe → Aldehyd C_{11}.

Vanille-Resinoid

Das aus den fermentierten Kapselfrüchten (Schoten) der Lianen-Art *Vanilla planifolia* ANDR. (*Vanilla fragrans* (SALISB.) AMES; Bourbon-Vanille, Echte Vanille) und der weniger wertvollen Art *Vanilla tahitiensis* J. W. MOORE (Tahiti-Vanille) [Orchidaceae] durch → Extraktion mit Methanol, Ethanol oder Aceton gewonnene → Resinoid. Die Ausbeute liegt bei 25 bis 30 %. Erst während der Fermentierung der unreif geernteten Schoten bildet sich das Aroma heraus (aus Coniferin [Abietin] entsteht dabei das geruchlose glycosidische Vanillosid, das enzymatisch in Vanillin und Glucose gespalten wird).
Vanilla planifolia wird hauptsächlich auf Madagaskar, den Komoren und Réunion (Bourbon) produziert, *Vanilla tahitiensis* in der Hauptsache auf Tahiti. Die Welt-Ernte an Vanille-Schoten liegt bei ca. 2000 Tonnen.

Das → Resinoid (→ Oleoresin) besitzt einen warmen balsamisch-süßen typischen Vanille-Geruch.
Hauptinhaltsstoff des Extraktes sind ca. 10 bis 15 % Vanillin (4-Hydroxy-3-methoxy-benzaldehyd; in der Schote sind 3 bis 4 % enthalten). Dieses ist, neben anderen phenolischen Verbindungen (wie 4-Hydroxy-benzaldehyd, 4-Hydroxy-benzylmethylether) für den typischen Geruch und Geschmack verantwortlich.

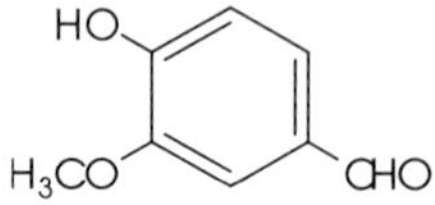

Vanillin
(4-Hydroxy-3-methoxy-benzaldehyd)

Auch die sogenannten Vitispirane (stereoisomere 2,10,10-Trimethyl-6-methylen-1-oxaspiro[4.5]dec-7-ene) werden als wichtige → Aromastoffe angesehen. Weitere Begleitkomponenten sind u. a. Vanillylalkohol, Ethylvanillin, Zimtsäureester und Butan-2,3-dion. Einige Vanille-Spezies (z. B. *Vanilla tahitiensis* J. W. MOORE) enthalten auch Piperonal (Heliotropin).
Vanille-Extrakte werden als → Aromastoff für Schokolode, Süß- und Backwaren sowie Eiscremes genutzt, in geringem Maß auch als Komponente in → Parfüm-Kompositionen.
Aus dem Vanille-Extrakt wird, nach Abtrennung von Vanillin, Phenolen und Säuren, durch → Wasserdampf-Destillation auch ein **Vanilleöl** hergestellt, das jedoch geringere Bedeutung besitzt.
Anstelle des teuren Vanille-Extraktes werden heute zumeist synthetisches Vanillin bzw. Ethylvanillin eingesetzt, die jedoch geschmacklich nicht an die natürliche, aus ca. 40 Verbindungen bestehende Vanille heranreichen.

TOXIKOLOGIE:
Die als Inhaltsstoffe beschriebenen Verbindungen Vanillin, Vanillylalkohol und Ethylvanillin besitzten ein allergenes Potential.

Engl.: vanilla extract (oleoresin); franz.: extrait de vanille.

Vanillin

CHEMISCHE BEZEICHNUNG: 4-Hydroxy-3-methoxy-benzaldehyd
CAS-NR.: 121-33-5
STRUKTURFORMEL:

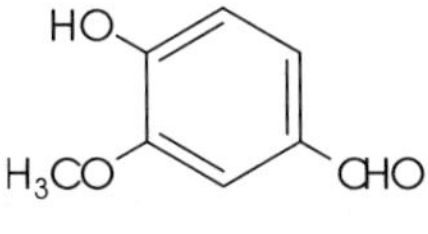

MOLEKULARGEWICHT: 152,15

Vanillin ist eine farblose kristalline, in vielen → ätherischen Ölen und Nahrungsmitteln vorkommende Substanz mit einem typischen Vanillegeruch.
Obwohl die Verbindung in ihrem Geruch oder Aroma nicht ätherisch ist, bestimmt sie den Geruch der → ätherischen Öle und Extrakte von *Vanilla planifolia* sowie *Vanilla tahitiensis*, in denen sie sich während eines Fermentationsprozesses durch enzymische Abspaltung von Glucose bildet.

PHYSIKALISCH-CHEMISCHE DATEN:
Schmp. 82 bis 83 °C; $Sdp._{1,3\ kPa}$: 155 °C; d_4^{20}: 1,056.

Die Verbindung ist wenig löslich in Wasser (1 g in 100 ml), löslich in Ethanol, Ether, Chloroform, Schwefelkohlenstoff und Eisessig.
Aufgrund seines bifunktionalen Charakters geht Vanillin viele Reaktionen ein. Dementsprechend sind Vanillylalkohol sowie 2-Methoxy-4-methyl-phenol durch katalytische Hydrierung und entsprechende Säuren durch Oxidation erhältlich. Eine Reihe von Derivaten entsteht durch Veretherung oder Veresterung der Hydroxylgruppe und durch Aldolkondensation der Aldehydgruppe. Weitere Reaktionen sind durch Angriff am aromatischen Ring möglich.
Der größere Teil des Handelsvanillins wird aus überschüssigen Sulfitlaugen, der Rest durch vollsynthetische, vom Guajakol ausgehende Prozesse gewonnen. Ausgangsstoff für eine Anzahl von technischen Vanillinverfahren ist das in den Sulfitabfällen der Zelluloseindustrie vorliegende Lignin. Die konzentrierten Mutterlaugen werden bei erhöhten Temperaturen und Drücken in Ge-

V

genwart von Oxidantien mit Alkalien behandelt. Die Trennung des gebildeten Vanillins von den Nebenprodukten (z. B. Acetovanillon) erfolgt durch Extraktion, Destillation und Kristallisation. Guajacol kann mit Formaldehyd und Nitrobenzolsulfonsäure in einem mehrere Tage dauernden Prozeß zu Vanillin und Metanilsäure umgesetzt werden.
Ein anderes Verfahren kondensiert Guajacol mit Glyoxylsäure und oxidiert die gebildete 4-Hydroxy-3-methoxy-mandelsäure zur korrespondierenden Phenylglyoxylsäure, die zu Vanillin decarboxyliert wird.
Vanillin findet vor allem in Genußmitteln Einsatz, so u. a. in Eiscremes, Schokolade, Bäckereierzeugnissen und Süßigkeiten. In der Parfümerie werden kleine Mengen zur Abrundung und Fixierung von süßen balsamischen Düften verwendet.

TOXIKOLOGIE: LD_{50} (Ratte, oral): 1,6 g/kg KG.
Vanillin besitzt ein allergenes Potential.
Gemäß der Gefahrstoffverordnung der Bundesrepublik Deutschland ist Vanillin gesundheitsschädlich beim Verschlucken (R 22).

Vassouraöl

Das aus den grünen Blättern des in Brasilien heimischen Strauches *Baccharis dracunculifolia* [Asteraceae, Compositae] durch → Wasserdampf-Destillation gewonnene → ätherische Öl. Die Ausbeute beträgt 0,3 bis 0,5 %.
Das Öl weist einen eigenwillig würzigen, leicht grasigen Geruch mit „erogen"-holzigen Nuancen auf.
Es wird als herb-würzige Komponente in → Parfüm-Kompositionen eingesetzt.

Engl.: vassoura oil.

Veilchenblätter-Resinoid

Das aus den Blättern des Wohlriechenden Veilchens (Palmenveilchen; *Viola odorata* L.) [Violaceae] durch → Extraktion mit Lösungsmitteln über das konkrete Resinoid (Resinoid-Concret; vgl. → Resinoide) erhaltene absolute Resinoid (Resinoid-Absolue; vgl. → Resinoide). Aus 1 Tonne Blätter werden ca. 1 kg konkretes

Resinoid und daraus ca. 30 % absolutes Resinoid erhalten. Hauptproduktionsgebiete sind Süd-Frankreich und Italien (Parma). In der Vergangenheit gewann man durch → Enfleurage der Blüten auch ein absolutes Veilchenblütenöl (**Veilchen-Absolue**). Dieses ist heute weitgehend vom Markt verschwunden.
Das absolute Veilchenblätter-Resinoid ist eine dunkelgrüne bis braune Flüssigkeit mit einem starken grünen laub- und kräuterartigen (etwas pfeffrigen) Veilchengeruch.
Im Veilchenblütenöl wurden ca. 50 verschiedene Verbindungen nachgewiesen. Für den charakteristischen Geruch wesentlich sind Jonone (besonders α-Jonon), Piperonal, Zingiberen, Curcumen und Veilchenblätteraldehyd (*trans*, *cis*-Nona-2,6-dien-1-al).
trans, *cis*-Nona-2,6-dienal ist auch die Hauptkomponente im flüchtigen Anteil des Veilchenblätter-Resinoids.
Das Resinoid wird als Nuanceur in → Parfüm-Kompositionen eingesetzt. Extrakte der Blätter und Blüten wurden in der Vergangenheit als Expectorantien genutzt, Blütenauszüge auch als Abführ- und Herzmittel.

TOXIKOLOGIE:
Das als Inhaltsstoff beschriebene α-Jonon besitzt ein allergenes Potential.

Engl.: violet absolue; franz.: essence absolue de violette.

Veilchenwurzelöl

Siehe → Irisöl.

Veratrol

SYNONYM: Brenzcatechindimethylether
CHEMISCHE BEZEICHNUNG: 1,2-Dimethoxy-benzol
CAS-NR.: 91-16-7
STRUKTURFORMEL:

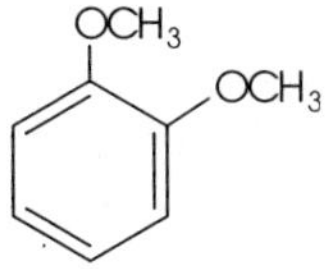

MOLEKULARGEWICHT: 138,16

Veratrol ist eine klare farblose Flüssigkeit oder eine kristalline Substanz.

PHYSIKALISCH-CHEMISCHE DATEN:
Schmp.: 22,5 °C; Sdp.$_{101,3\ kPa}$: 206,8°C; d_4^{21}: 1,0811; $n_D^{21,2}$: 1,5287.

Die Verbindung ist wenig löslich in Wasser, löslich in Ethanol und Ether.
Veratrol wird durch Methylierung von 1,2-Dihydroxy-benzol (Brenzcatechin) mittels Dimethylsulfat gewonnen.
Es dient als Zwischenprodukt in der pharmazeutischen und Riechstoffindustrie.

Veratrumaldehyd

CHEMISCHE BEZEICHNUNG: 3,4-Dimethoxy-benzaldehyd
CAS-NR.: 120-14-9
STRUKTURFORMEL:

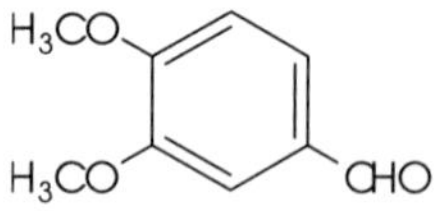

MOLEKULARGEWICHT: 166,18

Veratrumaldehyd ist eine in wenigen → ätherischen Ölen vorkommende kristalline Masse mit einem holzigen vanilleähnlichen Geruch.

V

PHYSIKALISCH-CHEMISCHE DATEN:
Schmp.: 44,5 bis 45 °C.

Die Verbindung ist wenig löslich in heißem Wasser, leicht löslich in Ethanol und Ether.
Durch Lichteinwirkung wird die gelöste Verbindung zu Veratrumsäure oxidiert.
Hergestellt wird Veratrumaldehyd durch Methylierung von Vanillin. Parfümistisch findet der Aldehyd Einsatz in orientalischen und warmholzigen Noten sowie in → Aroma-Kompositionen für Vanillenoten. Ferner dient der Aldehyd als Zwischenprodukt für Synthesen von Pharmazeutika.

TOXIKOLOGIE:
Gemäß der Gefahrstoffverordnung der Bundesrepublik Deutschland ist Veratrumaldehyd gesundheitsschädlich beim Verschlukken (R 22).

Verbenaöl

Das aus dem Kraut des in Süd-Amerika heimischen Zitronenstrauches (Echte Verbene; *Aloysia triphylla* (L´HÉRIT.) BRITT., *Lippia citriodora* (ORT. ex PERS.) H. B. K., *Lippia triphylla* (L´HÉRIT.) O. KUNTZE, *Verbena triphylla* L´HÉRIT.) [Verbenaceae] durch → Wasserdampf-Destillation gewonnene → ätherische Öl (CAS-Nr.: 8024-12-2). Die Ausbeute beträgt 0,07 bis 0,2%. Die Hauptproduktionsgebiete liegen in Süd-Frankreich. Weitere Lieferanten sind Spanien sowie Mittel- und Süd-Amerika. Das hellgelbe Öl weist einen fruchtig-frischen zitronenartigen Geruch auf. Ein Volumenteil löst sich bei Raumtemperatur in 1 Volumenteil 90%igem Ethanol.

PHYSIKALISCH-CHEMISCHE DATEN:
d_{20}^{20}: 0,890 bis 0,920; n_D^{20}: 1,4820 bis 1,4880; $[\alpha]_D$: - 18° bis - 10°; Carbonylgehalt (berechnet als Citral): 32 bis 38 %.

Hauptinhaltsstoffe sind ca. 40 % Citral, ca. 5 % Geraniol und ca. 5 % Nerol. Daneben sind u. a. Caryophyllen, Limonen, 1,8-Cineol (Eucalyptol), Methylheptenon und Linalool enthalten.
Das Öl wird in der Feinparfümerie heute nur noch in begrenztem Maß genutzt (in Chypre- und Gelbe-Rose-Düften, Eau de Colognes, zur Parfümierung von Seifen, Haarölen und Lippenstiften).

TOXIKOLOGIE:
Bei empfindlichen Personen kann das Öl zu allergenen Wirkungen führen. Auch phototoxische Wirkungen werden angenommen.
Das als Inhaltsstoff beschriebene 1,8-Cineol (Eucalyptol) kann in größeren Mengen bei empfindlichen Personen Hautreizungen, bei oraler Aufnahme Gastroenteritis und Nierenreizungen bewirken. Citral, Geraniol, Limonen und Linalool besitzen ein allergenes Potential.

Engl.: verbena oil, vervain oil; franz.: essence de verveine; ital.: olio di verbena; span.: esencia de verbena.

Verseifungszahl (VZ)

Die zur Qualitätsbeurteilung von → ätherischen Ölen herangezogene Verseifungszahl (VZ) ist die Summe aus → Säurezahl und → Esterzahl.

Vetiveröl (Ivarancusaöl)

Das aus den gereinigten frischen oder getrockneten Wurzeln des im tropischen Asien heimischen Vetivergrases (*Vetiveria zizanioides* (L.) NASH), *Andropogon squarrosus* HACK.) [Poaceae] durch → Wasserdampf-Destillation gewonnene → ätherische Öl (CAS-Nr.: 8016-96-4). Die Ausbeute beträgt 2 bis 3 %. Hauptproduzent ist mit ca. 100 Tonnen pro Jahr Indonesien, das den „Java-Typ" liefert. Weitere Erzeuger sind Haiti, Réunion, Brasilien, Indien und Angola.
Das viskose braune bis rötlich-braune Öl weist einen schweren, stark haftenden erdigen holzig-balsamischen wurzelartigen Geruch auf.
Infolge der Verwendung unterschiedlicher Varietäten des Grases sowie frischer bzw. auf unterschiedliche Weise getrockneter Wurzeln schwanken Qualität und Zusammensetzung der im Handel angebotenen Öle. Vom „Haiti-Typ" löst sich bei Raumtemperatur ein Volumenteil in 2 Volumenteilen 80%igem Ethanol, teilweise unter Trübung.

V

PHYSIKALISCH-CHEMISCHE DATEN (Haiti-Typ):
d^{20}_{20}: 0,986 bis 0,998; n^{20}_{D}: 1,5210 bis 1,5260; $[\alpha]^{20}_{D}$: + 22° bis + 38°; SZ: max. 14; EZ: 5 bis 16; EZ (nach Acetylierung): 160 bis 192; Carbonylzahl: 23 bis 59.

Das Öl besteht zum großen Teil aus Sesquiterpenen, welche auch dessen Viskosität bedingen. Es ist recht komplex zusammengesetzt. Ca. 45 bis 65 % entfallen auf eine beträchtliche Zahl von bi- und tricyclischen primären, sekundären und teriären Sesquiterpenalkoholen, sogenannten Vetiveralkoholen (Vetiverole und Vetivenole), wie Veticadinol, Lävojunenol, Khusinol, Khusenol und Khusol; 8 bis 35 % auf Ketone, wie α-Vetivon (Isonootkaton) und β-Vetivon. Des weiteren sind Sesquiterpenkohlenwasserstoffe (wie Khusen), -säuren (wie Khusen- und Ioskhusensäure), -epoxi-

de (wie Khusinoloxid) und -ester (wie Vetivenylvetivenat) unterschiedlicher Struktur enthalten.
Der Geruch wird wesentlich durch das α- und β-Vetivon (> 10 %) sowie das Khusimol (ca. 15 %) und dessen Derivate bestimmt.

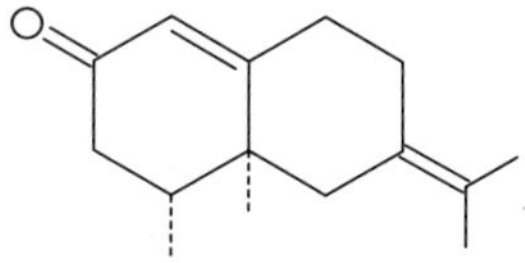

α-Vetivon

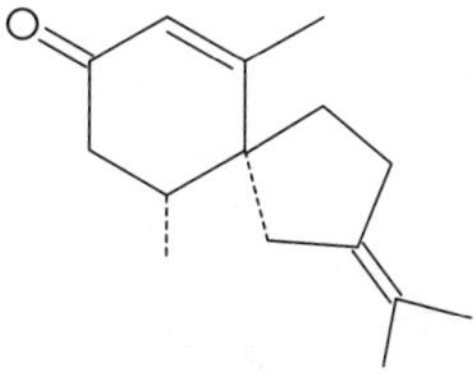

β-Vetivon

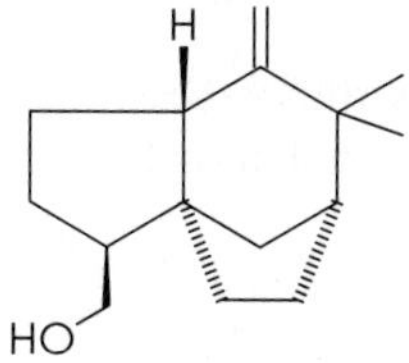

Khusimol

Das Öl wird in der Parfümerie für lang anhaltende Holz-, Ambra-, Moschus-, Juchten-, Chypre-, Fougère-, Aldehyd-, Opopanax-, Moos- und Phantasie-Duftnoten sowie als → Fixateur verwendet. In der Riechstoffindustrie dient es ferner zur destillativen Gewinnung von Vetiverolen (d. h. der gesamten enthaltenen Sesquiterpenalkohole), aus denen durch Acetylierung der wertvolle Duftstoff Vetiverylacetat (ein Gemisch zahlreicher Sesquiterpenacetate, besonders Khusimylacetat) erhalten werden. In pharmazeutischen Präparaten dient das Öl als Diaphoreticum, Emenagogum, Stomachicum und Stimulans. Es wirkt insektenabschreckend. Früher wurden getrocknete Wurzeln als sogenannte Mottenwurzeln zwischen die Wäsche gelegt.

Engl.: vetiver oil; franz.: essence de vétiver; ital.: olio essenziale di vetiver; span.: esencia de vetiver.

Wacholderbeerenöl

Das aus den reifen getrockneten Beeren des Wacholders (*Juniperus communis* L. var. *erecta* PURSH., *Juniperus communis* L. ssp. *communis*) [Cupressaceae] durch → Wasserdampf-Destillation gewonnene → ätherische Öl (CAS-Nr.: 8012-91-7). Die Ausbeute beträgt 0,8 bis 2 %. Die Hauptabaugebiete liegen in Italien (Toscana), Ungarn, Spanien, Süd-Frankreich, auf dem Balkan und in Nord-Deutschland (Lüneburger Heide). Durch Destillation des Holzes gewinnt man **Cadeöl**.
Das dünnflüssige farblose, gelbliche oder grünliche Öl weist einen intensiven rauchig-ledrigen grün-krautigen terpentinartigen Koniferen-Geruch (Gin-Duft) und einen aromatisch-bitteren Geschmack auf. Ein Volumenteil löst sich bei Raumtemperatur unter leichter Trübung in 4 Volumenteilen 95%igem Ethanol.

PHYSIKALISCH-CHEMISCHE DATEN:
d_{25}^{25}: 0,854 bis 0,879; n_D^{20}: 1,4740 bis 1,4840; $[\alpha]_D$: - 15° bis 0°.

Hauptinhaltsstoffe sind die Terpenkohlenwasserstoffe α-Pinen (ca. 36 %) [nach anderen Angaben bis 80 % α- und β-Pinen], Myrcen (ca. 13 %) und α-Terpinen, neben (+)-Sabinen, Limonen, Camphen, Elemen, α-Caryophyllen (Humulen), β-Caryophyllen, Car-3-en, Cadinen und Junipen. Hauptvertreter der sauerstoffhaltigen Verbindungen ist das Terpinen-4-ol, neben α-Terpineol, Geraniol, Borneol, Isoborneol, Juniperol, Wacholdercampher, Terpinyl- und Bornylacetat.

W

Ein Teil des Öls wird in der Parfümerie für frische trockene Noten, Ambra-, Aldehyd- und Phantasie-Düfte, z. B. in Herrenparfüms, für Zimmerparfüms sowie zur Parfümierung von Badezusätzen, Haut- und Haarpflegemitteln angewandt. Geringe Mengen des Öls geben Leder-, Fougère- und Fichten-Kompositionen Kraft und Originalität. Das Öl dient ferner als → Aromastoff und Bestandteil pharmazeutischer Präparate (Diuretica, Stomachica). In der Bundesrepublik Deutschland ist seine Anwendung in alkoholischen Getränken (wie Steinhäger, Gin, Genever) verboten.

TOXIKOLOGIE:
Das Öl kann leichte Hautreizungen, bei oraler Aufnahme nephrotoxische (nierenreizende bzw. -schädigende) Wirkungen und ga-

strointestinale Störungen nach sich ziehen. Bei der Zufuhr größerer Mengen sind ferner zentrale Erregungserscheinungen und abortive Wirkungen nicht auszuschließen. Die Lösung des Wacholderbeerenöls in Ethanol ist giftiger als reiner Alkohol.
Die als Inhaltsstoffe beschriebenen Pinene und Car-3-en können in größeren Mengen bei empfindlichen Personen Hautreizungen und Ekzeme nach sich ziehen, Pinene bei oraler Zufuhr Nierenreizungen. Sabinen kann bei empfindlichen Personen zu Hautreizungen, bei oraler Aufnahme zu Gastroenteritis, Nierenschäden, Menorrhagie und Abort führen. Limonen und Geraniol besitzen ein allergenes Potential.

Engl.: juniper berry oil; franz.: essence de genièvre; ital.: olio della coccola di ginepro; span.: aceite de enebro.

Wasserdampf-Destillation

Ein wesentliches Verfahren zur Gewinnung von → ätherischen Ölen, aber auch zu deren Reinigung ist die Trägerdestillation mit Wasser bzw. Wasserdampf. Der Dampfdruck des Gemisches ineinander unlöslicher Stoffe ergibt sich aus der Summe der Dampfdrücke der beiden Komponenten, so daß das Gemisch stets tiefer siedet als die Einzelkomponenten. Damit ist eine schonendere Aufarbeitung gewährleistet. Allerdings ist dieser Idelazustand in der Praxis niemals gewährleistet, da es eine absolute Wasserunlöslichkeit bei den → ätherischen Ölen nicht gibt.
In der Praxis werden die frischen, getrockneten oder fermentierten Pflanzen bzw. Pflanzenteile in eine Destillierblase eingebracht und dann direkt ein Wasserdampfstrom eingeleitet. Dabei gehen die → ätherischen Öle als Öl-Wasserdampf-Gemisch über und kondensierenen in einem Kühlersystem. Die Trennung in → ätherisches Öl und und ölhaltiges Wasser erfolgt in sogenannten Florentiner Flaschen. Bei besonders wertvollen Ölen, wie z. B. → Rosenöl oder → Neroliöl (vgl. weiter unten), wird das Wasser gegebenenfalls wiederholt dampfdestilliert bzw. durch Aktivkohleadsorption oder → Extraktion aufgearbeitet.
Während des Destillationsprozesses kommt es zu enzymatischen Spaltungsreaktionen und, vor allem unter dem Einfluß der stets anwesenden Pflanzensäuren, zu chemischen Umsetzungen. Die

durch Wasserdampf-Destillation gewonnenen → ätherischen Öle riechen daher im allgemeinen etwas anders als die durch → Extraktion gewonnenen, besonders natürlich duftenden Öle. So sind beispielsweise im → Neroliöl, im → Geraniumöl und im → Ylang-Ylang-Öl stets Terpen- und Sesquiterpenkohlenwasserstoffe enthalten, die in den entsprechenden Extrakten nicht vorkommen. Bei der Wasserdampf-Destillation von → Lavendelöl werden die enthaltenenen Ester teilweise verseift, das ebenfalls enthaltene Linolool teilweise dehydratisiert. Beim → Lemongrasöl wird natürlich vorkommendes Citral teilweise hydrolytisch zu Methylheptenon und Acetaldehyd gespalten. Zudem können sich mitunter einige für den Geruch bedeutsame Inhaltsstoffe im Destillationswasser lösen und dadurch die Ölqualität negativ beeinflussen. Beispielsweise enthalten durch Wasserdampf-Destillation gewonnenes → Rosenöl und → Neroliöl nur ca. 1 % Phenylethylalkohol, während in den durch → Extraktion gewonnenen Öle ca. 40 bzw. 35 % enthalten sind.

Weihrauchöl

Siehe → Olibanumöl.

Weinbeeröl

Siehe → Weinhefeöl.

W

Weinhefeöl (Weinbeeröl, Cognacöl, Grünes Cognacöl, Oenanthether, Oleum Vini)

Das durch → Wasserdampf-Destillation in Anwesenheit von Schwefelsäure aus dem Weingeläger oder Trub (beim ersten Abstich anfallendes Sediment-Gemisch aus Hefe und Weinstein) gewonnene Öl (CAS-Nr.: 8016-21-5), das im Sinn der Definition kein echtes → ätherisches Öl darstellt.
Die grüne bis blau-grüne Flüssigkeit weist je nach Zusammensetzung einen unangenehmen bis cognacartig-fruchtigen Geruch auf. Ein Volumenteil löst sich bei Raumtemperatur in 2 Volumenteilen 80%igem Ethanol.

PHYSIKALISCH-CHEMISCHE DATEN:
d_{25}^{25}: 0,864 bis 0,870; n_D^{20}: 1,4275 bis 1,4295; $[\alpha]_D$: - 1° bis + 2°; SZ: 32 bis 70; EZ: 200 bis 245.

Das Öl enthält Ester, vor allem Ethyl- und Isoamylester der Capryl- und Decansäure, sowie freie Fettsäuren (besonders Oenanth-, Laurin- und Myristinsäure).
Weinhefeöl wird in → Aromastoff-Mischungen und nur in sehr geringem Maße in → Parfüm-Kompositionen (Fougère- und Blüten-Düfte) sowie Eau de Colognes angewandt.

TOXIKOLOGIE:
Oenanthsäure (Heptansäure) und deren Ester sind bei oraler Aufnahme toxikologisch bedenklich. Nach der Gefahrstoffverordnung der Bundesrepublik Deutschland verursacht die Säure Verätzungen (R 34).

Engl.: wine lees oil, green cognac oil, lie de vin poil; franz.: huile de lie de vin; ital.: olio del lievito di vino; span.: aceite vinico (enántico), aceite de heces de vino.

Wermutöl (Absinthöl)

Das aus den Blättern und oberen Sproßteilen des in Süd-Europa, Nord-Afrika und Asien heimischen Wermutkrautes (Absinth; *Artemisia absinthium* L.) [Asteraceae, Compositae] durch → Wasserdampf-Destillation gewonnene → ätherische Öl (CAS-Nr.: 8008-93-3). Die Ausbeute beträgt 0,3 bis 1 %. Während der Destillation können sich aus den im Wermut enthaltenen Proazulenen Artabsin und Absinthin blau gefärbte Azulene bilden.
Das dunkelgrüne, braune oder blaue Öl weist einen starken kräuterartig-scharfen Geruch und einen kratzend-bitteren Geschmack auf. Es ist löslich in Ethanol.

PHYSIKALISCH-CHEMISCHE DATEN:
D: 0,895 bis 0,955.

Hauptinhaltsstoffe sind ca. 40 bis 70 % α- und β-Thujon sowie freier und veresterter Thujylalkohol (Thujol). Daneben wurden u. a. Pinen, Phellandren, Cadinen, Azulene, 1,8-Cineol (Eucalyptol), Salicylsäure und die Bitterstoffe Absinthin, Artabsin und Anabsinthin (Artefakt) nachgewiesen.

In italienischen Ölen sind auch 16 bis 57 % *cis*- und *trans*-Epoxyocimen enthalten.
Wermutöl wird in der Parfümerie als Nuanceur in → Parfüm-Kompositionen (Herrenparfüms, Holz-, Moos-, Blumen-, Lavendel-, Chypre- und Leder-Düfte) und zur Parfümierung von → Kosmetika genutzt, in der Gewürzindustrie für → Aromastoffe. In pharmazeutischen Präparaten kommt es als Stomachicum, Carminativum und Anthelminticum zum Einsatz.

TOXIKOLOGIE:
Die Verwendung von Wermutöl zur Herstellung des Bitterschnapses Absinth ist heute wegen dessen Gehalt an α- und β-Thujon sowie Thujol in den europäischen Staaten verboten. Der chronische Mißbrauch führt zu Delirien, schweren Schäden des Zentralnervensystems, zentralen Lähmungen, epilepsieähnlichen Krampfanfällen, psychischen Veränderungen und Erkrankungen der Leber. Abortive Wirkungen sind nicht auszuschließen. Trinkbranntweine dürfen maximal 10 Milligramm Thujon pro Liter enthalten. Mittlerweile werden, z. B. zur Erzeugung von Wermutweinen, auch thujonfreie Arten gezüchtet.
Die als Inhaltsstoffe beschriebenen Thujone können in größeren Mengen Hautreizungen, bei oraler Aufnahme zentrale Lähmungserscheinungen, Krämpfe und Leberschädigungen sowie Abort auslösen. Pinen kann in größeren Mengen bei empfindlichen Personen Hautreizungen und Ekzeme, bei oraler Zufuhr Nierenreizungen bewirken, 1,8-Cineol (Eucalyptol) Hautreizungen bzw. Gastroenteritis und Nierenreizungen.
Nach der Aromenverordnung der Bundesrepublik Deutschland ist die Anwendung von Wermutöl verboten.

W

(Weitere aus *Artemisia*-Arten gewonnene Öle siehe → *Artemisia*-Öl, → Estragonöl, → Davanaöl.)

Engl.: wormwood oil; franz.: essence d´absinthe, ital.: olio d´assenzio; span.: esencia de ajenjo.

Wintergrünöl (*Gaultheria*-Öl)

Das nach vorheriger → Mazeration aus den Blättern des in Nord-Amerika heimischen Amerikanischen Wintergrüns (*Gaultheria*

procumbens L.) [Ericaceae] durch → Wasserdampf-Destillation gewonnene → ätherische Öl (CAS-Nr.: 68917-75-9). Die Ausbeute beträgt ca. 0,8 %.
Bei der → Mazeration wird das enthaltene Glycosid Gaultherin enzymatisch in Methylsalicylat und das Glycosid Primverose gespalten.
Das farblose bis gelbe Öl besitzt einen starken, angenehm aromatisch-würzigen Geruch. Es ist löslich in Ethanol.

PHYSIKALISCH-CHEMISCHE DATEN:
D: 1,174 bis 1,187.

Das Öl besteht bis zu 99 % aus Salicylsäuremethylester (Methylsalicylat), neben geringen Mengen Triacontan u. a.
Es wird in der Riechstoffindustrie für → Parfüm-Kompositionen (Cassie-, Chypre-, Tabak- und Phantsie-Noten), als Seifenparfüm, → Aromastoff für Zahnpasten, Mundpflegemittel und Kaugummi sowie in pharmazeutischen Präparaten (Antirheumatica, Antiseptica) verwendet. Wäßrige Auszüge der Blätter (Kanadischer Tee) dienen als Carminativum und Antisepticum.
Synthetisch hergestellter Salicylsäuremethylester wird gelegentlich auch als künstliches Wintergrünöl bezeichnet.

TOXIKOLOGIE:
Das Öl kann bei empfindlichen Personen zu Hautreizungen und allergenen Wirkungen führen.

Engl.: wintergreen oil; franz.: essencia de Gaultheria; ital.: olio essenziale di pervinca.

W

Wurmsamenöl, Amerikanisches (*Chenopodium*-Öl)

Das aus den Samen oder den oberirdischen Pflanzenteilen des in Nord-Amerika, Costa Rica, auf den Bermudas und den Antillen, aber auch in Mitteleuropa kultivierten Amerikanischen Wurm- oder Traubenkrauts (*Chenopodium ambrosioides* L. var. *anthelminticum* (L.) GRAY) [Chenopodiaceae] durch → Wasserdampf-Destillation gewonnene → ätherische Öl (CAS-Nr.: 8024-11-1). Die Ausbeute liegt bei 0,6 bis 1,0 %.
Das farblose bis gelbliche Öl besitzt einen widerlichen campherartigen Geruch und einen brennend bitteren Geschmack. Ein Vo-

lumenteil löst sich bei Raumtemperatur in 8 Volumenteilen 70%igem Ethanol.

PHYSIKALISCH-CHEMISCHE DATEN:
D^{15}: 0,965 bis 0,990; n_D^{20}: 1,4740 bis 1,4840; $[\alpha]_D^{20}$: - 4° bis - 8,5°.

Hauptinhaltsstoffe sind 65 bis 70 % Ascaridol, Ascaridolglycol, Safrol, ca. 22 % 1,8-Cineol (Eucalyptol), p-Cymol, Pinocarvon, Aritason, α-Pinen, α-Terpinen, Isolimonen u. a. Die Destillation muß wegen der Zersetzlichkeit des Ascaridols rasch erfolgen.
Das Öl wurde in der Vergangenheit medizinisch als Anthelminticum (vor allem in der Veterinärmedizin) angewandt.

TOXIKOLOGIE:
Der unvorsichtige Gebrauch des Öls kann tödliche Vergiftungen nach sich ziehen. Für Kinder liegt die letale Dosis bei ca. 3 g. Es verursacht u. a. Störungen des Zentralnervensystems, Lähmungserscheinungen, Krämpfe, Bewußtlosigkeit, Blutdruckabfall sowie Blutungen und Entzündungen des Darms. Das Öl ist zudem hautreizend. In den vergangenen Jahrhunderten wurden Aufgüsse des Krauts als „Tinctura Botryos mexicanae" oder „Jesuitentee" für abortive Zwecke mißbraucht.
Die Wirkung auf den Darm ist vermutlich hauptsächlich dem Ascaridol [LD_{50} (Maus): 157 mg/kg KG] zuzuschreiben. Das als Inhaltsstoff beschriebene 1,8-Cineol (Eucalyptol) kann in größeren Mengen bei empfindlichen Personen Hautreizungen bewirken, bei oraler Aufnahme Gastroenteritis und Nierenreizungen, α-Pinen Hautreizungen und Ekzeme bzw. Nierenreizungen. Safrol erzeugt im Rattenversuch Leberkrebs und Leberzirrhosen.
Nach der Kosmetikverordnung der Bundesrepublik Deutschland ist die Anwendung von Amerikanischem Wurmsamenöl verboten.

Engl.: American wormseed oil; franz.: essence d´ansérine vermifuge d´Amerique; ital.: essenza di seme santo.

X

Xylolmoschus

SYNONYM: Muskxylol
CHEMISCHE BEZEICHNUNGEN: 1,3-Dimethyl-2,4,6-trinitro-5-tert.-butyl-benzol, 5-tert.- Butyl-2,4,6-trinitro-m-xylol

CAS-NR.: 81-15-2

STRUKTURFORMEL:

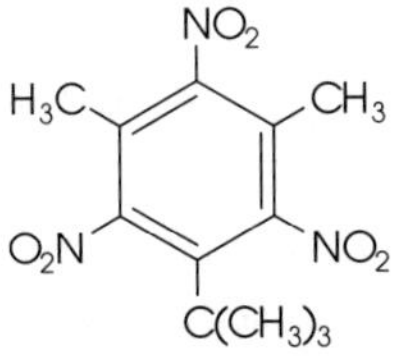

MOLEKULARGEWICHT: 297,27

Die in der Natur nicht vorkommende Verbindung bildet gelbe Kristalle mit einem anhaltenden Moschusgeruch.

PHYSIKALISCH-CHEMISCHE DATEN:

Schmp.: 114 °C (Zersetzung).

Die reine Verbindung ist explosibel!

Xylolmoschus wird durch Alkylierung von m-Xylol mit Isobuten und nachfolgende Nitrierung mit einem Schwefelsäure-Salpetersäure-Gemisch hergestellt.

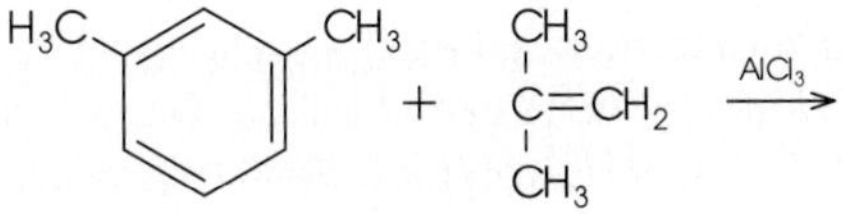

m-Xylol Isobuten

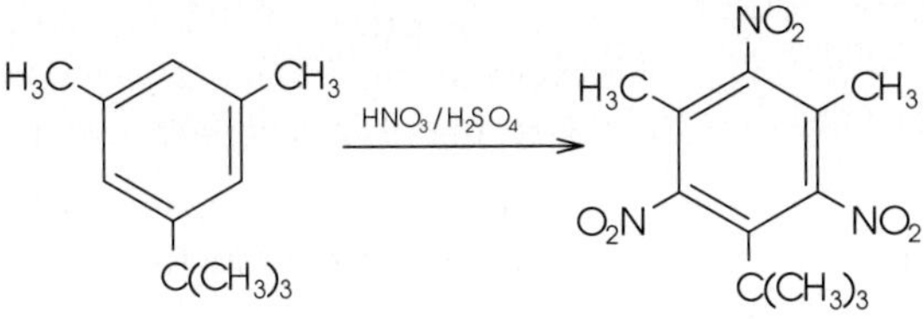

1,3-Dimethyl-5-tert.-butyl-benzol Xylolmoschus

Xylolmoschus findet in großen Mengen in billigen Parfüms für Seifen und Haushaltprodukte Verwendung.

TOXIKOLOGIE: LD_{50} (Ratte, oral): > 10 g/kg KG.
Xylolmoschus ist leicht hautreizend.
Potoallergische Reaktionen (vgl. → allergene Riech- und Aromastoffe) sind nicht auszuschließen.
Die synthetischen Nitro-Moschus-Riechstoffe stehen im Verdacht einer karzinogenen (krebserzeugenden) Wirkung.

Ylang-Ylang-Öl (Maccarblütenöl, Orchideenöl) und *Cananga*-Öl (Canangaöl, Kanangaöl, Cheribonöl)

Das Ylang-Ylang-Öl ist das aus den frischen Blüten des Ylang-Ylang-Baumes (*Cananga odorata* (LAM.) HOOK. f. et THOMS. ssp. *genuina*) [Annonaceae] durch → Wasserdampf-Destillation gewonnene → ätherische Öl (CAS-Nr.: 68607-06-7). Die Ausbeute beträgt 1,5 bis 2,5 %. Ursprünglich auf den Philippinen heimisch, wird der Baum heute vor allem auf den Komoren und Nossi-Bé bei Madagaskar (früher auch auf Réunion, Sansibar und Haiti) zur Ölgewinnung kultiviert.
Das gelbliche Öl riecht blumig-jasminartig, narkotisch und balsamisch-süß.
Bei der destillativen Aufarbeitung erhält man folgende Fraktionen:

1. Ylang-Ylang Extra (ca. 30 bis 45 % der Gesamtmenge),
2. Ylang-Ylang I,
3. Ylang-Ylang II,
4. Ylang-Ylang III.

Die Extra-Fraktion ist die wertvollste. Ein Volumenteil löst sich bei Raumtemperatur in 2 Volumenteilen 90%igem Ethanol. Bei weiterer Verdünnung erfolgt Trübung.

Y

PHYSIKALISCH-CHEMISCHE DATEN (Ylang-Ylang Extra von den Komoren):

d_{20}^{20}: 0,956 bis 0,976; n_D^{20}: 1,4980 bis 1,5060; $[\alpha]_D^{20}$: - 40° bis - 25°; SZ: 2,8; EZ: 150 bis 200.

Hauptinhaltsstoffe der Qualität Extra sind 20 bis 25 % Benzylacetat, 15 bis 20 % p-Cresylmethylether, 10 bis 15 % (–)-Linalool, 5 bis 10 % Geranylacetat und 4 bis 6 % Methylbenzoat. Für den Geruch bedeutsam sind u. a. auch p-Cresol, Eugenol, Eugenolme-

thylether (Methyleugenol) und Isoeugenol, die in geringeren Konzentrationen enthalten sind. Als weitere Inhaltsstoffe sind u. a. Benzylalkohol, Phenylethylalkohol, Geraniol, Nerol, α-Terpineol, Farnesol, Nerolidol, Cadinol, Methylsalicylat, Benzylsalicylat, Benzylbenzoat, Safrol, (+)-α-Pinen, Caryophyllen, γ-, δ- und ε-Cadinen, Farnesen sowie Methylanthranilat bekannt.
Die Fraktionen I bis III enthalten zunehmende Mengen (bis zu 70 % in Ylang-Ylang III) Sesquiterpene (wie Caryophyllen, Cadinene, Farnesen).
Die Extra-Qualität wird vor allem in der Feinparfümerie für blumige (Maiglöckchen, Jasmin, Flieder, Gardenia, Narzisse), orientalische, Aldehyd- und Phantasie-Duftnoten verwendet, die anderen Sorten vorzugsweise zur Parfümierung von Seifen und → Kosmetika.

TOXIKOLOGIE:
In Einzelfällen kann das Öl bei empfindlichen Personen zu allergenen Hautreaktionen führen.
Das als Inhaltsstoff beschriebene Eugenol ist bei oraler Zufuhr mäßig giftig. Im Tierversuch wirkt es hautreizend, karzinogen und mutagen. Es besitzt ferner ein allergenes Potential. Safrol erzeugt im Rattenversuch Leberkrebs und Leberzirrhosen. α-Pinen kann in größeren Mengen bei empfindlichen Personen zu Hautreizungen und Ekzemen, bei oraler Zufuhr zu Nierenreizungen führen. Linalool, Isoeugenol und Geraniol besitzen ein allergenes Potential. Auch Benzylacetat steht im Verdacht, allergen zu wirken.

Engl.: ylang-ylang oil; franz.: essence d´ylang-ylang; ital.: olio essenziale di ylang-ylang; span.: esencia de ylang-ylang.

Ein sehr eng verwandtes, noch lieblicher blumig und leicht holzig riechendes Öl ist das ***Cananga*-Öl** (CAS-Nr.: 68606-83-7), das durch → Wasserdampf-Destillation der Blüten von *Cananga odorata* (LAM.) HOOK. f. et THOMS ssp. *macrophylla* erhalten wird. Die Ausbeute beträgt 0,8 bis 1,0 %. Das Öl wird in Java gewonnen. Die Jahresproduktion liegt bei ca. 50 Tonnen.
Cananga-Öl riecht süß-blumig und narkotisch warm, jedoch etwas rauher als Ylang-Ylang-Öl. Es ist in 95%igem Ethanol nur teilweise löslich.

PHYSIKALISCH-CHEMISCHE DATEN:
d_{20}^{20}: 0,906 bis 0,923; n_D^{20}: 1,4950 bis 1,5030; $[\alpha]_D^{20}$: - 30° bis - 15°; SZ: max. 2; EZ: 13 bis 35.

Hauptinhaltsstoffe des von den Fidji-Inseln stammenden Öls sind 52 % Linalool, 12 % Benzylbenzoat und 21 % Farnesol. Nach anderen Angaben ähnelt die Zusammensetzung dem Ylang-Ylang III, wobei jedoch der Caryophyllen-Gehalt höher liegt.
Das Öl wir in der Parfümerie für Blumendüfte und zur Seifenparfümierung angewandt. Es kann süß und geheimnisvoll, aber auch heiter und belebend wirken.

TOXIKOLOGIE:
Bei empfindlichen Personen kann das Öl zu allergenen Hautreaktionen führen.
Das als Hauptinhaltsstoff beschriebene Linalool besitzt ein allergenes Potential.

Engl.: cananga oil; franz.: essence de cananga; ital.: olio essenziale di cananga; span.: esencia de cananga.

Ysopöl

Das aus dem blühenden Kraut des im Mittelmeerraum und Mittel-Asien heimischen Ysops (*Hyssopus officinalis* L.) [Lamiaceae, Labiatae] durch → Wasserdampf-Destillation gewonnene → ätherische Öl (CAS-Nr.: 8006-83-5). Die Ausbeute beträgt bis zu 1 %.
Das farblose bis grünlich-gelbe Öl weist einen süß-würzigen campherartigen Geruch mit holzig-warmen Nuancen und einen würzig-bitteren zusammenziehenden Geschmack auf. Ein Volumenteil löst sich bei Raumtemperatur in 2 bis 4 Volumenteilen 80 %igem Ethanol.

PHYSIKALISCH-CHEMISCHE DATEN:
d_{15}^{15}: 0,927 bis 0,945; 0,970; n_D^{20}: 1,4730 bis 1,4860; $[\alpha]_D^{20}$: - 17° bis - 23°; Sdp.: ca. 200 °C.

Hauptinhaltsstoffe sind 40 bis 70 % (–)-Pinocamphon und Isopinocamphon, ca. 10 bis 20 % α- und β-Pinen, ca. 10 % α-Terpinen, ca. 10 bis 15 % Camphen, ca. 1 bis 2 % Pinocampheol, Car-3-en, Caryophyllen, Myrtenolmethylether, Spathulenol, Methyl-

myrtenat, p-Cymol und das Flavonglycosid Diosmin.
Beim Bitterstoff des Ysops handelt es sich um Marrubiin.
In der Parfümerie spielt das Öl heute nur noch eine untergeordnete Rolle zur Erzielung würziger Effekte in Fougère-Düften und Eau de Colognes. Es wird vor allem als → Aromastoff für Kräuterliköre und in der Gewürzindustrie sowie in pharmazeutischen Präparaten (Gurgelwässer, Augenwässer, Expectorantien, Antihidrotica) angewandt.

TOXIKOLOGIE:
Die als Inhaltsstoffe beschriebenen Verbindungen Pinen und Car-3-en können in größeren Mengen bei empfindlichen Personen zu Hautreizungen und Ekzemen führen, Pinen bei oraler Zufuhr zu Nierenreizungen.

Engl.: hyssop oil; franz.: essence d´hysope; ital.: olio essenziale d´issopo; span.: esencia de hisopo.

Zdravetzöl

Das aus dem Kraut des auf dem Balkan, in den Alpen und Apenninen sowie Südeuropa und auf der Krim verbreiteten Felsen-Storchschnabels (*Geranium macrorrhizum* L.) [Geraniaceae] durch → Wasserdampf-Destillation gewonnene → ätherische Öl (CAS-Nr.: 92347-05-2). Die Ausbeute liegt bei ca. 0,1 %. Die Erzeugergebiete liegen auf dem Balkan.
Das gelbe Öl besitzt einen warmen rosenartigen krautigen Geruch mit einer leichten Holznote.
Hauptinhaltsstoffe sind ca. 13 % Geraniol und Citronellol, Linalool, Germacrol, Germacron, α- und β-Elemon sowie andere Sesquiterpene, Stearoptene u. a.
Das Öl wird in der Parfümerie für Ambra-, Fougère-, Klee-, Lavendel-, Juchten-, Sandelholz- und Phantasie-Noten verwendet.
Auf dem Balkan wird die Pflanze auch als Aphrodisiacum geschätzt.

TOXIKOLOGIE:
Die als Inhaltsstoffe beschriebenen Verbindungen Geraniol, Citronellol und Linalool besitzen ein allergenes Potential.

Engl.: zdravetz oil.

Zedernholzöle

Siehe → Cedernöle.

Zedernöle

Siehe → Cedernöle.

Zeodariöl

Siehe → Zitweröl.

Zibet

Das aus den Afterdrüsen (beider Geschlechter) der in Äthiopien heimischen Zibetkatze (*Viverra civetta*, *Civetticitis civetta*) und der in China, Indien, Malaysia, Indochina und Indonesien lebenden Art *Viverra zibetha* [Viverridae] gewonnene Sekret (Zibet: nach dem arab. zabad = Schaum), das in regelmäßigen Abständen durch Curettage (Auskratzen) den Drüsen lebender, in Gefangenschaft gehaltener Tiere entnommen wird (ca. einmal wöchentlich 30 bis 100 g).
Das zunächst gelbliche Öl verändert sich bei Lichteinwirkung in eine gelbliche bis braune salbenähnliche Masse. Es besitzt einen sehr starken und intensiven, leicht fäkalischen animalischen Duft. Die verdünnte Lösung, z. B. die ethanolische → Tinktur, ist von süßlichem moschusartigem (jedoch von diesem verschiedenen) Geruch.

Durch → Extraktion mit Aceton wird ein bei 20 bis 25 °C schmelzendes konkretes **Zibet-Resinoid** (Resinoid-Concret; vgl. → Resinoide) gewonnen (SZ: 100 bis 140, EZ: 20 bis 40; Carbonylzahl: 15 bis 25).

Zibet enthält ca. 50 bis 70 % Fettsäuren. Nur 2,5 bis 4 % entfallen auf den Hauptgeruchsträger Zibeton [(Z)-Cycloheptadec-9-en-1-on].

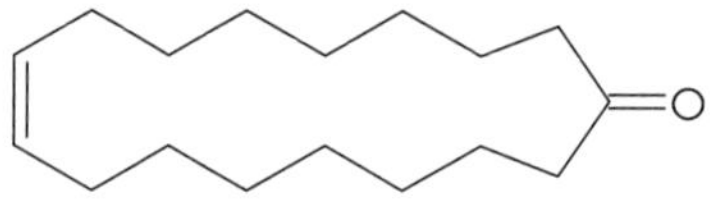

Zibeton
[(Z)-Cycloheptadec-9-en-1-on]

Weitere makrocyclische Ketone sind Cyclopenta-, Cyclohexa- und Cycloheptadecanon sowie *cis*-Cycloheptadec-6-en-1-on. Daneben wurden im Sekret chinesischer Zibetkatzen u. a. weitere makrocyclische Ketone (darunter Muscon), Indol, 0,1 % Skatol (3-Methyl-indol), Dimethylindol sowie Buttersäure und deren Ester nachgewiesen.
Zibet wird in der Parfümerie zumeist in Form der ethanolischen → Tinktur als → Fixateur in blumig-süßen, aber auch anderen Duftnoten verwendet. Es fehlt in keinem der teuren Parfüms. Besonders geschätzt ist es in Maiglöcken-Mischungen.
Anstelle des sehr teuren natürlichen Zibets werden heute zumeist synthetische Nachahmungen eingesetzt. Bis ins 18. Jahrhundert war Zibet auch als Aphrodisiacum und Mittel gegen Krämpfe geschätzt.

Engl.: civet; franz.: civette; ital.: zibetto; span.: civeto.

Zibeton

SYNONYM: 10-Ketocycloheptadecen
CHEMISCHE BEZEICHNUNG: *cis*-Cycloheptadec-9-en-1-on, *cis*-9-Cycloheptadecen-1-on
CAS-NR.: 542-46-1
STRUKTURFORMEL:

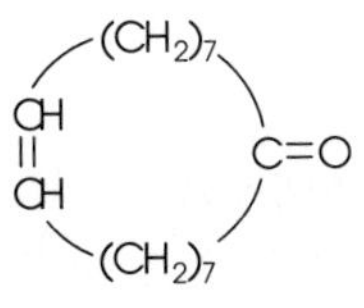

Z

MOLEKULARGEWICHT: 250,41

Die Verbindung bildet farblose, mit Wasserdampf flüchtige Kristalle von widerwärtigem, erst in großer Verdünnung angenehmem an Moschus erinnerndem Geruch.
Zibeton ist der Hauptgeruchsträger von → Zibet, aus dem es 1915 isoliert wurde, während Ruzicka 1926 die Strukturaufklärung und Synthese gelangen.

PHYSIKALISCH-CHEMISCHE DATEN:
Schmp.: 32 °C; $Sdp._{98,9\ kPa}$: 342 °C; d_4^{20}: 0,917.

Zibeton ist in Wasser kaum löslich, in Ethanol und Benzol löslich. Der synthetisch, z. B. aus Aleuritinsäure, zugängliche → Riechstoff wird in der Parfümerie als → Fixateur verwendet.

Zimtaldehyd

SYNONYME: β-Phenylacrolein, Zinnamal
CHEMISCHE BEZEICHNUNG: 3-Phenyl-2-propen-1-al, 3-Phenylprop-2-en-1-al
CAS-NR.: 14371-10-9, *trans*-Zimtaldehyd: 104-55-2, *cis*-Zimtaldehyd: 57194-69-1
STRUKTURFORMEL:

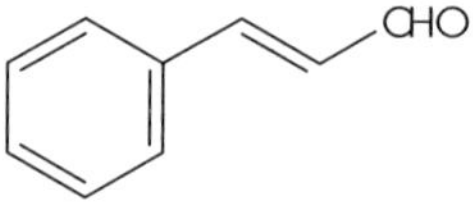

MOLEKULARGEWICHT: 132,16

Zimtaldehyd ist eine gelbliche, stark nach Zimt riechende wasserdampfflüchtige ölige Flüssigkeit. Die Verbindung kommt als Hauptbestandteil des Cassiaöls (bis 90 %) und Zimtrindenöls (bis 80 %) (vgl. → Zimtöl) sowie in kleinen Mengen auch in vielen anderen → ätherischen Ölen vor. In der Natur ist vorwiegend das *trans*-Isomer anzutreffen.

PHYSIKALISCH-CHEMISCHE DATEN (*trans*-Isomer):
$Sdp._{101,3\ kPa}$: 253 °C; d_4^{20}: 1,0497; n_D^{20}: 1,6219.

Z

Zimtaldehyd ist wenig löslich in Wasser (in ca. 700 Volumenteilen), mischbar mit Ethanol, Ether, Chloroform und Ölen.
Die Verbindung wird an der Luft zu Zimtsäure oxidiert, ist gegen Licht, Wärme, Alkalien und einige Metalle empfindlich und zeigt die üblichen Aldehyd- und Olefinreaktionen. Wichtig davon sind die Hydrierung zu Zimtalkohol, Dihydrozimtaldehyd sowie Dihydrozimtalkohol.
Technisch wird Zimtaldehyd durch alkalische Kondensation von Benzaldehyd mit Acetaldehyd gewonnen, wobei ein Überschuß

an Benzaldehyd und ein langsames Zugeben des Acetaldehyds die Eigenkondensation des letzteren vermeiden.
Zimtaldehyd findet in vielen Kompositionen zur Kreierung würziger und orientalischer Noten Einsatz, z. B. in Seifenparfüms. Des weiteren ist er Hauptbestandteil des künstlichen → Zimtöls. Außerdem dient der Aldehyd als wichtiges Zwischenprodukt für die Synthesen von Zimtalkohol und Dihydrozimtalkohol.

TOXIKOLOGIE: LD_{50} (Ratte, oral): 2,2 g/kg KG.
Zimtaldehyd besitzt ein allergenes Potential.
Gemäß der Gefahrstoffverordnung der Bundesrepublik Deutschland ist Zimtaldehyd gesundheitsschädlich beim Berühren mit der Haut (R 21), er reizt die Haut (R 38), und eine Sensibilisierung durch Hautkontakt ist möglich (R 43).

Zimtalkohol

SYNONYME: Cinnamylalkohol, Zinnamylalkohol, γ-Phenylallylalkohol, 3-Phenyl-allylalkohol, Styron
CHEMISCHE BEZEICHNUNG: 3-Phenyl-2-propen-1-ol, 3-Phenylprop-2-en-1-ol
CAS-NR.: 104-54-1, *trans*-Zimtalkohol: 4407-36-7, *cis*-Zimtalkohol: 4510-34-3
STRUKTURFORMEL:

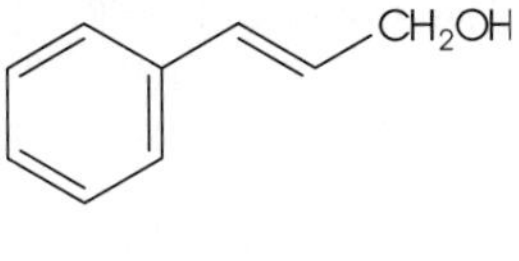

MOLEKULARGEWICHT: 134,18

Von den beiden in der Natur vorkommenden Isomeren überwiegt die *trans*-Form, die u. a. im Cassiaöl (vgl. → Zimtöl) zu finden ist. Beim *trans*-Zimtalkohol handelt es sich um farblose kristalline, süß-balsamisch nach Hyazinthen riechende Nadeln.

PHYSIKALISCH-CHEMISCHE DATEN:
Schmp.: 34 °C; $Sdp._{101,3\,kPa}$: 257,5 °C; d_4^{20}: 1,044; n_D^{20}: 1,5819.

Die Verbindung ist löslich in Wasser und Glycerin, leicht löslich in 3 Volumenteilen 50%igem Ethanol und Ether.

Zimtalkohol wird durch Luft in der Wärme und am Licht allmählich oxidiert. Die Luftoxidation führt zu Zimtaldehyd, mit stärkeren Oxidationsmitteln sind Zimtsäure und/oder Benzaldehyd erhältlich. Mit organischen Säuren bildet der Alkohol die in der Parfümerie als → Fixateure eingesetzten Zimtalkoholester, wie Cinnamylacetat, -anthranilat, -cinnamat, -benzoat, -butyrat, -formiat, -propionat, die überwiegend hyanzinthenartig riechen. In Form dieser Ester ist *trans*-Zimtalkohol auch im → Styraxöl, → Perubalsamöl, Narzissen- sowie → Hyazinthenöl zu finden.
Die technische Darstellung von Zimtalkohol erfolgt durch Reduktion von Zimtaldehyd nach Meerwein-Ponndorf mit Isopropanol in Gegenwart von Aluminiumisopropylat, durch selektive Hydrierung der Carbonylgruppe im Zimtaldehyd in Gegenwart eines Osmium-Kohle-Katalysators oder durch Reduktion des Zimtaldehydes mit Alkaliborhydriden. Allerdings ist der durch Verseifung natürlicher Ester (hauptsächlich Cinnamat) erhältliche Zimtalkohol geruchlich wertvoller und teurer, da dem Syntheseprodukt immer geruchsverschlechternde Spuren von Zimtaldehyd anhaften.
Zimtalkohol findet wegen seines charakteristischen Geruches und seiner fixierenden Eigenschaften Verwendung in der Parfümerie. Er wird vorwiegend für blumige Düfte (Flieder, Hyanzinthe, Maiglöckchen) und als Ausgangsstoff für die eingangs erwähnten Ester eingesetzt. In → Aroma-Kompositionen dient die Verbindung für Zimtnoten und zur Abrundung von Fruchtaromen. Außerdem ist Zimtalkohol auch Zwischenprodukt für Synthesen von Pharmazeutika, so z. B. für das Antibiotikum Chloramphenicol.

TOXIKOLOGIE:
Zimtalkohol besitzt ein allergenes Potential. Gemäß der Gefahrstoffverordnung der Bundesrepublik Deutschland ist Zimtalkohol gesundheitsschädlich beim Verschlucken (R 22).

Zimtöle

Das im allgemeinen als Zimtöl bezeichnete **Ceylonesische Zimtrindenöl** (**Zimtrindenöl Sri Lanka**, CAS-Nr.: 8015-91-6) wird durch → Wasserdampf-Destillation aus der getrockneten Rinde des Ceylon-Zimts (*Cinnamomum zeylanicum* BL., *Cinnamomum verum* J. S. PRESL.) [Lauraceae] gewonnen. Die Ausbeute be-

trägt 1,0 bis 1,5 %. Anbaugebiete sind Sri Lanka (Ceylon), Java, die Seychellen, Süd-Indien, die Komoren, Martinique, Jamaica, Cayenne, Brasilien und Madagaskar.
Das gelbe Öl weist einen ausgeprägten Zimtgeruch und einen würzig-brennenden Zimtgeschmack auf. Ein Volumenteil löst sich bei Raumtemperatur in 3 Volumenteilen 70%igem Ethanol. Das Öl ist empfindlich gegen Licht, Luft und Wärme.

PHYSIKALISCH-CHEMISCHE DATEN:
d_{25}^{25}: 1,010 bis 1,030; n_D^{20}: 1,5730 bis 1,5910; $[\alpha]_D$: - 2° bis 0°; Aldehydgehalt (berechnet als Zimtaldehyd). 55 bis 78 %.

Hauptinhaltsstoffe sind ca. 50 bis 80 % Zimtaldehyd und 5 bis 10 % Eugenol. Daneben sind u. a. Dihydrozimtaldehyd, Cuminaldehyd, Benzaldehyd, Nonanal, Linalool, α-Terpineol, α-Pinen, Phellandren, α-Caryophyllen (Humulen), β-Caryophyllen, Methyleugenol (Eugenolmethylether), Safrol, Campher, Thymol, Methyl-n-amylketon, Benzylbenzoat, Zimtsäure und p-Cymol enthalten. Der ebenfalls nachgewiesene (nach anderen Angaben nur in Cassiaöl enthaltene) 2-Methoxy-zimtaldehyd besitzt eine fungizide, d. h. gegen Pilze gerichtete, sowie eine insektenabschreckende Wirkung.
Das Öl wird in der Parfümerie in orientalischen, Chypre- und Phantasie-Düften, als Zusatz zu Mundwässern, vor allem aber als → Aromastoff und Geschmackskorrigens verwendet.
Die Volksmedizin verabreicht Zimt-Präparate bei Erbrechen, Übelkeit, Blähungen, Erkältungen und Durchfall. Dem Öl werden antimikrobielle, fungizide, nervenstärkende und stimulierende Wirkungen zugesprochen.

TOXIKIOLOGIE:
Das Öl kann zu allergischen und phototoxische Wirkungen führen.
Der als Hauptinhaltsstoff beschriebene Zimtaldehyd wirkt allergen und phototoxisch. Eugenol ist bei oraler Zufuhr mäßig giftig. Im Tierversuch wirkt es hautreizend, karzinogen und mutagen. Es besitzt ferner ein allergenes Potential. Safrol erzeugt im Rattenversuch Leberkrebs und Leberzirrhosen. α-Pinen kann in größeren Mengen bei empfindlichen Personen zu Hautreizungen und

Ekzemen, bei oraler Zufuhr zu Nierenreizungen führen. Thymol bewirkt nach der oralen Aufnahme größerer Mengen Leberschädigungen. Thymol und Linalool besitzen ein allergenes Potential.

Engl.: cinnamon oil; franz.: essence de cannelle; ital.: olio di cannella; span.: esencia de canela.

Das aus den Blättern des gleichen Strauches durch → Wasserdampf-Destillation gewonnene **Zimtblätteröl** (CAS-Nr.: 8015-96-1) ist von dungelgelber oder rötlich- bis dunkelbrauner Farbe und warmem würzigem (an Zimt und Gewürznelken erinnerndem) Geruch. Die Ausbeute beträgt 1,6 bis 1,8 %. Ein Volumenteil löst sich bei Raumtemperatur in 2 Volumenteilen 70%igem Ethanol.

PHYSIKALISCH-CHEMISCHE DATEN (Öl aus Sri Lanka):
d_{20}^{20}: 1,037 bis 1,053; n_D^{20}: 1,5300 bis 1,5400; $[\alpha]_D^{20}$: - 2,5° bis + 2°; Phenolgehalt: 75 bis 85 %; Carbonylgehalt: 5 %.

Hauptinhaltsstoff sind 80 bis 95 % Eugenol.
Das Öl wird in → Parfüm-Kompositionen (moderne orientalische Düfte, Fougère- und Chypre-Noten), in Seifenparfüms, hauptsächlich aber zur Eugenol-Gewinnung verwendet.

TOXIKOLOGIE:
Haut- und schleimhautreizende Wirkungen sind beim Zimtblätteröl nicht auszuschließen.
Zur toxikologischen Bedeutung von Eugenol vgl. oben.

Engl.: cinnamon leaf oil; franz.: essence de feuille de canelle.

Z

Demgegenüber enthält das auch als **Cassiaöl (Kassiaöl, Kassiarindenöl, Kassiazimtöl)** bezeichnete, durch → Wasserdampf-Destillation der Blätter, Zweige und Rinde von *Cinnamomum aromaticum* NEES (*Cinnamomum cassia* BL.) [Lauraceae] gewonnene **Chinesische Zimtrindenöl** (CAS-Nr. 8023-82-3) kein Eugenol. Die Ausbeute beträgt 0,5 bis 1,9 %.
Das rötlich-braune Öl besitzt einen würzig-süßen zimtähnlichen Geruch. Ein Volumenteil löst sich bei Raumtemperatur in 3 Volumenteilen 70%igem Ethanol.

PHYSIKALISCH-CHEMISCHE DATEN:
d_{20}^{20}: 1,052 bis 1,070; n_D^{20}: 1,6000 bis 1,6410; SZ: max. 15; Carbonylgehalt (berechnet als Zimtaldehyd): mind. 80 %.

Hauptinhaltsstoff ist mit einem Anteil von 75 bis 90 % der Zimtaldehyd. Daneben sind u. a. 2-Methoxy-zimtaldehyd (größere Mengen als im Ceylonesischen Zimtrindenöl), Dihydrozimtaldehyd, Salicyl-, Methylsalicyl- und Benzaldehyd, Benzoe- und Zimtsäure, Cumarin und Sesquiterpen-Verbindungen enthalten.
Das Öl wird in geringen Mengen zur Parfümierung von Seifen, hauptsächlich jedoch als → Aromastoff verwendet. In pharmazeutischen Präparaten kommt das Öl als Antisepticum zum Einsatz.

TOXIKOLOGIE:
Für antiseptische Cremes sollte das Öl nicht mehr verwendet werden, da bei empfindlichen Personen Haut- und Schleimhautreizungen sowie allergene und phototoxische Reaktionen auftreten können.
Der in großen Mengen enthaltene Zimtaldehyd wirkt allergen und phototoxisch. Die orale Zufuhr von Cumarin kann zu Leber- und Nierenschäden führen. (Nach der Essenzen-Verordnung der Bundesrepublik Deutschland dürfen Lebens- und Genußmittel nicht mit Cumarin oder cumarinhaltigen Produkten aromatisiert werden.)

Engl.: cassia oil; ital.: olio di cassia.

Zimtsäureethylester

SYNONYME: β-Phenylacrylsäureethylester, 3-Phenyl-propensäureethylester, Ethylcinnamat
CAS-NR.: 103-36-6, *trans*-Zimtsäurethylester: 4192-77-2, *cis*-Zimtsäureethylester: 4610-69-9
STRUKTURFORMEL:

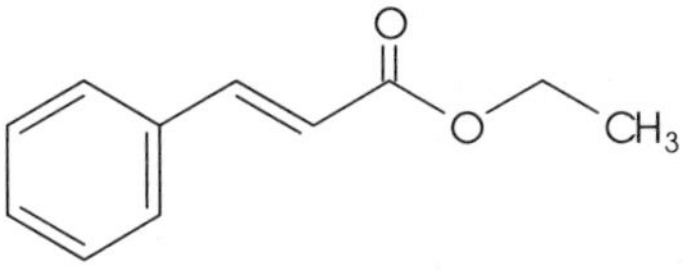

MOLEKULARGEWICHT: 176,21

Z

trans-Zimtsäureethylester, der wichtigste Ester des Zimtalkohols, kommt im Cassiaöl (vgl. → Zimtöl) und im → Styraxöl vor und ist eine farblose Flüssigkeit mit einem süß-blumig-fruchtigen, leicht balsamischen Geruch.

PHYSIKALISCH-CHEMISCHE DATEN:
Sdp.$_{1,3\ kPa}$: 139 bis 140 °C; Schmp.: 7 °C; d_4^{20}: 1,049; n_D^{20}: 1,5598.

Zimtsäureethylester ist unlöslich in Wasser, löslich in organischen Lösungsmitteln.
Die Verbindung kann man durch Umsetzung von Benzaldehyd mit Essigsäureethylester nach Claisen herstellen.

Zimtsäureethylester ist ein guter → Fixateur und wird in Blütenkompositionen (z. B. Flieder und Jasmin) sowie für orientalische Noten eingesetzt. In → Aroma-Kompositionen dient er zur Erzielung von Zimt-Frucht-Effekten.

TOXIKOLOGIE: LD_{50} (Ratte, oral): 4 g/kg KG.

Zirbelkiefernöl

Siehe → Kiefernnadelöle.

Zitronenöl

Siehe → Citronenöl.

Zitweröl (Zittweröl, Zeodariöl)

Das aus den getrockneten und zerkleinerten Wurzelstöcken des in Indien, auf Sri Lanka und den ozeanischen Inseln kultivierten Zitwers (*Curcuma zedoaria* (CHRISTM.) ROSC.) [Zingiberaceae] durch → Wasserdampf-Destillation gewonnene → ätherische Öl (CAS-Nr.: 470-82-6). Die Ausbeute liegt bei 1,0 bis 1,5 %.
Das viskose, in dünner Schicht grünliche, in auffallendem Licht grünschwarze und in durchfallendem Licht rötliche Öl besitzt einen ingwerähnlichen Duft mit einem campherartigen Nebengeruch. Ein Volumenteil löst sich in 1,5 bis 2 Volumenteilen 80%igem Ethanol.

PHYSIKALISCH-CHEMISCHE DATEN:
d_{15}^{15}: 0,982 bis 1,010; n_D^{20}: 1,5023 bis 1,5088; $[\alpha]_D^{20}$: + 8° bis + 17°.

Hauptinhaltsstoffe sind ca. 48 % Sesquiterpenalkohole, ca. 10 % Sesquiterpene, ca. 9,6 % 1,8-Cineol (Eucalyptol), ca. 3,5 % Campher, ca. 1,5 % Borneol, ca. 1,5 % α-Pinen u. a. In einem chinesischen Zitweröl wurden 10,6 % Campher, 8,3 % Germacron, 5,9 % Curcumenol, 5,8 % 1,8-Cineol (Eucalyptol), 4,5 % Isoborneol, 2,8 % α-Caryophyllen (Humulen), 2,8 % Curzerenon, 2,6 % Borneol, 1,9 % Curcumenon sowie weitere 15 Komponenten nachgewiesen.
Das Öl kommt als → Aromastoff für Liköre (wie Boonekamp, Stonsdorfer) zum Einsatz. In pharmazeutischen Zubereitungen bzw. der Volksmedizin werden Zitwer-Präparate als Stomachica und Choleretica angewendet.

TOXIKOLOGIE:
Das als Inhaltsstoff beschriebene 1,8-Cineol (Eucalyptol) kann in größeren Mengen bei empfindlichen Personen Hautreizungen bewirken, bei oraler Aunahme Gastroenteritis und Nierenreizungen, α-Pinen Hautreizungen und Ekzeme bzw. Nierenreizungen.

(Aus einer anderen *Curcuma*-Art wird das → *Curcuma*-Öl gewonnen.)

Engl.: zedoari oil; franz.: essence de zédoaire.

Nicht mit dem Zitweröl aus *Curcuma zedoaria* zu verwechseln sind aus den Blüten des in Kasachstan heimischen Wurmkrauts oder Zitwers (*Artemisia cina* O. C. BERG) gewonnene Präparate. Diese wurden in der Vergangenheit als Anthelmintica angewandt. Aufgrund der hohen Toxizität des Hauptwirkstoffes Santonin kommen sie heute nicht mehr zum Einsatz.

Zuckerbirkenrindenöl

Siehe → Birkenrindenöl.

Zwiebelöl

Siehe → *Allium*-Öle.

Zypressenöl

Siehe → Cypressenöl.

3 Literaturauswahl

Agosta, W. C.: Dialog der Düfte. Spektrum. Heidelberg 1993

Arctander, S.: Perfume and Flavor Chemicals. S. Arctander, Elizabeth (N. J.) 1969

Bauer, K., Garbe, D., Surburg, H.: Common Fragrance an Flavor Materials. Preparation, Properties and Uses. 2. Auflage. VCH, Weinheim 1990 (3. Auflage 1997)

Buchbauer, G.: Aromatherapie. Methoden ihrer Erforschung. Deutsche Apotheker Zeitung 136 (1996) Nr. 35, 2939-2944; Aromatherapie contra Aromachologie. Österreichische Apotheker Zeitung 50 (1996) Nr. 12, S. 543-547

Buchbauer, G.: Teebaumöl ist nicht gleich Teebaumöl. Melaleuca alternifolia. Österreichische Apotheker Zeitung 51 (1997) Nr. 5, S. 217-219

Carle, R.: Ätherische Öle. Anspruch und Wirklichkeit. Wissenschaftliche Verlagsgesellschaft, Stuttgart 1993

Comité Francais du Parfum: Duft. Kulturgeschichte des Parfums (Ausstellungskatalog). Dr. Cantz´sche Druckerei, Ostfildern 1996

Contakt (Firmenschrift-Reihe Haarmann & Reimer, Holzminden)

dragoco report (Firmenschrift-Reihe Dragoco, Holzminden)

Drawert, F.: Geruch- und Geschmackstoffe. Hans Carl, Nürnberg 1975

drom-Firmenschrift-Reihe (drom, Baierbrunn)

Eckstein, R., Hartwig, R., Maurivé, B, Schmidt, R., unter Mitarbeit von Lucius. G.: Die Produktion von Riechstoffen im VEB Chemisches Kombinat Miltitz. Chemisches Kombinat Miltitz, Miltitz 1975

Emberger, R.: Kompositionsaromen. In: Ziegler, E.: Die natürlichen und künstlichen Aromen. Hüthig, Heidelberg 1982, S. 174

Encke, F., Buchheim, G., Seybold, S.: Zander - Handwörterbuch der Pflanzennamen. 15. Auflage. Eugen Ulmer, Stuttgart 1994

Falbe, J., Regitz, M. (Hrsg.): Römpp Chemie Lexikon. 9. Auflage. Georg Thieme, Stuttgart, New York 1995

Fenaroli´s Handbook of Flavor Ingredients. 2. Auflage. CRC Press, Cleveland (Ohio) 1975

Fey, H., Otte, I.: Wörterbuch der Kosmetik. 4. Auflage. Wissenschaftliche Verlagsgesellschaft, Stuttgart 1996

Fricker, A.: Lebensmittel - mit allen Sinnen prüfen. Springer-Verlag, Berlin, Heidelberg, New York, Tokyo 1984

Gildemeister, Hoffmann: Die Ätherischen Öle. 4. Auflage (Hrsg. W. Treibs). Band 1-7. Akademie-Verlag, Berlin 1956-61

Guenther, E.: The Essential Oils. Van Norstrand, Toronto, New York, London 1952

Haarmann & Reimer: H&R Lexikon Duftbausteine. Glöss Verlag, Hamburg 1985

Haarmann & Reimer: Das H&R Buch Parfum. Glöss Verlag, Hamburg 1997

Hausen, B. M.: Allergiepflanzen - Pflanzenallergene. Ecomed-Verlag, Landsberg 1988 (2. Auflage 1997)

Hopp, R., Mori, K.: Recent Developments in Flavor and Fragrance Chemistry. VCH, Weinheim, New York, Basel, Cambridge 1993

Janystin, H.: Handbuch der Kosmetik und Riechstoffe. Hüthig, Heidelberg 1978

Jellinek, J. S.: Die Parfums des 19. Jahrhunderts. dragoco report 1997 (Nr. 5), S. 169-189

Kinzel, R.: Parfums. Der heiße Markt der teuren Düfte. Edition q, Berlin 1993

Kubeczka, K. H. (Hrsg.): Ätherische Öle. Analytik, Physiologie, Zusammensetzung. Georg Thieme, Stuttgart, New York 1982

Kunst- und Ausstellungshalle der Bundesrepublik Deutschland (Hrsg.): Das Riechen. Von Nasen, Düften und Gestank. Steidl-Verlag, Göttingen 1995

Leimbach, R., neu bearbeitet von Bournot, K.: Die ätherischen Öle. Eine kurze Darstellung ihrer Gewinnung und Untersuchung und eine Zusammenstellung ihrer wichtigsten Merkmale. Wilhelm Knapp, Halle/Saale 1951

Merkel, D.: Riechstoffe. Akademie-Verlag, Berlin; Pergamon Press, Oxford; Vieweg und Sohn, Braunschweig, 1972

Miltitzer Berichte

Morris, E. T.: Düfte. Eine Kulturgeschichte des Parfüms. Walther-Verlag, Solothurn, Düsseldorf 1993

Nowak, G. A.: Die kosmetischen Präparate. 4. Auflage. Band 1: Die Parfümerie. Ziolkowsky, Augsburg 1990

Ohloff, G.: Riechstoffe und Geruchssinn. Die molekulare Welt der Düfte. Springer-Verlag, Berlin, Heidelberg, New York, London, Paris, Tokyo, Hong Kong, Barcelona 1990

Ohloff, G.: Irdische Düfte, himmlische Lust. Eine Kulturgeschichte der Duftstoffe. Birkhäuser Verlag, Basel, Boston, Berlin 1992

Roth, L., Kormann, K.: Duftpflanzen - Pflanzendüfte. Vorkommen und Inhaltsstoffe ätherischer Öle und Riechstoffe. Ecomed-Verlag, Landsberg 1996

Ryman, D.: Heilen mit Aroma-Ölen. Knaur, München 1993

Schauder, G.: Duftstoffe - Auslöser von (photo-)allergischen und (photo-)toxischen Reaktionen. Deutsche Apotheker Zeitung 135 (1995) Nr. 45, 4204-4207

Schilcher, H.: Ätherische Öle - Wirkungen und Nebenwirkungen. Deutsche Apotheker Zeitung 124 (1984) Nr. 29, S. 1433-1442

Schilcher, H.: Pharmakologie und Toxikologie ätherischer Öle. Therapiewoche 36 (1986) 1100-1112

Siewek, F.: Exotische Gewürze. Herkunft, Verwendung, Inhaltsstoffe. Birkhäuser, Basel, Boston, Berlin 1990

Stahl-Biskup, E., Reher, G.: Geschmack und Geruch - die chemischen Sinne des Menschen und die Chemie der Geschmacks- und Riechstoffe. II. Der Geruch. Deutsche Apotheker Zeitung 127 (1987) Nr. 48, 2529-2542

Stahl-Biskup, E., Wilhelm, E.: Die ätherischen Öle im Spiegel der europäischen Arzneibücher. Deutsche Apotheker Zeitung 136 (1996) Nr. 36, S. 3019-3032

Stead, C.: Aromatherapie. Heilen mit ätherischen Ölen. 5. Auflage. Econ Taschenbuch, Düsseldorf 1994

Storp, F.: Aromatherapie - oder: die lange Geschichte der Düfte. Psychomed 6 (1994) 198-204

Teisseire, P. J.: Chemistry of Fragrant Substances. VCH, Weinheim, New York, Cambridge 1994

Tisserand, R. B.: Aroma-Therapie. Heilung durch Duftstoffe. Hermann Bauer, Freiburg 1980

Ullmanns Encyklopädie der technischen Chemie. 4. Auflage. Bd. 20. Verlag Chemie, Weinheim 1981. Kapitel Riech- und Aromastoffe (Bauer, K., Garbe, D.), S. 199-287 (physikalisch-chemische Daten)

Ullmann´s Encyclopedia of Industrial Chemistry. 5. Edition. Vol. A11. VCH, Weinheim 1988. Chapter Flavor and Fragrances (Bauer, K., Garbe, D. Surburg, R.), p. 141-250 (physikalisch-chemische Daten)

Umbach, W. (Hrsg.).: Kosmetik. Entwicklung, Herstellung und Anwendung kosmetischer Mittel. 2. Auflage. Georg Thieme, Stuttgart 1995

Ziegler, E.: Die natürlichen und künstlichen Aromen. Hüthig, Heidelberg 1982

Notizen

Notizen

Notizen

Notizen

Notizen

Notizen

Notizen

Notizen

W. Schröter, K.-H. Lautenschläger, H. Bibrack
Taschenbuch der Chemie
858 Seiten, 115 Abb., 52 Tab. und 8 Tafeln, Plastikeinband,
ISBN 3-8171-1472-9
Das Taschenbuch gliedert sich in die Hauptteile Allgemeine Chemie, Anorganische Chemie und Organische Chemie. Diese werden ergänzt durch Abschnitte über Sondergebiete, makromolekulare Werkstoffe und die Nomenklatur chemischer Verbindungen. Begriffe werden definiert, Gesetzmäßigkeiten und Beziehungen hergeleitet, ihre Anwendung wird - vielfach an Hand von Beispielen - erläutert.

W. Schröter, K.-H. Lautenschläger, H. Bibrack
Taschenbuch der Chemie mit Multiplattform-CD-ROM
ISBN 3-8171-1555-5
Die dem Buch beiliegende CD-ROM aus der DeskTop-Reihe enthält den kompletten Inhalt des Taschenbuches der Chemie als vernetzte HTML-Struktur mit farbigen Abbildungen und multimedialen Zusatzkomponenten.
Als Multimedia-Chemie-Enzyklopädie ist diese CD-ROM plattformübergreifend nutzbar, das Medium ist damit eine zeitgemäße Lern- und Arbeitshilfe an PC, Workstation oder Mac.

A. Willmes
Taschenbuch Chemische Substanzen
824 Seiten, Plastikeinband,
ISBN 3-8171-1213-0
Die erklärenden Texte zu den Verbindungen sind nach der Systematik Erscheinungsform, Vorkommen, Synthesen, Eigenschaften, Anwendung, Analytik, Toxikologie aufgebaut. Praktische Hinweise für die Anwendung in Technik und Labor, theoretische und zahlreiche fachübergreifende Zusammenhänge werden gezeigt. Ausführliche Reaktionsgleichungen und Zeichnungen erläutern die Sachverhalte. Ein ausführliches Stichwortregister ermöglicht den schnellen Zugriff auf Informationen.

- Irrtümer vorbehalten -